Majkl Volzer

PRAVEDNI I NEPRAVEDNI RATOVI

Moralni argument sa istorijskim primerima

Biblioteka
Društvo i nauka

Edicija
Načela politike

Knjiga 25

Urednik
Prof. dr Ilija Vujačić

Glavni i odgovorni urednik
Slobodan Gavrilović

Majkl Volzer

PRAVEDNI I NEPRAVEDNI RATOVI

Moralni argument sa istorijskim primerima

Preveo s engleskog
Rastko Jovanović

Izvornik
Michael Walzer
Just and Unjust Wars
A Moral Argument
with Historical Illustrations

First published (1977) in the United States by Basic Books,
A Member of the Perseus Books Group
Serbian edition published by arrangement
with Agentia Literara Livia Stoia

Prvi put objavljeno u Sjedinjenim Američkim Državama
u izdanju Basic Books, člana Perseus Books Group
Izdanje na srpskom jeziku objavljeno po dogovoru
sa Agentia Literara Livia Stoia

www.slglasnik.com

Aux martyrs de l'Holocauste
Aux révolés des Ghettos
Aux partisans de forêts
Aux insurgés des camps
Aux combattansts de la résistance
Aux soldats des forces alliées
Aux sauveteurs de frères en peril
Aux vaillants de l'immigration clandestine
A l'eternité*

Natpis na Memorijalnom centru Jad vašem
Jerusalim

* Mučenicima holokausta/ Ustanicima iz geta/ Partizanima iz šuma/ Pobunjenicima u logorima/ Borcima pokreta otpora/ Vojnicima savezničkih snaga / Spasiocima braće u nevolji/ Junacima potajnih imigracija/ Za večnost

SADRŽAJ

Deo tri

RATNA KONVENCIJA

Četvrti deo
DILEME RATA

Peti deo
PITANJE ODGOVORNOSTI

Predgovor četvrtom izdanju

PROMENA REŽIMA I PRAVEDNI RAT

I

Dve hiljade pete navršilo se šezdeset godina od završetka Drugog svetskog rata i isto toliko od kada je u Nemačkoj promenjen režim i počela demokratizacija. Saveznici su svoju privrženost demokratizaciji potvrdili jula 1945. godine, na konferenciji u Potsdamu, na kojoj su Britanci pružili divan primer šta znači demokratija. U Ujedinjenom Kraljevstvu održani su izbori dok je konferencija bila u toku; Vinston Čerčil [Winston Churchill], veliki ratni vođa svoje zemlje, bio je poražen – i na konferenciji ga je odmah zamenio Klement Atli [Clement Atlee], vođa Laburističke partije (Staljin mora da je bio zaprepašćen). To je bio klasičan trenutak demokratije. Sposobnost opozicije da izazove i možda pobedi moćnog lidera sigurno je ključni test demokratskog državnog uređenja.

Politička rekonstrukcija u Nemačkoj bila je pokušaj, bar u zapadnim okupacionim zonama, da se nemački narod nauči da postupa na ovakav način. Važno je primetiti da je bila planirana obnova demokratije, a ne njeno stvaranje *ex nihilo* – Vajmarska republika nestala je tek 12 godina ranije, a stare političke partije poput demohrišćana i socijaldemokrata brzo su obnovljene. Iz tog razloga (a i iz drugih) nemački slučaj nije dobar presedan, kao što se ponekad tvrdi, za ono što Sjedinjene Države u novije vreme pokušavaju da urade u Iraku. Ipak, bila je to prisilna obnova, posledica vojne pobede i vojne okupacije. Stoga se postavlja pitanje da li i kada prisilna demokratizacija može da bude opravdana. Ili, rečeno jezikom današnjih sporova: Da li je „promena režima“ pravedan povod za rat? Tim pitanjem se prvo izdanje *Pravednih i nepravednih ratova* bavilo samo posredno; čini se da je ispravno da se njime pozabavimo sada.

U slučaju nacizma, promena režima je bila posledica, a ne uzrok rata koji su vodili Saveznici. Preobražaj nemačke države nije bio cilj rata koji su 1939. godine objavile Poljska, Francuska i Britanija. To su bili paradigmatični slučajevi pravednog rata; njihov uzrok je bio otpor oružanoj agresiji. A u skladu s paradigmom pravednog rata, otpor agresiji prestaje s vojnim porazom agresora. Posle toga, pretpostavlja se, sledi mir postignut pregovorima, a u toku pregovora, žrtve agresije i njihovi Saveznici mogu legitimno da zahtevaju materijalne reparacije i političke garancije protiv bilo kog budućeg napada, ali promena režima nije deo ove paradigme. Teza teorije pravednog rata u njenoj klasičnoj formulaciji jeste to da se agresija smatra zločinačkom politikom vlade, a ne politikom zločinačke vlade – a svakako ne zločinačkog sistema vlasti. Posle rata se pojedine vođe mogu izvesti pred sud; sistem vlasti nije predmet spora. Ali ako agresiju shvatimo kao čin koji sledi iz same prirode sistema – a tako smo počeli da shvatamo nacističku agresiju – tada će promena režima izgledati kao nužna odlika posleratnog rešenja.

Naravno, nisu samo agresivni ratovi koje je vodio nacistički režim opravdavali zahteve najpre za bezuslovnom predajom, a potom i za političkom rekonstrukcijom, već i nacistička politika genocida. Mir postignut pregovorima sa Hitlerom ili njegovim saradnicima nije bio moralno zamislivi ishod Drugog svetskog rata, kao što je mogao biti ishod postignut s nemačkim kajzerom u Prvom svetskom ratu da njegov režim nije bio iznutra zbačen. Nacisti su morali da odu, bez obzira na to da li su njihovi protivnici u Nemačkoj bili u stanju da ih oteraju. Ovde važi opšti argument, koji se najjasnije primenjuje na slučajeve „humanitarnih intervencija". Ako neka vlada vrši masovne pokolje vlastitog naroda, ili neke podgrupe svojih građana, tada će svaka strana država ili koalicija država koja pošalje svoju vojsku preko granice da bi zaustavila ubijanja takođe morati i da zbaci ovu vladu, ili bar da započne proces njene smene. Tada nije samo agresivnost već i ubilački karakter ono što čini neki politički režim legitimnim kandidatom za prisilnu promenu. Pa ipak je primarni cilj intervencije zaustavljanje ubijanja; promena režima sledi iz tog cilja. Autoritarni režim koji je u stanju da vrši masovne pokolje, ali to ipak ne čini, ne treba da bude izložen vojnom napadu i podvrgnut političkoj rekonstrukciji.

Zamislimo da je došlo, kao što je sigurno trebalo da dođe, do neke afričke ili evropske intervencije ili intervencije Ujedinjenih nacija u Ruandi 1994. godine. Početni cilj vojne intervencije bio bi da se zaustavi pokolj muškaraca i žena Tutsija (i njihovih Hutu simpatizera), ali da bi se to postiglo i da bi se zaštitili preživeli, bilo bi neophodno zbaciti režim Hutua. A bilo ko da je odgovoran za to zbacivanje takođe bi, hteo ne hteo, morao da preuzme neku meru odgovornosti za formiranje alternativne vlade. Bilo bi mudro da se ta odgovornost podeli sa lokalnim političkim snagama, kao i s međunarodnim telima, ali ne bi bilo načina, ne bi bilo pravednog načina da se ona u potpunosti izbegne.

A kad se jednom intervencionističke snage upuste u rad na političkoj rekonstrukciji, postoje dobri razlozi zašto bi njihov cilj takođe trebalo da bude demokratija ili barem otvaranje puta za nju. Ovi razlozi imaju veze sa legitimnošću demokratski zasnovanih režima, uspostavljenih putem doslovnog (i neprekidnog) samoodređenja, kao i s relativnom blagošću ovakvih režima. Istinske demokratije nisu preduzimale masovna ubijanja svojih građana (mada su njihovi rezultati u inostranstvu bili manje zadovoljavajući). Ali šta ako u zauzetim zemljama postoje druge tradicije legitimnosti – koje uključuju, na primer, dominantnu ulogu verskih vođa? Šta ako postoji snažno tradicionalističko protivljenje pravnoj jednakosti koju demokratije zahtevaju – najpresudnije (i najčešće) protivljenje jednakosti žena? Mogu da zamislim slučajeve u kojima bi demokratizacija morala da bude postupni proces, ili u kojima bi demokratski principi morali na ovaj ili onaj način da budu iznevereni. Čak i kada je humanitarna kriza s pravom izazvala intervenciju, još uvek se možemo nadati da ćemo minimalizovati prisilno nametanje stranih ideja i ideologija. Intervencionističke snage imaju ovlašćenje za politički, ali ne i kulturni preobražaj. U svakom slučaju, nije lako zamisliti kako bi one mogle da se upuste u menjanje običaja i verovanja ljudi kojima (privremeno) upravljaju. Pregovori i kompromisi su skoro sigurno bolji od prisile koja bi bila neophodna za jedan ovakav projekat.

I pored svega toga, pravedni ratovi i humanitarne intervencije često će biti prilika za prisilnu i opravdanu demokratizaciju – a to će ponekad zahtevati napad na tradicionalne hijerarhije i običaje: očigledan primer je isključenje žena iz političke sfere. Stoga pogledajmo drugi slučaj promene režima posle Drugog svetskog rata: američku okupaciju Japana. Ustav koji su nametnule okupacione vlasti predviđao je da će svi zakoni koji se tiču odnosa među polovima „biti donošeni s tačke gledišta dostojanstva pojedinca i suštinske jednakosti polova". Šezdeset godina kasnije, postoji pritisak desnice da se ovaj član ukine – u odbranu, tvrdi se, tradicionalnih japanskih vrednosti. Ali moglo bi se reći da sama mogućnost njegovog ukidanja predstavlja opravdanje ustavnog uređenja koje su nametnuli Amerikanci. Japanci danas moraju da se spore o odnosima između polova u svom društvu, i preovladaće onaj obrazac koji je većina spremna da podrži. Čak se i nametnuta demokratija može braniti u ovom smislu: ona je mnogo prilagodljivija od bilo kog drugog režima.

II

Tako imamo ono što bismo mogli da nazovemo okolnostima, nalik slučaju Drugog svetskog rata, pod kojima je promena režima opravdana, a imamo i (neostvarenu) priliku u slučaju Ruande. Da li postoji, da li je postojala takva situacija u slučaju Iraka?

Primetimo da su se tokom prvog Zalivskog rata, 1991. godine, Sjedinjene Države i njihovi Saveznici borili strogo u skladu s paradigmom pravednog rata: oni su prestali s borbama kad je jednom iračka invazija na Kuvajt bila odlučno poražena. Nisu marširali na Bagdad; nisu imali za cilj da svrgnu i zamene baasistički režim; niti su učinili bilo šta da bi omogućili iračkom narodu da Sadama Huseina zbaci sa vlasti. Naprotiv, pošto su pozvali na pobunu protiv Sadamove vlasti, nisu ništa učinili kako bi pomogli ustanicima, niti, što je još gore, da bi ih izbavili. Mada su zvaničnici SAD Sadama poredili sa Hitlerom, Saveznici nisu postupali u skladu s ovim poređenjem; to je bila samo propaganda i ništa više. Težili su da ograniče buduće postupanje baasističkog režima, a ta ograničenja su počivala na prilično mračnom pogledu na ovaj režim. Pa ipak, ono o čemu bismo mogli da mislimo kao o ustavnoj prirodi iračke države – da li je autokratska ili demokratska, sekularna ili verska; da li priznaje ili krši ljudska prava, da li njene birokrate postupaju arbitrarno ili u skladu sa zakonskim ograničenjima – sve se to prosuđivalo kao irelevantno za odluke o ratu i miru koje je donosila koalicija predvođena Amerikom.

Do 2003. godine, stav Sjedinjenih Država i njihovih saveznika, kojih je sada bilo manje, dramatično se promenio. Sigurno je da je druga Bušova [Bush] administracija iznosila raznovrsne razloge za odluku da stupi u rat: novi dan, novi razlog. Ali svi razlozi su navodili na pomisao da je ovoga puta potrebno marširati na Bagdad i smeniti baasistički režim. Najznačajniji razlog je bila opasnost da Irak poseduje, ili da će u bliskoj budućnosti biti u stanju da proizvodi oružje za masovno uništenje. Ali činjenica da (recimo) Francuska poseduje oružje za masovno uništenje nije se nikada zamišljala kao prilika za rat. Irak je činila opasnim priroda njegovog režima: vlada Sjedinjenih Država je tvrdila da je Sadamov režim inherentno agresivan i inherentno ubilački. Kao što je u prošlosti izvršio agresiju, tako je u prošlosti masakrirao svoje građane, i američki lideri su insistirali na tome da je u ovom slučaju prošlost samo početak. Ono što se dešavalo ranije, desiće se ponovo ukoliko režim ne bude promenjen.

Stoga Irak nije nalikovao slučaju Nemačke ili Japana ili (hipotetičkom) slučaju Ruande: rat nije bio odgovor na agresiju, niti je bio humanitarna intervencija. Njegov povod nije bio (kao 1991. godine) stvarni irački napad na neku susednu državu, pa čak ni neposredna pretnja napadom; niti je uzrok bio stvarni masakr. Povod je bila neposredna promena režima – što znači da je vlada Sjedinjenih Država zastupala jedno značajno proširenje doktrine o *jus ad bellum*. Postojanje jednog agresivnog i ubilačkog režima, tvrdilo se, jeste legitimna prilika za rat, čak i ako se režim nije stvarno upustio u agresiju ili masovna ubistva. Rečeno poznatijim terminima, to je bio argument u prilog preventivnom ratu, ali razlog za preventivan napad nije bilo uobičajeno shvatanje da je došlo do opasne promene u ravnoteži snaga, usled koje ćemo „mi" ubrzo ostati bespomoćni pred „njima". To je bilo radikalno novo shvatanje „zlog" režima.

Niko ko je svedok politike vođene u dvadesetom veku, ili ko je bar razmišljao o njoj, neće moći da sumnja u to da postoje „zli" režimi. Niti može biti ikakve sumnje u to da je potrebno da na osnovu uvida u istinsku prirodu takvih režima nađemo politički/vojni odgovor na njih. Čak i tada, ne verujem da promena režima sama po sebi može da bude pravedan uzrok rata. Kada delujemo u svetu, a posebno kada delujemo vojno, moramo da odgovorimo na „zlo koje ljudi čine", što je najbolje čitati kao „zlo koje ljudi čine sada", a ne na zlo koje su u stanju da učine, ili koje su počinili u prošlosti. Agresija i pokolj su legitimni uzroci rata, i moramo da naučimo, što još nismo naučili, da na njih odgovorimo na blagovremeni i snažan način. Ali postojanje režima koji su u stanju da vrše agresiju i čine pokolje zahteva različit odgovor.

Oštar sistem „obuzdavanja" nametnut Iraku posle prvog Zalivskog rata bio je pokušaj da se nađe takav različit odgovor. Obuzdavanje je imalo tri elementa: prvi je bio embargo, koji je trebalo da spreči uvoz oružja (ali je ugrozio i snabdevanje hranom i lekovima, mada je bilo moguće usvojiti „pametniji" skup sankcija). Drugi element je bio sistem inspekcije, koji su organizovale Ujedinjene nacije kako bi se sprečilo razvijanje oružja za masovno uništenje u samom Iraku. Treći element je bilo uspostavljanje zone „zabranjenih letova" u severnim i južnim delovima Iraka, tako da iračko vazduhoplovstvo ne bi moglo da se koristi protiv iračkog naroda. Sistem obuzdavanja je bio, kako je danas poznato, veoma efikasan. Bio je efikasan bar u jednom smislu: sprečio je razvoj oružja za masovno uništavanje kao i masovne pokolje, te je stoga učinio rat iz 2003. godine nepotrebnim. Ali u jednom drugom smislu je bio neuspešan: nije sprečio taj rat.

Prevashodni razlog ovog neuspeha bila je, očigledno, politika Bušove administracije vođena ideologijom, koja je od samog početka više volela da promeni režim, a ne da ga obuzda. Ali postoji još jedan razlog, manje očigledan, koji treba istaći: države koje su se protivile ratu na osnovu toga što je obuzdavanje uspešno same nisu ništa činile da bi ono uspelo. One nisu učestvovale u sistemu obuzdavanja, nisu ga čak ni podržavale. Obuzdavanje Sadamovog Iraka počelo je kao multilateralni poduhvat, ali je na kraju sav teret pao na Amerikance. Da je više država, ili barem nekoliko njih, bilo spremno da primenjuje embargo, insistira na inspekciji i šalje avione nad severni i južni Irak, jednostrano ukidanje sistema obuzdavanja koje je izvršila vlada SAD ne bi bilo moguće (ili bar ne bi bilo toliko lako). Da je obuzdavanje bilo međunarodni projekat, možda bi i američka moć bila obuzdana unutar njega.

Ovde imamo jednostavnu lekciju o tome šta znači kolektivna bezbednost. Ako osim rata postoje i druge mere delotvorne protiv „zlih" ili opasnih režima, njih bi moralo zajednički da primenjuje više država. One zahtevaju multilateralnu obavezu. Kolektivna bezbednost mora da bude kolektivni projekat. On neće biti uspešan ako se troškovi bezbednosti prebace na jednu državu, dok se sve druge bave poslovima kao i obično. Ne može se računati na to da će država koja snosi troškove to činiti u nedogled. Političare avanturiste može dovesti u iskušenje ideja o brzoj i radikalnoj alternativi obuzdavanju. A promena režima je jedna očigledna alternativa.

Elemente sistema obuzdavanja opisao sam kao „sve druge mere osim rata". U stvari, sve uključuju upotrebu sile (ili, u slučaju inspekcije, pretnju da će se upotrebiti sila), što je bio razlog zašto su države koje su želele da nastave da kao i ranije posluju sa Irakom odbile da učestvuju. Prema međunarodnom pravu, embargo (zaustavljanje brodova na otvorenom moru) i prisilno uvođenje zona zabranjenog leta (bombardovanje radarskih i protivavionskih instalacija na zemlji) jesu činovi rata. Ali zdrav razum uviđa da se oni veoma razlikuju od pravih ratnih dejstava: uporedite Irak pre i posle marta 2003. godine. A sigurno je obuzdavanje mnogo lakše opravdati od napada svom silom. Argumenti protiv preventivnog rata razmatrani u ovoj knjizi ne važe, čini mi se, za preventivnu upotrebu nasilnih mera osim rata – pošto „osim rata" znači bez nepredvidivih i često katastrofalnih posledica pravog rata. Prisilno obuzdavanje se može opravdati razumnim uviđanjem opasnosti koju predstavlja režim poput režima Sadama Huseina.

Ali obuzdavanje ne ruši režim, ili bar u slučaju Iraka nije srušilo režim. Zašto je tada bolje od, recimo, kratkotrajnog rata koji dovodi do promene režima? To je teško pitanje, čak i pošto se pokazalo da rat nije bio kratkotrajan. Ali verujem da bi strpljenje bilo bolja politika 2003. godine. Pošto je obuzdavanje učinilo Sadamov režim bezopasnim, ono ga je zapravo oslabilo – jer režimi ove vrste ne mogu da podnesu da budu bezopasni. Ali ostvarenje krajnjeg cilja je bilo još daleko; kratkoročno, režim je preživeo obuzdavanje. Stoga je najprihvatljiviji argument za ulazak u rat mogao biti taj da je sistem obuzdavanja skup i da sa sobom nosi rizike, da ne može biti održavan u nedogled i da bi odluka da se povede rat prema čisto utilitarističkim proračunima odnela prevagu nad drugima. Međutim, ovaj argument nije uspešan, jer bi proračuni išli u ovom smeru samo kada bismo imali optimističku procenu verovatnih ratnih troškova, a čini mi se da nam ova vrsta optimizma nije dopuštena. Mislim pri tom na moralnu dopustivost, imajući u vidu prirodu rizika kojima izlažemo druge narode.

Tako nas slučaj Iraka poziva na razmišljanje o drugim merama osim rata; režim obuzdavanja iz 1991–2003, koji su odobrile Ujedinjene nacije a sprovele Sjedinjene Države, samo je jedan mogući primer njihove upotrebe. Uprkos argumentima Francuske u Ujedinjenim nacijama 2002. i 2003. godine, da sila mora da bude poslednja mera kojoj treba pribeći, druge vrste primene sile osim rata očigledno dolaze pre samog rata. Potrebno je da argument o *jus ad bellum* bude proširen, prema tome, na *jus ad vim*. Hitno nam je potrebna teorija o pravednoj i nepravednoj upotrebi sile. To ne bi trebalo da bude preterano tolerantna ili permisivna teorija, ali će sigurno biti permisivnija od teorije o pravednom i nepravednom ratu. Pitanje koje nam se neposredno postavlja jeste to da li su dozvoljeni promena režima i demokratizacija. Već sam ukazao na to da je ovo pitanje čvrsto povezano s pitanjem o prevenciji. Preventivni rat se ne može opravdati ni u standardnoj teoriji pravednog rata, ni u međunarodnom pravu, ali se može opravdati ono o čemu bismo mogli da mislimo kao o „preventivnoj sili", kad imamo posla s brutalnim režimom koji je postupao agresivno ili ubilački u prošlosti i koji nam daje razloga da mislimo kako bi to opet mogao da učini. U takvim slučajevima težimo obuzdavanju, ali se nadamo promeni režima. I možemo legitimno da oblikujemo politiku obuzdavanja kako bismo ostvarili ovaj dalji cilj kad god je to moguće – što znači da možemo koristiti silu, na ograničen način, radi stvaranja novog (a ako već novog, tada i demokratskog) režima.

Vratiću se na nužne granice ovakve upotrebe sile; pre toga, međutim, želim da upotrebu sile razmotrim s obzirom na klasičan princip neintervencije, prema kojem režim neke zemlje treba da izražava istoriju, kulturu i politiku baš te zemlje, a ne neke druge. Za slobodan režim, kao što je dokazivao Džon Stjuart Mil [John Stuart Mill], neophodno je da muškarci i žene koji cene slobodu rizikuju svoje živote radi njene odbrane. Ali promena režima drugim sredstvima osim ratom ostavlja dovoljno prostora za lokalne vrednosti i lokalna preuzimanja rizika. Ona je toliko posredna da ne postavlja pitanja koja sam već postavio u slučaju Japana 1945. godine. Razmotrimo ponovo zonu zabranjenog leta u severnom Iraku. To je sigurno bila jedna vrsta humanitarne intervencije, time što joj je cilj bio da se spreči masakr Kurda, a bilo je dobrih razloga da se ovakav masakr očekuje posle masakra šiita na jugu Iraka. Ovi dobri razlozi, čini mi se, bili su dovoljni da opravdaju preventivnu intervenciju. Zona zabranjenog leta dovela je do neke vrste promene režima, jer je dopustila stvaranje autonomnog Kurdistana. Da li i to može da bude opravdano? Kurdska autonomija nije bila režim nametnut spolja; mada je sistem obuzdavanja omogućio autonomiju, novi režim su prvo tražili, a potom stvorili i održavali sami Kurdi. Može se desiti da strategija obuzdavanja predviđa lokalne zahteve za samoopredeljenjem, ali ne i da bude odgovor na njih. To pak nije nepravedno očekivanje, jer države koje sprovode obuzdavanje same ne obaraju stari režim, a ukoliko ga je zamenio novi, ne uspostavljaju ga one. Njihovo postupanje je na samoj granici principa neintervencije, ali ga ne krši. Ako su sprečavanje agresije i masovnih ubistava opravdani, tada je opravdana i ova verzija posredne promene režima.

Međutim, okolnosti u kojima se mogu koristiti druge prisilne mere osim rata podležu ograničenjima, a takođe i načini njihove primene; ova ograničenja odgovaraju pojmovima *jus in bello* i *jus ad bellum*. Već sam razmatrao dve kritične prilike, koje se odnose na pretnju agresije i masakra. Ali koja država ili grupa država je moralno obavezna da prepozna ovu pretnju i da postavi sistem obuzdavanja? Kolektivna bezbednost počiva na kolektivnom prepoznavanju. Ipak, danas je sposobnost međunarodnih tela i regionalnih asocijacija da odgovore na pretnje agresijom i pokoljem verovatno manje razvijena od njihove sposobnosti da odgovore na stvarne agresije i pokolje. Stoga moramo da priznamo moguću legitimnost unilateralne akcije u oba slučaja. Ali, unilateralizam slabije deluje u prvom slučaju nego u drugom. Primena drugih prisilnih mera osim rata – naročito kad obuhvata trgovinske sankcije ili zabrane isporuka oružja – zahteva saradnju više država da bi bila delotvorna. Ovo sam već rekao, ali vredi ponoviti: izbegavanje rata i masakra zahteva predani kolektiv, spreman da upotrebi silu. Žalosna je istina da danas Evropa ne pokazuje takvu predanost; pa ni Evropa i Sjedinjene Države skupa. A same Sjedinjene Države su u proteklih nekoliko godina izgledale spremnije da uđu u rat nego da koriste silu na uzdržan i politički način.

Kad se koriste druge prisilne mere osim rata, one moraju biti ograničene na isti način na koji je i vođenje rata ograničeno, tako da se civili zaštite. To je posebno važno u slučaju ekonomskih blokada, pri kojima je civilno stanovništvo neizbežno u opasnosti, čak i kada je meta blokade vlada, a ne stanovništvo. Za politiku koju je Kolin Pauel [Colin Powell] nazvao „pametnim sankcijama“ (trebalo je da budu u moralnom isto kao i političkom pogledu pametne) pretpostavlja se da umanjuje rizik; treba je primeniti u prvoj legitimnoj prilici. Nema nikakvog opravdanja za blokadu koja efikasno lišava civile hrane i lekova. Ali šta da činimo ako varvarska vlada namerno povećava oskudicu vlastitih građana kako bi diskreditovala blokadu, kao što je činio Sadam devedesetih godina prošlog veka? Ujedinjene nacije su odgovorile programom „nafta za hranu“, i pretpostavljam da se iz ovog poduhvata nešto može naučiti, makar i samo to kako da ga sprovedemo bolje. Jasno je da je neki ovakav odgovor neophodan, čak i ako su glad i bolesti pripisani blokadi zapravo delo vlade koja je na udaru – što je dalji dokaz da je opravdano stavljena na udar.

Prisilne mere osim rata ne dopuštaju neposrednu i prisilnu demokratizaciju. Ovde nije relevantan primer Nemačke i Japana. Niti je to Irak onakav kakav je u ovom trenutku, kada se prisilna demokratizacija ne odvija baš uspešno. Definisao sam alternativan način postupanja, koji je 2003. godine bio odbačen, što je bila greška, ali koji će se sigurno opet pojaviti. Obuzdavanje otvara drugačiji put prema demokratiji, na kojem stvarni rad na demokratizaciji moraju da obave lokalni političari, koristeći pogodnosti međunarodne osude, ostrakizma i obuzdavanja brutalnog režima. Ali ovo ukazuje na jedan dalji korak u argumentu o promeni režima. Rat može da neposredno dovede do političke rekonstrukcije; upotreba drugih prisilnih mera osim rata to može da učini samo posredno. Ali postoji još jedan vid neposredne akcije, koji obuhvata ono što bismo mogli nazvati „primenom drugih političkih mera osim sile", neprisilnom politikom, delovanjem nevladinih organizacija, poput Hjuman rajts voč [Human Rights Watch] i Amnesti internešenel [Amnesty International], koje takođe teže, na sebi svojstven način, promenama režima.

Najznačajnije delovanje ovakvih grupa je širenje građanskog društva koje zahteva demokratija – svet udruženih interesnih grupa, radničkih sindikata, profesionalnih udruženja, društvenih pokreta i političkih stranaka. Suprotstavljajući se opresiji i cenzuri, ove grupe otvaraju prostor za organizacije koje su nezavisne od države, a njihovi ljudi na terenu uče lokalno stanovništvo organizacionim veštinama koje omogućavaju političko delanje. Organizacije, kao i ovi muškarci i žene, barem su potencijalno ti koji će doprineti demokratskom političkom procesu. Međutim, u slučaju zaista brutalnih i opasnih vlada, njihov stvarni doprinos možda će morati da sačeka političku intervenciju koja će koristiti prisilnije mere. Sprovođenje neprisilnih političkih mera može zavisiti od korišćenja drugih prisilnih mera osim rata. Zapravo, moramo da pomažemo i podržavamo ovu interakciju – jer ovo dvoje može pomoći da se rat izbegne.

Politika Saveznika krajem Drugog svetskog rata podseća nas na to da promena režima može biti opravdana kao posledica pravednog rata. Dokazivao sam da posredniji pristup promeni režima takođe može biti opravdan pre (i umesto) pravednog rata – zaista, uspeh ovog pristupa će rat učiniti nepotrebnim, te stoga i nepravednim. A ako se obavežemo na ovu posrednost, ako se obavežemo na prisilno obuzdavanje brutalnih režima, na kolektivnu bezbednost, možemo otkriti da do pravde možemo stići i bez užasne destruktivnosti rata.

Majkl Volzer

Predgovor prvom izdanju

Nisam počeo razmišljajući o ratu uopšte već razmišljajući o pojedinim ratovima, pre svega o američkoj intervenciji u Vijetnamu. Niti sam počeo kao filozof već kao politički aktivista i pristalica određene strane. Izvesno je da politička i moralna filozofija treba da nam pomognu u teškim vremenima, kada biramo strane i prihvatamo obaveze. Ali one to čine samo posredno. U trenucima krize obično nismo filozofi, najčešće za to nema dovoljno vremena. Posebno rat nameće krajnju nuždu, koja je verovatno nekompatibilna sa filozofijom kao ozbiljnim poduhvatom. Filozof je nalik Vordsvortovom [Wordsworth] pesniku, koji u miru razmišlja o prošlom iskustvu (ili o iskustvima drugih ljudi), misleći o političkim i moralnim izborima koji su već izvršeni. A ipak se ovi izbori vrše na filozofski način, jer zavise od ranije refleksije. Na primer, bilo je od velikog značaja za sve nas u američkom protivratnom pokretu s kraja šezdesetih i početka sedamdesetih godina prošlog veka to što smo mogli da se oslonimo na postojeće moralno učenje, na povezan skup imena i pojmova koje smo svi poznavali i koje su svi drugi poznavali. Naš gnev i indignacija uobličeni su rečima koje su nam bile na raspolaganju da bismo ih izrazili, koje su nam spontano dolazile mada nikada ranije nismo istraživali njihovo značenje i uzajamnu povezanost. Kada smo govorili o agresiji i neutralnosti, o pravima ratnih zarobljenika i civila, o zverstvima i ratnim zločinima, oslanjali smo se na rad mnogih pokoljenja muškaraca i žena, od kojih za većinu nikada nismo ni čuli. Bilo bi bolje da nismo imali potrebu za ovakvim vokabularom, ali imajući u vidu da nam je bio potreban, moramo biti zahvalni što smo ga imali. Bez tog vokabulara ne bismo mogli da razmišljamo o ratu u Vijetnamu onako kako smo razmišljali, niti bismo mogli da svoje misli saopštavamo drugim ljudima.

Nema sumnje da smo dostupne reči koristili slobodno i često nebrižljivo. Ponekad je do toga dolazilo usled uzbudljivosti trenutka i pritisaka stranačke opredeljenosti, ali je sve to imalo i ozbiljniji uzrok. Patili smo od obrazovanja koje nas je učilo da te reči nemaju pravu deskriptivnu upotrebu, niti imaju objektivno značenje. Moralni diskurs bio je isključen iz sveta nauke, pa čak i iz sveta društvenih nauka. On izražava osećanja a ne opažanja, a nema nikakvog razloga da izrazi osećanja budu precizni. Ili, tačnije, preciznost koju on postiže u potpunosti je subjektivna: ona je domen pesnika i književnih kritičara. Nema potrebe da ponavljam ovo gledište (kasnije ću ga podrobno kritikovati), mada je danas manje prošireno nego nekada. Ključno je to da smo ga mi osporavali, svesno ili nesvesno, svaki put kad smo kritikovali postupanje Amerike u Vijetnamu. Jer naše kritike su imale oblik izveštaja o stvarnom svetu, a ne samo o našim raspoloženjima. One su zahtevale dokaze; one su nas usmeravale, ma koliko bili izvežbani u slobodnoj upotrebi moralnog jezika, u pravcu analize i istraživanja. Čak su i najveći skeptici među nama shvatili da bi one *mogle* biti istinite (ili lažne).

U tim godinama gnevnih rasprava, obećao sam sebi da ću jednog dana pokušati da na smiren i refleksivan način izložim moralne argumente o ratu. Još uvek želim da branim većinu pojedinih argumenata koji su ležali u osnovi našeg suprotstavljanja američkom ratu u Vijetnamu, ali takođe, što je važnije, želim da branim posao dokazivanja, kao što smo činili i kao što većina ljudi čini, koji se koristi moralnim terminima. Otuda ova knjiga, koja se može shvatiti kao odbrana naše povremene nebrižljivosti i kao opravdanje našeg osnovnog poduhvata.

Jezik kojim raspravljamo o ratu i pravdi blizak je jeziku međunarodnog prava. Ali, ovo nije knjiga o pozitivnom ratnom pravu. Ima mnogo takvih knjiga, i ja se često pozivam na njih. Međutim, pravne rasprave ne pružaju potpuno uverljiv ili koherentan opis naših moralnih argumenata, a dvama najčešćim pristupima pravu prisutnim u tim raspravama potrebna je vanpravna dopuna. Pre svega, legalni pozitivizam, u okviru kojeg su napisana najznačajnija pravnička dela krajem devetnaestog i početkom dvadesetog veka, u doba Ujedinjenih nacija postajao je sve manje zanimljiv. Pretpostavlja se da bi Povelja Ujedinjenih nacija trebalo da bude ustav jednog novog sveta, ali, usled razloga o kojima se često raspravlja, stvari su pošle drugim putem.[1] Opširno se baviti tačnim značenjem Povelje danas predstavlja utopijsko poigravanje rečima. A pošto se Ujedinjene nacije ponekad pretvaraju da već jesu ono što skoro nisu ni počele da budu, odluke UN retko kad izazivaju intelektualno ili moralno poštovanje – osim među pravnicima pozitivistima, čiji je posao da ih tumače. Pravnici su izgradili svet od papira, koji na ključnim mestima ne uspeva da bude u skladu sa svetom u kojem svi mi ostali još uvek živimo.

Drugi pristup pravu je orijentisan na političke ciljeve. Njegovi zastupnici reaguju na siromaštvo savremenog međunarodnog režima, pripisujući tom režimu ciljeve – postizanje neke vrste „svetskog poretka" – i reinterpretirajući potom pravo da bi odgovaralo tim ciljevima.[2] U stvari, oni pravnu analizu zamenjuju utilitarističkim argumentima. Sigurno je da ova zamena nije nezanimljiva, ali ona zahteva filozofsku odbranu. Jer običaji i konvencije, ugovori i povelje koji predstavljaju zakone međunarodnog društva ne traže interpretaciju putem jednog jedinog cilja ili skupa ciljeva. Niti se sudovi koje ono zahteva mogu uvek eksplicirati s utilitarističkog stanovišta. Pravnici orijentisani na političke ciljeve su zapravo filozofi morala i politike, i bilo bi najbolje da se tako i predstavljaju. Ili, alternativno, oni su mogući zakonodavci, a ne pravnici ili proučavaoci prava. Oni su posvećeni, ili je većina njih posvećena, promeni strukture međunarodnog društva – što je vredan zadatak – a ne izlaganju njegove sadašnje strukture.

Moj zadatak je drugačiji. Želim da opišem načine na koje muškarci i žene koji nisu pravnici već su prosto građani (a ponekad i vojnici) raspravljaju o ratu, i da izložim termine koje obično koristimo. Zanima me upravo sadašnja struktura moralnog sveta. Moje polazište je činjenica da mi raspravljamo, često sa

1 Najsažetije i najsnažnije izlaganje ovih razloga može se naći u: Stanley Hoffmann, „International Law and the Control of Force", u *The Relevance of International Law*, ed. Karl Deutsch and Stanley Hoffmann, New York, 1971, str. 34–66. Imajući u vidu današnje stanje prava, najčešće sam navodio pozitiviste ranijih generacija, posebno V. E. Hola [W. E. Hall], Džona Vestlejka [John Westlake] i Dž. M. Spejga [J. M. Spaight].

2 Pionirsko delo ove vrste je Myres McDougal and Florentino P. Feliciano, *Law and Minimum World Public Order*, New Haven, 1961.

različitim ciljevima, sigurno, ali na uzajamno razumljiv način: inače ne bi imalo svrhe *raspravljati*. Mi opravdavamo svoje ponašanje; sudimo o ponašanju drugih. Mada se ova opravdanja i sudovi ne mogu proučavati poput spisa krivičnog suda, oni su ipak legitiman predmet proučavanja. Kad ih ispitamo, oni otkrivaju, verujem, sveobuhvatan pogled na rat kao čovekovu aktivnost, i manje-više sistematsko moralno učenje, koje se ponekad, ali ne uvek, preklapa sa prihvaćenim pravnim učenjima.

Zapravo, vokabulari se preklapaju mnogo više no argumenti. Stoga moram nešto da kažem o svojoj upotrebi jezika. Uvek ću zakone međunarodnog društva (onako kako se javljaju u udžbenicima prava i u vojnim priručnicima) nazivati *pozitivnim* zakonima. Što se ostalog tiče, kad govorim o zakonu, govorim o moralnom zakonu, o onim opštim principima koje prihvatamo čak i kada ne možemo ili nećemo da živimo u skladu s njima. Kad govorim o pravilima rata, govorim o posebnijem kodeksu, kojim se rukovodimo kad sudimo o ponašanju vojnika u borbama i koji je samo delimično artikulisan haškim i ženevskim konvencijama. A kada govorim o zločinima, mislim na kršenja opštih principa određenog kodeksa: stoga muškarci i žene mogu biti nazvani zločincima čak i kada ne mogu biti optuženi pred zvaničnim sudovima. Pošto je pozitivno međunarodno pravo radikalno nepotpuno, uvek je moguće da se ono tumači u svetlu moralnih principa i da se rezultat naziva „pozitivnim pravom". Možda to treba uraditi da bi se upotpunio pravni sistem i učinio privlačnijim no što je danas. Ali to nije ono čime se bavim u ovoj knjizi. Svuda u knjizi reči kao što su agresija, neutralnost, predaja, civili, represalije itd. tretiram kao da su to termini moralnog vokabulara – što i jesu, i što su oduvek i bili, mada je u skorijoj prošlosti njihova analiza i razrada bila gotovo u potpunosti delo pravnika.

Želim da pravedni rat ponovo vratim u političku i moralnu teoriju. Moj rad se stoga osvrće na religijsku tradiciju unutar koje su po prvi put uobličeni zapadna politika i moral, na knjige autora kao što su Majmonides [Maimonides], Toma Akvinski [Aquinas], Vitoria [Vitoria] i Suarez [Suarez], a potom na knjige autora poput Huga Grocijusa [Hugo Grotius], koji je preuzeo ovu tradiciju i počeo da je sekularizuje. Ali, nisam pokušavao da iznesem istoriju teorije pravednog rata, i klasične tekstove navodim samo sporadično, onda kada se radi o nekom posebno rasvetljavajućem ili snažnom argumentu.[3] Češće se pozivam na savremene filozofe i teologe (kao i na vojnike i državnike), jer moj osnovni predmet nije uobličavanje moralnog sveta već ispitivanje njegovog današnjeg karaktera.

Možda je najproblematičnija odlika mog izlaganja upotreba zamenice prvog lica množine: mi, naše, nama. Već sam pokazao dvosmislenost tih reči, koristeći ih na dva načina: da opišem onu grupu Amerikanaca koji su osuđivali rat u Vijetnamu, kao i da opišem mnogo veću grupu koja je shvatala ovu osudu (bez obzira na to da li su se s njom slagali ili ne). Od sada ću se ograničiti na ovu širu grupu. Da njeni pripadnici dele zajednički moral ključna je pretpostavka ove knjige. U prvoj glavi ću pokušati da iznesem razloge u prilog ovoj pretpostavci. Ali to su samo razlozi, oni nisu konkluzivni. Neko uvek može da upita: Šta je taj *vaš* moral? To je radikalnije pitanje, međutim, no što onaj koji ga postavlja možda uviđa, jer ga ono isključuje ne samo iz udobnog sveta moralnog slaganja već i iz šireg sveta slaganja i neslaganja, opravdanja i kritike. Moralni svet rata je zajednički ne zato što dolazimo do istih zaključaka o tome čija je borba pravedna a čija nije, već zato što priznajemo iste teškoće koje leže na putu ka našim zaključcima, zato što se suočavamo sa istim problemima, govorimo istim jezikom. Nije lako odbiti da se u ovome učestvuje, a samo zli i glupi to pokušavaju.

Neću moral izlagati od dna do vrha. Kad bih počeo s temeljima, verovatno ne bih ni odmakao dalje od njih; u svakom slučaju, uopšte nisam siguran šta su ti temelji. Osnova na kojoj počiva svet etike predmet je dubokih i očigledno beskrajnih sporova. U međuvremenu pak živimo u nadgradnji. Građevina je prostrana, njena konstrukcija složena i zbunjujuća. Ali ovde mogu da dam neke putokaze: obilazak soba, da tako kažemo, raspravu o arhitektonskim principima. Ovo je knjiga o praktičnom moralu. Proučavanje sudova i opravdanja u stvarnom svetu

3 Korisna studija o delu ovih autora je James Turner Johnson, *Ideology, Reason, and the Limitation of War: Religious and Secular Concepts, 1200–1740*, Princeton, 1975.

približava nas, možda, najdubljim pitanjima moralne filozofije, ali ono ne zahteva neposredno bavljenje tim pitanjima. Zapravo, filozofi skloni da se bave ovim pitanjima često propuštaju konkretne pojedinosti političkih i moralnih sporova i od male su pomoći muškarcima i ženama suočenim s teškim odlukama. Za trenutak, barem, praktičan moral je razdvojen od svojih temelja, i mi moramo da postupamo kao da je ta odvojenost (koja je aktualna) mogući uslov moralnog života.

Ali ovo ne znači navođenje na pomisao kako mi ne možemo da učinimo ništa više do da opišemo sudove i opravdanja koja ljudi obično iznose. Možemo da analiziramo ove moralne tvrdnje, da težimo njihovoj koherenciji, da razotkrijemo principe koje one egzemplifikuju. Možemo da otkrijemo obaveze koje idu dublje od stranačke vernosti i žara borbi; jer stvar je evidencije, a ne pobožne želje, to da postoje ovakve obaveze. A potom možemo da razobličimo hipokriziju vojnika i državnika koji javno priznaju ove obaveze dok zapravo teže samo vlastitoj prednosti. Razobličavanje hipokrizije sigurno je najobičniji, a može biti i najznačajniji oblik moralne kritike. Retko kad se od nas traži da izmislimo nove etičke principe; da smo to i učinili, naše kritike ne bi bile razumljive ljudima čije smo ponašanje želeli da osudimo. Mi te ljude merimo njihovim sopstvenim principima, mada te principe možemo da izložimo i uredimo na načine koji ranije nisu bili uzimani u obzir.

Postoji jedno uređenje, određen pogled na moralni svet, koje se meni čini najboljim. Želim da tvrdim da se argumenti koje iznosimo o ratu najpotpunije shvataju (mada su moguća i drugačija shvatanja) kao napor da se priznaju i poštuju prava pojedinaca i udruženih muškaraca i žena. Moral koji ću izlagati u svom filozofskom obliku predstavlja učenje o ljudskim pravima, mada ovde neću govoriti o idejama ličnosti, delanja i namere, koje ovo učenje verovatno pretpostavlja. Razmatranja o korisnosti zadiru u strukturu na mnogim mestima, ali ona ne mogu da je objasne u celosti. Uloga ovih razmatranja je podređena ulozi prava, koja ih ograničavaju. To iznad svega važi za klasičnu formu vojne maksimalizacije: krstaške ratove, proleterske revolucije, „rat da se zaustavi svaki rat“. Ali to takođe važi, kao što ću pokušati da pokažem, i za neposrednije pritiske „vojne nužnosti“. Na svakoj tački, sudovi koje donosimo (laži koje izgovaramo) mogu se najbolje objasniti ako život i slobodu posmatramo kao nešto nalik apsolutnim vrednostima i potom pokušamo da shvatimo moralne i političke procese kojima se ove vrednosti osporavaju i brane.

Pravi metod praktičnog morala je kazuistički po karakteru. Pošto se bavim stvarnim sudovima i opravdanjima, neprekidno ću se baviti istorijskim primerima. Moj argument se razvija putem ovih primera, i često sam odustajao od sistematskog izlaganja radi pojedinosti i tananih preliva istorijske stvarnosti. U isto vreme, primeri nisu neizbežno samo ovlaš ocrtani. Da bih ih učinio uzornim, morao sam da umanjim njihovu višesmislenost. To čineći, pokušavao sam da budem tačan i pravičan, ali su slučajevi često predmet sporova i nema sumnje da ponekad nisam uspeo. Čitaoci koje moje greške uznemiruju iznete slučajeve mogu da shvate kao samo hipotetičke – izmišljene, a ne pronađene i istražene – mada je za moj sopstveni osećaj u vezi sa poduhvatom koji sam preduzeo važno to da ja izveštavam o iskustvima koja su muškarci i žene stvarno imali i o argumentima koje su stvarno iznosili. Birajući iskustva i argumente o kojima će se raspravljati, oslanjao sam se u velikoj meri na Drugi svetski rat u Evropi, prvi rat koji pamtim i paradigmu, za mene, pravedne borbe. Što se ostalih tiče, pokušavao sam da izaberem očevidne slučajeve: one koji su bili najčešće zastupljeni u literaturi o ratu i one koji imaju ulogu u današnjim sporovima.

Strukturu knjige sam objasnio u drugom i trećem poglavlju, u kojima se uvodi osnovni argument. Ovde želim da kažem samo to da se moja prezentacija moralne teorije o ratu usredsređivala na tenzije unutar te teorije koje je čine problematičnom, a odluke u doba rata teškim i bolnim. Tenzije se sažimaju u dilemi: pobeda ili poštena borba. Ovo je vojni oblik problema odnosa sredstava i ciljeva, središnje mesto političke etike. Ovim pitanjem se bavim neposredno, i rešavam ga ili ne uspevam da ga rešim, u četvrtom delu; a rešenje, ako je uspešno, mora biti relevantno i za izbore pred kojima se nalazimo u politici uopšte. Jer rat je najteže mesto: ako su obuhvatni i konzistentni moralni sudovi tu mogući, mogući su svuda.

Kembridž, Masačusets, 1977

Zahvalnost

Pišući o ratu, imao sam podršku mnogih saveznika, institucionalnih i individualnih. Svoje istraživanje počeo sam tokom školske 1971/72. godine, dok sam radio u Centru za napredne studije bihejvioralnih nauka na Stanfordu u Kaliforniji. Napisao sam verziju predgovora i prvog poglavlja u Miškenot Šaananimu (Peaceful Habitations) u Jerusalimu, tokom leta 1974. – poseta koju je omogućila Jerusalimska fondacija; veći deo knjige je dovršen 1975–76, dok sam bio stipendista Fondacije *Gugenhajm*.

Tokom prošlih devet godina pohađao sam školu sa članovima Društva za etičku i pravnu filozofiju, i mada niko od njih nije odgovoran ni za jedan od argumenata iznetih u ovoj knjizi, oni su svi zajedno imali značajne veze s njenim pisanjem. Posebno sam zahvalan Džudit Džarvis Tompson [Judith Jarvis Thompson], koja je pročitala ceo rukopis i iznela mnoge vredne sugestije. S Robertom Nozikom [Robert Nozik] vodio sam prijateljske svađe oko nekih od najtežih pitanja teorije rata, a njegovi argumenti, hipotetički slučajevi, pitanja i predlozi pomogli su mi da uobličim svoje izlaganje.

Moj prijatelj i kolega Robert Amdur [Robert Amdur] pročitao je većinu poglavlja i često sam bio nateran da ih ponovo promislim. Marvin Kol [Marvin Kohl] i Džudit Volzer [Judith Walzer] su čitali delove rukopisa; njihove primedbe o stilu i suštini često su bile inkorporirane u moj tekst. Takođe sam zahvalan Filipu Grinu [Philip Green], Jehudi Melceru [Yehuda Melzer], Majlsu Morganu [Miles Morgan] i Džonu Šrekeru [John Schrecker].

Tokom tri meseca na Stenfordskom univerzitetu i nekoliko godina na Harvardu, držao sam kurs o pravednom ratu, i učio dok sam predavao – i od kolega, i od studenata. Uvek ću biti zadovoljan hladnim skepticizmom Stenlija Hofmana [Stanley Hoffmann] i Džudit Šklar [Judith Shklar]. Koristili su mi i komentari i kritike Čarlsa Bamilera [Charles Bahmueller],

Donalda Goldsteina [Donald Goldstein], Majlsa Kalera [Miles Kahler], Senforda Levinsona [Sanford Levinson], Dena Litla [Dan Little], Džeralda Mekelroja [Gerald McElroy] i Dejvida Polaka [David Pollack].

Martin Kesler [Martin Kessler] iz izdavačkog preduzeća *Bejzik buks* zamislio je ovu knjigu skoro pre mene, i pomagao mi je i hrabrio me dok sam je pisao.

Kad sam bio skoro pri kraju, Beti Baterfild [Betty Butterfield] je preuzela kucanje konačne verzije i postavila začuđujuće brz tempo, i za nju samu i za mene; bez nje bi rad na završavanju ove knjige trajao mnogo duže.

Ranija verzija 12. glave, o terorizmu, objavljena je u časopisu *The New Republic* 1975. godine. U glavama 4 i 16 oslanjao sam se na argumente koji su prvo izneti u *Philosophy and Public Affairs* 1972. godine. U glavama 14 i 15 koristio sam delove članka objavljenog 1974. u izraelskom filozofskom časopisu *Iyyun*. Zahvalan sam urednicima ova tri časopisa na dozvoli da preštampam taj materijal.

Zahvalan sam izdavačima koji su mi dozvolili da preštampam materijal objavljen kod njih:

Rolf Hochhuth, „Little London Theatre of the World/ Garden", stihovi 38–40, u *Soldiers: An Obituary for Geneva*. Nosilac autorskih prava 1968. *Grove Press, Inc.* Preštampano s dozvolom *Grove Press, Inc.*

Randall Jarell, „The Death of the Ball Turret Gunner", stih 1, nosilac autorskih prava 1945. Rendal Džarel. Obnovljena autorska prava 1972. gospođa Rendala Džarela; i „The Range in the Desert", stihovi 21–24, nosilac autorskih prava 1947. Rendal Džarel. Obnovljena autorska prava 1974. gđa Rendala Džarela. Obe pesme su objavljene u *The Complete Poems*. Preštampano s dozvolom *Farrar, Strauss and Giroux, Inc.*

Stanley Kunitz, „Foreign Affairs", stihovi 10–17, u *Selected Poems 1928–1958*. Nosilac autorskih prava Stenli Kunic 1958. Ova pesma se prvobitno pojavila u *The New Yorker*. Preštampano s dozvolom *Little, Brown and Company* i *Atlantic Monthly Press.*

Wilfred Owen, „Anthem for Doomed Youth", stih 1, i „A Terre," stih 6, u *The Collected Poems of Wilfred Owen*, ed.

by C. Day Lewis. Preštampano s dozvolom *Owen Estate* i *Chatto and Windus Ltd.* i *New Directions Publishing Corporation.*

Gillo Pontecoro, *The Battle of Algiers*, priredio i predgovor napisao Pier Nico Solinas. Scena 68, str. 79–80. Preštampano s dozvolom *Charles Scribner's Sons.*

Louis Simpson, „The Ash and the Oak", u *Good News of Death and Other Poems. Poets of Today II.* Nosilac autorskih prava 1955. Louis Simpson. Preštampano s dozvolom *Charles Scribner's Sons.*

Prvi deo
Moralna stvarnost rata

1. PROTIV „REALIZMA"

Još otkako su muškarci i žene počeli da govore o ratu, govorili su o njemu koristeći pojmove pravednog i nepravednog. A skoro isto toliko dugo neki od njih su se podsmevali takvom govoru, nazivali ga nejasnim, insistirali na tome da ratovi leže s one strane (ili ispod) moralnog suda. Rat je svet za sebe, u kome je sam život na kocki, u kojem je čovekova priroda svedena na svoj elementarni oblik, u kojem preovlađuju sopstveni interes i nužnost. Ovde muškarci i žene čine ono što moraju da bi spasli sebe i svoju zajednicu, i tu nema mesta moralu i pravu. *Inter arma silent leges*: u vreme rata zakon ćuti.

Ponekad se ovo ćutanje proteže i na druge oblike kompetitivnih aktivnosti, kao u popularnoj izreci: „U ratu i ljubavi sve je dopušteno." To znači da sve može da prođe – bilo kakva vrsta obmane u ljubavi, bilo koja vrsta nasilja u ratu. Ne možemo ni da hvalimo ni da kudimo, nema se šta reći. Pa ipak, mi retko kad ćutimo. Jezik koji koristimo da bismo govorili o ratu i ljubavi toliko je bogat moralnim značenjem da teško da je mogao biti razvijen drugačije osim tokom stoleća rasprava. Vernost, odanost, nevinost, sram, preljuba, zavođenje, izdaja; agresija, samoodbrana, popuštanje, surovost, nemilosrdnost, zverstvo, pokolj – sve te reči jesu sudovi, a suđenje je uobičajena čovekova aktivnost, kao što su to i ljubav ili borba.

Međutim, istina je da nam često nedostaje hrabrost sudova, i to naročito u slučajevima vojnih sukoba. Moralni stav čovečanstva ne izražava najbolje ona popularna izreka o ratu i ljubavi. Bolje bismo učinili da istaknemo razliku, a ne sličnost; pred Venerom, strogo; pred Marsom, plašljivo. Nije reč o tome da ne odobravamo ili da osuđujemo pojedine napade, već da to činimo s oklevanjem i neizvesnošću (ili glasno i bezobzirno), kao da nismo sigurni da li naš sud dopire do stvarnosti rata.

Argument realizma

Realizam je predmet sporova. Branioci izreke o tome da u ratu zakoni ćute tvrde da su otkrili jednu užasnu istinu: ono što konvencionalno nazivamo nečovečnošću jeste naprosto čovek pod pritiskom. Rat nam skida civilizovane ukrase i otkriva nas u našoj golotinji. Oni nam opisuju tu golotinju ne bez izvesnog uživanja: zastrašujuća, zainteresovana samo za samog sebe, pomamna, ubilačka. Oni ne greše u nekom jednostavnom smislu. Ove reči su ponekad deskriptivne. Paradoksalno, ovaj opis je često jedna vrsta odbrane: da, naši vojnici su tokom borbi počinili zverstva, ali to je ono što rat čini ljudima, to je ono kakav rat jeste. Izreka da je sve dozvoljeno priziva se u odbranu onoga što izgleda nedozvoljeno. A zakon se ućutkuje onda kad se upuštamo u postupke koji bi inače bili nezakoniti. Tako ovde imamo argumente koji će imati ulogu u mom argumentu: opravdanja i izvinjenja, pozivanje na nužnost i prinudu; u njima možemo prepoznati oblike moralnog diskursa koji imaju ili nemaju snagu u pojedinim slučajevima. Ali postoji i opšti opis rata kao carstva nužnosti i prinude, koji ima za cilj da diskurs o posebnim slučajevima prikaže kao dokono brbljanje, buku kojom, čak i od sebe samih, prikrivamo groznu istinu. Pre no što počnem svoje delo, moram da osporim ovaj opšti opis, i želim da ga osporim na njegovom izvoru i u njegovoj najuverljivijoj formi, onako kako su ga izložili istoričar Tukidid [Thucydides] i filozof Tomas Hobs [Thomas Hobbes]. Ova su dva čoveka, koje deli 2000 godina, neka vrsta saradnika, jer je Hobs preveo Tukididovu *Istoriju Peloponeskog rata*, a potom u njoj iznete argumente uopštio u svom delu *Levijatan*. Ovde ne želim da iznesem potpuni filozofski odgovor Tukididu i Hobsu. Želim samo da nagovestim, najpre argumentom, a potom i primerom, da je donošenje suda o ratu i o ponašanju u ratu ozbiljan posao.

Melski dijalog

Dijalog između atinskih vojskovođa Kleomeda [Cleomedes] i Tizije [Tisias] i većnika ostrvske države Mel jedan je od vrhunaca Tukididovog *Peloponeskog rata* i najviši domet njegovog realizma. Mel je bio spartanska naseobina, i njegovi stanovnici su stoga „odbili da budu podanici Atinjana, poput ostalih ostrva, već su u početku bili neutralni, ali su zatim, budući da su ih Atinjani na to prisilili pustošeći njihovu zemlju, stupili u otvoreni rat".[1] Ovo je klasičan opis agresije, jer izvršiti agresiju znači „prisiljavati" ljude, kao što kaže Tukidid. Ali ovakav je opis, čini se da Tukidid kaže, samo spoljašnji; a on želi da nam prikaže unutrašnje značenje rata. Njegovi govornici su dva atinska vojna zapovednika koji traže pregovore, a zatim govore onako kako su vojskovođe retko kad govorile tokom vojne istorije. Pustimo lepe reči o pravdi, kažu. Mi se nećemo pretvarati da je naše carstvo, pošto smo pobedili Persijance, zasluženo; vi ne smete da tvrdite da, budući da Atinjanima niste učinili nikakvo zlo, imate pravo da budete ostavljeni na miru. Umesto toga, govorićemo o onome što je moguće i o onome što je nužno. Jer to je pravo lice rata: „Oni koji imaju moć zahtevaju sve što mogu, a slabi pristaju na onakve uslove kakve mogu da dobiju."

Ne moraju samo Meljani da nose teret nužnosti. I Atinjani su pod pritiskom; Kleomed i Tizija veruju da oni moraju da šire svoje carstvo ili će izgubiti ono što već imaju. Neutralnost Mela biće „dokaz naše slabosti, a vaša će mržnja našim podanicima biti dokaz naše moći". Neutralnost Mela će podstaći pobune na ostrvima, svuda gde su ljudi „ogorčeni zbog nužnosti da se pokore" – a koji podanik nije ogorčen, koji ne žudi za slobodom, koji ne mrzi svoje osvajače? Kad atinske vojskovođe kažu da ljudi svuda „vladaju nad onima od kojih su nadmoćniji", oni ne opisuju samo želju za slavom i vlašću već i nužnost svojstvenu međudržavnoj politici: vladaj ili budi pokoren. Ako ne osvajaju kad god to mogu, oni samo pokazuju slabost i izazivaju napad; i stoga „po prirodnoj nužnosti" (izraz koji je kasnije koristio i Hobs), oni osvajaju kad god mogu.

S druge strane, Meljani su suviše slabi da bi osvajali. Oni se suočavaju s težom nužnošću: pokoriti se ili biti uništen. „Jer po snazi niste jednaki nama... već morate da mislite kako da se spasete..." Međutim, vođe Meljana više cene slobodu nego

1 Navodi iz Tukidida dati su prema *Hobbes' Thucydides*, ed. Richard Schlatter, New Brunswick, N. J., 1975, str. 377–385 (*Istorija Peloponeskog rata*, 5:84–116).

bezbednost: „Ako biste se vi, da bi zadržali svoju vlast i sprečili svoje podanike da se oslobode, izložili najvećim opasnostima: zar ne bi za nas, koji smo već slobodni, bila velika niskost i kukavičluk ako se ne bismo suočili s bilo čim kako ne bismo pali u ropstvo?" Mada znaju da će biti „teško" odupreti se sili i sreći Atine, „ipak verujemo da, što se sreće tiče, nećemo biti slabiji, jer su bogovi na našoj strani, zato što se nevini opiremo nepravednima". A što se sile tiče, nadaju se pomoći Spartanaca, „koji su obavezni, ako ni zbog čega drugog, onda zbog iste krvi i svoje časti, da nas brane". Ali i bogovi vladaju tamo gde mogu, odgovaraju atinski generali, a krv i čast nemaju nikakve veze sa nužnošću. Spartanci će (nužno) misliti samo na sebe: „Od svih ljudi, oni očigledno časnim smatraju ono što je ugodno, a pravednim ono što je korisno."

Tu se rasprava završava. Vođe Meljana su odbile da se predaju; Atinjani su opseli grad; Spartanci nisu pritekli u pomoć. Najzad, posle višemesečnih borbi, u zimu 416. godine pre n. e., Mel su izdali neki njegovi građani. Kad je dalji otpor izgledao nemoguć, Meljani su se „predali na milost i nemilost Atinjanima, koji su pobili sve muškarce sposobne da nose oružje, žene i decu prodali u roblje, i naselili grad sa 500 svojih ljudi".

Razgovor atinskih zapovednika i vođa Meljana je Tukididova književna i filozofska tvorevina. Meljani govore ono što su možda i govorili, ali njihova konvencionalna pobožnost i heroizam samo su pozadina za ono što je još u antici Dionizije nazvao „pokvarenošću" atinskih zapovednika.[2] Zapovednici su ti koji često zvuče neverovatno. Njihove reči, piše Dionizije, „odgovarale su orijentalnim monarsima... ali nisu pristajale jednom Atinjaninu..."[3] Možda Tukidid želi da zapazimo neprikladnost,

2 Dionysius of Halicarnassus, *On Thucydides*, prev. W. Kendrick Pritchett, Berkeley, 1975, str. 31–33.

3 Čak ni orijentalni monarsi nisu toliki trezveni realisti kao atinski zapovednici. Prema Herodotu, kad je Kserks objavio svoj plan invazije na Grčku, koristio je je konvencionalnije izraze: „Imam... nameru da sagradim jedan most preko Helesponta, pa da sa vojskom krenem kroz Evropu, protiv Helade, da se osvetim Atinjanima za sve one uvrede koje su naneli Persijancima i mome ocu." (*Istorija*, knj. 7, 2. izdanje, preveo Milan Arsenić, Matica srpska, Novi Sad, 1988, str. 125) Misli se na spaljivanje Sarda, što možemo uzeti kao izgovor za persijsku invaziju.

ne toliko reči koliko politike koju je trebalo da brane, i misli da bi nam to moglo promaći kad bi dopustio zapovednicima da govore onako kako su verovatno zaista govorili, krijući „lepim izgovorima" svoje podle postupke. Treba da shvatimo da Atina više nije ono što je bila. Kleomed i Tizija ne predstavljaju više onaj plemeniti narod koji se borio protiv Persijanaca u ime slobode i čija su politika i kultura, kako Dionizije kaže, „vršili takav humanizujući uticaj u svakodnevnom životu". Oni predstavljaju imperijalnu dekadenciju grada-države. Nije reč o tome da su oni ratni zločinci u savremenom smislu; ova ideja je strana Tukididu. Ali oni oličavaju izvestan gubitak etičke ravnoteže, uzdržanosti i mere. Njihova državnička veština je ukaljana, a njihovi „realistički" govori pružaju ironičan kontrast zaslepljenosti i aroganciji s kojima su Atinjani samo nekoliko meseci kasnije poveli katastrofalan pohod na Siciliju. Istorija je, prema ovom gledištu, tragedija, a sama Atina je tragičan heroj.[4] Tukidid nam je na grčki način izneo moralnu dramu. Ono što je želeo da nam saopšti možemo da nazremo u Euripidovoj [Euripides] tragediji *Trojanke*, koju je Euripid napisao neposredno po osvajanju Mela i u kojoj je nesumnjivo želeo da iznese ideju o ljudskom značaju pokolja i porobljavanja – kao i da opomene na božansku osvetu:[5]

> Kako ste slepi,
> vi trgovci gradovima, vi koji
> pustošite hramove i pljačkate grobove,
> svetilišta u kojima leže
> drevni pokojnici; i vi sami ubrzo ćete umreti!

Ali čini se da je Tukidid zapravo iznosio jedno drugo, i više sekularno tvrđenje, nego što ovaj citat sugeriše, i to ne o Atini koliko o samom ratu. On verovatno nije želeo da kaže da surovost

---

Ovaj primer potkrepljuje tvrdnju Fransisa Bekona [Francis Bacon] da je „u naravi ljudi ona vrsta pravde da ne ulaze u rat (koji prate tolike nesreće) ako nemaju za to neki, bar najmanje opravdan razlog ili osnovu". („O istinskoj veličajnosti kraljevstava i država", u Fransis Bekon, *Eseji, Nova Atlantida, Apoftegme*, preveo Borivoje Nedić, Kultura, Beograd, 1967, str. 105.)

4 Vidi F. M. Cornford, *Thucydides Mythistoricus*, London, 1997, posebno gl. XIII.

5 *The Trojan Women*, prev. Gilbert Murray, London, 1905, str. 16.

atinskih vojskovođa treba da se shvati kao znak pokvarenosti već kao znak nestrpljivosti, nemilosrdnosti, ponosa – duhovnih kvaliteta koji nisu neprikladni za vojnog zapovednika. On je dokazivao, kao što je to rekao Verner Jeger [Werner Jaeger], da „princip sile predstavlja zasebno carstvo, sa sopstvenim zakonima", koji su različiti i odvojeni od zakona moralnog života.[6] Sigurno je da je ovo način na koji je Hobs pročitao Tukidida, i sa ovim čitanjem moramo da se uhvatimo u koštac. Jer, ako je carstvo sile zaista zasebno i ako je ovo tačan opis njegovih zakona, tada se Atinjani ne mogu kritikovati zbog svoje politike u doba rata ništa više no što se može kritikovati kamen zato što pada na zemlju. Pokolj Meljana je objašnjen pozivanjem na uslove rata i prirodne nužnosti, i opet se o tome nema šta reći. Ili, tačnije, može se *reći* bilo šta, nazvati nužnost okrutnom a rat paklom; ali, mada ova tvrđenja mogu na neki način biti istinita, ona ne prodiru do političke stvarnosti ovog slučaja, niti nam pomažu da razumemo odluke Atinjana.

Međutim, važno je istaći da nam Tukidid ništa nije rekao o odluci Atinjana. A ako se smestimo ne u većnicu Mela, u kojoj se izlaže surova politika, već u skupštinu Atine, u kojoj je ta surova politika bila usvojena, argument atinskih vojskovođa zvuči sasvim drugačije. U grčkom, kao i u engleskom, reč *nužnost* „ima smisao i *neophodnog* i *neizbežnog*."[7] Na Melu su Kleomed i Tizija stopili ova dva smisla, naglašavajući drugi. U skupštini su mogli da raspravljaju samo o prvom, tvrdeći, pretpostavljam, da je uništenje Mela nužno (neophodno) da bi se očuvalo carstvo. Ali, ova tvrdnja je retorička u dva smisla. Prvo, ona izbegava moralno pitanje o tome da li je sâmo održanje carstva nužno. Bilo je bar nekih Atinjana koji su u to sumnjali, a još više onih koji su sumnjali u to da li carstvo mora da bude jednoobrazan sistem dominacije i pokoravanja (kao što sugeriše usvojena politika prema Melu). Drugo, ona preuveličava znanje i sposobnost predviđanja vojnih zapovednika. Oni nisu tvrdili sa izvesnošću da će Atina propasti ukoliko Mel ne bude razoren; njihov argument govori o verovatnoćama i rizicima. A o ovakvim argumentima

6 Werner Jaeger, *Paideia: the Ideals of Greek Culture*, prev. Gilbert Highet, New York, 1939, I, str. 402.

7 H. W. Fowler, *A Dictionary of Modern English Usage*, 2. izdanje, rev. Sir Ernest Gowers, New York, 1965, str. 168; upor. Jaeger I, str. 397.

se uvek može raspravljati. Da li bi uništenje Mela zaista umanjilo opasnosti po Atinu? Da li ima alternativnih politika? Koja je verovatna cena ove politike? Da li bi ona bila ispravna? Šta će drugi ljudi misliti o Atini ako se ova politika sprovede u delo?

Kad rasprava jednom počne, verovatno će iskrsnuti razna strateška i moralna pitanja. A za učesnike u raspravi ishod neće biti određen „prirodnom nužnošću" već mišljenjima koja prihvataju, ili će ih prihvatiti na osnovu argumenata koje će čuti, a potom odlukom koju će slobodno doneti individualno i kolektivno. Posle toga, zapovednici tvrde da je izvesna odluka bila neizbežna; a to je, verovatno, ono što Tukidid želi da verujemo. Ali tvrdnja se može izneti tek naknadno, jer je ovde neizbežnost posredovana procesom političkog premišljanja, a Tukidid nije mogao da zna šta je neizbežno dok ovaj proces nije bio dovršen. Sudovi o nužnosti u ovom smislu su po prirodi uvek retrospektivni – delo istoričara, a ne istorijskih aktera.

Sada, moralna tačka gledišta izvodi svoju legitimnost iz perspektive aktera. Kad donosimo moralne sudove, pokušavamo da uhvatimo ovu perspektivu. Ponavljamo proces donošenja odluka, ili ispitujemo svoje buduće odluke, pitajući se šta bismo uradili (ili šta ćemo uraditi) u sličnim okolnostima. Atinski zapovednici uviđaju važnost ovakvih pitanja, jer oni brane svoju politiku sigurni da bi „i vi sami, kao i drugi koji bi imali istu moć koju mi imamo, učinili isto". Ali, ovo je sumnjivo znanje, posebno kad uvidimo da je u atinskoj skupštini bilo oštrih suprotstavljanja odluci o Melu. Naše stanovište je stanovište građana koji raspravljaju o toj odluci. Šta *treba* da učinimo?

Nemamo opis atinske odluke da se napadne Mel, ni odluke (koja je mogla biti doneta u isto vreme) da se njegovi stanovnici poubijaju i prodaju u roblje. Plutarh [Plutarch] tvrdi da na Alkibijada [Alcibiades], glavnog arhitektu pohoda na Siciliju, „najviše pada krivica što su poklani mladi Meljani, jer je on predlog o tome branio".[8] On je igrao Kleonovu ulogu u raspravi

8 *Plutarch' Lives*, prev. John Dryden, rev. Arthur Hugh Clough London, 1910, I, str. 303. [Navedeno prema: Plutarh, *Helenski i rimski junaci i njihove sudbine*, preveo Miloš N. Đurić, Nolit, Beograd, 1958, str. 146.] Alkibijad je takođe za sebe „od zarobljenih Meljanki izabrao jednu devojku..." [*op. cit.*]

o sudbini Mitilene koju je zabeležio Tukidid, a do koje je došlo nekoliko godina ranije. Vredno je da se osvrnemo na ovu raniju raspravu. Mitilena je bila saveznica Atine još od Persijskog rata; ona nikada nije bila podređeni grad ni na koji formalan način, već ugovorom obavezana na podršku Atini. Ona se 428. godine pre n. e. pobunila i sklopila savez sa Spartancima. Posle velikih borbi, atinska vojska je zauzela grad, a skupština je odlučila da se „pobiju... svi odrasli Mitilenjani, a da se žene i deca prodaju u roblje; optuživši ih za pobunu, jer su se odmetnuli mada nisu bili potčinjeni kao drugi...“[9] Ali već sutradan građani su „osetili neku vrstu kajanja... i počeli su da misle koliko je to krupna i okrutna odluka bila, jer nisu samo krivci već je ceo grad trebalo da bude uništen“. Ovu drugu raspravu je zabeležio Tukidid, ili neki njen deo, prenevši nam dva govora, Kleonov, koji je branio prvobitnu odluku, i Diodotov, koji je tražio njen opoziv. Kleon se pozivao većinom na kolektivnu krivicu i retributivnu pravdu; Diodot je izneo kritiku ideje da pretnja smrtnom kaznom može nekoga da odvrati od zlodela. Skupština je prihvatila Diodotovo gledište, očevidno ubeđena da uništenje Mitilene neće doprineti poštovanju ugovora, ni osigurati stabilnost carstva. Pobedilo je pozivanje na interese – kao što je često isticano – mada treba imati na umu da je razlog za opoziv odluke bilo kajanje građana. Moralno nespokojstvo, a ne politički proračuni, navelo ih je da se zapitaju o delotvornosti svoje odluke.

U raspravi o Melu stanovišta su bila obrnuta. Sada nije bilo mesta pozivanju na retributivističke argumente, jer Meljani nisu naneli štetu Atini. Alkibijad je verovatno govorio kao Tukididovi vojni zapovednici, uz jednu veoma značajnu razliku, koju sam već istakao. Kad je svojim sugrađanima rekao da je odluka nužna, nije mislio da je zahtevaju zakoni koji upravljaju carstvom sile; mislio je prosto da je potrebna (prema njegovom mišljenju) da bi se umanjila opasnost od pobuna među gradovima potčinjenim atinskom carstvu. A njegovi protivnici su verovatno dokazivali, kao i Meljani, da je odluka nečasna i nepravedna i da će na ostrvima pod atinskom vlašću izazvati pre ogorčenje i mržnju

9 *Hobbes' Thucydides*, str. 194–204 (*The History of Peloponesian War*, 3:36-49).

nego strah, da Mel ne ugrožava Atinu ni na koji način, i da bi drugačija politika bolje služila atinskim interesima i samopoštovanju. Možda su građane podsetili i na njihovo kajanje u slučaju Mitilene i ponovo ih pozvali da izbegnu surovost pokolja i porobljavanja. Ne znamo kako je Alkibijad pobedio i kakav je bio odnos glasova. Ali nema razloga da mislimo da je odluka bila predodređena, a da rasprava nije bila ni od kakvog značaja: ništa više u slučaju Mela no u slučaju Mitilene. Zamislite da ste u atinskoj skupštini, i dalje ćete imati osećaj slobode.

Ali realizam atinskih vojskovođa seže još dalje. On ne poriče samo slobodu koja omogućava moralne sudove, on poriče i smislenost argumenata u moralu. Ova druga tvrdnja je čvrsto povezana s prvom. Ako moramo da postupamo u skladu sa svojim interesima, vođeni strahom od drugih ljudi, tada govor o pravdi ne može biti ništa drugo do puki govor. On se ne odnosi ni na kakvu svrhu koju bismo mogli učiniti svojom sopstvenom, niti na ikakav cilj koji bismo mogli deliti s drugima. Zato bi atinski zapovednici mogli ispredati „lepe izgovore" isto tako lako kao i melski većnici; u govoru ove vrste može se reći bilo šta. Reči nemaju nikakvo jasno značenje, nikakvu pouzdanu definiciju, nikakve logičke implikacije. Njihovo značenje je, kao što piše Hobs u *Levijatanu*, „uvek u vezi s prirodom, raspoloženjem i interesima govornika", i one izražavaju prohteve i strahove te osobe i ništa drugo. Samo je „očigledno" kod Spartanaca, ali važi za sve, da oni „smatraju časnim ono što je ugodno, a pravednim ono što je korisno". Ili, kao što je Hobs kasnije objasnio, imena vrlina i grehova imaju „nepostojano značenje."[10]

> [J]er jedan čovek naziva *mudrošću* ono što drugi naziva *strahom*; a jedan *svirepošću* što drugi *pravednošću*; jedan *rasipništvom* što drugi *velikodušnošću*... i tako dalje. I stoga takva imena nikada ne mogu da budu valjane osnove za bilo kakvo zaključivanje.

„Nikada" – sve dok suveren, koji je i najviši lingvistički autoritet, ne odredi značenja moralnog vokabulara; ali u stanju rata, „nikada" je bez ograničenja, jer u tom stanju, po definiciji,

10 Thomas Hobbes, *Leviathan*, gl. 4. [Navedeno prema: Tomas Hobz, *Levijatan*, preveo dr Milivoje Marković, Kultura, Beograd, 1961, str. 31 – prim. prev.]

nema suverene vlasti. Zapravo, čak i u civilnom društvu, suveren ne uspeva u potpunosti da uvede izvesnost u svet vrlina i grehova. Stoga je moralni diskurs uvek sumnjiv, a rat je samo krajnji slučaj anarhije značenja moralnih termina. Uopšte uzev je istinito, ali to posebno važi u vreme oružanih sukoba, da smo u stanju da razumemo šta drugi ljudi govore samo ako prozremo njihove „lepe izgovore“ i prevedemo moralni govor u čvršću valutu govora o interesima. Kad Meljani insistiraju na tome da je njihova borba pravedna, oni kažu samo da ne žele da budu pokoreni; a da su atinski zapovednici tvrdili da Atina ima pravo na svoje carstvo, oni bi samo izrazili želju za osvajanjem ili strah od toga da budu zbačeni.

Ovo je snažan argument zato što se oslanja na opšte iskustvo moralnog neslaganja – bolnog, neprekidnog, ogorčenog i beskonačnog. Međutim, i pored sveg svog realizma, ovaj argument ne uspeva da prodre do stvarnosti iskustva neslaganja, niti da objasni njegovu prirodu. Mislim da to jasno možemo videti ako pogledamo argument o mitilenskoj odluci. Hobs je mogao imati ovu raspravu na umu kad je pisao „a jedan [naziva] svirepošću što drugi pravednošću...“ Atinjani su se pokajali zbog svoje svireposti, piše Tukidid, dok im je Kleon govorio da uopšte nisu svirepi već samo strogi. Pa ipak, u ovom slučaju se uopšte ne radi o neslaganju oko značenja reči. Kad ne bi bilo opšteprihvaćenih značenja, ne bi moglo da bude nikakve rasprave. Svirepost Atinjana ogledala se u tome što nisu želeli da kazne samo tvorce pobune već i sve druge, a Kleon se složio s tim da bi to zaista bila svirepost. Ali je potom dokazivao, kao što je i morao, imajući u vidu njegovo gledište, da u Mitileni nije bilo tih „drugih“. „Neka se krivica ne pripiše nekolicini, a ostali da budu oslobođeni. Jer svi su bez razlike digli oružje na nas...“

Ovu raspravu ne mogu dalje da sledim, jer to ne čini ni Tukidid, ali postoji očigledan odgovor Kleonu, koji se odnosi na status žena i dece Mitilene. On bi mogao da uključuje upotrebu dodatnih moralnih termina (nevinost, na primer), ali ne bi počivao – ništa više no argument o svireposti i pravdi – na idiosinkratičnim definicijama. Zapravo, ovde se ne radi o definicijama već o opisima i tumačenjima. Atinjani su delili moralni vokabular, delili ga s ljudima iz Mitilene i Mela; a vodeći računa o kulturnim razlikama, dele ga i s nama. Nije im bilo teško, niti je nama, da razumeju tvrdnju meloskih većnika da je invazija na njihovo ostrvo nepravedna. Ne slažemo se u primeni opšteprihvaćenih reči na pojedinačne slučajeve. Ova neslaganja delom su izazvana, a uvek povećana antagonističkim interesima i uzajamnim strahovima. Ali, ona imaju i druge uzroke, što pomaže da se objasne složeni i iz osnova različiti načini na koje muškarci i žene (čak i kada imaju slične interese i kada nemaju razloga da se plaše jedni drugih) nalaze svoje mesto u moralnom svetu. Pre svega, postoje ozbiljne teškoće u opažanju i obaveštavanju (u ratu i politici uopšte), i stoga dolazi do sporova oko „činjenica“. Postoje i duboke nesaglasnosti u težini koju pridajemo čak i zajedničkim vrednostima, kao i u vezi s postupcima koje smo spremni da oprostimo kad su te vrednosti ugrožene. Postoje obaveze u neskladu koje nas prisiljavaju na ogorčeno neslaganje čak i onda kada uviđamo poentu stanovišta onog drugog. Sve ovo je dovoljno stvarno i dovoljno uobičajeno: ono moral čini svetom dobronamernih sporova, kao i svetom ideologije i verbalne manipulacije.

U svakom slučaju, mogućnosti manipulacije su ograničene. Bez obzira na to da li ljudi iskreno govore, oni ne mogu da kažu baš sve što im padne na pamet. Moralni govor je pod vlašću prinude: jedna stvar vodi drugoj. Možda je to razlog zašto atinski zapovednici nisu želeli ni da ga počinju. Rat koji je nazvan nepravednim nije, da parafraziramo Hobsa, rat koji nam se ne sviđa, to je rat koji nam se ne sviđa iz određenih razloga, i od svakog ko iznosi ovakvu optužbu zahteva se da pruži određenu vrstu dokaza. Slično tome, ako tvrdim da se borim pravedno, moram takođe da tvrdim da sam napadnut („prisiljen“, kao Meljani), ili da mi je napad pretio, ili da sam pritekao u pomoć žrtvi nečijeg napada. A svako od ovih tvrđenja ima svoje implikacije, uvodeći me sve dublje i dublje u jedan svet diskursa, u kojem, mada mogu da govorim u nedogled, postoje oštra ograničenja onome što mogu da kažem. Moram da kažem ovo ili ono, i na mnogim mestima u dugačkom argumentu ovo ili ono će biti istinito ili lažno. Ne moramo da moralni govor prevedemo u govor o interesima da bismo ga razumeli; moralnost na svoj sopstveni način govori o stvarnom svetu.

Razmotrimo jedan hobsovski slučaj. U Glavi XXI *Levijatana*, Hobs traži da napravimo mesta za „prirodnu strašljivost" čovečanstva. „Kad se vojske bore, ima bežanja na jednoj ili na obema stranama. No kad se ne beži radi izdaje nego iz straha, ne smatra se da su begunci postupili nepravedno već nečasno" [Hobz, *op. cit.*, str. 192]. Ovde se zahteva sud: potrebno je da razlikujemo kukavice od izdajnika. Ako su to reči „nepostojanog značenja", ovaj zadatak je nemoguć i besmislen. Svaki izdajnik će se braniti da je po prirodi strašljivac, a mi ćemo ovu odbranu prihvatiti ili je nećemo prihvatiti zavisno od toga da li je vojnik bio prijatelj ili neprijatelj, prepreka našem napredovanju ili saveznik i pomagač. Pretpostavljam da se ponekad ovako ponašamo, ali nije slučaj (niti Hobs, kad pređe na slučajeve, pretpostavlja da jeste) da sud koji donosimo može da se razume samo na ovaj način. Kad čoveka optužimo za izdaju, moramo da ispričamo veoma posebnu vrstu priče o njemu, i moramo da pružimo konkretne dokaze da je naša priča istinita. Ako ga nazovemo izdajnikom a nismo u stanju da iznesemo ovakvu priču, tada ne koristimo reči nedosledno već prosto govorimo neistinu.

Strategija i moral

O moralu i pravdi se govori na način veoma sličan govoru o vojnoj strategiji. Strategija je drugi jezik rata, i mada se obično kaže da je on slobodan od teškoća moralnog diskursa, njegova upotreba je podjednako problematična. Mada se generali slažu u vezi sa značenjem strateških termina – zaseda, povlačenje, napad po krilima, koncentracija snaga itd. – oni se ipak ne slažu kad je u pitanju strateški prikladan tok akcije. Raspravljaju o tome šta treba učiniti. Posle bitke, ne slažu se oko toga šta se desilo, a ako su poraženi, spore se o tome čija je krivica. Strategija je, kao i moral, jezik opravdanja.[11] Svaki zbunjeni i kukavički zapovednik

11 Stoga možemo da „razobličimo" strateški diskurs baš onako kako je Tukidid to učinio s moralnim diskursom. Zamislimo da su se dva atinska generala, posle razgovora s Meljanima, vratila u svoj logor da bi doneli plan za predstojeću bitku. Stariji u lancu komandovanja govori prvi: „Nemoj mi držati nikakve lepe govore o potrebi da koncentrišemo naše snage ili o značaju strateškog iznenađenja. Prosto ćemo povesti frontalni napad; ljudi će se organizovati najbolje što mogu; stvari će

opisuje svoje oklevanje i paniku kao deo jednog složenog plana; strateški vokabular je dostupan i njemu kao i sposobnom zapovedniku. Ali to ne znači reći da su njegovi termini bez značenja. Da jesu, to bi bio veliki trijumf nesposobnih, jer tada ne bismo imali nikakvog načina da govorimo o njihovoj nesposobnosti. Nema sumnje da „neko zove povlačenjem ono što drugi naziva strateškim pregrupisanjem..." Ali mi znamo razliku između ovo dvoje, i mada može biti teško da se prikupe i protumače činjenice, ipak smo u stanju da donesemo kritički sud.

Slično tome možemo donositi moralne sudove: moralni pojmovi i strateški pojmovi odslikavaju svet na isti način. To nisu puki normativni termini koji govore vojnicima (koji često ne slušaju) šta da čine. To su deskriptivni termini, i bez njih ne bismo imali koherentan način da govorimo o ratu. Evo vojnika koji odlaze sa poprišta borbe, idući preko istog terena kojim su išli juče, ali sada ih je manje, manje su revnosni, mnogi su bez oružja, mnogi su ranjeni: to nazivamo povlačenjem. Evo vojnika koji stanovnike nekog sela postrojavaju u stroj, ljude, žene i decu, i pucaju u njih: to nazivamo pokoljem.

Tek kad je njihov suštinski sadržaj jasan, mogu se moralni i strateški pojmovi upotrebljavati imperativno, a mudrost koju otelotvoruju izraziti u obliku pravila. Nikad ne uskraćuj hranu vojniku koji želi da se preda. Nikad ne napreduj nezaštićenih krila. Iz ovakvih zapovesti može se konstruisati moralni ili strateški ratni plan, i tada će biti važno da se odredi da li je stvarno vođenje rata bilo u skladu s planom ili nije. Možemo da pretpostavimo da neće biti. Rat je otporan na ovu vrstu teorijske kontrole – odlika koju deli sa svakom drugom čovekovom delatnošću, ali koju izgleda da poseduje u jednom naročito visokom stepenu. U *Parmskom kartuzijanskom manastiru*, Stendal [Stendhal] je pružio opis bitke kod Vaterloa, čiji je cilj da ismeje samu ideju o strateškom planu. To je opis borbe kao haosa, te stoga uopšte

---

u svakom slučaju biti konfuzne. Potrebna mi je brza pobeda, tako da u Atinu mogu da se vratim ovenčan slavom pre početka rasprave o pohodu na Siciliju. Moraćemo da prihvatimo izvestan rizik, ali to nije važno, pošto će rizik biti tvoj, a ne moj. Ako budemo poraženi, okriviću tebe. Takav je rat." Zašto je strategija jezik praktičnih ljudi? Čovek može tako lako da je prozre...

nije opis već poricanje, da tako kažemo, mogućnosti da se opiše borba. Treba ga pročitati zajedno s nekom strateškom analizom Vaterloa, poput one general-majora Fulera [Fuller], koji bitku posmatra kao organizovani niz manevara i protivmanevara.[12] Strateg nije nesvestan konfuzije i nereda na bojnom polju; niti je potpuno nespreman da ih vidi kao aspekte samog rata, prirodne posledice stresa u borbi. Ali on ih vidi i kao stvar komandne odgovornosti, kao neuspeh discipline ili kontrole. On iznosi ideju da su strateški imperativi zanemareni; on traga za poukama koje se mogu izvući.

Moralni teoretičar se nalazi u istom položaju. I on mora da izađe na kraj sa činjenicom da se njegova pravila često krše ili zanemaruju – i sa dubljim uvidom da pravila ljudima u ratu često ne izgledaju relevantna za ekstremnost njihove situacije. Ali ma kako to da uradi, on se ne odriče svog shvatanja rata kao čovekove delatnosti, svrhovite i unapred promišljene, za čije je posledice neko odgovoran. Suočen s mnogim zločinima počinjenim u ratu, ili sa zločinom samog agresivnog rata, on traga za počiniocima. Niti je on usamljen u ovoj potrazi. Jedna je od najznačajnijih odlika rata, koja ga razlikuje od drugih nevolja koje pogađaju čovečanstvo, to da su muškarci i žene u njemu ne samo žrtve već i učesnici. Svi smo skloni da ih smatramo odgovornim za ono što čine (mada u pojedinim slučajevima možemo da kao izgovor prihvatimo pozivanje na prinudu). Ponavljani tokom vremena, naši argumenti i sudovi uobličavaju ono što želim da nazovem *moralnom stvarnošću rata* – to jest, sva ona iskustva koja opisuje moralni jezik, ili u kojima je nužno da se on primeni.

Važno je istaći da moralna stvarnost rata nije određena stvarnim postupcima vojnika već mišljenjima čovečanstva. To znači, delom, da je određena aktivnošću filozofa, pravnika, publicista svih vrsta. Ali ti ljudi ne rade u izolaciji od iskustva borbe, a njihova gledišta imaju vrednosti samo utoliko ukoliko oblikuju i strukturišu to iskustvo na način koji je prihvatljiv nama ostalima. Često kažemo, na primer, da u doba rata državnici i vojnici moraju da donose mučne odluke. Tegoba je dovoljno stvarna,

12 *The Charterhause of Parma*, I, gl. 3 i 4; J. F. C. Fuller, *A Military History of the Western World*, n. p. 1955, II. gl. 15.

ali nije prirodna posledica borbi. Muka nije nalik na hobsovski strah; ona je u potpunosti proizvod naših moralnih gledišta, i u ratu je opšta samo u meri u kojoj su ta gledišta opšta. Nije se neki neobični Atinjanin „pokajao“ zbog odluke da se pobiju svi muškarci Mitilene, već građani uopšte. Oni su se pokajali i oni su bili u stanju da razumeju svoje kajanje, zato što je značenje svireposti bilo opšteprihvaćeno. Pripisivanjem ovakvih značenja rat činimo onim što on jeste – što će reći da bi mogao da bude (i da je verovatno bio) nešto drugo.

Šta s vojnikom ili državnikom koji ne oseća nikakvu muku? Za njega kažemo da je moralni ignorant ili moralno bezosećajan, kao što bismo mogli da za generala koji ne oseća nikakvu teškoću donoseći (stvarno) teške odluke kažemo da ne razume stratešku stvarnost svog položaja, ili da je neoprezan i neosetljiv za strah. A mogli bismo da nastavimo da dokazujemo kako takav general ne bi trebalo da vodi rat, niti da predvodi druge u borbama, da je trebalo da zna da je, recimo, desno krilo njegove armije nezaštićeno, i da je trebalo da bude zabrinut zbog opasnosti i da preduzme mere da bi je izbegao. Još jednom, slučaj je isti i s moralnim odlukama: vojnici i državnici treba da znaju kakve opasnosti predstavljaju svirepost i nepravda i da budu zabrinuti zbog njih i da preduzimaju korake da bi ih izbegli.

Istorijski relativizam

Nasuprot ovom gledištu, međutim, hobsovskom relativizmu se često daje društveni ili istorijski oblik: moralno i strateško znanje, kaže se, menja se tokom vremena ili varira od jedne političke zajednice do druge, i stoga ono što se meni čini kao neznanje, može nekom drugom izgledati kao razumevanje. Sada, promena i varijacije su dovoljno stvarni, i oni su jedna složena priča. Ali lako je preuveličati značaj te priče za običan moralni život i, iznad svega, za sud o moralnom ponašanju. Kod radikalno razdvojenih i nesličnih kultura možemo očekivati da ćemo naći radikalne oprečnosti u opažanju i razumevanju. Nema sumnje da moralna stvarnost rata nije ista za nas i za Džingis-kana; a nije ni strateška stvarnost. Ali čak i fundamentalni društveni i politički preobražaji u određenoj kulturi mogu da moralni svet ostave nedirnutim ili bar dovoljno celovitim, tako da se još uvek može reći da ga delimo sa svojim precima. Zaista je retko kad da ga ne delimo sa savremenicima i, uopšte uzev, učimo kako da se ponašamo među savremenicima proučavajući postupke onih koji su nam prethodili. Pretpostavka ovog proučavanja je da i oni vide svet veoma slično nama. To nije uvek tačno, ali je dovoljno često tačno da bi dalo stabilnost i koherentnost našem moralnom životu (i našem vojničkom životu). Čak i kad su pogledi na svet i uzvišeni ideali napušteni – kao što je veličanje aristokratskog viteštva napušteno početkom modernog doba – pojmovi o moralnom postupanju su izuzetno postojani: vojnički kodeks nadživeo je smrt ratničkog idealizma. Kasnije ću nešto više reći o ovom nadživljavanju, ali sada mogu da ga pokažem na opšti način, razmatrajući jedan primer iz feudalne Evrope, iz epohe koje je na neki način udaljenija od nas nego Grčka gradova-država, ali s kojom ipak delimo pojmove o moralu i strategiji.

Tri opisa bitke kod Aženkura

Zapravo, u ovom slučaju je sumnjivije da su strateške predstave zajedničke. Francuski vitezovi, od kojih je toliki broj poginuo kod Aženkura, imali su pojmove o borbi veoma različite od naših. Današnji kritičari su osećali da su u stanju da kritikuju njihovo „fanatično pridržavanje starog načina borbe" (kralj Henri se borio drugačije), pa čak i da ponude praktične predloge: francuski napad, piše Oman [Oman] „trebalo je da bude praćen kretanjem oko šume..."[13] Da nije bio toliko „preterano samouveren", francuski zapovednik bi video prednosti ovog pokreta. Na sličan način možemo da govorimo o ključnoj moralnoj odluci koju je kralj Henri doneo pri kraju bitke, kada su Englezi mislili da je njihova pobeda sigurna. Oni su uhvatili mnogo zarobljenika, koji su bili smešteni iza bojnih linija. Iznenada, učinilo se da francuski napad usmeren na komoru daleko iza fronta preti obnovom borbi. Evo Holinšedovog [Holinshed] opisa ovog događaja iz šesnaestog veka (koji je praktično prepisan iz jedne starije hronike):[14]

13 C. W. C. Oman, *The Art of War in the Middle Ages*, Ithaca, N. Y., 1965, str. 137.

14 Raphael Holinshed, *Chronicles of England, Scotland, and Ireland*, navedeno u: William Shakespeare, *The Life of Henry V*, Signet Classics, New York, 1965, str. 197.

> ... Izvesni Francuzi na konjima... oko šest stotina konjanika, koji su prvi pobegli, čuvši da su engleski šatori i paviljoni dobrano udaljeni od vojske, bez dovoljne zaštite i odbrane... upali su u kraljev logor i... opljačkali šatore, razvalili škrinje i odneli sanduke i poklali sluge koje su se opirale... Ali kad su krici slugu i dečaka koji su bežali pred Francuzima... doprli do kraljevih ušiju, on je, plašeći se da će se njegov neprijatelj opet okupiti i započeti novi okršaj; i sumnjajući da će zarobljenici pomoći neprijatelju... nasuprot svog uobičajenog milosrđa, naredio uz pomoć truba da svaki čovek... treba da bez oklevanja zakolje svog zarobljenika.

Moralni karakter zapovesti sugerišu reči „uobičajeno milosrđe" i „bez oklevanja". Zapovest je zahtevala da se odbace lična i konvencionalna ograničenja (konvencionalna su bila čvrsto utvrđena do 1415), i Holinšed ih s izvesnom opširnošću objašnjava i opravdava, ističući kraljev strah da će se zarobljenici ponovo pridružiti borbama. Šekspir [Shakespeare], čiji *Henri V* sledi Holinšeda, ide još dalje, naglašavajući klanje engleskih slugu i izostavljajući hroničarevu tvrdnju da su ubijeni samo oni koji su se opirali:[15]

> *Fluelin.* Poubijali su dečake i razneli prtljag! To je sasvim protivno ratnom pravu. Gori primer bezočnog nitkovluka ne bi se mogao pružiti; kaži po savesti, je li tako?

U isto vreme, Šekspir ne može da se uzdrži od ironične primedbe:

> *Gaver.* ... a takođe su što spalili što razneli sve što je bilo u kraljevom šatoru; i zato je kralj sasvim opravdano naredio da svaki vojnik zakolje svog zarobljenika. O, divan je to kralj!

Sto pedeset godina kasnije, Dejvid Hjum [David Hume] iznosi sličan opis, bez ironije, naglašavajući umesto toga da je kralj kasnije opozvao ovu naredbu:[16]

> ... neka gospoda iz Pikardije... bacište se na engleski prtljag, i počeše da ubijaju nenaoružane čuvare logora, koji pobegoše pred njima. Henri, videvši neprijatelje svuda oko sebe, počeo je da se plaši svojih zarobljenika; i mislio je da je nužno

15 *Henri Peti*, IV čin, scena VII, preveli Živojin Simić i Trifun Đukić, u Viljem Šekspir, *Celokupna dela,* tom V, Bigz, Narodna knjiga, Nolit, Rad, Beograd, 1978, str. 393.

16 David Hume, *The History of England*, Boston, 1854, II, str. 358.

da izda opšte naređenje da se oni pobiju; ali otkrivši istinu, zaustavio je klanje i još uvek bio u stanju da spase veliki broj zarobljenika.

Ovde je moralno značenje uhvaćeno u tenziji između „nužno" i „klanje". Pošto je klanje ubijanje ljudi kao da su životinje – ono „čini pokolj", pisao je pesnik Drajden [Dryden], „od onoga što beše rat" – ne može se često nazvati nužnim. Ako je zarobljenike bilo toliko lako pobiti, verovatno nisu bili toliko opasni da to opravda ubijanje. Kad je shvatio pravu situaciju, Henri, koji je bio (Hjum želi da poverujemo) moralan čovek, zaustavio je ubijanje.

Francuski hroničari i istoričari pišu o ovom događaju na veoma sličan način. Od njih saznajemo da su mnogi engleski vitezovi odbili da ubiju svoje zarobljenike – uglavnom ne zbog čovečnosti već radi otkupa koji su očekivali; ali i „misleći o nečasnosti koja će zbog užasnih ubistava pasti na njih."[17] Engleski pisci su se više i zabrinutije usredsredili na kraljevu zapovest, najzad, to je bio njihov kralj. Krajem devetnaestog veka, otprilike u isto vreme kada su bila kodifikovana pravila rata o zarobljenicima, njihove kritike su postajale sve oštrije: „krvavo kasapljenje", „hladnokrvno masovno ubistvo".[18] Hjum to ne bi rekao, ali je razlika između ovoga i onoga što je rekao marginalna, i nije stvar preobražaja morala ili jezika.

Da bismo sami sudili o Henriju, potreban nam je potpuniji opis okolnosti u kojima se bitka odvijala nego što mogu ovde da ponudim.[19] Čak i da imamo takav opis, naša mišljenja bi se mogla razlikovati, u zavisnosti od značaja koji smo spremni da pridamo stresu i uzbuđenju bitke. Ali ovo je jasan primer situacije zajedničke i strategiji i moralu, kada se najoštrija neslaganja strukturišu i organizuju našim slaganjem koje im leži u osnovi, značenjima koja delimo. Za Holinšeda, Šekspira i Hjuma – tradicionalnog hroničara, renesansnog dramatičara i istoričara iz doba prosvetiteljstva – a i za nas, Henrijeva zapovest spada u kategoriju vojnih dela koja zahtevaju podrobno ispitivanje i sud.

---

17 René de Belleval, *Azincourt*, Paris, 1865, str. 105–106.

18 Vidi rezime mišljenja u J. H. Wylie, *The Reign of Henry the Fifth*, Cambridge, England, 1919, II, str. 171 ff.

19 Sjajan i podroban opis, koji nagoveštava da se Henrijev postupak ne može braniti, iznet je u John Keegan, *The Face of Battle*, New York, 1976, str. 107–112.

Ona je *kao činjenica* moralno problematična, zato što nosi rizik surovosti i nepravde. Na tačno isti način možemo da posmatramo ratni plan francuskog zapovednika kao strateški problematičan, zato što je prihvatio rizike frontalnog napada na utvrđeni položaj. I ponovo, za zapovednika koji ne uviđa ove rizike s pravom se kaže da ne poznaje moral ili strategiju.

U moralnom životu, neznanje nije toliko opšte; nečasnost je daleko opštija. Čak i oni vojnici i državnici koji ne znaju za očajanje pri donošenju problematičnih odluka, uopšte uzev znaju da bi trebalo da je osećaju. Neukusna izjava Harija Trumana [Hary Truman] da nije proveo ni jednu jedinu neprospavanu noć zbog odluke da se baci atomska bomba na Hirošimu nije ono što političke vođe često govore. Oni obično više vole da ističu da je donošenje odluka bolno; to je jedan od tereta njihovog posla, i najbolje je ako izgleda da taj teret nose. Podozrevam da mnogi zvaničnici osećaju bol prosto zato što se to očekuje. Ako ga ne osećaju, o njemu lažu. Najjasniji dokaz stabilnosti naših vrednosti tokom vremena jeste nepromenljiv karakter laži koje nam vojnici i državnici govore. Oni lažu da bi opravdali sami sebe, i tako nam opisuju osnovne crte pravde. Gde god nalazimo hipokriziju, nalazimo i moralno znanje. Hipokrita je nalik ruskom generalu iz Solženjicinovog romana *Avgust 1914*, čiji razrađeni izveštaji o borbama jedva da skrivaju njegovu potpunu nesposobnost da upravlja bitkom ili da je usmerava. On bar zna da postoji priča koju treba ispričati, skup naziva kojima treba imenovati stvari i događaje, stoga pokušava da ispriča priču i upotrebi te nazive. Njegov trud nije puko podražavanje; to je bio, da tako kažemo, danak koji nesposobnost plaća razumevanju. Slučaj je isti u moralnom životu: zaista postoji priča koju treba ispričati, način pričanja o ratovima i bitkama koji mi ostali prihvatamo kao moralno prikladan. Ne mislim da su pojedine odluke nužno ispravne ili pogrešne, ili da su prosto ispravne ili pogrešne, već samo da postoji način na koji se može posmatrati svet, takav da donošenje moralnih odluka ima smisla. Hipokrita zna da je ovo istinito, mada može zapravo da svet vidi različito.

Hipokrizija caruje u ratnom diskursu, jer je naročito u tim vremenima važno da izgleda kao da smo u pravu. Ne samo da su moralni ulozi visoki; hipokrita ne mora da shvata da će, što je značajnije, o njegovim postupcima suditi drugi ljudi, koji nisu hipokriti i čiji će sudovi uticati na njihov odnos prema njemu. Hipokrizija ne bi imala smisla da to nije tako, baš kao što ne bi imalo smisla ni lagati u svetu u kojem niko ne govori istinu. Hipokrita računa na moralna shvatanja nas ostalih, i mislim da nemamo drugog izbora osim da njegove tvrdnje uzmemo ozbiljno i podvrgnemo ih proveri moralnog realizma. On se pretvara da misli i postupa onako kako mi ostali očekujemo od njega. On nam govori da se bori u skladu s moralnim ratnim planom: ne napada civile, pruža utočište vojnicima koji žele da se predaju, nikada ne muči zarobljenike itd. Ove izjave su istinite ili lažne, i mada nije lako doneti sud o njima (niti je ratni plan zaista ovako jednostavan), značajno je to da pokušamo. Zaista, ako sebe nazivamo moralnim muškarcima i ženama, moramo da pokušamo, i očigledno je da obično to i činimo. Da smo svi postali realisti poput atinskih vojnih zapovednika ili Hobsovih ljudi u stanju rata, došao bi kraj i moralu i hipokriziji. Prosto bismo govorili jedni drugima, brutalno i direktno, šta želimo da učinimo, ili šta želimo da bude učinjeno. Ali istina je da je jedna od stvari koju većina nas želi, čak i u ratu, to da postupamo ili da izgleda kao da postupamo moralno. A to želimo, najjednostavnije, zato što znamo šta moralnost znači (ili bar znamo šta se uopšte uzev misli da znači).

To značenje želim da ispitam u ovoj knjizi – ne toliko njegovu opštu prirodu već njegovu primenu na vođenje rata. Pretpostavljaću da mi stvarno delamo unutar moralnog sveta; da jezik odražava moralni svet i daje nam pristup k njemu; i najzad, da je naše razumevanje moralnog vokabulara dovoljno opšteprihvaćeno i stabilno, tako da su mogući zajednički sudovi. Možda postoje drugi svetovi, čijim bi stanovnicima argumenti koje ću izneti izgledali neshvatljivi i bizarni. Ali nije verovatno da će oni čitati ovu knjigu. A ako moji čitaoci nađu da su moji argumenti neshvatljivi i bizarni, to neće biti usled nemogućnosti moralnog diskursa ili nepostojanog značenja reči koje koristim, već zbog mog sopstvenog neuspeha da shvatim i izložim naš zajednički moral.

2. ZLOČIN RATA

Moralna stvarnost rata se deli na dva dela. Rat se uvek prosuđuje dva puta, prvo, s obzirom na razloge koje države imaju za borbu; drugo, s obzirom na sredstva koja koriste. Prva vrsta suda je pridevska po prirodi: kažemo da je određeni rat pravedan ili nepravedan. Druga je priloška: kažemo da se rat vodi pravedno ili nepravedno. Srednjovekovni pisci su ovu razliku izražavali predlozima, razlikujući *jus ad bellum*, pravednost rata, od *jus in bello*, pravednosti u ratu. Ove gramatičke distinkcije ukazuju na dublje pitanje. *Jus ad bellum* zahteva da donesemo sud o agresiji i samoodbrani; *jus in bello*, sud o poštovanju ili kršenju običajnih ili pozitivnih pravila sukoba. Ove dve vrste suda su logički nezavisne. Savršeno je moguće da pravedan rat bude vođen nepravedno, a nepravedan rat da bude vođen strogo u skladu s pravilima. Ali ova nezavisnost, mada su naša gledišta o nekom određenom ratu često u skladu s njom, ipak je zagonetna. Zločin je počiniti agresiju, ali agresivni rat je aktivnost u skladu s pravilima. Ispravno je odupirati se agresiji, ali otpor je predmet moralnih (i pravnih) ograničenja. Dualizam *jus ad bellum* i *jus in bello* leži u srcu svega što je najproblematičnije u moralnoj stvarnosti rata.

Cilj mi je da sagledam rat u celini, ali pošto je njegov dualizam bitna odlika njegove celovitosti, moram početi objašnjenjem tih delova. U ovoj glavi želim da iznesem ideju o tome šta mislimo kad kažemo da je zločin započeti rat, a u sledećoj ću pokušati da objasnim zašto postoje pravila ratovanja koja važe čak i za vojnike koji vode zločinački rat. Ova glava je uvod u Drugi deo, u kome ću podrobno ispitati prirodu ovog zločina, opisati odgovarajuće oblike otpora i razmotriti ciljeve koje vojnici i državnici mogu legitimno da slede u vođenju pravednog rata. Sledeća glava je uvod u Treći deo, u kojem ću raspravljati o legitimnim sredstvima ratovanja, o suštinskim pravilima, i u kojoj ću pokazati kako se ta pravila primenjuju u uslovima borbe i kako ih menja „vojna nužnost“. Tek će tada biti moguće da se suočimo sa tenzijom između ciljeva i sredstava, između *jus ad bellum* i *jus in bello*.

Nisam siguran da li je moralna stvarnost rata u potpunosti koherentna, ali u ovom trenutku o tome ne moram ništa da kažem. Dovoljno je što ona ima prepoznatljiv i relativno stabilan oblik, što su njeni delovi povezani ili razdvojeni na prepoznatljiv i relativno stabilan način. Mi smo je takvom učinili, i to ne proizvoljno već iz dobrih razloga. Ona odražava naše shvatanje država i vojnika, protagonista rata, i borbe, njegovog središnjeg iskustva. Moj neposredni predmet su termini karakteristični za to shvatanje. Oni su istovremeno istorijski proizvod i nužni uslovi kritičkog suđenja koje vršimo svakog dana; oni određuju prirodu rata kao moralnog (ili nemoralnog) poduhvata.

Logika rata

Zašto je rđavo započeti rat? Odgovor isuviše dobro znamo. Ljudi se ubijaju i to često u velikom broju. *Rat je pakao*. Ali potrebno je reći nešto više, jer naše ideje o ratu uopšte i o ponašanju vojnika u velikoj meri zavise od toga na koji način ljudi bivaju ubijeni, i ko su ti ljudi. Možda je najbolji način da se opiše zločin rata jednostavno taj da se kaže da nema granica ni na jednoj od ovih tačaka: ljudi se ubijaju na sve zamislive brutalne načine, i ubijaju se sve vrste ljudi, bez obzira na starost, pol ili moralne karakteristike. Ovaj pogled na rat je sjajno rezimiran u prvom poglavlju dela Karla fon Klauzevica [Karl von Clausewitz] *O ratu*, i mada nema dokaza da je Klauzevic rat smatrao zločinom, sigurno je naveo druge ljude da to pomisle. Njegove odredbe s početka knjige (a ne kasnija ograničenja) uobličile su ideje njegovih sledbenika, i stoga je vredno da ih podrobnije razmotrimo.

Argument Karla fon Klauzevica

„Rat je akt sile“, piše Klauzevic, „i njena primena ne poznaje nikakvih granica.“[1] Za njega ideja o ratu nosi sa sobom ideju

1 Klauzevica danas treba čitati u novom prevodu Majkla Hauarda [Michael Howard] i Pitera Pareta [Peter Paret], *On War* Princeton, 1976. Ali ova

o krajnosti [Klauzevic, *op. cit.*, str 44], ma kakva se stvarna ograničenja poštuju u ovom ili onom društvu. Ako zamislimo rat koji se vodi, da tako kažemo, u društvenom vakuumu, bez ikakvog uticaja „slučajnih" činilaca, on bi se vodio bez ikakvih ograničenja u korišćenim oružjima, usvojenim taktikama, s obzirom na ljude koji se napadaju ili bilo šta drugo. Jer vojno ponašanje ne poznaje nikakve intrinsične granice; niti je moguće da naši pojmovi o ratu postanu tako istančani da obuhvate i one ekstrinsične moralne kodekse koje Klauzevic ponekad naziva „čovekoljubivim" [*op. cit.*, str. 42]. „Nikada se u samu filozofiju rata ne može uneti princip umerenosti, a da se ne učini nešto apsurdno" [*op. cit.*, str. 43]. Što je ekstremnija borba, stoga, što je opštije i veće nasilje koje koristi ova ili ona strana, to je ona bliža ratu u pojmovnom smislu („apsolutnom ratu"). A nema nikakvog zamislivog čina nasilja, ma koliko izdajničkog ili okrutnog, koji ne bi spadao u rat, koji bi bio ne-rat, jer logika rata je jednostavno postojano kretanje prema moralnoj krajnosti. Stoga je toliko užasno (mada nam Klauzevic to ne kaže) pokrenuti ovaj proces: agresor je odgovoran za sve posledice borbi koje je započeo. U posebnim slučajevima može biti nemoguće da se te posledice znaju unapred, ali one su uvek potencijalno grozne. „Kad pribegnete sili", rekao je jednom general Ajzenhauer [Eisenhower], „... ne znate kuda idete... Ako tonete sve dublje i dublje, naprosto nema granica... osim granica same sile."[2]

Logika rata, prema Klauzevicu, deluje na sledeći način: „Svaki od njih želi da fizičkom silom prinudi svog protivnika da se potčini njegovoj volji" [*op. cit.*, str. 41]. Iz toga nastaje „uzajamno uticanje", neprekidna eskalacija, u kojoj nijedna strana nije kriva, čak i da je prva počela, pošto se svaki postupak može nazvati, a skoro sigurno to i jeste, preemptivnim. Rat teži upotrebi „fizičke sile u njenom celokupnom obimu", što znači da teži prema sve većoj nemilosrdnosti, pošto „onaj koji se ovom silom

---

knjiga se pojavila pošto sam završio rad. Klauzevica sam navodio prema elegantnoj, mada skraćenoj verziji: Edward M. Collins, *War, Politics, and Power*, Chicago, 1962, str. 65. Uporedi Howard and Paret, str. 76. [Svi navodi iz Klauzevica dati su prema: Klauzevic, *O ratu*, preveo Milivoj Lazarević, Vuk Karadžić, Beograd, 1951, str. 43.]

2 Konferencija za štampu, 12. januara 1955.

služi bezobzirno, ne štedeći krv, mora dobiti nadmoćnost, ako protivnik ne učini to isto"[3]. Stoga njegov protivnik, vođen onim što su Tukidid i Hobs nazivali „prirodnim zakonom" čini to isto, vraćajući milo za drago kad god može. Ali ovaj opis, mada predstavlja korisno objašnjenje toga kako dolazi do eskalacije, izložen je kritici koju sam već izneo. Čim se usredsredimo na neki konkretan slučaj donošenja odluka o vojnim i moralnim pitanjima, stupamo u svet kojim ne upravljaju apstraktne tendencije već čovekovi izbori. Ovde su stvarni pritisci ka eskalaciji veći, tamo manji, retko kad su toliko premoćni da ne ostavljaju nikakav prostor za manevrisanje. Ratovi bez sumnje često eskaliraju, ali se (ponekad) vode na prilično postojanom nivou nasilja i brutalnosti, i ti nivoi su (ponekad) prilično niski.

Klauzevic ovo priznaje, ne odbacujući svoju osnovnu tezu o apsolutu. „Rat", piše, „može biti neka stvar koja je čas više, čas manje rat." I ponovo, „može biti vrlo različitih ratova po važnosti i energiji; od rata do uništenja pa sve do prostog naoružanog posmatranja"[4]. Negde između ove dve krajnosti, pretpostavljam, počinjemo da govorimo: sve je dozvoljeno, sve može i sl. Kad govorimo na ovaj način, ne pozivamo se na opštu neograničenost rata već na određene eskalacije, određene činove sile. Niko nikada nije doživeo „apsolutni rat". U ovom ili onom sukobu, trpimo (ili vršimo) ove ili one brutalnosti, koje se uvek mogu opisati konkretnim terminima. Isto važi i za pakao: ne mogu da zamislim beskonačni bol a da ne mislim o šibama i škorpionima, usijanom gvožđu, drugim ljudima. O čemu tačno mislimo kad kažemo da je rat pakao? Koje strane ratovanja su nas navele na to da započinjanje rata smatramo zločinačkim delom?

Do istog pitanja možemo doći i drugim putem. Nije korisno opisati rat samo kao čin nasilja, bez nekog određenja konteksta u kojem se taj čin odigrava i iz koga izvodi svoje značenje. Isto važi i za druge čovekove aktivnosti (politiku i trgovinu, na primer): nije ključno ono što ljudi rade, fizički pokreti koje izvode, već institucije, običaji, konvencije koje stvaraju. Stoga društvene i istorijske

3 Klauzevic, *O ratu*, preveo Milivoj Lazarević, Vuk Karadžić, Beograd, 1951, str. 42.

4 Klauzevic, *op. cit.*, str. 500, 48.

uslove koji „umeravaju" rat ne treba smatrati slučajnim ili spoljašnjim u odnosu na sam rat, jer rat je društvena tvorevina. U određenim vremenskim razdobljima, on dobija oblik na određeni način, a ponekad bar i na način koji se opire „krajnjoj upotrebi sile". Šta je rat, a šta nije rat, jeste nešto o čemu odlučuju ljudi (ne mislim glasanjem). Kao što sugerišu antropološki i istorijski opisi, oni mogu da odluče, i u veoma raznolikim kulturnim sredinama oni su odlučili da je rat ograničeni rat – to jest, ugradili su u ideju o ratu izvesne pojmove o tome ko može da se bori, kakve taktike su prihvatljive, kada treba prekinuti borbu i koja posebna prava pripadaju pobedniku.[5] Ograničeni rat je uvek specifičan za vreme i mesto, ali to je i svaka eskalacija, uključujući i eskalaciju posle koje rat postaje pakao.

Granice pristanka

Neki ratovi nisu pakao, i najbolje je početi s njima. Prvi i najočigledniji primer je kompetitivna borba mladih plemića, turnir velikih razmera i bez sudije na tribinama. Primeri se mogu naći u Africi, drevnoj Grčkoj, Japanu i feudalnoj Evropi. Evo „nadmetanja oružjem" koje je često plenilo maštu ne samo dece već i romantičnih odraslih. Džon Raskin [John Ruskin] je ovo učinio svojim sopstvenim idealom: „Kreativan ili bazični je rat u kojem se prirodan nemir i ljubav za nadmetanjem disciplinuju,

5 Naravno, Klauzevic upravo ovo želi da porekne. Tehničkim terminima rečeno, on dokazuje da rat nikada nije aktivnost koju konstituišu pravila. Rat nikada nije nalik dvoboju. Društvena praksa dvoboja obuhvata i opisuje samo one činove nasilja navedene u knjizi pravila ili običajnom pravu. Ako ranim svog protivnika, pucam na njegovog sekundanta i potom ga na smrt prebijem motkom, ja sam ubica. Ali slične brutalnosti u ratu, mada krše pravila, još uvek se smatraju ratnim činovima (ratnim zločinima). Stoga postoji formalni ili lingvistički smisao u kojem su vojne akcije neograničene, i to je bez sumnje uticalo na naše razumevanje tih akcija. U isto vreme, međutim, „rat" i srodne reči se bar ponekad koriste u ograničenijem smislu, kao u slavnom govoru ser Henrija Kempbel-Banermana [Henry Campbell-Bannerman], jednog od vođa liberalne stranke u Britaniji u vreme Burskog rata: „Kada rat nije rat? Kada se vodi varvarskim metodima..." Još uvek govorimo o Burskom *ratu*, ali argument nije idiosinkratičan. Kasnije ću izneti i druge primere.

uz opšti pristanak, u oblike lepe – mada može biti smrtonosna – igre..."[6] Kreativan rat ne mora biti preterano krvav, ali to nije ključno za njega. Čitao sam opise turnira koji ih čine dovoljno brutalnim, ali nijedan takav opis neće nikoga navesti na pomisao da je bilo zločin organizovati takav turnir. Ono što stavlja van snage takvu tvrdnju, mislim, jeste Raskinov izraz „na osnovu opšteg pristanka". Njegovi lepi plemići čine ono što su izabrali da čine, i stoga nijedan pesnik nije njihovu smrt opisao rečima koje se mogu uporediti s rečima koje je koristio Vilfrid Oven [Wilfred Owen] pišući o pešadiji u Prvom svetskom ratu:[7]

„Šta su posmrtna zvona onima koji umiru kao stoka?"

„Mladićima koji su ga dobrovoljno prihvatili kao svoju profesiju", piše Raskin, „[rat] je uvek bio velika razonoda..." Njihov izbor uzimamo kao znak da ono što biraju ne može biti užasno, čak i ako nama tako izgleda. Možda oni brutalan ratni metež čine viteškijim, možda ne; ali da je ta vrsta rata bila pakao, ovi mladići iz dobrih porodica radili bi nešto drugo.[8]

Sličan argument se može izneti za svaki slučaj kada je ratovanje dobrovoljno. Niti je značajno da li ljudi slobodno biraju da li će se boriti, sve dok mogu da, bez težih posledica, izaberu da prekinu borbu. U izvesnim primitivnim društvima, cele grupe vršnjaka odlaze u borbu; pojedinci ne mogu da izbegnu sukob a da sebe ne obeščaste i ne izlože se ostrakizmu. Ali nema delotvornog društvenog pritiska niti vojne discipline na bojnom polju. A tada dolazi, kao što je pisao Hobs, do „bežanja na jednoj ili na obema stranama".[9] Kada je bežanje prihvatljivo, kao

---

6 John Ruskin, *The Crown of Wild Olive: Four Lectures on Industry and War*, New York, 1874, str. 90–91.

7 Wilfred Owen, „Anthem for Doomed Youth," u *Collected Poems*, ed. C. Day Lewis, New York, 1965, str. 44.

8 Raspoloženje zadovoljnog ratnika možemo da nazremo u pismu koje je Rupert Bruk [Rupert Brooke] uputio jednom prijatelju na samom početku Prvog svetskog rata, kad još nije znao na šta će on ličiti: „Dođi i umri. Biće to veoma zabavno." (Navedeno u Malcolm Cowley, *A Second Flowering*, New York, 1974, str. 6.)

9 Thomas Hobbes, *Levijatan*, gl. XXI, srp. str. 192. Opis primitivnog ratovanja ove vrste iznet je u Robert Gardner and Karl G. Heider, *Gardens of War: Life and Death in the New Guinea Stone Age*, New York, 1968, gl. 6.

što često jeste u primitivnom ratovanju, bitke će očigledno biti kratke, a žrtve malobrojne. Nema ničeg ni nalik „krajnjem naprezanju snaga". Ljudi koji ne beže već ostaju na bojnom polju i bore se, ne čine to zbog nužnosti koju im nameće njihov položaj već slobodno, na osnovu izbora. Oni traže uzbuđenje borbe, možda zato što u njemu uživaju, a njihova potonja sudbina, čak i ako je veoma bolna, ne može se nazvati nepravednom.

Slučaj najamnika i profesionalnih vojnika je složeniji i potrebno ga je brižljivije ispitati. U renesansnoj Italiji, u ratovima su se borili najamnici koje su regrutovali veliki *condottieri*, a to je delom bio poslovni poduhvat, delom političko ulaganje. Gradovi-države i kneževine morali su da se oslanjaju na te ljude jer politička kultura tog vremena nije dopuštala efikasnu prinudu. Nije bilo opšte mobilizacije. Posledica je bilo ratovanje veoma ograničene vrste, pošto su regruti bili skupi, a svaka armija predstavljala veliku kapitalnu investiciju. Bitka je postala stvar taktičkih manevara, fizički sukob je bio redak; ginuo je relativno mali broj vojnika. Ratove je trebalo dobiti, kao što su pisala dvojica kondotijera, „upornošću i lukavstvom a ne ukrštanjem oružja".[10] Tako u velikom porazu Firentinaca kod Zagonare, „niko nije poginuo [u bici]", kaže nam Makijaveli [Machiavelli], „osim Lodovika delji Obicija [Lodovico degli Obizi] i dvojice njegovih ljudi koji su pali sa konja i udavili se u blatu"[11]. Ponovo ne želim da istaknem ograničeni karakter borbi, već nešto što mu prethodi i iz čega sledi njihova ograničenost: izvesnu vrstu slobode da se izabere rat. Najamnici su sklapali ugovore, i ako nisu mogli da biraju pohode i taktiku, mogli su u izvesnoj meri da odrede cenu svoje službe i time da uslove izbore svojih vođa. Imajući u vidu tu slobodu, mogli su da vode veoma krvave bitke, i taj prizor nas ne bi naveo da kažemo da je rat zločin. Bitka najamničkih vojski je nesumnjivo rđav način za rešavanje političkih sporova, ali sudimo da je rđav zbog ljudi čija je sudbina rešavana, a ne zbog samih vojnika.

Međutim, naš sud je veoma različit ako su najamničke vojske regrutovane (kao što najčešće i jesu) iz redova očajnički siromašnih ljudi, koji ne mogu da nađu drugog načina da prehrane

10 Navedeno u J. F. C. Fuller, *The Conduct of War, 1789–1961*, n. p. 1968, str. 16.

11 Machiavelli, *History of Florence*, New York, 1960, knj. IV, gl. I, str. 164.

sebe i svoje porodice osim da stupe u vojsku. Raskin lepo iznosi ovu tezu kad svojim aristokratskim ratnicima kaže: „Zapamtite, ma kakva vrlina i dobrota mogla da postoji u toj igri rata, kad se ispravno igra, nje nema kada je... igrate s mnoštvom malih ljudskih piona... [kada] milione svojih seljaka šaljete u gladijatorski rat...“[12] Tada bitka postaje „cirkus klanja“ u kojem nije moguća disciplina prihvaćena opštim pristankom, a oni koji ginu umiru a da nisu imali nikakvu šansu da žive na drugačiji način. Pakao je pravo ime za opasnosti koje ti ljudi nisu lično izabrali i za njihovu patnju i smrt; ljudi odgovorni za tu patnju s pravom se nazivaju zločincima.

Najamnici su profesionalni vojnici koji svoje usluge prodaju na otvorenom tržištu, ali ima i drugih profesionalaca, koji služe samo svom knezu ili narodu i koji, mada svoj hleb zarađuju kao vojnici, preziru ime najamnika. „[M]i ili smo oficiri koji služimo svom caru i otadžbini“, kaže knez Andrej u *Ratu i miru*, „te se raduju zajedničkom uspehu i teško nam pada svaki zajednički neuspeh, ili smo lakeji kojih se poslovi njihove gospoštine ništa ne tiču.“[13] Ova distinkcija je isuviše gruba; zapravo ima i prelaznih slučajeva; ali što se više vojnik bori zato što je odan „opštoj stvari“, verovatnije je da ćemo smatrati zločinom prisiljavati ga da se bori. Pretpostavljamo da je odan bezbednosti svoje zemlje, da se bori samo kada je ona ugrožena, i da tada mora da se bori (bio je „prisiljen“): to je njegova dužnost, a ne stvar slobodnog izbora. On je nalik doktoru koji rizikuje svoj život tokom epidemije, koristeći profesionalna znanja koja je odabrao da stekne, ali čiji izbor nije znak da se nadao epidemijama. S druge strane, profesionalni vojnici su ponekad upravo isti kao aristokratski ratnici koji uživaju u borbi, vođeni više žudnjom za pobedom nego patriotskim ubeđenjima, a tada njihova smrt može da nas ostavi ravnodušnim. Bar nećemo reći, niti bi oni želeli da kažemo, ono što je Oven rekao za svoje drugove iz rovova, da „čovek umire od rata kao i od svake dugotrajne bolesti“[14]. Oni su umrli po sopstvenoj slobodnoj volji.

12 Ruskin, str. 92.

13 L. N. Tolstoj, *Rat i mir*, Deo drugi, glava III, preveo Jovan Maksimović, Novosti, Beograd, 2010, tom I, str. 128.

14 „A Terre“, *Collected Poems*, str. 64.

Rat je pakao kad god su ljudi silom naterani da se bore, kad god je prekršeno ograničenje pristanka. To naravno znači da je skoro uvek bio pakao; većim delom pisane istorije postojale su političke organizacije sposobne da pokreću vojske i teraju vojnike u borbu. Odsustvo političke discipline ili njena neefikasnost otvaraju put „kreativnom ratu". Primere koje sam naveo najbolje je razumeti kao granične slučajeve, koji postavljaju granice pakla. Mi sami smo njegovi stari stanovnici – čak i ako živimo u demokratskim državama u kojima je vlada koja donosi odluku da se ratuje ili ne ratuje izabrana od strane naroda. Jer sada ne razmatram legitimnost te vlade. Nisam ni neposredno zainteresovan za spremnost potencijalnog vojnika da glasa za rat za koji je naveden da veruje da je nužan, ili da se dobrovoljno javi u vojsku. Ono što je ovde važno jeste mera u kojoj su rat (kao profesija) ili borba (u ovom ili onom trenutku) ličan izbor, koji vojnik samostalno donosi i donosi ga iz suštinski privatnih razloga. Ova vrsta izbora nestaje čim ratovanje postane zakonska obaveza i patriotska dužnost. Tada je „gubitak života boraca gubitak na koji", pisao je filozof T. H. Grin [T. H. Green], „primorava moć države. Ovo je istina bilo da je vojska prikupljenja dobrovoljnim prijavljivanjem ili opštom regrutacijom."[15] Jer država naređuje da se prikupi vojska određene veličine, i pokušava da nađe potrebne ljude koristeći sve tehnike prisile i ubeđivanja kojima raspolaže. A ljudi koje nalazi, baš zbog toga što u rat odlaze pod prinudom ili zbog savesti, više ne mogu da svoje bitke učine umerenim, te bitke više nisu njihove. Oni su politički instrumenti, izvršavaju naređenja, a praksa rata se oblikuje na višem nivou. Možda

15 Grin iznosi dokaze protiv propozicije koju sam do sada tvrdio: da nema ničeg rđavog u ratu ako su „ljudi koji su ubijeni bili dobrovoljni borci". On to poriče na osnovu toga da vojnikov život nije samo njegov. „Pojedinčevo pravo na život je samo naličje prava koje društvo ima na njegov život." Ali to je istina, čini mi se, samo u izvesnim vrstama društva; teško da je to argument koji bi se mogao izneti feudalnom ratniku. Grin dalje dokazuje, što je plauzibilnije, da u njegovom sopstvenom društvu ima malo smisla reći da se vojnici bore dobrovoljno: rat je sada državno delo. Glava o „Pravu države nad pojedincem u ratu" [„The Right of the State over the Individual in War"] Grinovog dela *Principi političkih obaveza* [*Principles of Political Obligation*] pruža naročito jasan opis načina na koje je moralna odgovornost posredovana u savremenoj državi; često se oslanjam na nju u ovoj i kasnijim glavama.

su zaista obavezni da izvrše naređenja u ovom ili onom slučaju, ali rat je radikalno izmenjen činjenicom da oni to rade uopšte uzev. Promenu najbolje prikazuje u savremenom periodu (mada postoje i istorijske analogije) učinak regrutovanja. „Do tada su vojnici bili skupi, sada su postali jeftini; bitke su se izbegavale, sada se traže, i ma koliko bili veliki gubici, oni se mogu brzo nadoknaditi mobilizacijom.“[16]

Kaže se da se Napoleon [Napoleon] hvalio Meternihu (Metternich) da može sebi da dopusti da gubi 30.000 ljudi mesečno. Možda je i mogao da ih toliko izgubi a da još uvek zadrži političku podršku u Francuskoj. Ali to ne bi mogao da učini, mislim, da je morao da pita ljude koje će „izgubiti“. Vojnici se mogu složiti s takvim gubicima u ratu koji im je neprijatelj nametnuo, ratu za nacionalni spas, ali ne u onoj vrsti ratova koje je vodio Napoleon. Potreba da se traži njihov pristanak (ma u kom obliku se tražio i davao ili odbijao da se da) sigurno bi ograničila prilike za rat, a da je bilo ikakve šanse za recipročnost s druge strane, ograničila bi i sredstva kojima se vodi. To je ona vrsta pristanka koji imam na umu. Političko samoodređenje nije, sudeći po istoriji dvadesetog veka, adekvatna zamena, mada nije lako zamisliti neku koja bi bila bolja. U svakom slučaju, kada individualni pristanak izostane, „činovi nasilja“ gube svaku privlačnost koju su ranije imali i postaju stalni predmet moralnih osuda. A posle toga, rat ima tendenciju da eskalira i u svojim sredstvima, ne nužno preko svih granica, ali sigurno preko onih granica koje bi obični ljudi, slobodni od političkih lojalnosti koliko i od političkih prinuda, ustanovili kad bi mogli.

Tiranija rata

Rat je najčešće oblik tiranije. Najbolje ga je opisati parafrazom aforizma Trockog o dijalektici: „Možda vas ne zanima rat, ali on se zanima za vas.“ Ulozi su visoki, a interes koji vojne organizacije imaju za pojedince koji bi više voleli da su na nekom drugom mestu i da rade nešto drugo, zaista je zastrašujući. Otuda posebni užasi rata: to je društvena praksa u kojoj ljudi koriste silu protiv ljudi kao lojalnih ili prisiljenih podanika država, a ne

16 Fuller, *Conduct of War*, str. 35.

kao pojedinaca koji biraju svoje sopstvene poduhvate i aktivnosti. Kada kažemo da je rat pakao, na umu imamo žrtve borbi. U stvari je rat tada sama suprotnost paklu u teološkom smislu, i paklen je samo kad je suprotnost oštra. Jer, u paklu, pretpostavlja se, pate samo oni ljudi koji zaslužuju da pate, koji su izabrali aktivnosti čije je kažnjavanje prikladan božji odgovor, i to znajući da je tako. Ali daleko najveći broj onih koji pate u ratu nisu doneli nikakvu sličnu odluku.

Ne želim da ih nazovem „nedužnim". Ta reč je dobila specijalno značenje u našem moralnom diskursu. Ona se ne odnosi na učesnike već na posmatrače bitke, i stoga je klasa nedužnih muškaraca i žena samo podskup (mada je to često zastrašujuće veliki podskup) onih za koje se rat interesuje ne tražeći njihov pristanak. Pravila rata većinom štite samo taj podskup, iz razloga koje ću kasnije morati da razmotrim. Ali, rat je pakao čak i kada se pravila poštuju, čak i kada samo vojnici bivaju ubijani, a civili dosledno pošteđeni. Sigurno je da nijedno iskustvo modernog ratovanja nije urezalo svoj užas toliko duboko u našu svest koliko rovovske borbe u Prvom svetskom ratu – a u rovovima su životi civila retko kad ugroženi. Distinkcija između boraca i posmatrača je od ogromnog značaja u teoriji rata, ali naš prvi i najtemeljniji moralni sud ne zavisi od nje. Jer, bar u jednom smislu, vojnici u borbi i civili koji u njoj ne učestvuju nisu toliko različiti: vojnici bi skoro sigurno bili oni koji ne učestvuju samo kad bi mogli.

Tiranija rata se često opisuje kao da je sam rat tiranin, prirodna sila poput poplave ili gladi ili, personifikovana, brutalni div koji vreba svoje žrtve, kao u ovim stihovima iz jedne pesme Tomasa Sekvila [Thomas Sackville]:[17]

> Poslednji stajaše Rat, u bleštavom oklopu,
> s licem strašnog izgleda, i crne boje,
> u desnici držaše isukani mač
> do balčaka natopljen krvlju,
> a u levoj ruci (od koje strepe kraljevi i kraljevstva)
> držaše glad i oganj, i njima
> razaraše gradove do temelja, a kule i sve drugo mrvljaše u prah.

17 Thomas Sackville, Earl of Dorset, „The Induction", *Works*, ed. R. W. Sackville-West, London, 1859, str. 115.

Evo Strašnog kosca u uniformi, naoružanog mačem umesto kosom. Poetska slika zadire i u moralnu i političku misao, ali samo, mislim, kao neka vrsta ideologije, kriveći naš kritički sud. Predstaviti tiransku moć kao apstraktnu Silu jeste mistifikacija. U bici, kao i u politici, tiranija je uvek odnos između osoba ili grupa osoba. Tiranija rata je posebno složen odnos zato što je prisila prisutna na obe strane. Ponekad je, međutim, moguće razlikovati strane i identifikovati državnike i vojnike koji su prvi isukali mač. Ratovi ne počinju sami od sebe. Oni mogu da „izbiju" poput slučajnog požara, u uslovima teškim za analizu i u kojima se pripisivanje odgovornosti čini nemogućim. Ali obično su sličniji podmetnutom požaru nego slučajnom; rat ima ljudske aktere, baš kao i ljudske žrtve.

Ti akteri, kad možemo da ih identifikujemo, s pravom se nazivaju zločincima. Njihov moralni karakter je određen moralnom stvarnošću aktivnosti kojom prisiljavaju druge da se bave (bez obzira na to da li se sami u nju upuštaju ili ne). Oni su odgovorni za bol i smrt koji proističu iz njihovih odluka, ili bar za bol i smrt svih onih osoba koje nisu izabrale rat kao lični poduhvat. U savremenom međunarodnom pravu njihov zločin se naziva agresijom, i kasnije ću ga razmatrati pod ovim imenom. Ali u prvi mah možemo da ga razumemo kao primenu tiranske moći, najpre nad vlastitim narodom, a potom, posredovanjem biroa za regrutaciju protivničke države, i nad narodom koji su napali. Sada, tiranija ove vrste retko kad nailazi na otpor u svojoj zemlji. Ponekad se ratu protive lokalne političke snage, ali protivljenje se skoro nikad ne proteže i na aktualnu primenu vojne moći. Mada su u dugoj istoriji ratova pobune obična stvar, one su više nalik seljačkim žakerijama, brzo i krvavo ugušenim, nego revolucionarnim borbama. Najčešće, stvarna opozicija dolazi samo od neprijatelja. Muškarci i žene na drugoj strani su ti koji će najverovatnije prepoznati i mrzeti tiraniju rata; a kad god to čine, borba dobija novi značaj.

Kad vojnici veruju da se bore protiv agresora, rat nije više stanje koje treba samo podnositi. On je zločin kome mogu da se odupru – mada moraju da trpe njegove posledice da bi mu se oduprli – i mogu se nadati pobedi koja je nešto više od pukog izbavljenja od neposredne brutalnosti borbi. Iskustvo rata kao pakla stvara ono što se može nazvati višom ambicijom: ne pokušava se da se nagodi s neprijateljem već da se on porazi i kazni i, ako već ne da se zbaci tiranija rata, onda bar da se umanji verovatnoća njene buduće vlasti. A kad se neko bori za ovu vrstu ciljeva, postaje izuzetno važno da se pobedi. Ubeđenje da je pobeda od presudnog moralnog značaja ima značajnu ulogu u takozvanoj „logici rata“. Ne nazivamo rat paklom zato što se on vodi bez uzdržavanja. Tačnije je reći da, kad se izvesna uzdržanost prekorači, pakao rata nas tera da odbacimo svaku preostalu uzdržanost kako bismo pobedili. U ovome leži najviša tiranija: oni koji se odupiru agresiji prisiljeni su da podražavaju, pa čak možda i da nadmaše, brutalnost agresora.

General Šerman i spaljivanje Atlante

Sada smo u stanju da razumemo ono što je Šerman [Sherman] imao na umu kada je prvi izjavio da je rat pakao. On nije samo opisivao užas iskustva, niti je poricao mogućnost moralnog suda. On je sam donosio takve sudove, a sigurno je da je mislio da je ispravan vojnik. Njegova maksima rezimira, s divnom sažetošću, čitav jedan način mišljenja o ratu – jednostran i pristrasan način mišljenja, kao što ću dokazivati, ali ipak snažan. Prema Šermanovom gledištu, rat je u potpunosti i jedino zločin onih koji su ga započeli, a vojnici koji se odupiru agresiji (ili pobuni) nikada ne mogu biti okrivljeni ni za šta što čine, a što ih vodi korak bliže pobedi. Rečenica *Rat je pakao* jeste doktrina, a ne deskripcija: to je moralni argument, a ne pokušaj samoopravdanja. Šerman je tvrdio da ne snosi krivicu za sve one akcije (mada su to bile njegove akcije) zbog kojih je bio tako oštro napadan: za bombardovanje Atlante, prisilnu evakuaciju njenih stanovnika i spaljivanje grada, marš kroz Džordžiju. Kad je izdao naređenje za evakuaciju i spaljivanje Atlante, gradski odbornici i zapovednik snaga Konfederacije, general Hud [Hood], protestovali su protiv njegovog plana: „A sada gospodine“, pisao je Hud, „dozvolite mi da kažem da mera bez presedana koju predlažete prevazilazi, promišljenom i otvorenom surovošću, sve postupke za koje znam u mračnoj istoriji rata.“ Šerman je odgovorio da je rat zaista mračan. „Rat je surovost i ne možete ga oplemeniti.“[18] Prema tome, nastavio je, „oni koji su doneli rat u našu zemlju zaslužuju sve pogrde i prokletstva koje ljudi mogu da sruče na njih“. A on sam ne zaslužuje kletve. „Znam da nisam učestvovao u izazivanju ovog rata.“ On se samo bori u njemu, ne na osnovu izbora već zato što mora. On je prisiljen da koristi silu, i spaljivanje Atlante (da grad ne bi mogao da ponovo posluži kao vojno uporište snaga Konfederacije) samo je još jedan slučaj takve upotrebe sile, nešto što rat povlači za sobom. To je surovo, nesumnjivo, ali surovost nije Šermanova sopstvena; ona pripada, takoreći, ljudima Konfederacije: „Vi koji ste, usred mira i prosperiteta, gurnuli naciju u rat...“ Vođe Konfederacije mogu lako da vrate mir pokoravajući se federalnim zakonima, ali Šerman to može da ostvari samo vojnom silom.

Šermanov argument izražava gnev koji je obično usmeren na one koji su započeli rat i time nas ostale izložili njegovoj tiraniji. Naravno, ne slažemo se kad dođe do toga da se imenuju tirani. Ali ovo neslaganje je duboko i ogorčeno samo zato što se slažemo o moralnom ulogu. Ono o čemu se sporimo jeste odgovornost za smrt i razaranja, i Šerman nije jedini general koji se živo interesovao za ovaj predmet. Niti je on jedini general koji je mislio da, ako je stvar za koju se bori pravedna, on ne može biti okrivljen za smrt i razaranja koja širi oko sebe – jer rat je pakao.

Ovde je na delu Klauzeviceva ideja o krajnosti, i ako je ova ideja ispravna, zaista se ne može odgovoriti na Šermanove argumente. Ali tiranija rata nije ništa više neograničena nego politička tiranija. Baš kao što tiranina možemo da optužimo za određene zločine povrh i preko zločina vladanja bez pristanka svojih podanika, tako možemo da prepoznamo i osudimo određene zločinačke postupke unutar pakla rata. Kad odgovorimo na pitanje „Ko je započeo ovaj rat?“, nismo još završili s raspodelom odgovornosti za patnje koje izazivaju vojnici. Treba izneti dalje argumente. Zato je general Šerman, mada je tvrdio da se surovost rata ne može oplemeniti, ipak smatrao da on to čini. „Bog će prosuditi...“, pisao je, „da li je humanije boriti se s gradom

18 Ovaj i sledeći navod su iz: William Tecumseh Sherman, *Memoirs*, New York, 1875, str. 119–120.

punim žena (i dece) za leđima ili ih na vreme premestiti na bezbednije mesto među njihove prijatelje i sunarodnike." Ovo je još jedna vrsta opravdanja; i bez obzira na to da li je izneto iskreno, ono nagoveštava (što je sigurno bila istina) da je Šerman osećao izvesnu odgovornost prema građanima Atlante, mada nije započeo rat čije su oni žrtve. Kad se usredsredimo isključivo na činjenicu agresije, verovatno je da ćemo izgubiti iz vida tu odgovornost i govoriti kao da u ratu postoji samo jedna moralno relevantna odluka koju treba doneti: napasti, ili ne napasti (odupreti se, ili se ne odupreti). Šerman želi da prosuđuje rat samo na njegovim udaljenim granicama. Ali, ima mnogo toga što treba reći o njegovom jezgru, kao što i on sam priznaje. Čak i u paklu je moguće biti manje ili više human, boriti se uzdržano ili bez ikakvih ograničenja. Moramo pokušati da razumemo kako je to moguće.

3. PRAVILA RATA

Moralna jednakost vojnika

Među vojnicima koji su izabrali da se bore, lako i, moglo bi se reći, prirodno nastaju uzdržavanja raznih vrsta, kao proizvod uzajamnog poštovanja i priznanja. Priče o vitezovima su većim delom priče, ali ne može biti sumnje da je u kasnom srednjem veku vojnički kodeks bio široko prihvaćen i ponekad poštovan. Kodeks je bio stvoren radi pogodnosti aristokratskih ratnika, i takođe je izražavao njihov osećaj za same sebe kao osobe izvesne vrste, koje se bave aktivnostima koje su slobodno izabrale. Viteštvo je izdvajalo vitezove od prostih razbojnika i pljačkaša, kao i od seljaka vojnika, koji su nosili oružje iz nužde. Pretpostavljam da je opstalo do danas: neki osećaj vojničke časti još uvek se podrazumeva kod profesionalnih vojnika, društvenih, ako već ne izravnih potomaka feudalnih vitezova. Ali, čini se da pojmovi časti i viteštva imaju malu ulogu u savremenim sukobima. U literaturi o ratu uobičajeno je ukazivanje na suprotnost između „sada i nekada“ – ne baš veoma tačno, ali s izvesnom merom istinitosti, kao u pesmi Luisa Simpsona [Louis Simpson]:[1]

Kod Malplaketa i Vaterloa
Bili su učtivi i ponosni,
Potprašili bi svoje puške ljubavnim pismima
I pucali naklonivši se.
I kod Apomatoksa, čini se
Da su se neke stvari shvatale...
Ali kod Verdena i Bastonje
Sve se promenilo,
Krv je bila gorka do kostiju
Obarač za dušu...

---

1 Louis Simpson, „The Ash and the Oak“, *Good News of Death and Other Poems*, u *Poets of Today* II, New York, 1955, str. 162.

Često se kaže da je viteštvo palo kao žrtva demokratske revolucije i revolucionarnog rata: populističke strasti su nadvladale aristokratsku čast.[2] To granicu povlači pre Vaterloa i Apomatoksa, mada još uvek ne sasvim tačno. Uspeh prisile čini rat ružnim. Demokratija je činilac samo utoliko što je povećala legitimnost države, a potom i efikasnost njene moći prisile, a ne zato što su ljudi pod oružjem bili krvožedna rulja gonjena političkom zagriženošću i predana totalnom ratu (nasuprot svojim oficirima, koji bi se borili poštujući pristojnost kad bi mogli). Ne preobražava rat u „cirkus klanja" ono što ljudi čine kad stupe u arenu borbe već, kao što sam već dokazivao, puka činjenica da se tu nalaze. Vojnici su umirali na hiljade kod Verdena i na Somi jednostavno zato što su bili dostupni, što je njihove živote nacionalizovala, da tako kažemo, moderna država. Nisu izabrali da jurišaju na bodljikavu žicu i mitraljeze u nastupu patriotskog oduševljenja. Krv je gorka i njihovim kostima; i oni bi se borili s uljudnošću kad bi mogli. Njihov patriotizam, naravno, pruža delimično objašnjenje njihove dostupnosti. Disciplina države nije im samo nametnuta, to je i disciplina koju su prihvatili, misleći da to moraju radi dobra svojih porodica i svoje otadžbine. Ali, opšte osobine savremene borbe: mržnja prema neprijatelju, odbacivanje bilo kakvih uzdržavanja, žudnja za pobedom – to su proizvodi samog rata kad god mase ljudi treba mobilisati za borbu. To je isto toliko doprinos modernog ratovanja demokratskoj politici koliko i doprinos demokratije ratu.

U svakom slučaju, smrt viteštva nije i kraj moralnog suđenja. Još uvek vojnike procenjujemo prema izvesnim merilima, mada se ne bore dobrovoljno – zapravo, upravo zato što pretpostavljamo da se ne bore dobrovoljno. Vojnički kodeks je restrukturiran u uslovima modernog ratovanja tako da ne počiva na aristokratskoj slobodi već na vojničkom ropstvu. Ponekad sloboda i ropstvo koegzistiraju, i tada možemo da klinički podrobno proučavamo njihove razlike. Kad god je ponovo oživljena igra rata, s njom se ponovno oživljavaju razrađene učtivosti viteškog doba – kao među pilotima u Prvom svetskom ratu, na primer, koji su sebe zamišljali kao vitezove vazduha (i koji su tako zabeleženi

2 Vidi, na primer, Fuller, *Conduct of War*, gl. II („The Rebirth of Total War").

u popularnoj imaginaciji). Upoređeni sa kmetovima na tlu, oni su zaista bili aristokrati: borili su se u skladu sa strogim kodeksom ponašanja, koji su sami smislili.[3] Međutim, u rovovima je vladalo sužanjstvo, a uzajamno priznanje je imalo veoma različiti oblik. Ukratko, na Božić 1914. godine, nemačke i francuske trupe su se okupile, pile i pevale zajedno, na ničijoj zemlji između rovova. Ali ovakvi trenuci su retki u skorijoj istoriji, i ne pružaju nam prilike za moralnu invenciju. Savremena pravila rata počivaju na apstraktnom, a ne na praktičnom zajedništvu.

Vojnici nisu u stanju da dugo podnose moderno ratovanje a da ne bace na nekoga krivicu za svoj bol i patnje. Mada to što ne okrivljuju vladajuću klasu svoje ili neprijateljske zemlje može biti primer onoga što marksisti nazivaju „lažnom svešću", činjenica je da se njihove osude najneposrednije usmeravaju na ljude s kojima se bore. U rovovima je nivo mržnje visok. Stoga se ranjeni neprijatelji često ostavljaju da umru, a zarobljenici se ubijaju – poput ubica koje linčuju sami „budni" građani – kao da su vojnici na suprotnoj strani lično odgovorni za rat. Istovremeno, međutim, znamo da oni nisu odgovorni. Mržnja je prekidana ili nadvladana refleksivnijim razumevanjem, koje često nalazimo izraženo u pismima i ratnim memoarima. To je osećaj da je neprijateljski vojnik, mada verovatno vodi zločinački rat, uprkos tome bez ikakve krivice, kao i mi sami. Naoružan, on je neprijatelj; ali on nije *moj* neprijatelj u bilo kom specifičnom smislu; sam rat nije odnos između osoba već između političkih entiteta i njihovih ljudskih oruđa. Ta ljudska oruđa nisu drugovi po oružju u starom smislu, pripadnici društva ratnika; oni su „siroti bednici, baš kao i ja", upleteni u rat koji nije njihovo delo. U njima nalazim meni moralno jednake. To ne znači jednostavno reći da ja priznajem njihovu ljudskost, jer priznavanje ljudi kao ljudi ne objašnjava pravila rata; i zločinci su ljudi. To je upravo priznavanje ljudi koji nisu zločinci.

Oni mogu pokušavati da me ubiju, a ja mogu pokušavati da ubijem njih. Ali rđavo je seći vratove njihovim ranjenicima,

3 U Edward Rickenbacker, *Fighting in the Flying Circus* New York, 1919, dat je živ (i tipičan) prikaz viteštva u vazduhu. Godine 1918. Rikenbaker je zapisao u svom dnevniku borbi: „Danas sam odlučio da... nikada neću pucati na Huna koji nije u prednosti..." (str. 338). Opšti opis je iznet u Frederick Oughton, *The Aces*, New York, 1960.

ili pucati u njih kad pokušavaju da se predaju. Ovi sudovi su dovoljno jasni, mislim, i oni navode na pomisao da je rat, još uvek, na neki način aktivnost kojom upravljaju pravila, svet dopuštenja i zabrana – moralni svet, prema tome, usred pakla. Mada nema povlastica za one koji pokreću rat, postoje povlastice za vojnike, i one važe bez obzira na to na kojoj su strani; to je prvo i najznačajnije od njihovih ratnih prava. Oni su ovlašćeni da ubijaju, ali *ne bilo koga* već ljude za koje znamo da su žrtve. Teško da možemo razumeti ovo pravo ako ne priznamo da su i oni žrtve. Stoga se moralna stvarnost rata može sažeti na sledeći način: Kad se vojnici bore slobodno, birajući jedni druge za neprijatelje i oblikujući vlastite bitke, njihov rat nije zločin; kad se ne bore slobodno, njihov rat nije njihov zločin. U oba slučaja, ponašanje vojnika je vođeno pravilima; ali u prvom slučaju pravila počivaju na uzajamnosti i pristanku, u drugom na zajedničkom ropstvu. Prvi slučaj ne zadaje nikakve teškoće; drugi je problematičniji. Najbolji način da istražimo njegove probleme je, mislim, da se okrenemo od rovova i borbenih linija generalštabu u pozadini, i od rata protiv kajzera ratu protiv Hitlera – jer je na tom nivou i u toj borbi prepoznavanje „ljudi koji nisu zločinci“ zaista teško.

Slučaj Hitlerovih generala

General Fon Arnim [von Arnim] je 1942. godine uhvaćen u Severnoj Africi, i članovi štaba generala Dvajta Ajzenhauera predložili su američkom zapovedniku da „poštuje zakone starih dana“ i dopusti Fon Arnimu da ga poseti pre no što bude poslat u zarobljeništvo. Istorijski, takve posete nisu bile samo puka učtivost već i prilika za potvrđivanje vojničkog kodeksa. Tako general Fon Ravenštajn [von Ravenstein], koga su iste godine zarobili Britanci, izveštava: „Odveli su me da vidim... samog Okinlcka [Auchinleck] u njegovoj kancelariji. Rukovao se sa mnom i rekao: ‚Dobro vas poznajem po imenu. Vi i vaša divizija ste se viteški borili.‘“[4] Međutim, Ajzenhauer je odbio da dopusti posetu. U svojim memoarima, objasnio je svoje razloge:[5]

4 Navedeno u Desmond Young, *Rommel: The Desert Fox*, New York, 1958, str. 137.

5 Eisenhower, *Crusade in Europe*, New York, 1948, str. 156–157.

> Ovaj običaj vodi poreklo iz činjenice da najamnici iz starih dana nisu gajili stvarno neprijateljstvo prema svojim protivnicima. Obe strane su se borile iz ljubavi prema borbi, iz osećanja dužnosti ili, verovatnije, za novac... Tradicija da su svi profesionalni vojnici drugovi po oružju... zadržala se do naših dana. Za mene je Drugi svetski rat bio isuviše lična stvar da bih gajio takva osećanja. Svakog dana je u meni raslo ubeđenje da se, kao nikada ranije, snage koje se bore za čovekovo dobro i ljudska prava... suočavaju sa zaverom apsolutnog zla, s kojom se ne može tolerisati nikakav kompromis.

Prema ovom gledištu, nije važno da li se Fon Arnim pošteno borio; njegov zločin je to što se uopšte borio. Slično tome, nije važno ni kako se general Ajzenhauer bori. Protiv zavere zla ključno je pobediti. Viteštvo gubi svoj razlog postojanja i nisu ostavljene nikakve granice osim „granica same sile."

To je bilo i Šermanovo gledište, ali ono ne objašnjava naše sudove o njegovom ponašanju, niti o Ajzenhauerovom, pa čak ni o Fon Arnimovom ili Fon Ravenštajnovom. Razmotrimo sada poznatiji slučaj Ervina Romela [Erwin Rommel]: i on je bio jedan od Hitlerovih generala, i teško je zamisliti da bi mogao izbeći moralnu niskost rata u kojem se borio. Pa ipak je bio, govore nam biografi, častan čovek. „Dok su mnogi od njegovih kolega i drugova u nemačkoj armiji žrtvovali svoju čast dosluhom sa nepravdama nacizma, Romel se nikada nije ukaljao." On se usredsredio, kao profesionalac kakav je bio, na „vojnički zadatak – borbu". A kada se borio, držao se pravila rata. On se u rđavom ratu dobro borio, ne samo u vojničkom već i u moralnom smislu. „Romel je spalio Naređenje vrhovne komande koje je izdao Hitler 28. oktobra 1942. godine, da se svi neprijateljski vojnici uhvaćeni iza nemačkih linija ubiju na mestu."[6] On je bio jedan od Hitlerovih generala, ali nije streljao zarobljenike. Da li je ovakav čovek drug? Može li se prema njemu čovek učtivo odnositi, može li se s njime rukovati? Ovo su tanana pitanja o moralnom ponašanju; ne znam kako bi se mogla rešiti, mada osećam simpatije prema Ajzenhauerovoj odluci. Ali sam ipak siguran da Romelu treba odati priznanje što je spalio Naređenje vrhovne komande, a čini se da

6 Ronald Lewin, *Rommel as Military Commander*, New York, 1970, str. 294, 311. Vidi i Young, str. 130–132.

su i svi ostali koji pišu o ovoj stvari podjednako sigurni, a to implicira nešto veoma značajno o prirodi rata.

Bilo bi veoma čudno odavati priznanje Romelu zato što ne ubija zarobljenike, osim ukoliko nismo istovremeno odbili da ga okrivimo za Hitlerov agresivni rat. Jer bi inače bio prosto zločinac, a sve borbe koje vodi bile bi samo ubistva ili pokušaj ubistva, bez obzira na to da li je reč o vojnicima, ratnim zarobljenicima ili civilima. Glavni britanski tužilac u Nirnbergu izneo je ovaj argument jezikom međunarodnog prava kad je rekao: „Ubijanje boraca se može opravdati samo ako je sam rat legalan. Ali kada je rat nelegalan... nema ničega što bi moglo opravdati ubijanje, i ta ubistva ne treba razlikovati od ubistava koja vrši svaka druga pljačkaška banda van zakona.“[7] A tada bi Romelov slučaj bio savršeno nalik slučaju čoveka koji upada u tuđi dom i ubija samo neke od stanara, poštedevši, recimo, decu, ili staru baku: to je nesumnjivo ubistvo, ali s izvesnom mrvom čovečnosti. Ali Romela ne posmatramo na ovaj način. Zašto? Razlog je povezan s distinkcijom između *jus ad bellum* i *jus in bello*. Povlačimo liniju između samog rata, za koji vojnici nisu odgovorni, i njihovog ponašanja u ratu, za koje jesu, bar u krugu vlastitih aktivnosti. Generali mogu da se kolebaju u pogledu ove linije, ali to samo navodi na pomisao da prilično dobro znamo gde je treba povući. Romel je bio sluga, a ne vladar nemačke države, nije izabrao ratove u kojima se borio već je, poput kneza Andreja, služio svog „Cara i otadžbinu“. Ali, većinom ne krivimo vojnika, pa čak ni generala, koji se bori za svoju vladu. On nije član pljačkaške bande, voljni zločinac, već lojalan i poslušan podanik i građanin, koji ponekad dela uz veliki rizik po sebe, onako kako misli da je ispravno. Dopuštamo mu da kaže ono što je jedan engleski vojnik rekao u Šekspirovom *Henriju V*: „Znamo dovoljno ako znamo da smo kraljevi podanici. Ako je njegova stvar nepravedna, naša poslušnost prema kralju čisti nas od toga greha.“[8] Ne radi se o tome da njegova poslušnost

---

7 Navedeno u Robert W. Tucker, *The Law of War and Neutrality at Sea*, Washington, 1957, str. 6 n. Takerova rasprava o pravnim pitanjima je veoma korisna; vidi i H. Lauterpacht, „The Limits of Operation of the Law of War“, u *British Yearbook of International Law*, 1953.

8 *Henri V* (četvrti čin, prva scena), preveli Živojin Simić i Trifun Đukić, Šekspir, *Celokupna dela*, tom V, Bigz, Narodna knjiga, Nolit, Rad, Beograd, 1978, str. 375.

ne može nikada biti zločinačka; jer kad krši pravila rata, naređenja pretpostavljenih nisu odbrana. Zverstva koja je počinio jesu njegova; rat nije. Rat je shvaćen, i u međunarodnom pravu i u običnom moralnom sudu, kao kraljev posao – stvar državne politike, a ne pojedinčeve volje, osim kad je taj pojedinac kralj.

Međutim, moglo bi se misliti da je stvar individualne volje to da li određeni čovek stupa u vojsku i učestvuje u ratu. Katolički pisci odavno dokazuju da ljudi ne bi trebalo da se javljaju dobrovoljno, da uopšte ne bi trebalo da služe ako znaju da je rat nepravedan. Ali do ovog znanja koje zahteva katoličko učenje teško je doći; a u sumnjivim slučajevima, dokazuje najbolji od sholastičara, Francisko de Vitoria [Francisco de Vitoria], podanici moraju da se bore – a krivica pada, kao u *Henriju V*, na njihove vođe. Vitorijin argument pokazuje koliko je čvrsto politički život usmeren, čak i u predmodernim državama, protiv same ideje o volji u doba rata. „Knez nije u stanju", piše Vitorija, „niti treba uvek da objašnjava razloge za rat svojim podanicima, i ako podanici ne mogu da služe u ratu osim ukoliko se prvo uvere u njegovu pravednost, država će zapasti u velike opasnosti..."[9] Naravno, danas većina knezova zapinje iz petnih žila da bi ubedila svoje podanike u pravednost svojih ratova; oni „iznose razloge", mada ne uvek iskrene. Potrebna je hrabrost da bi se posumnjalo u te razloge, ili da bi se u njih posumnjalo javno; i sve dok se u njih samo sumnja, većina ljudi će biti nagovorena (argumentima donekle nalik Vitorijinim) da se bori. Njihova uobičajena navika da poštuju zakon, njihov strah, patriotizam, moralna investicija u državu, sve to ide tome u prilog. Ili, alternativno, oni su toliko mladi kada ih disciplinarni sistem države ščepa i pošalje u rat da se za njih teško može reći da uopšte donose moralne odluke:[10]

Iz majčinog sna pao sam u Državu.

A tada, kako možemo da ih krivimo za (ono što mi vidimo kao) nepravedan karakter rata?[11]

9 Francisco de Vitoria, *De Indis et de Jure Belli Relationes*, ed. Ernest Nys, Washington, D. C. 1917: *On the Law of War*, trans. John Pawley Bate, str. 176.

10 Randall Jarrell, „The Death of the Ball Turret Gunner," u *The Complete Poems*, New York, 1969, str. 144.

11 Ali ti mladi ljudi, dokazuje Robert Nozik, „ne podstiču se da misle za sebe praksom da se razrešavaju svake odgovornosti za svoje postupke

Međutim, vojnici nisu potpuno lišeni volje. Njihova volja je nezavisna i delatna samo unutar jedne ograničene sfere, a za većinu njih ta sfera je veoma uska. Ali, osim u ekstremnim slučajevima, ona nikad u potpunosti ne iščezava. U onim trenucima tokom borbi kada moraju da biraju, poput Romela, da li da streljaju zarobljenike ili da ih ostave u životu, oni nisu puke žrtve ili sluge obavezne na pokornost; oni su odgovorni za ono što čine. Ovu odgovornost ćemo morati da ograničimo kad počnemo podrobnije da je razmatramo, jer rat je ipak pakao, a pakao je tiranija u kojoj su vojnici izloženi svim vrstama prinude. Ali sudovi koje stvarno donosimo o njihovom ponašanju pokazuju, mislim, da smo unutar te tiranije sopstvenim naporima ostvarili ustavni režim: čak i pioni rata imaju svoja prava i obaveze.

Tokom poslednjih sto godina, ova prava i obaveze su specifikovani u ugovorima i konvencijama, ispisanim u međunarodnom pravu. Same države koje regrutuju pione rata stipulirale su moralni karakter svojih uzajamnih klanja. Prvobitno, ova stipulacija nije počivala ni na kakvom pojmu jednakosti vojnika već na jednakosti suverenih država, koje su za sebe prisvojile isto pravo da se bore (pravo da vode rat) koje očiglednije poseduju individualni vojnici. Argument koji sam izneo u ime vojnika bio je prvo iznet u ime država – ili u ime njihovih vođa, koji, kaže nam se, nikada nisu voljni zločinci, ma kakav bio karakter ratova koje započinju, već državnici koji služe nacionalnim interesima najbolje što mogu. Kad budem govorio o teoriji agresije i odgovornosti za agresiju, moraću da objasnim zašto je ovo neadekvatan opis onoga što državnici čine.[12] Za sada je dovoljno reći

---

u okvirima pravila rata". To je tačno. Ali ne možemo njih da krivimo da bismo podstakli druge, osim ukoliko nisu stvarno dostojni osude. Nozik insistira na tome da jesu: „Odgovornost je vojnika da odredi da li je stvar za koju se bori pravedna..." Konvencionalno odbijanje da se ova odgovornost nametne bez ograničenja itd. jeste „moralni elitizam". (*Anarchy, State, and Utopia*, New York, 1974, str. 100.) Ali nije elitizam prepoznati postojanje struktura vlasti i procesa socijalizacije u političkoj zajednici, i bilo bi moralno neosetljivo da se to ne učini. Slažem se sa Nozikom da „neke konačne odluke pripadaju svakom od nas". Veliki deo njegove knjige bavi se pokušajem da se kaže koji su to odluke.

12 Vidi niže, gl. 18. Istorijski opis ovih pitanja iznet je u C. A. Pompe, *Aggressive War: An International Crime*, The Hague, 1953.

da je ovo shvatanje suverenosti i političkog vođstva, koje nikada nije bilo u skladu s običnim moralnim sudom, takođe izgubilo i svoj pravni osnov, i da je, u godinama posle Prvog svetskog rata, pokretanje rata formalno nazivano zločinom. Međutim, pravila ratovanja nisu bila zamenjena već proširena i razrađena, tako da sada imamo i zabranu rata i kodeks vojničkog ponašanja. Dualizam naših moralnih shvatanja utvrđen je zakonom.

Rat je „legalno stanje, koje dopušta da dve ili više grupa sukob vode oružanom silom".[13] On je, takođe, što je za naše ciljeve značajnije, i moralno stanje, koje sadrži istu permisivnost, u stvari ne na nivou suverenih država već na nivou vojski i pojedinačnih vojnika. Bez jednakog prava da se ubija, rat bi kao aktivnost rukovođena pravilima nestao, i bio zamenjen zločinom i kaznom, zločinačkim zaverama i oružanim sprovođenjem zakona. Čini se da je ovaj nestanak najavila Povelja Ujedinjenih nacija u kojoj se ne javlja reč „rat" već samo „agresija", „samoodbrana", „međunarodna prisila" itd. Ali čak i „policijska akcija" Ujedinjenih nacija u Koreji još uvek je bila rat, jer su vojnici koji su se u njemu borili bili moralno jednaki, čak i ako suverene države to nisu bile. Pravila rata su i ovde bila podjednako relevantna kao i u svakom drugom „sukobu koji se vodi oružanom silom", i bila su podjednako relevantna za agresora, žrtvu i policiju.

Dve vrste pravila

Pravila rata se sastoje od dva skupa zabrana povezanih sa središnjim principom da vojnici imaju podjednako pravo da ubijaju. Prvi skup određuje kada i kako mogu da ubijaju, a drugi koga mogu da ubijaju. Ja ću se pretežno baviti drugim skupom zabrana, jer tu formulacije i reformulacije pravila dopiru do jednog od najtežih pitanja teorije rata – to jest, do pitanja kako one žrtve rata koje se mogu napadati i ubijati treba razlikovati od onih koje ne mogu. Ne verujem da se na ovo pitanje mora odgovoriti na ovaj ili onaj određeni način da bi rat predstavljao moralno stanje. Međutim, nužno je da u svakom trenutku postoji neki odgovor. Rat se može razlikovati od ubistva i pokolja samo kada su utvrđene granice borbenih dejstava.

13 Quincy Wright, *A Study of War*, Chicago, 1942, I, 8.

Prvi skup pravila ne obuhvata neka ovako fundamentalna pitanja. Pravila koja određuju kada se i kako mogu ubijati vojnici nikako nisu beznačajna, a ipak moralnost rata ne bi bila radikalno preobražena kad bi se ova pravila potpuno odbacila. Razmotrimo, na primer, bitke koje su opisali antropolozi, a u kojima se ratnici bore lukovima i strelama bez pera. Ove strele lete manje precizno nego kada imaju pero; one se mogu izbeći; malo ljudi gine.[14] Jasno je da je dobro pravilo da strele budu bez pera, i lako možemo da osudimo ratnika koji se prvi naoružao zabranjenim i boljim oružjem i pogodio svog neprijatelja. Ipak je čovek koga je ubio i inače mogao biti ubijen, i kolektivna (međuplemenska) odluka da se bore strelama sa perima ne bi kršila nikakav osnovni moralni princip. Isti je slučaj i sa svim drugim pravilima ove vrste: da vojnike koji idu u borbu predvodi glasnik sa crvenom zastavom, koji objavljuje njihov dolazak, da se borbe uvek prekidaju u sumrak, da zasede i iznenadni napadi nisu dozvoljeni itd. Svako pravilo koje ograničava intenzitet i trajanje borbi ili patnji vojnika treba pozdraviti, ali nijedno od ovih ograničenja ne čini se ključnim za ideju o ratu kao moralnom stanju. Ona su krajnje zavisna od sredine, veoma partikularizovana, i važe samo za određeno vreme i mesto. Čak i ako se zadržavaju mnogo godina, ona su uvek podložna izmenama do kojih dovode društvene promene, tehnološke inovacije i tuđinsko osvajanje.[15]

Čini se da druga vrsta pravila nije ovome podložna. U najmanju ruku, čini se da opšta struktura ovih propisa opstaje bez obzira na društvene sisteme i tehnologije – kao da su pravila o kojima se ovde radi (a mislim da je to slučaj) bliže povezana sa univerzalnim pojmovima o ispravnom i neispravnom. Ona imaju tendenciju da izvesne klase ljudi stave van domašaja dopustivih ratnih dejstava, tako da ubijanje njihovih pripadnika nije legitiman čin rata već zločin. Mada se njihove pojedinosti menjaju od mesta do mesta, ova pravila ukazuju na jednu opštu koncepciju, koja se iznova javlja u antropološkim i istorijskim

14 Gardner and Heider, *Gardens of War*, str. 139.

15 Ona su takođe podložna i jednoj vrsti uzajamnog kršenja, koje legitimizuje učenje o odmazdi: kad ih prekrši jedna strana, može da ih prekrši i druga. Ali čini se da ovo ne važi za drugu vrstu pravila, koju ćemo kasnije opisati. Pogledaj raspravu o represalijama u glavi 11.

opisima. Njen najdramatičniji primer je slučaj kada je rat stvarno borba između predstavnika dveju vojski, kao kod mnogih primitivnih naroda, ili u grčkim epovima, ili u biblijskoj priči o Davidu i Golijatu. „Neka se niko ne plaši od onoga [Golijata]," kaže David, „sluga će tvoj izaći i biće se s Filistejinom."[16] Jednom kada se ugovori ovakav sukob, vojnici su zaštićeni od pakla rata. U srednjem veku, borba dva pojedinca se zagovarala upravo iz ovog razloga: „Bolje je da padne jedan nego cela vojska."[17] Međutim, češće se zaštita proteže samo na one ljude koji nisu osposobljeni i pripremljeni za rat, koji se ne bore, ili ne mogu da se bore: na žene i decu, sveštenike, starce, pripadnike neutralnih plemena, gradova ili država, ranjene ili zarobljene vojnike.[18] Ono što je zajedničko svim tim grupama jeste to da one trenutno nisu zabavljene ratnim poslovima. Zavisno od društvene ili kulturne perspektive, ubijanje njihovih pripadnika može se činiti kao obesno, neviteško, nečasno, brutalno ili zločinačko ubistvo. Ali veoma je verovatno da je u svim ovim sudovima na delu neki opšti princip, koji povezuje imunitet od napada sa vojnim neangažovanjem. Bilo koji zadovoljavajući opis moralne stvarnosti rata mora da bliže odredi taj princip i da kaže nešto o njegovoj snazi. Kasnije ću pokušati da učinim obe ove stvari.

Istorijsko određenje ovog principa je, međutim, konvencionalno po karakteru, i ratna prava i obaveze vojnika slede iz konvencija, a ne (neposredno) iz principa, ma kakva bila njegova snaga. Ponovimo još jednom, rat je društvena tvorevina. Pravila koja se stvarno poštuju ili krše u ovo ili ono vreme i na ovom ili onom mestu nužno su složena tvorevina, posredovana kulturnim i religijskim normama, društvenim strukturama, formalnim i neformalnim sporazumima između zaraćenih strana itd. Stoga će pojedinosti imuniteta neboraca verovatno izgledati proizvoljno

16 *Prva knjiga Samuelova*, 17:32.

17 Johan Huizinga, *Homo Ludens*, Boston, 1955, str. 92.

18 Spisak je često podrobniji i slikovitiji nego ovaj, odražavajući karakter pojedine kulture. Evo primera iz jednog starog indijskog teksta, prema kojem sledeće grupe ljudi ne treba da budu izložene napadima u toku bitke: „Oni koji samo posmatraju sa strane i ne učestvuju, oni koji su u žalosti... oni koji spavaju, koji su žedni ili umorni, ili idu putem, ili imaju neki nezavršeni posao, ili koji su talentovani za umetnost." (S. V. Viswanatha, *International Law in Ancient India*, Bombay, 1925, str. 156.)

poput pravila koja određuju kada borbe treba da počnu i da prestanu, ili koja se oružja mogu koristiti. One su daleko značajnije, ali na sličan način podložne promeni. Baš kao i zakoni u datom društvu, one će često predstavljati nepotpuno ili iskrivljeno otelovljenje relevantnog moralnog principa. Stoga su predmet filozofske kritike. Zaista, kritika je ključni deo istorijskog procesa u kojem se pravila stvaraju. Možemo reći da je rat filozofska tvorevina. Međutim, i pre no što filozofi dođu do zadovoljavajućeg rešenja, vojnici moraju da se ponašaju u skladu s kodeksom koji ih obavezuje. A oni su podjednako obavezni, zbog svoje jednakosti i bez obzira na sadržaj ili nepotpunost pravila.

Ratna konvencija

Skup artikulisanih normi, običaja, profesionalnih kodeksa, pravnih propisa, religijskih i filozofskih principa i uzajamnih sporazuma koji uobličavaju naše sudove o ponašanju vojnika nazvaću *ratnom konvencijom*. Značajno je istaći da se ovde radi o našim sudovima, a ne o ponašanju. Do suštine ove konvencije ne možemo da dopremo proučavajući ponašanje u borbi ništa više no što možemo da razumemo norme o prijateljstvu proučavajući način na koji se prijatelji stvarno odnose jedni prema drugima. Naprotiv, norme su očigledne u očekivanjima koja prijatelji imaju, žalbama koje iznose, licemerju koje prihvataju. Tako je i sa ratom: odnosi između boraca imaju normativnu strukturu, koja se pokazuje u onome što oni govore (i što mi ostali govorimo), a ne u onome što čine – mada nema sumnje da na ono što čine, kao i kod prijatelja, utiče ono što govore. Neposredna kazna kojom se štiti ratna konvencija su teške reči koje ponekad prate vojne napade ili im prethode, ekonomske blokade, represalije, suđenja za ratne zločine itd. Ali ni reči ni akcije nemaju jedan jedini autoritativni izvor; i najzad, reči su presudne – „sud istorije“, kako se kaže, što znači – sud muškaraca i žena koji raspravljaju sve dok se ne postigne neki grubi konsenzus.

Termini naših sudova su najeksplicitnije izneti u pozitivnom međunarodnom pravu: tvorevini političara i pravnika koji deluju kao predstavnici suverenih država, a potom pravnih stručnjaka koji kodifikuju njihove dogovore i tragaju za razlozima koji im leže u osnovi. Ali, međunarodno pravo se rađa iz radikalno decentralizovanog zakonodavnog sistema, glomaznog, krutog i bez pratećeg sudskog sistema koji bi utvrdio pojedinosti pravnog kodeksa. Iz tih razloga, pravni priručnici nisu jedino mesto na kojem treba tražiti konvenciju rata, a njeno stvarno postojanje ne dokazuje postojanje priručnika već moralni argumenti koji uvek prate ratovanje. Običajno pravo borbe je razvijeno nekom vrstom praktične kazuistike. Odatle potiče metod moje knjige: obraćamo se pravnicima za opšte formule, a istorijskim slučajevima i stvarnim raspravama za one određene sudove koji i izražavaju konvenciju rata i predstavljaju njenu vitalnu snagu. Ne želim da navedem na pomisao da naši sudovi, čak ni uzeti s obzirom na vreme, imaju neki nedvosmisleni zajednički oblik. Međutim, oni nisu ni idiosinkratični i privatni po karakteru. Njihov društveni oblik je pod uticajem religije, kulture, politike, kao i prava. Zadatak je teoretičara morala da proučava obrazac kao celinu, tragajući za njegovim najdubljim razlozima.

Među profesionalnim vojnicima, ratna konvencija često nalazi zastupnike posebne vrste. Mada je viteštvo mrtvo i borba nije slobodna, profesionalni vojnici (ili bar neki od njih) ostaju osetljivi na one granice i uzdržanost koje njihovu životnu delatnost razlikuju od pukog klanja. Nema sumnje, oni kao i general Šerman znaju da je rat klanje, ali verovatno veruju da je on istovremeno i nešto drugo. Stoga će oficiri vojske i mornarice, braneći dugotrajnu tradiciju, često protestovati protiv naređenja svojih civilnih pretpostavljenih koja od njih zahtevaju da krše pravila rata i koja bi ih preobrazila u puka oruđa ubijanja. Protesti su većinom uzaludni – jer, na kraju krajeva, oni jesu oruđa – ali unutar sfere u kojoj sami donose odluke oni često nalaze načina da odbrane pravila. A čak i kad to ne čine, njihove sumnje u datom trenutku i opravdanja koja kasnije iznose važan su putokaz za sadržaj pravila. Bar ponekad, vojnicima je važno koga ubijaju.

Ratna konvencija kakva nam je danas poznata bila je izlagana, pretresana, kritikovana i menjana tokom mnogih stoleća. Ipak je i dalje jedna od nesavršenijih čovekovih tvorevina: očigledno nešto što su stvorili ljudi, ali ne i nešto što su načinili slobodno ili dobro. Ona je nužno nesavršena, mislim, potpuno nezavisno od moralnih slabosti čovečanstva, zato što je prilagođena savremenom ratovanju. Ona se oslanja na termine moralnog stanja koje nastaje samo kad se susretnu vojske žrtava (baš kao što je viteški kodeks vezan za termine moralnog stanja koje nastaje samo tamo gde ima vojske slobodnih ljudi). Konvencija prihvata ovu viktimizaciju, ili je bar pretpostavlja, i od nje polazi. Zato se ona često opisuje kao program za trpeljivost prema ratu, a zapravo je potreban program za njegovo ukidanje. Rat se ne ukida tako što se dobro ratuje; niti ga to što se dobro ratuje čini prihvatljivim. Rat je pakao, kao što sam već rekao, čak i kada se pravila strogo poštuju. Baš iz tog razloga, ponekad nas razgnevi sama ideja pravila, ili postanemo cinični u pogledu njihovog značenja. Ona samo služe, kao što kaže knez Andrej u onom strasnom izlivu koji očigledno izražava Tolstojevo ubeđenje i navodi nas da zaboravimo da je rat „najpoganija i poslednja stvar na svetu“![19]

> A šta je rat, šta je potrebno za uspeh u ratovanju, kakve su naravi vojnih krugova? Cilj rata je ubijanje, sredstva rata – špijunstvo, izdajstvo i podstrekavanje i nagrađivanje izdajnika, upropašćavanje stanovnika, pljačka ili krađa njihove imovine... prevara i laž, nazvani ratnim lukavstvom, naravi vojničkog staleža su – uništenje slobode, to jest disciplina, dembelisanje, zatucanost, nemilosrdnost, razvrat, pijanstvo.

Pa ipak su čak i ljudi koji u sve ovo veruju u stanju da budu razgnevljeni pojedinim surovim i varvarskim postupcima. Rat je toliko užasan da nas čini ciničnim u pogledu same mogućnosti umeravanja, a onda je još toliko gori da nas ozlojeđuje zbog odsustva svake umerenosti. Naš cinizam svedoči o nedostacima ratne konvencije, a naša ozlojeđenost svedoči o njenoj stvarnosti i snazi.

Slučaj predaje

Konvencija je često nepravilna, ali ipak obavezuje. Razmotrimo za trenutak uobičajenu praksu predaje, čije su brojne pojedinosti konvencionalno (i u naše doba, pravno) utvrđene. Vojnik koji se predaje stupa u dogovor sa onima koji su ga zarobili: on će prestati da se bori ako mu oni dodele ono što pravničke

19 L. N. Tolstoj, *Rat i mir*, preveo Jovan Maksimović, Beograd, Novosti, 2010, tom 2, str. 382.

knjige nazivaju „benevolentnim karantinom“.[20] Pošto do predaje obično dolazi pod krajnjom prinudom, ovo je dogovor koji ne bi imao nikakve moralne posledice u vreme mira. U ratu ih ima. Zarobljeni vojnik stiče prava i obaveze određene konvencijom, i oni su obavezujući bez obzira na mogući zločinački karakter onih koji su ga zarobili, ili na pravednost i značaj stvari za koju se bori. Ratni zarobljenici imaju pravo da pokušavaju da pobegnu – ne mogu biti kažnjeni za pokušaj bekstva – ali ako ubiju stražara da bi se izbavili, to nije čin rata već ubistvo. Jer oni su se obavezali da će prestati da se bore, odrekli su se svog prava da ubijaju kad su se predali.

Nije lako u svemu ovome videti jednostavno potvrđivanje nekog moralnog principa. To je delo muškaraca i žena (koji misle o moralnim principima) koji se prilagođavaju stvarnostima rata, postižu dogovore, sklapaju pogodbe. Nema sumnje da je pogodba uopšte uzev korisna i za zarobljenike i za one koji su ih zarobili, ali nije neizbežno korisna u svakom pojedinom slučaju, bilo njima, bilo čovečanstvu u celini. Ako je u određenom ratu naš cilj da pobedimo što je pre moguće, prizor zarobljeničkog logora mora zaista izgledati čudno. Evo vojnika koji se osećaju kao kod kuće, koji su se tu skrasili za duže vreme, istupivši iz rata pre no što je završen, i koji su obavezni da ne obnavljaju borbu, čak i ako bi to mogli (sabotažom, uznemiravanjem ili kako god), zato što su, dok je oružje bilo upereno u njih, obećali da to neće činiti. Sigurno je da se ovakva obećanja ponekad mogu prekršiti. Pa ipak, zarobljenici nisu pozvani da proračunavaju eventualne koristi od njihovog kršenja ili održanja. Ratna konvencija je ispisana apsolutističkim terminima: čovek krši njene odredbe na vlastitu moralnu, kao i fizičku štetu. Ali kakva je snaga tih odredbi? One se u krajnjoj liniji izvode iz principa kojima ću se kasnije baviti, i koji objašnjavaju značenje smeštaja, prekidanja borbi i imuniteta. Oni se neposredno izvode iz samog procesa postizanja dogovora. Pravila rata, strana kao što često jesu našem osećaju za ono što je najbolje, obaveznim čini opšte slaganje čovečanstva.

20 Rasprava o ovom dogovoru se može naći u mom ogledu „Prisoners of War: Does the Fight Continue After the Battle?“, u *Obligations: Essays on Disobedience, War and Citizenship*, Cambridge, Mass., 1970.

Ali, i ovaj je dogovor postignut pod prinudom. Samo zato što se ne možemo izbaviti iz pakla, moglo bi se reći, potrudili smo se da unutar njega stvorimo svet pravila. Ali, probajmo da zamislimo pokušaj izbavljenja, borbu za oslobođenje, „rat da bi se okončali svi ratovi“. Sigurno bi tada bilo glupo boriti se u skladu sa pravilima. Najvažniji zadatak bi bila pobeda. Ali, pobeda je uvek važna, jer se pobeda uvek može opisati kao izbavljenje iz pakla. Čak i pobeda agresora okončava rat. Otuda duga istorija nezadovoljstva ratnom konvencijom. Ova istorija je dobro sažeta u pismu koje je 1880. godine napisao general Fon Moltke [von Moltke], načelnik pruskog generalštaba, protiveći se Deklaraciji iz Sankt Peterburga (jednom od prvih pokušaja kodifikacije pravila rata): „Najveće dobročinstvo u ratu“, pisao je Fon Moltke, „jeste njegov brzi završetak. Imajući to u vidu, trebalo bi da bude dopustivo korišćenje svih sredstava, osim onih koja su apsolutno neprihvatljiva.“[21] Fon Moltke nije potpuno odbacivao ratnu konvenciju; on prihvata apsolutne zabrane neke neodređene vrste. To skoro svi čine. Ali zašto tako postupati ako to znači postići nešto manje od „najvećeg dobročinstva“? Ovo je oblik najčešćeg argumenta u teoriji rata i najuobičajenije moralne dileme u vođenju rata. Nalazimo da ratna konvencija stoji na putu pobedi i, kao što se obično kaže, trajnog mira. Da li se moramo pridržavati njenih odredbi, ili neke određene odredbe? Kad pobeda znači poraz agresora, ovo pitanje nije samo važno, ono je i veoma teško. Želimo da imamo obe stvari: moralnu pristojnost u borbi i pobedu u ratu; i ustavni poredak u paklu, a i to da mi sami budemo van njega.

21 *Moltke in Seinen Briefen*, Berlin, 1902, str. 253. Pismo je upućeno J. C. Blančliju [Bluntschli], istaknutom stručnjaku za međunarodno pravo.

Drugi deo
Teorija agresije

4. ZAKON I POREDAK U MEĐUNARODNOM DRUŠTVU

Agresija je naziv koji dajemo zločinu rata. Znamo za zločin zato što znamo za mir koji on prekida – ne za puko odsustvo borbi već za „mir sa pravima", stanje slobode i bezbednosti koje može da postoji samo u odsustvu same agresije. Zlo koje predstavlja agresija sastoji se u tome što ona nagoni muškarce i žene da rizikuju živote radi odbrane svojih prava. Zlo se sastoji u tome što ih suočava sa izborom: vaša prava ili vaš život! Grupe građana na različite načine odgovaraju na ovaj izbor, ponekad se predaju, ponekad se bore, zavisno od moralnih i materijalnih uslova njihove države i vojske. Ali uvek je njihova borba opravdana; i u većini slučajeva, imajući u vidu navedeni težak izbor, borba je moralno poželjniji odgovor. Opravdanje i preferencija su veoma značajni: oni objašnjavaju najznačajnije odlike pojma agresije i posebnog mesta koje ovaj pojam ima u teoriji rata.

Agresija je zanimljiva zato što je to jedini zločin koji država može da počini protiv drugih država: sve ostalo su, da tako kažemo, samo prekršaji. Jezik međunarodnog prava je čudnovato siromašan. Ekvivalenti pojmova napada, oružane pljačke, iznude, napada s namerom da se ubije, ubistva u svim stepenima, iz domaćeg prava, u međunarodnom imaju samo jedno ime. Svaka povreda teritorijalnog integriteta ili političke suverenosti jedne nezavisne države naziva se agresijom. To je kao kad bismo morali da žigošemo kao ubistvo sve napade na čovekovu ličnost, sve pokušaje da se on prinudi na nešto, svaki upad u njegov dom. Ovo odbacivanje razlika otežava nam da označimo relativnu ozbiljnost činova agresije – da razlikujemo, na primer, otimanje nekog komada zemlje ili nametanje satelitskog režima od osvajanja, uništenja nezavisnosti jedne države (zločin za koji je Aba Eban [Abba Eban], izraelski ministar spoljnih poslova, 1967. godine predložio naziv „policid"). Ali ovo odbijanje ima razloga. Svima činovima agresije nešto je zajedničko: oni opravdavaju otpor upotrebom sile, a sila se ne može koristiti među državama, kao što često može među pojedincima, a da se ne dovedu u opasnost sami životi. Ma kakva ograničenja nametnuli sredstvima i opsegu ratovanja, vođenje ograničenog rata nema nikakve sličnosti s time kad udarimo nekoga. Agresor otvara vrata pakla. Šekspirov *Henri V* kaže tačno to:[1]

> Jer se dva kraljevstva nikad ne boriše
> Bez velikog prolivanja krvi,
> Čija je svaka nevina kap jad,
> Bolna žalba na tog čija zla potegoše
> Mačeve oštre, stvarajući pustoš
> Među smrtnicima tako kratkog veka.

U isto vreme, agresija kojoj se ne opiremo jeste još uvek agresija, mada uopšte nema „prolivanja krvi". U domaćem društvu, pljačkaš koji dobija ono što želi a da ne ubija nikoga manje je kriv, to jest, kriv je za manji zločin no da je počinio ubistvo. Pretpostavljajući da je pljačkaš spreman da ubije, dopuštamo da ponašanje njegove žrtve odredi njegovu krivicu. To ne činimo u slučaju agresije. Razmotrimo, na primer, nemačko osvajanje Čehoslovačke i Poljske 1939. Česi nisu pružali otpor; oni su svoju nezavisnost izgubili iznudom, a ne ratom; nijedan čehoslovački građanin nije poginuo boreći se protiv nemačkih napadača. Poljaci su izabrali da se bore, i u tom ratu su mnogi poginuli. Ali, ako je osvajanje Čehoslovačke bilo manji zločin, za njega nemamo ime. U Nirnbergu su nacističke vođe optužene za agresiju u oba slučaja, i u oba slučaja proglašene krivim.[2] Još jednom, ima razloga što su identično tertirani. Sudimo da su Nemci krivi za agresiju na Čehoslovačku, mislim, zbog našeg dubokog ubeđenja da im je trebalo pružiti otpor – mada ne nužno samo od strane njihove žrtve, prepuštene samoj sebi.

Država koja pruža otpor, čiji vojnici rizikuju svoje živote i ginu, to čini zato što njene vođe i narod misle da treba ili da

---

1 *Henri V*, prvi čin, druga scena, *op. cit.* str. 315.

2 Sudije su razlikovale „agresivne činove" od „agresivnih ratova", ali su potom prvi termin koristili kao opšti termin; vidi *Nazi Conspiracy and Aggression: Opinion and Judgment*, Washington D. C., 1947, str. 16.

moraju da uzvrate udarac. Agresija je i moralno i fizički prisilna, i to je jedna od najznačajnijih stvari o agresiji. „Osvajač je," piše Klauzevic „uvek miroljubiv (kao što je Bonaparta uvek tvrdio); on bi vrlo rado ušao mirno u našu državu; ali da on to ne bi mogao, moramo mi da želimo rat..."[3] Kad obični muškarci i žene ne bi često prihvatali ovaj imperativ, agresija nam ne bi izgledala kao tako ozbiljan zločin. Ako bismo ga prihvatali u izvesnim slučajevima, ali ne i u drugim, jedan jedinstven pojam agresije počeo bi da se slama, i na kraju bismo imali spisak zločina manje-više nalik domaćem spisku. Lako je odgovoriti na pretnju sa ulice: „Pare ili život!" Dajem svoj novac i tako se spasavm od toga da budem ubijen, a pljačkaš od toga da bude ubica. Ali očigledno ne želimo da na pretnju agresijom odgovaramo na isti način; pa čak i kad se na nju tako odgovara, mi ne umanjujemo krivicu agresora. On je povredio prava kojima pripisujemo izuzetan značaj. Zaista, skloni smo da mislimo da neuspeh da se ta prava odbrane nikada ne potiče od osećaja da su nevažna, niti od verovanja (kao u slučaju pretnje na ulici) da, najzad, vrede manje od života, već samo usled ubeđenja da je odbrana potpuno beznadežna. Agresija je jedinstven i neizdiferenciran zločin zato što, u svim svojim oblicima, ona predstavlja pretnju pravima za koja vredi umreti.

Prava političkih zajednica

Prava o kojima je reč u pravnim se udžbenicima rezimiraju kao teritorijalni integritet i politička suverenost. Ova dva prava pripadaju državama, ali se u krajnjoj liniji izvode iz prava pojedinaca, i od njih dobijaju svoju snagu. „Dužnosti i prava država nisu ništa drugo do dužnosti i prava ljudi koji ih sačinjavaju."[4] Ovo je gledište jednog konvencionalnog britanskog pravnika, za koga države nisu ni organske celine, ni mistična jedinstva. I to je ispravno gledište. Kada su države napadnute, ugroženi su njihovi pripadnici, ne samo njihovi životi već i zbir stvari koje oni najviše

3 Klauzevic, *O ratu*, preveo Milivoj Lazarević, Vuk Karadžić, Beograd, 1951, str. 312.

4 John Westlake, *Collected Papers*, ed. L. Oppenheim Cambridge, 1914, str. 78.

cene, uključujući tu i političku zajednicu koju su obrazovali. Ovo ugrožavanje prepoznajemo i objašnjavamo pozivajući se na njihova prava. Kad ne bi imali prava da biraju oblik svoje vlade i da razvijaju politiku koja će formirati njihove živote, spoljašnja prisila ne bi bila zločin; niti bi se tako lako moglo reći da su prisiljeni da pruže otpor u samoodbrani. Pojedinčeva prava (na život i slobodu) leže u osnovi najznačajnijih sudova koje donosimo o ratu. Ovde ne mogu pokušati da objasnim kako su sama ta prava utemeljena. Dovoljno je reći da ih na neki način povlači za sobom naš osećaj za to šta znači biti ljudsko biće. Ako ona nisu prirodna, tada smo ih mi izmislili, ali bilo prirodna bilo izmišljena, ona su opipljiva odlika našeg moralnog sveta. Prava država su jednostavno kolektivan oblik ovih prava. Proces kolektivizacije je složen. Nema sumnje, u ovom procesu se gubi deo neposredne snage individualnosti; pa ipak, najbolje je shvatiti ga onako kako se on obično shvata još od sedamnaestog veka, preko teorije o društvenom ugovoru. Stoga je to moralan proces, koji opravdava neka polaganja prava na teritoriju i suverenost i poništava druga.

Prava država počivaju na pristanku njihovih pripadnika. Ali, to je pristanak posebne vrste. Prava država nisu konstituisana nizom prenosa sa pojedinih muškaraca i žena na suverena ili nizom razmena među pojedincima. Teško je opisati ono što se stvarno dešava. Tokom dugog perioda vremena, zajednička iskustva i kooperativne aktivnosti mnogih različitih vrsta uobličavaju zajednički život. „Ugovor" je metafora za proces udruživanja i uzajamnosti, čiji trajan karakter država tvrdi da štiti od spoljašnjih ometanja. Zaštita se ne proteže samo na živote i slobode pojedinaca već i na njihov zajednički život i slobodu, na nezavisnost zajednice koju su obrazovali, radi koje se pojedinci ponekad žrtvuju. Moralni status bilo koje posebne države zavisi od stvarnosti zajedničkog života koji ona štiti i od mere u kojoj su žrtve koju ova zaštita iziskuje dobrovoljno prihvaćene i u kojoj se misli da su one vredne. Ako nema zajedničkog života, ili ako država ne štiti zajednički život koji postoji, njena sopstvena odbrana može i da ne bude moralno opravdana. Ali većina država stoji kao stražar zajednice svojih građana, bar u izvesnoj meri: iz tog razloga pretpostavljamo da je odbrambeni rat pravedan. A ako ima istinskog „ugovora", ima smisla reći da se teritorijalni integritet i politička suverenost mogu braniti upravo na isti način kao i individualni život i sloboda.[5]

Takođe bi se moglo reći da ljudi mogu da brane svoju zemlju na isti način na koji mogu da brane svoj dom, jer je zemlja kolektivno vlasništvo, kao što je dom privatno. To jest, pravo na teritoriju moglo bi biti izvedeno iz individualnog prava na svojinu. Ali mislim da je vlasništvo nad ogromnim prostranstvima zemlje veoma problematično, osim ukoliko ne bi moglo da bude na neki prihvatljiv način povezano sa potrebama nacionalnog opstanka i političke nezavisnosti. A čini se da ovo dvoje sami po sebi rađaju teritorijalna prava koja imaju malo veze sa vlasništvom u strogom smislu. Slučaj je verovatno isti sa manjim svojinama u domaćem društvu. Čovek ima izvesna prava u svom domu, na primer, čak i ako on nije njegovo vlasništvo, zato što ni njegov život ni njegova sloboda nisu bezbedni ukoliko ne postoji neki fizički prostor unutar kojeg je on bezbedan od bespravnog ometanja. Slično tome, pravo nacije ili naroda da ne budu izloženi invaziji proističe iz zajedničkog života koji njihovi pripadnici vode na ovom komadu zemljišta – a moraju da ga vode negde – a ne od zakonskog prava na svojinu, koje imaju ili nemaju. Ali ove stvari će postati jasnije kada pogledamo jedan primer sporne teritorije.

Slučaj Alzasa i Lorene

Francuska i nova Nemačka su 1870. godine polagale pravo na ove dve pokrajine. Oba zahteva su, kao što to već biva, bila zasnovana. Nemci su se pozivali na stare presedane (ove zemlje su bile deo Svetog rimskog carstva pre no što ih je zauzeo Luj XIV)

5 Pitanje kada se teritorija i suverenost mogu s pravom braniti čvrsto je povezano s pitanjem kada su građani obavezni da učestvuju u odbrani. Oba pitanja počivaju na problemima iz teorije društvenog ugovora. O drugom pitanju sam opširno raspravljao u mojoj knjizi *Obligations: Essays on Disobedience, War, and Citizenship*, Cambridge, Mass., 1970. Vidi posebno oglede „The Obligation to Die for the State" i „Political Allienation and Military Service". Ali, ni u toj knjizi ni u ovoj se ne bavim problemom nacionalnih manjina – grupama ljudi koji ne učestvuju u potpunosti (ili ne učestvuju uopšte) u ugovoru koji obrazuje naciju. Radikalno ugnjetavanje tih ljudi može da opravda vojnu intervenciju (vidi glavu 6). Međutim, osim tog slučaja, prisustvo nacionalnih manjina unutar granica nacionalne države ne utiče na argument o agresiji i samoodbrani.

i na kulturno i jezičko srodstvo; Francuzi na dva stoleća posedovanja i vladanja.[6] Kako se utvrđuje vlasništvo u ovakvom slučaju? Postoji, mislim, jedno prethodno pitanje, koje se odnosi na političku privrženost, a ne na zakonska prava. Šta stanovnici žele? Zemlja ide za ljudima. Odluka o tome čija je suverenost zakonita (te stoga, čije vojno prisustvo predstavlja agresiju) s pravom pripada muškarcima i ženama koji žive na spornoj teritoriji. Ne samo onima koji poseduju zemlju: odluka pripada i onima bez zemlje, stanovnicima gradova i radnicima u fabrikama, na osnovu zajedničkog života koji vode. Velika većina tih ljudi bila je naizgled lojalna Francuskoj, i to je trebalo da reši stvar. Čak i da zamislimo da su svi stanovnici Alzasa i Lorene zakupci na zemlji pruskog kralja, kraljevo posedovanje njegove sopstvene zemlje još uvek bi predstavljalo povredu njihovog teritorijalnog integriteta, a posredstvom njihove lojalnosti i povredu integriteta Francuske. Jer zakup određuje samo kome ide naknada za korišćenje zemljišta; sami ljudi treba da odluče kuda idu njihovi porezi i regruti.

Ali stvar nije rešena na ovaj način. Posle francusko-pruskog rata, ove dve pokrajine (zapravo, ceo Alzas i deo Lorene) anektirala je Nemačka, a Francuzi su priznali nemačko pravo mirovnim ugovorom iz 1871. godine. Tokom nekoliko sledećih decenija često je postavljano pitanje da li bi francuski napad s ciljem da se ove pokrajine povrate bio opravdan. Ovde je jedno od spornih pitanja i to kakav je moralni status ugovora koji je potpisan, kao što većina mirovnih ugovora i biva potpisana, pod prinudom, ali time se neću baviti. Važnije pitanje se odnosi na trajanje prava tokom vremena. Ovde je relevantan argument izneo engleski filozof Henri Sidžvik [Henry Sidgwick] 1891. godine. Sidžvikove simpatije bile su na strani Francuza, i bio je sklon da mir smatra „privremenim prekidom neprijateljstava, koje u svakom trenutku može okončati država kojoj je naneta nepravda..." Ali je dodao i ključno ograničenje:[7]

> Moramo da... uvidimo da ovom privremenom pokornošću poraženih... počinje nov politički poredak, koji, mada prvo-

6 Vidi Ruth Putnam, *Alsace and Lorraine from Caesar to Kaiser: 58 B.C. – 1871 A. D.*, New York, 1915.

7 Henry Sidgwick, *The Elements of Politics*, London, 1891, str. 268, 287.

> bitno bez moralnih osnova, može vremenom da stekne takvu osnovu, promenom u osećanjima stanovnika prisvojene teritorije; jer uvek je moguće da će usled delovanja vremena i navike i blage vlade – a možda i usled dobrovoljnog egzila onih koji najsnažnije osećaju stari patriotizam – većina stanovništva prisvojene teritorije prestati da želi ponovno ujedinjenje... Kad dođe do ovakve promene, moralne posledice nepravednog prisvajanja mogu se smatrati poništenim; tako da svaki pokušaj da se ova teritorija povrati i sam postaje agresija...

Zakonska prava vlasništva mogu da traju večito, periodično obnavljana i ponovo potvrđivana kao u dinastičkoj politici srednjeg veka. Ali moralna prava su podložna promenama svakodnevnog života.

Stoga se teritorijalni integritet ne izvodi iz vlasništva; on je naprosto nešto drugo. Ovo dvoje je povezano možda u socijalističkim državama, u kojima je zemljište nacionalizovano i kaže se da je ono svojina naroda. Tada, ako je njihova zemlja napadnuta, nije samo njihova otadžbina u opasnosti već i njihova kolektivna svojina – mada podozrevam da se prva opasnost mnogo življe oseća nego druga. Nacionalizacija je sekundarni proces; ona pretpostavlja prethodno postojanje nacionalne države. Teritorijalni integritet je funkcija postojanja države, a ne nacionalizacije (ništa više no privatne svojine). Integritet teritorije uspostavlja združivanje naroda. Tek tada se može povući granica čiji se prelazak može nazvati agresijom. Nije važno da li teritorija pripada nekom drugom, osim ukoliko to vlasništvo nije izraženo u boravištu i zajedničkom korišćenju.

Ovaj argument nagoveštava način razmišljanja o velikoj teškoći koju zadaje nasilno naseljavanje i kolonizacija. Kada su varvarska plemena prešla granice Rimskog carstva, bežeći pred osvajačima sa istoka ili severa, tražili su zemlju na kojoj bi se naselili, i pretili su ratom ukoliko je ne dobiju. Da li je to bila agresija? Imajući u vidu prirodu Rimskog carstva, pitanje može zvučati glupo, ali ono se otada mnogo puta postavljalo, i često u okolnostima širenja imperije. Kad je zemlja stvarno prazna i dostupna, odgovor mora biti da to nije agresija. Ali šta ako zemlja nije stvarno prazna već, kao što kaže Tomas Hobs u *Levijatanu*, „nedovoljno nastanjena“? Hobs dokazuje da u takvom slučaju naseljenici ne treba da „iskorene one što ih tamo zateknu, nego da ih prinude da se nastane gušće“.[8] Ova prinuda nije agresija, sve dok ne budu ugroženi životi samih naseljenika. Jer naseljenici postupaju onako kako moraju da bi se održali u životu, a „onaj ko radi nasuprot tome, a zbog suvišnih stvari, kriv [je] za rat što će usled toga da nastane.“[9] Nisu naseljenici krivi za agresiju, prema Hobsu, već oni domoroci koji neće da se presele i da im načine mesta. Jasno je da ovde postoje ozbiljni problemi. Ali sugerisaću da je Hobs u pravu kad stavlja na stranu sva razmatranja o „teritorijalnom integritetu kao vlasništvu“ i usredsređuje se na pitanje opstanka u životu. Međutim, mora se dodati da na kocki nisu samo životi pojedinaca već i onaj zajednički život koji oni vode. Radi tog zajedničkog života pripisujemo izvesnu prezumptivnu vrednost granicama koje izdvajaju teritoriju jednog naroda, kao i državi koja ih brani.

Sada, granice koje postoje u bilo kom trenutku verovatno će biti arbitrarne, loše povučene, proizvod davnih ratova. Verovatno će kartografi biti neznalice, pijani ili pokvareni. Pa ipak, ove linije uspostavljaju naseljiv svet. Unutar tog sveta, muškarci i žene su (pretpostavimo) bezbedni od napada; kad se jednom granice pređu, bezbednosti nestaje. Ne želim da navedem na pomisao da je svaki granični spor razlog za rat. Ponekad treba prihvatiti male izmene i teritorije oblikovane koliko god je to moguće prema stvarnim potrebama nacija. Dobre granice stvaraju dobre susede. Ali kad zapreti invazija, ili kad ona otpočne, može biti nužno braniti lošu granicu naprosto zato što nema nikakve druge. Videćemo da je ovaj razlog delovao na vođe Finske 1939. godine: oni su mogli da prihvate ruske zahteve da su bili sigurni da oni imaju kraja. Ali, s ove strane granice nema izvesnosti ništa više no što ima bezbednosti s ove strane praga kada jednom zločinac upadne u kuću. Stoga je pridavanje velikog značaja granicama stvar zdravog razuma. Prava u ovom svetu imaju vrednost samo ako imaju i prostor u kojem važe.

---

8 *Levijatan*, gl. 30, *op. cit.*, str. 307.
9 *Levijatan*, gl. 15, *op cit.*, str. 133.

Legalistička paradigma

Ako države stvarno imaju prava manje-više kao što ih imaju i pojedinci, tada je i njihovo društvo moguće zamisliti manje-više nalik društvu pojedinaca. Poređenje međunarodnog i građanskog poretka je ključno za teoriju agresije. Ja sam to već više puta činio. Svako ukazivanje na agresiju kao međunarodni ekvivalent oružane pljačke ili ubistva, i svako poređenje doma i zemlje ili lične slobode i političke nezavisnosti, počiva na onome što se naziva *domaćom analogijom*.[10] Naše shvatanje agresije i naši sudovi o njoj proizvod su zaključivanja po analogiji. Kada se ova analogija eksplicira, kao što to pravnici često čine, svet država dobija oblik političkog društva čiji je karakter u potpunosti shvatljiv putem pojmova kao što su zločin i kazna, samoodbrana, primena zakona itd.

Ovi pojmovi, ističem, nisu nekompatibilni sa činjenicom da je međunarodno društvo, onakvo kakvo danas jeste, jedna radikalno nesavršena struktura. Onako kako ga doživljavamo, ovo društvo se može uporediti sa defektnom zgradom, utemeljenom na pravima; njena nadgradnja se diže, poput nadgradnje same države, putem političkih sukoba, kooperativne aktivnosti i komercijalne razmene; cela stvar je klimava i nestabilna zato što joj nedostaju zakivci vlasti. Građevina je nalik domaćem društvu po tome što muškarci i žene (ponekad) žive u miru unutar nje, određujući uslove vlastitog postojanja, pregovarajući i cenkajući se sa susedima. Ona se razlikuje od domaćeg društva po tome što svaki sukob preti da sruši celu građevinu. Agresija je direktno ugrožava i mnogo je opasnija od domaćih zločina, zato što nema policije. Ali, to samo znači da „građani" međunarodnog društva moraju da se oslone na sebe same i jedni na druge. Policijske moći su distribuirane među sve članice. A ove članice nisu uradile dovoljno na upražnjavanju svojih moći ako samo sprečavaju agresiju, ili je dovode do brzog kraja – kao kad bi policija zaustavila ubicu pošto je ubio samo jednu ili dve osobe i pustila ga da ide svojim putem. Prava država članica treba da budu zajemčena,

10 Kritika ove analogije može se naći u dva ogleda Hedlija Bula [Hedley Bull], „Society and Anarchy in International Relations" i „The Grotian Conception of International Society", u *Diplomatic Investigations*, gl. 2 i 3.

jer samo na osnovu tih prava uopšte i postoji društvo. Ako se ona ne mogu sačuvati (bar ponekad), međunarodno društvo se urušava u stanje rata, ili se preobražava u sveopštu tiraniju.

Iz ove slike slede dve pretpostavke. Prva, na koju sam već ukazao, jeste pretpostavka u prilog vojnom otporu agresiji. Otpor je važan da bi prava mogla da se brane i buduća agresija spreči. Teorija agresije ponavlja u drugačijem vidu staro učenje o pravednom ratu: ona objašnjava kada je borba zločin, a kada je dopustiva, pa čak i moralno poželjna.[11] Žrtva agresije bori se u samoodbrani, ali ona ne brani samo sebe, jer je agresija zločin protiv društva kao celine. Ona se bori u ime društva, a ne samo u svoje sopstveno. Druge države mogu opravdano da se pridruže žrtvinom otporu; njihov rat ima isti karakter kao i njen, što će reći, one su pozvane ne samo da odbiju napad već i da ga kazne. Otpor je istovremeno i primena zakona. Otuda druga pretpostavka: kada dođe do borbi, uvek mora postojati neka država protiv koje zakon može i treba da bude primenjen. Neko mora biti odgovoran, jer je neko odlučio da prekine mir u društvu država. Nijedan rat, kao što su objasnili srednjovekovni teolozi, ne može biti pravedan na obe strane.[12]

Međutim, ima ratova koji su nepravedni na obe strane, zato što se ideja pravde ne može primeniti na njih, ili zato što su oba protivnika agresori koji se bore za teritoriju ili moć tamo gde nemaju nikakvih prava. Na prvi slučaj sam već ukazao kad sam raspravljao o dobrovoljnoj borbi aristokratskih ratnika. Ona je dovoljno retka u ljudskoj istoriji, tako da o njoj nema potrebe da ovde govorim. Drugi slučaj ilustruju ratovi koje marksisti nazivaju „imperijalističkim", koji se ne vode između osvajača i žrtava već između osvajača i osvajača, gde obe strane žele da dominiraju nad onom drugom, ili se dve strane nadmeću za dominaciju nad

11 Ovde neću govoriti o nenasilnom otporu agresiji, prema kojem borbe nikada nisu poželjne niti nužne. Ovaj argument nije bio toliko značajan u razvijanju konvencionalnog gledišta. Zapravo, on postavlja radikalan izazov konvencijama: ako se agresiji možemo odupreti, ili bar ponekad uspešno odupreti, bez rata, ona može biti manje ozbiljan zločin no što se obično pretpostavlja. Ovu mogućnost i njene implikacije ću razmatrati u Pogovoru.

12 Vidi Vitoria, *On the Law of War*, str. 177.

nekom trećom stranom. Tako je Lenjin opisao borbu između država koje „imaju" i onih koje „nemaju" u Evropi početkom dvadesetog veka: „... Zamislite robovlasnika koji ima 100 robova i koji ratuje protiv robovlasnika koji ima 200 robova radi 'pravednije' raspodele robova. Jasno je da bi primena termina 'odbrambeni' rat u takvom slučaju... bila puka obmana..."[13] Ali, važno je istaći da obmanu možemo da prozremo samo utoliko ukoliko možemo da razlikujemo pravdu od nepravde: teorija imperijalističkog rata pretpostavlja teoriju agresije. Ako neko tvrdi da su svi ratovi na svim stranama činovi osvajanja ili pokušaja osvajanja, ili da će sve države u svim vremenima osvajati ako mogu, tada je argument o pravdi pobijen i pre no što je postavljen, a moralni sudovi koje stvarno donosimo ismejani su kao puki privid. Razmotrimo sledeći odlomak iz knjige Edmunda Vilsona [Edmund Wilson] o američkom građanskom ratu:[14]

> Mislim da je ozbiljan nedostatak kod istoričara... to što se tako retko kad interesuju za biološke i zoološke pojave. U jednom skorašnjem filmu koji prikazuje život na morskom dnu, vidimo kako primitivni organizam zvani morski puž golać guta manje organizme kroz veliki otvor na jednom kraju tela; kad se sreo sa drugim pužem golaćem, jedva nešto malo manjim od sebe, i njega je proždrao. Dakle, ratovi koje vode ljudi podstaknuti su po pravilu... istim instinktima kao i proždrljivost morskog puža golaća.

Nema sumnje da ima ratova kojima ova slika odgovara, mada ona nije preterano korisna kada se bavimo američkim Građanskim ratom. Niti je ona opis našeg uobičajenog doživljaja međunarodnog društva. Nisu sve države nalik morskim puževima golaćima, koji gutaju svoje susede. Uvek postoje grupe muškaraca i žena koji bi, kada bi mogli, živeli mirno, uživajući svoja prava, i koji su izabrali političke vođe koji zastupaju njihove želje. Najdublji cilj država nije ishrana već odbrana, i ono najmanje što se može reći jeste to da mnoge stvarne države služe ovoj svrsi. Kada je njihova teritorija napadnuta, ili njihov suverenitet osporen, ima smisla tražiti agresora, a ne samo prirodnog grabljivca. Stoga nam je potrebna teorija o agresiji, a ne zoološko objašnjenje.

---

13 Lenin, *Socialism and War*, London, 1940, str. 10–11.

14 Edmund Wilson, *Patriotic Gore*, New York, 1966, str. xi.

Teorija agresije dobija svoj prvi oblik pod okriljem domaće analogije. Ovaj primarni oblik ću nazvati *legalističkom paradigmom*, pošto ona dosledno odražava konvencije zakona i poretka. Nije nužno da odražava argumente pravnika, mada i pravnička i moralna rasprava počinju od nje.[15] Kasnije ću ukazati na to da naši sudovi o pravednosti i nepravednosti pojedinih ratova nisu u potpunosti određeni ovom paradigmom. Složena stvarnost međunarodnog društva navodi nas na revizionističku perspektivu, a revizije će biti značajne. Ali paradigma se prvo mora razmotriti u svom nerevidiranom obliku; ona je naša osnova, naš model, fundamentalna struktura za razumevanje rata. Počinjemo s poznatim svetom pojedinaca i prava, zločina i kazne. Teorija agresije se tada može sažeti u šest propozicija.

1. *Postoji međunarodno društvo nezavisnih država.* Članice ovog društva su države, a ne pojedinci. U odsustvu univerzalne države, ljude štite i njihove interese zastupaju samo njihove vlade. Mada su države osnovane radi života i slobode, njima nijedna druga država ne može uputiti izazov u ime života i slobode. Otuda princip neintervencije, koji ću kasnije analizirati. Prava pojedinaca mogu biti priznata u međunarodnom društvu, kao u Povelji o ljudskim pravima Ujedinjenih nacija, ali ona se ne mogu prisilno ostvarivati a da se u pitanje ne dovedu dominantne vrednosti međunarodnog društva: opstanak i nezavisnost posebnih političkih zajednica.

2. *Međunarodno društvo ima zakone koji utvrđuju prava njegovih članica – iznad svega pravo na teritorijalni integritet i političku suverenost.* Ponovo, ova dva prava počivaju u krajnjoj liniji na pravu muškaraca i žena da grade zajednički život i da rizikuju svoje živote samo kada slobodno izaberu da to čine. Ali, relevantni zakon govori samo o državama, a njegove pojedinosti su složenim procesima konflikta i pristanka utvrđene u odnosima među državama. Pošto su ovi procesi kontinuirani, međunarodno društvo nema prirodan oblik; niti su prava unutar njega ikada

15 Vredno je istaći da su Ujedinjene nacije nedavno usvojile definiciju agresije koja je u skladu sa paradigmom: vidi Report of the Special Committee on the Question of Defining Aggression 1974, General Assembly Official Records, 29. zasedanje, dodatak br. 19 (A/9619), str. 10–13. Definicija je preštampana i analizirana u Yehuda Melzer, *Concepts of Just War*, Leyden, 1975, str. 26ff.

konačno ili egzaktno određena. U svakom trenutku, međutim, može se razlikovati teritorija jednog naroda od teritorije drugog naroda, i reći nešto o domašaju i granicama suverenosti.

3. *Svaka upotreba sile ili pretnja neposrednom upotrebom sile od strane jedne države protiv političke suverenosti ili teritorijalnog integriteta druge predstavlja agresiju i zločin.* Kao i u slučaju domaćih zločina, argument se ovde usko usredsređuje na stvarno ili neposredno predstojeće prelaženje granica: na invazije i fizičke napade. Inače, strahuje se, pojam otpora agresiji ne bi imao nikakvo određeno značenje. Ne može se reći da je neka država prinuđena da se bori osim ukoliko nužnost nije i očigledna i hitna.

4. *Agresija opravdava dve vrste odgovora silom: rat samoodbrane, koji vodi žrtva i rat radi primene zakona, koji vode žrtva i bilo koje druge članice međunarodnog društva.* Svako može da priskoči u pomoć žrtvi, da upotrebi neophodnu silu protiv agresora, pa čak i izvrši nešto što bi bilo međunarodni ekvivalent „građanskom hapšenju". Kao i u domaćem društvu, nije lako odrediti obaveze posmatrača sa strane, ali u teoriji postoji tendencija da se podriva pravo na neutralnost i da se zahteva široko učešće u prisilnoj primeni zakona. U Korejskom ratu, ovo učešće ovlastile su Ujedinjene nacije, ali čak i u takvim slučajevima stvarna odluka o pridruživanju borbama ostaje unilateralna, i ona se može najbolje razumeti po analogiji sa odlukom pojedinca koji priskače u pomoć čoveku ili ženi napadnutim na ulici.

5. *Ništa osim agresije ne može opravdati rat.* Središnji cilj teorije jeste da ograniči prilike za rat. „Postoji jedan jedini i jedini pravedan uzrok za započinjanje rata", pisao je Vitoria, „naime, pretrpljeno zlo."[16] Zlo mora stvarno postojati i mora stvarno biti pretrpljeno (ili će to uslediti, tako reći, kroz nekoliko minuta). Ništa drugo ne opravdava upotrebu sile u međunarodnom društvu – iznad svega, nikakve verske ili političke razlike. Domaća jeres i nepravda nisu nikada razlozi za delovanje u svetu država, otuda, ponovo, princip neintervencije.

6. *Kad je jednom država agresor vojno poražena, ona može biti i kažnjena.* Pojam o pravednom ratu kao činu kažnjavanja

16 *On the Law of War*, str. 170.

veoma je star, mada ni procedure ni forme kažnjavanja nisu nikada čvrsto utvrđene u običajnom ili pozitivnom međunarodnom pravu. Niti su ciljevi kažnjavanja potpuno jasni: Da se naplati ratna šteta, odvrate druge države, obuzda ili reformiše ova? Sva tri razloga su upadljivo prisutna u literaturi, mada je verovatno tačno da su najčešće prihvaćeni odvraćanje i obuzdavanje. Kad ljudi govore o ratu protiv rata, obično imaju ovo na umu. Načelo u domaćem društvu jeste: kažnjavati zločin da bi se sprečilo nasilje; njegov međunarodni analogon je: kažnjavati agresiju da bi se sprečio rat. Teže je pitanje da li je država u celini, ili su samo određene osobe pravi predmet kažnjavanja, iz razloga koje ću kasnije razmatrati. Ali, jasna je implikacija paradigme: ako su subjekti pravâ države članice međunarodnog društva, one (na neki način) moraju biti i objekti kažnjavanja.

Neizbežne kategorije

Ove propozicije oblikuju sudove koje donosimo kad izbije rat. One obrazuju snažnu teoriju, koherentnu i ekonomičnu, i dominirale su našom moralnom svešću veoma dugo. Ovde neću pratiti njihovu istoriju, ali vredno je istaći da su ostale dominantne čak i tokom osamnaestog i devetnaestog veka, kada su pravnici i državnici dokazivali da je vođenje rata prirodni prerogativ suverenih država, o kojem se ne može suditi s pravnog ili moralnog stanovište. Države su ulazile u rat iz „državnih razloga“, a za te razloge se govorilo da imaju privilegovani status, tako da je potrebno samo da se pozovemo na njih, bez potrebe da ih izlažemo, da bismo prekinuli svaku dalju raspravu. Opšta pretpostavka u pravnoj literaturi tog doba (otprilike od Fatela [Vattel] do Openhajma /Oppenheim/) jeste to da države uvek imaju, poput Hobsovih individua, razlog za borbu.[17] Analogija se ne uspostavlja između domaćeg i međunarodnog društva već između stanja prirode i međunarodne anarhije. Ali ovo gledište nikada nije prodrlo u popularnu imaginaciju. „Ideje o ratu i započinjanju rata“, piše najistaknutiji istoričar teorije agresije, „bile su za običnog čoveka i za javno mnjenje uvek nabijene moralnim

17 Vidi L. Oppenheim, *International Law*, tom II, *War and Neutrality*, London, 1906, str. 55ff.

značajem, zahtevajući potpuno odobravanje ako se rat vodi s pravom i osudu i kažnjavanje ako se vodi bez njega..."[18] Značaj koji im je pripisivao običan čovek upravo je one vrste koju opisujem: oni su zastrašujuće iskustvo rata, kao što je jednom primetio Oto fon Bizmark [Otto von Bismarck], vratili na prisno poznato tlo svakodnevnog života. „Javno mnjenje", pisao je Bizmark, „isuviše je spremno da političke odnose i događaje posmatra u svetlosti građanskog prava i pojedinaca uopšte... [To] pokazuje potpuno nerazumevanje političkih stvari."[19]

Sklon sam da mislim kako ovo pokazuje duboko razumevanje političkih stvari, mada u svojim primenama ne demonstrira uvek i obavešteno ili tanano razumevanje. Javno mnjenje je sklono da se usredsredi na konkretnu stvarnost rata i na moralno značenje ubijanja. Ono se bavi pitanjima koja obični ljudi ne mogu da izbegnu: Da li treba da podržimo ovaj rat? Da li treba da se borimo u njemu? Bizmark deluje iz udaljenije perspektive, preobraćajući ljude koji postavljaju ovakva pitanja u pione u visokoj igri *real politike*. Ali, u krajnjoj liniji, ova su pitanja neizbežna, a udaljena perspektiva neodrživa. Sve dok se ratovi zaista ne budu vodili pionima, neživim objektima, a ne ljudskim bićima, ratovanje se ne može izolovati od moralnog života. Možemo steći jasniji pogled na nužne veze ako razmislimo o delu jednog od Bizmarkovih savremenika i o jednom od ratova koje je nemački kancelar izazvao.

Karl Marks i francusko-pruski rat

Poput Bizmarka, i Marks je na različit način shvatao političke stvari. On rat nije smatrao samo produženjem već nužnim i neizbežnim produženjem politike, a pojedine ratove je opisivao pomoću svetsko-istorijske sheme. Nije bio veran postojećem političkom poretku, niti teritorijalnom integritetu i političkoj suverenosti postojećih država. Kršenje ovih „prava" za njega nije postavljalo nikakve moralne probleme; nije tražio kažnjavanje agresora; želeo je samo takve ishode koji će, bez pozivanja na teoriju agresije, unaprediti stvar proleterske revolucije. Potpuno je karakteristično

18 C. A. Pompe, *Aggressive War*, str. 152.
19 Navedeno u Pompe, str. 152.

za Marksovo opšte gledište to što se nadao pruskoj pobedi 1870. godine, zato što bi to vodilo ujedinjenju Nemačke i olakšalo socijalističko organizovanje u novom Rajhu, kao i zato što bi učvrstilo dominaciju nemačke radničke klase nad francuskom.[20]

> Francuzima su potrebne batine [pisao je u pismu Engelsu]. Ako Prusi budu pobednici, tada će centralizacija državne moći ići u prilog centralizaciji radničke klase. Nemačka prevlast će pomeriti centar radničkog pokreta u Zapadnoj Evropi iz Francuske u Nemačku i... nemačka radnička klasa je teorijski i organizaciono nadmoćna francuskoj. Nadmoć Nemaca nad Francuzima... značiće u isti mah i nadmoć naše teorije nad Prudonovom [Proudhon] itd.

Ali ovo gledište Marks ne bi mogao da brani u javnosti, ne samo što bi ga to obrukalo pred njegovim francuskim drugovima već i iz razloga koji zadiru neposredno u prirodu našeg moralnog života. Čak ni najnapredniji članovi nemačke radničke klase ne bi bili voljni da ubijaju francuske radnike, niti da rizikuju vlastite živote samo da bi povećali moć svoje stranke (ili Marksove teorije!) unutar redova međunarodnog socijalizma. Marksov argument nije bio, u najdoslovnijem smislu te reči, *moguće* objašnjenje odluke da se bori ili suda da je rat koji su Nemci vodili bio, bar u početku, pravedan rat. Da bismo razumeli ovaj sud, bolje nam je da počnemo pojednostavljenim tvrđenjem jednog britanskog člana Generalnog veća Internacionale: „Francuzi su", rekao je Džon Veston [John Weston], „napali prvi."[21]

Danas znamo da je Bizmark radio naporno i sa svom svojom uobičajenom bezobzirnošću na tome da izazove taj napad. Diplomatska kriza koja je prethodila ratu bila je u velikoj meri njegovo delo. Međutim, ni za šta što je uradio ne može se plauzibilno reći da je ugrozilo teritorijalni integritet ili političku suverenost Francuske; ništa što je učinio nije prinudilo Francuze na borbu. On je samo koristio aroganciju i glupost Napoleona III i njegove svite i uspeo da prikaže kao da Francuska nije u pravu; to je bio danak koji je platio javnom mnjenju koje je prezirao. Stoga

---

20 Navedeno u Franz Mehring, *Karl Marx*, trans. Edward Fitzgerald (Ann Arbor) 1962, str. 438.

21 *Minutes of the General Council of the First International: 1870-1871*, Moscow, n. d., str. 57.

nije bilo nužno ispraviti argument Džona Vestona ili onih članova Nemačke socijaldemokratske radničke partije koji su jula 1870. objavili da je Napoleon „frivolno" uništio mir u Evropi: „Nemačka nacija je... žrtva agresije. Stoga... s velikim žaljenjem moramo da prihvatimo defanzivni rat kao nužno zlo."[22] „Prva adresa" Internacionale o Francusko-pruskom ratu, čiji je nacrt sastavio Marks u ime Generalnog veća, zauzela je isto stanovište: „Za Nemačku je ovaj rat odbrambeni rat." (Mada je Marks potom zapitao: „Ali ko je doveo Nemačku u položaj da mora da se brani?", i nagovestio pravi karakter Bizmarkove politike.)[23] Francuski radnici su pozvani da se suprotstave ratu i da bonapartiste zbace s vlasti; nemački radnici su podsticani da podrže rat, ali na takav način da se zadrži njegov „strogo defanzivni karakter".

Već posle šest nedelja, odbrambeni rat je bio završen, Nemačka je trijumfovala kod Sedana, Napoleon III je bio zarobljen, njegovo carstvo srušeno. Ali borbe su se nastavile, jer glavni ratni cilj Nemačke nije bio otpor već ekspanzija: prisvajanje Alzasa i Lorene. U „Drugoj adresi" Internacionale, Marks je tačno opisao rat posle Sedana kao čin agresije na stanovnike dve pokrajine i na teritorijalni integritet Francuske. On nije verovao da će bilo nemački radnici bilo nova francuska republika biti u stanju da kazne agresiju u bliskoj budućnosti, ali je ipak očekivao kaznu: „Istorija neće odmeravati svoju odmazdu prema broju kvadratnih milja otetih od Francuske, već prema veličini zločina što je u drugoj polovini devetnaestog veka oživljena *politika osvajanja*."[24] Ovde iznenađuje to što Marks istoriju nije stavio u službu proleterske revolucije već u službu konvencionalnog morala. Zaista, on se poziva na primer pruske borbe protiv prvog Napoleona posle Tilzita, i stoga navodi na pomisao da će odmazda o kojoj govori imati oblik budućeg francuskog napada na nemački

22 Roger Morgan, *The German Social-Democrats and the First International: 1864-1872*, Cambridge, 1965, str. 206.

23 „Prva adresa Generalnog veća Međunarodnog radničkog udruženja o Francusko-pruskom ratu", K. Marks i F. Engels, *Izabrana dela*, Kultura, Beograd, 1949, tom I, str. 438–442.

24 „Druga adresa Generalnog veća Međunarodnog radničkog udruženja o Francusko-pruskom ratu", (podvukao Marks), K. Marks i F. Engels, *Izabrana dela*, Kultura, Beograd, 1949, tom I, str. 446.

Rajh, rat upravo one vrste za koju je Henri Sidžvik mislio da je opravdana nemačkom „politikom osvajanja". Ali ma kakav bio Marksov program, jasno je da on razmišlja unutar pojmovnih okvira postavljenih teorijom agresije. Kada je prinuđen da se suoči sa stvarnošću rata i da javno opiše mogući oblik socijalističke spoljne politike, on se vraća domaćoj analogiji i legalističkoj paradigmi u njihovom najdoslovnijem vidu. Zaista, on je u „Prvoj adresi" dokazivao da je zadatak socijalista da rade na tome „da obični zakoni morala i pravde, kojima treba da se rukovode pojedinci u međusobnim odnosima, budu vrhovni zakoni u odnosima među narodima".[25]

Da li je ovo marksističko učenje? Nisam siguran. Ono ima malo zajedničkog sa Marksovim filozofskim izjavama o moralu i malo zajedničkog s razmišljanjima o međunarodnoj politici, kojih su puna njegova pisma. Ali Marks nije bio samo filozof i pisac pisama; bio je i politički vođa i govorio je u ime jednog masovnog pokreta. U ovim ulogama, njegovo svetsko-istorijsko gledište o značaju rata bilo je manje važno od posebnih sudova koje je donosio. A kad je jednom bio predan suđenju, dolazila je do izražaja izvesna neizbežnost kategorija teorije agresije. Nije u pitanju bilo usklađivanje s onim što je ponekad snishodljivo nazivao „nivoom svesti" njegove publike već neposredno obraćanje moralnom iskustvu njenih članova. Ponekad, možda, nova filozofija ili religija mogu da preoblikuju to iskustvo, ali to nije bio učinak marksizma, bar ne s obzirom na međunarodne ratove. Marks je naprosto ozbiljno uzimao teoriju agresije, i tako se svrstao u prve redove onih običnih muškaraca i žena na koje se Bizmark žalio, koji su o političkim događajima sudili na osnovu domaće moralnosti.

Argument u prilog popuštanju

Rat iz 1870. godine predstavlja težak slučaj zato što, uz izuzetak francuskih liberala i socijalista, koji su osporavali Napoleona III, i nemačkih socijaldemokrata, koji su osuđivali aneksiju Alzasa i Lorene, niko od onih koji su učestvovali u njemu nije

25 „Prva adresa Generalnog veća Međunarodnog radničkog udruženja o Francusko-pruskom ratu", K. Marks, F. Engels, *Izabrana dela*, Kultura, Beograd, 1949, tom I, str. 438.

baš privlačan. Moralna pitanja su nejasna, i ne bi bilo teško dokazivati da je rat bio agresivan na obe strane, a ne prvo na jednoj, a potom na drugoj. Ali pitanja nisu uvek mutna; istorija nam pruža čudesno jasne primere agresije. Istorijsko proučavanje rata praktično počinje jednim takvim primerom (s kojim sam i ja započeo): atinskim napadom na Mel. Međutim, laki slučajevi postavljaju svoje probleme, ili jedan karakterističan problem. Agresija najčešće ima vid napada jedne moćne države na slabu (to je razlog zašto se tako lako može prepoznati). Otpor izgleda nerazborit, pa čak i beznadežan. Mnogi životi će biti izgubljeni, a u koju svrhu? Međutim, čak i ovde važe naše moralne vrednosti. Mi ne samo da opravdavamo otpor; mi ga nazivamo herojskim; mi, očigledno, ne merimo vrednost pravde brojem izgubljenih života. A ipak ovakva merila ne mogu uvek da budu potpuno irelevantna: ko bi želeo da njime vladaju političke vođe koje na njega ne obraćaju pažnju? Stoga su pravda i razboritost u nelagodnom uzajamnom odnosu. Kasnije ću opisati različite načine na koje argument o pravdi obuhvata i prudencijalna razmatranja, ali sada je važno istaći da legalistička paradigma ima tendenciju da ih na radikalan način isključi.

Paradigma se kao celina obično brani utilitarističkim razlozima: otpor agresiji je nužan da bi se odvratili budući agresori. Ali, u kontekstu međunarodne politike, skoro je uvek dostupan alternativni utilitaristički argument. To je argument o popuštanju, koji sugeriše da je popuštanje agresoru jedini način da se izbegne rat. I u domaćem društvu ponekad biramo popuštanje, pregovarajući sa kidnaperima ili ucenjivačima, na primer, kada je cena odbijanja ili otpora veća nego što možemo podneti. Ali u ovakvim slučajevima se loše osećamo, ne samo zato što nismo uspeli da služimo višoj zajedničkoj svrsi odvraćanja već takođe i neposrednije zato što smo popustili pred prinudom i nepravdom. Osećamo se loše, mada je ono što smo izgubili samo novac, dok u međunarodnom društvu popuštanje nije ni moguće ukoliko nismo spremni da se odreknemo daleko značajnijih vrednosti. A ipak su troškovi rata takvi da se argument o predaji može izneti veoma snažno. Popuštanje je loša reč u našem moralnom vokabularu, ali sâm argument nije moralno neprihvatljiv. On predstavlja najznačajniji izazov onome što sam nazvao pretpostavkom u prilog otporu, i sada želim da ga podrobnije ispitam.

Čehoslovačka i minhenski princip

Odbrana popuštanja iz 1938. godine ponekad uključuje i tvrdnju da su sudetski Nemci imali pravo na samoopredeljenje. Ali ovo je zahtev na koji je moglo da se odgovori nekom vrstom autonomije unutar čehoslovačke države, ili promenom granica znatno manje drastičnom od onih koje je Hitler zahtevao u Minhenu. Zapravo, Hitlerovi ciljevi su domašali mnogo dalje od ostvarenja jednog prava, i Čemberlen [Chamberlain] i Daladje [Daladier] su to znali, ili je trebalo da znaju, a ipak su popustili.[26] Njihove postupke objašnjava strah od rata, a ne neko shvatanje pravde. Ovaj strah je dobio teorijski izraz u veoma inteligentnoj knjižici koju je 1939. godine objavio engleski katolički pisac Džerald Van [Gerald Vann]. Vanov argument je jedini pokušaj koji mi je poznat da se teorija pravednog rata primeni neposredno na problem popuštanja, i zato ću ga pobliže razmotriti. On brani nešto što možemo nazvati „minhenskim principom“:[27]

> Ako se nacija nađe pozvana da brani drugu naciju, koja je nepravedno napadnuta, a obavezna je na to ugovorom, tada je dužna da ispuni svoju obavezu... Međutim, ona može imati pravo, pa čak i dužnost, da pokuša da ubedi žrtvu agresije da izbegne najveće zlo opšteg sukoba, pristajući na uslove manje povoljne od onih koje bi s pravom mogla da zahteva... uvek pod uslovom da ovakvo odricanje od prava ne znači u stvari predaju jednom za svagda vlasti nasilja.

Ovde je „dužnost“: „tražiti mir“ – Hobsov prvi prirodni zakon i verovatno pri vrhu i katoličke liste, mada Vanov izraz „najveće zlo opšteg sukoba“ nagoveštava da je bliži vrhu nego što

26 Vidi argumente koje je u to doba iznosio Čerčil: *Drugi svetski rat*, tom I, *Bura se sprema*, prevela Milica Mihailović, Prosveta, Beograd, *s. a.* *The Gathering Storm*, New York, 1961, glave 17 i 18; takođe i Martin Gilbert and Richard Gott, *The Appeasers*, London, 1963. Nedavne naučne ponovne procene, donekle saosećajnije prema Čemberlenu, iznete su u: Keith Robbins, *Munich: 1938*, London, 1968.

27 Gerald Vann, *Morality and War*, London, 1939.

zapravo jeste. U učenju o pravednom ratu, kao i u legalističkoj paradigmi, trijumf agresije je veće zlo. Ali je sigurno dužnost da se izbegne nasilje ako je to moguće; to je dužnost koju upravljači državama duguju svom narodu, kao i drugima, i ona može da nadvlada obaveze ustanovljene međunarodnim ugovorima i konvencijama. Međutim, argument zahteva ograničenje izneto na kraju, za koje bih mislio da je bilo primenljivo septembra 1938. godine. Ovo ograničenje vredi ispitati, jer je njegov cilj očigledno da nam kaže kada da popuštamo, a kada da ne popuštamo.

Zamislimo državu čija vlada pokušava da proširi svoje granice ili sferu uticaja, malo ovde, malo onde, kontinuirano tokom nekog perioda vremena – ne baš državu „morskog puža golaća" Edmunda Vilsona, već nešto bliže konvencionalnoj „velikoj sili". Izvesno je da narodi na koje se vrši pritisak imaju pravo da se odupru; savezničke države, a možda i druge države, treba da pomognu njihov otpor. Ali ako žrtva, a možda i druge države, popuste, to neće nužno biti nemoralno – to je Vanov argument – a možda će postojati čak i dužnost da se traži mir na uštrb pravde. Popuštanje će uključivati neopiranje nasilju, ali imajući u vidu konvencionalnu silu, ono neće uključivati, ili ne bi trebalo da uključuje, apsolutno pokoravanje „vlasti sile". Uzimam da je apsolutna predaja ono što Van podrazumeva pod „jednom za svagda". On ne može podrazumevati „večno", jer vlade padaju, države nestaju, narodi se bune; ništa ne znamo o večnosti. „Vlast sile" je teži termin. Van teško da je mogao postaviti granicu popuštanju u tačku gde ono znači popuštanje pred većom fizičkom silom; to ono znači uvek. Kao moralna granica, ova fraza može ukazivati na nešto neobičnije i više zastrašujuće: vlast ljudi predanih neprekidnoj upotrebi nasilja, politici genocida, terorizmu i porobljavanju. Tada bi popuštanje predstavljalo, sasvim jednostavno, neuspeh da se odupremo zlu u svetu.

A upravo to je predstavljao sporazum iz Minhena. Vanov argument, kad smo jednom shvatili njegove termine, podriva ono što želi da dokaže. Jer ne može biti nikakve sumnje u to da je nacizam predstavljao vlast nasilja, i da je njegova istinska priroda bila dovoljno poznata u to vreme. Niti može biti ikakve sumnje u to da je Čehoslovačka predata nacizmu 1938. godine;

ostaci njene teritorije i suverenosti nisu mogli biti branjeni – bar ne od strane Čeha – a i to je bilo u to vreme poznato. Ali, ostaje pitanje da li bi Vanov argument mogao da se primeni na druge slučajeve. Preskočiću rat s Poljskom, jer su se Poljaci suočili sa nacističkom agresijom i, nema sumnje, izvukli neku pouku iz čehoslovačkog slučaja. Ali situacija sa Finskom, nekoliko meseci kasnije, bila je različita. Tu su „minhenski princip" zagovarali svi prijatelji Finske, a i mnogi Finci. Njima se nije činilo, uprkos češkom iskustvu, da bi prihvatanje ruskih uslova krajem jeseni 1939. godine bilo „predaja jednom za svagda vlasti nasilja".

Finska

Staljinova Rusija nije bila konvencionalna velika sila, ali je njeno ponašanje u mesecima pre Finskog rata bilo veoma nalik tradicionalnoj politici sile. Ona je težila da se proširi na račun Finske, ali su zahtevi koje je iznosila bili veoma umereni, tesno povezani s pitanjima vojne bezbednosti, bez revolucionarnih implikacija. Ono o čemu se radilo, insistirao je Staljin, nije bilo ništa drugo do odbrana Lenjingrada, koji je tada bio unutar artiljerijskog dometa sa finske granice (Staljin se nije plašio finskog napada već nemačkog napada sa finske teritorije). „Pošto ne možemo da premestimo Lenjingrad", rekao je, „moramo da premestimo granicu."[28] Rusi su nudili da ustupe više zemlje (mada manje vredne) no što su želeli da preuzmu, i ova ponuda je pregovorima davala bar nešto od karaktera razmene između suverenih država. Još na početku razgovora, maršal Manerhajm [Mannerheim], koji nije imao iluzija u pogledu ruske politike, snažno je preporučivao sklapanje dogovora. Bilo je opasnije za Finsku nego za Rusiju da Finci budu toliko blizu Lenjingrada. Staljin je možda imao u vidu konačnu aneksiju Finske, ili njen preobražaj u komunističku državu, ali to tada nije bilo očigledno. Većina Finaca je mislila da opasnost, mada dovoljno ozbiljna, nije baš toliko velika. Oni su se plašili daljih zahteva i pritisaka običnije vrste. Stoga slučaj Finske predstavlja koristan test „minhenskog principa". Da li je trebalo da Finska pristane na uslove manje povoljne od onih na

28 Max Jacobson, *The Diplomacy of the Winter War*, Cambridge, Mass., 1961, str. 117.

koje je mogla da polaže pravo, da bi izbegla ratnu klanicu? Da li je trebalo da joj njeni Saveznici nametnu takve uslove?

Na prvo pitanje se ne može odgovoriti; izbor je na Fincima. Ali i mi ostali smo zainteresovani, i važno je da pokušamo da razumemo zašto je njihova odluka da se bore toliko oduševljeno pozdravljena širom sveta. Ne govorim ovde o uzbuđenju koje uvek prati početak rata i koje retko kad dugo traje, već o osećaju da je finska odluka uzorna (kao što britanska, francuska i čehoslovačka odluka o predaji, dočekana nelagodnom mešavinom olakšanja i stida, nije bila). Naravno, postoji prirodna simpatija prema slabijem u svakom nadmetanju, uključujući tu i rat, i nada da bi mogao da izvojuje neočekivanu pobedu. Ali, u slučaju rata, reč je o specifično moralnoj simpatiji i moralnoj nadi. One su povezane sa shvatanjem da su slabiji (obično) žrtve ili potencijalne žrtve: njihova borba je pravedna. Čak i kad nacionalni opstanak nije ugrožen – kao što je za Fince zapravo bio kad je rat počeo – nadamo se da će agresor biti poražen na skoro isti način na koji se nadamo porazu siledžije iz susedstva, čak i kada nije ubica. Naše zajedničke vrednosti su potvrđene i osnažene borbom; dok popuštanje, čak i kada je mudro, umanjuje te vrednosti i sve nas osiromašuje.

Međutim, naše vrednosti bi bile umanjene i da je Staljin brzo savladao Fince, a potom sa njima postupao kao Atinjani sa Meljanima. Ali to ukazuje manje na poželjnost predaje nego na kritički značaj kolektivne bezbednosti i otpora. Da su Švеđani, na primer, javno preuzeli obavezu da pošalju trupe u pomoć Fincima, verovatno ne bi ni došlo do ruskog napada.[29] A britanski i francuski planovi da se priskoči u pomoć Finskoj, nekompetentni i isključivo u sopstvenom interesu, kakvi su bili, zajedno sa ranim i neočekivanim pobedama finske armije, možda su imali presudnu ulogu u navođenju Rusa da traže pregovore o miru. Nove granice, utvrđene u martu 1940. godine, bile su daleko nepovoljnije od onih koje su Finskoj bile ponuđene četiri meseca ranije; poginulo je na hiljade finskih vojnika (i još veći broj Rusa); stotine hiljada finskih civila bilo je prognano iz

29 Jakobson prenosi priznanje švedskog premijera da Sovjetski Savez, da je Švedska javno prihvatila obavezu da pomogne Finskoj u jesen 1939. godine, verovatno ne bi napao (str. 237).

svojih domova. Ali, nasuprot svemu ovome treba staviti odbranu finske nezavisnosti. Ne znam kako da se uspostavi ravnoteža, niti kako bi se to moglo učiniti 1939. godine, kada je odbrana izgledala kao malo verovatna, ili u najboljem slučaju neizvesna mogućnost. Niti se njena vrednost može izmeriti čak ni danas; ona uključuje nacionalni ponos i samopoštovanje isto koliko i slobodu u vođenju politike (koju nijedna država ne poseduje apsolutno, a Finska, posle 1940. godine, u manjem stepenu nego mnoge druge). Ako se za Finski rat obično misli da je bio vredan, to je zato što nezavisnost ima vrednost kojom se ne može lako trgovati.[30]

„Minhenski princip" bi prihvatio da se nezavisnost izgubi ili okrnji da bi pojedinci sačuvali život. On ukazuje na izvesnu vrstu međunarodnog društva zasnovanog ne na odbrani prava već na prilagođavanju sili. Nema sumnje da je ovo gledište realističko. Ali finski primer navodi na pomisao da realizma ima i u alternativnom gledištu, i to u dvostrukom smislu. Prvo, prava su realna, čak i za one koji moraju da umru braneći ih; drugo, odbrana je (ponekad) moguća. Ne želim da dokazujem da popuštanje nikada ne može biti opravdano već samo da ukažem na veliki značaj koji svi pripisujemo vrednostima koje agresor napada. Ove vrednosti su sažete u postojanju država poput Finske – zaista, mnogih takvih država. Teorija agresije pretpostavlja našu privrženost pluralističkom svetu, a ova privrženost je takođe i unutrašnje značenje pretpostavke u prilog otporu. Želimo da

30 Verovatno je manje važno da takvi proračuni budu ispravno izvedeni (pošto ne možemo da budemo sigurni šta to uopšte znači) nego da ih izvedu pravi ljudi. U tom je pogledu korisno uporediti odluke Meljana i Finaca. Mel je bio oligarhija, i njegove vođe, koje su želele da se bore, odbile su da dozvole atinskim zapovednicima da se obrate narodnoj skupštini. Možemo pretpostaviti da su se plašili da bi ljudi mogli da odbiju da stave na kocku svoje živote i svoj grad radi oligarha. Finska je bila demokratija; njeni ljudi su znali tačnu prirodu ruskih zahteva; i odluka vlade da se bori očigledno je imala nadmoćnu narodnu podršku. Dobro bi se uklapalo u ostale delove teorije agresije da se Finci ponovo uzmu kao uzor: odluku da se odbaci popuštanje najmerodavnije mogu da donesu ljudi (ili njihovi predstavnici) koji će morati da podnesu rat što će uslediti. Ovo, naravno, ne govori ništa o argumentima koji bi se mogli iznositi u narodnoj skupštini: oni bi mogli da pozivaju na razboritost i oprez, a ne na prkos i junaštvo.

živimo u međunarodnom društvu u kojem zajednice muškaraca i žena slobodno oblikuju svoje posebne sudbine. Ali ovo društvo nikada nije u potpunosti ostvareno; ono nikada nije bezbedno; uvek se mora braniti. Finski rat je paradigmatičan primer nužne odbrane. Stoga je, uprkos složenom diplomatskom manevrisanju koje je prethodilo ratu, sama borba bila u moralnom pogledu veoma jednostavna.

Odbrana prava je razlog za borbu. Sada želim da ponovo istaknem da je to jedini razlog. Legalistička paradigma isključuje svaku drugu vrstu rata. Preventivni ratovi, trgovački ratovi, ekspanzionistički i osvajački ratovi, verski krstaški pohodi, revolucionarni ratovi, vojne intervencije – svi su zabranjeni, i to zabranjeni apsolutno, na isti način na koji su građanskim pravom isključeni njihovi domaći ekvivalenti. Ili, da još jednom preokrenemo argument, svi predstavljaju činove agresije onih koji ih započinju i opravdavaju otpor silom, kao što bi to važilo i za njihove ekvivalente u domovima i na ulicama domaćeg društva.

Ali ovo još nije potpuna karakterizacija morala rata. Mada je domaća analogija intelektualno oruđe od ključnog značaja, ona ne nudi potpuno vernu sliku međunarodnog društva. Države zapravo nisu slične individuama (zato što su skupovi individua), a odnosi među državama nisu slični privatnim odnosima između muškaraca i žena (zato što nisu na isti način uokvireni autoritativnim zakonima). Ove razlike nisu nejasne, niti nepoznate. Zanemarivao sam ih samo radi analitičke jasnoće. Želeo sam da dokazujem da, kao opis naših moralnih sudova, domaća analogija i legalistička paradigma poseduju veliku eksplanatornu moć. Međutim, ovaj opis je još uvek nepotpun, i sada moram da razmotrim niz pitanja i istorijskih slučajeva koji ukazuju na potrebu za njegovom revizijom. Ne mogu da iscrpim sve moguće revizije, jer su naši moralni sudovi izuzetno istančani i složeni. Ali glavna mesta na kojima argument o pravdi zahteva dopunu paradigme dovoljno su jasna; ona su odavno u središtu moralnih i pravnih rasprava.

5. ANTICIPACIJE

Na prva pitanja koja se postavljaju u trenutku kada države ulaze u rat takođe je i najlakše odgovoriti: Ko je prvi počeo da puca? Ko je poslao trupe preko granice? To su pitanja o činjenicama, a ne sudovi, a ako je odgovor sporan, to je samo zbog laži koje nam iznose vlade. Laži ne mogu, u svakom slučaju, da nas dugo obmanu; istina će brzo izbiti na videlo. Vlade lažu da bi izbegle optužbu za agresiju. Ali naš konačan odgovor o agresiji neće zavisiti od ovih pitanja. Treba izneti dalje argumente, ponuditi opravdanja, izneti nove laži, pre no što se neposredno suočimo s moralnim pitanjima. Jer agresija često počinje a da nije opalila nijedna puška, da nije pređena granica.

I pojedinci i države mogu s pravom da se brane od nasilja koje predstoji, ali nije aktualno; oni mogu prvi da opale ako znaju da će biti napadnuti. Ovo je pravo priznato u domaćem pravu, kao i u legalističkoj paradigmi za međunarodno pravo. U većini pravničkih objašnjenja, međutim, ono je veoma ograničeno. Zaista, kad jednom počnu da se uvode ograničenja, više nije jasno da li ovo pravo ima ikakav sadržaj. Takav je argument državnog sekretara Danijela Vebstera [Daniel Webster] u slučaju Karoline iz 1842. godine (čijim se pojedinostima ovde nećemo baviti): da bi se opravdala preemptivna upotreba sile, piše Vebster, mora biti pokazana „nužnost samoodbrane... trenutna, ogromna, koja ne ostavlja vremena za izbor sredstava, i ne ostavlja ni trenutka za premišljanja.“[1] To bi nam dozvolilo da učinimo malo šta drugo do da odgovorimo na napad *kad smo videli da dolazi*, ali pre no što osetimo udarac. Preempcija je prema ovom gledištu nalik na refleksni pokret, na dizanje ruku u odbranu

1 D. W. Bowett, *Self-Defence in International Law*, New York, 1958, str. 59. Na moje stanovište je uticala kritika legalističkog argumenta, izneta u Julius Stone, *Aggression and the World Order*, Berkeley, 1968.

u poslednjem trenutku. Ali teško da je potrebno „pokazati" da je ovakva akcija opravdana. Čak ni najosioniji napadač neće insistirati na tome da je njegovo pravo da žrtva stoji mirno dok on ne zada prvi udarac. Čini se da je Vebsterova formula omiljena kod stručnjaka za međunarodno pravo, ali ne verujem da je korisna za iskustvo neposredno predstojećeg rata. Često ima mnogo vremena za premišljanje, teških sati, dana, pa i nedelja za premišljanje, kada se sumnja da se rat može izbeći i pita da li da se zada prvi udarac ili ne. Rasprava se vodi, pretpostavljam, u strateškim više no u moralnim terminima. Ali odluka se prosuđuje s moralne tačke gledišta, i čekanje na taj sud, posledice koje će imati kod savezničkih i neutralnih država, kao i kod naroda države o kojoj je reč, jesu i sami strateški činilac. Stoga je važno ispravno shvatiti termine suđenja, a to zahteva izvesnu reviziju legalističke paradigme. Jer ova paradigma je restriktivnija od sudova koje zaista donosimo. Skloni smo da osećamo simpatije prema potencijalnim žrtvama čak i pre no što se suoče s trenutnom i krajnjom nuždom.

Zamislimo spektar anticipacija: na jednom kraju je Vebsterov refleks, nužan i određen; na drugom kraju je preventivni rat, napad koji odgovara na udaljenu opasnost, stvar predviđanja i slobodnog izbora. Želim da počnem na udaljenom kraju spektra, gde je opasnost stvar prosuđivanja, a politička odluka nije prinudna, a zatim da postepeno stignem do tačke na kojoj danas povlačimo granicu između opravdanih i neopravdanih napada. Ono što imamo na ovoj tački je nešto veoma različito od Vebsterovog refleksa; još uvek je moguće vršiti izbore, započeti borbe ili se naoružati i čekati. Stoga odluka da se počne barem liči na odluku da se povede preventivan rat, i važno je razlikovati kriterijume kojima se on brani od onih za koje se nekada mislilo da opravdavaju prevenciju. Zašto da se ova granica ne povuče na udaljenom kraju spektra? Razlozi su ključni za stanovište kojim se sada bavim.

Preventivni rat i ravnoteža snaga

Preventivni rat pretpostavlja neki standard kojim se može meriti opasnost. Ovaj standard ne postoji, da tako kažemo, na tlu; on nema nikakve veze sa neposrednom bezbednošću granica.

On postoji u duhu, u ideji ravnoteže snaga, verovatno dominantnoj ideji u međunarodnoj politici od sedamnaestog veka do danas. Preventivni rat je onaj koji se vodi da bi se održala ravnoteža, da bi se sprečilo da se ono što se vidi kao ravnomerna distribucija snaga preokrene u odnos nadmoći i inferiornosti. O ravnoteži se često govori kao da je ona ključ za mir među državama. Ali ona to ne može biti, ili ne bi bilo potrebno da se ona tako često brani silom oružja. „Ravnoteža snaga, ponos moderne politike... pronađena da bi se sačuvao opšti mir kao i sloboda Evrope", pisao je Edmund Berk [Edmund Burke] 1760. godine, „sačuvala je samo svoju slobodu. Ona je bila izvor bezbrojnih i jalovih ratova."[2] U stvari, naravno, ratovi o kojima Berk govori mogu se lako prebrojati. Da li su bili jalovi ili nisu zavisi od toga kako posmatramo veze između preventivnog rata i očuvanja slobode. Britanski državnici iz osamnaestog veka i njihovi intelektualni pomagači očigledno su mislili da je ta veza veoma tesna. Radikalno neuravnotežen sistem bi, uviđali su, verovatnije vodio do mira, ali su bili „uplašeni mogućnošću univerzalne monarhije".[3] Kad su stupali u rat u ime ravnoteže, mislili su da ne brane samo nacionalni interes već i međunarodni poredak koji je širom Evrope omogućavao slobodu.

---

2 Navedeno prema *Annual Register*, u H. Butterfield, „The Balance of Power", *Diplomatic Investigations*, str. 144–145.

3 Ovaj je navod iz Hjumovog ogleda „O ravnoteži snaga" [„On the Balance of Power"] u kojem Hjum tri rata koje je Britanija vodila u ime ravnoteže snaga opisuje kao „započete pravedno, pa čak, možda, i iz nužnosti". Njegov argument bih opširno razmatrao da sam otkrio da je moguće smestiti ga unutar njegove filozofije. Ali u svom *Istraživanju o principima morala* [*Enquiry Concerning the Principles of Morals*], Odsek III, Deo I, Hjum piše: „Bes i nasilje državnih ratova: šta je to do privremeno ukidanje pravde među zaraćenim stranama, koje vide da ta vrlina njima više nije ni od kakve koristi?" Niti je moguće, prema Hjumu, da samo ovo privremeno ukidanje bude pravedno ili nepravedno; ono je u potpunosti stvar nužnosti, kao u (Hobsovom) stanju prirode, u kojem se pojedinci „bave samo nalozima samoodržanja". Da standardi pravde postoje zajedno s pritiscima nužnosti otkriće je Hjumovih *Ogleda o ljudskom razumu*. To je možda još jedan primer nemogućnosti da se izvesna filozofska stanovišta prenesu u svakodnevni moralni diskurs. U svakom slučaju, nijedan od tri rata o kojima raspravlja Hjum nije bio nužan za opstanak Britanije. Možda je mislio da su pravedni zato što je verovao da je ravnoteža uopšte uzev korisna.

Ovo je klasičan argument u prilog prevenciji. On od vladarâ zahteva, kao što je dokazivao Fransis Bekon [Francis Bacon] jedan vek pre Hjuma, da postave straže i da „dobro motre da nijedan njihov sused ne postane prejak (povećanjem teritorije, prigrabljenjem trgovine, zbliženjima i tome slično), te da tako bude u mogućnosti da više smeta nego što je do tada mogao".[4] A ako njihovi susedi „postanu prejaki", s njima se mora boriti, bolje ranije nego kasnije, i ne čekajući da prvi zadaju udarac. „Ne može se primiti mišljenje nekih sholastika da je neopravdano povesti rat ako mu ne prethodi neka povreda ili izazivanje. Jer nema sumnje da je razložan strah od neposredne opasnosti, iako nikakav udarac nije zadan, opravdan povod za rat." Blizina opasnosti ovde nije pitanje časova ili dana. Stražari gledaju u vremensku, baš kao i prostornu daljinu, dok posmatraju porast snage suseda. Oni će se plašiti te snage čim ona poremeti ravnotežu, ili čim bude izgledalo verovatno da će je poremetiti. Rat je opravdan (kao i u Hobsovoj filozofiji) samim strahom, a ne bilo čim što druge države čine, ili bilo kojim znacima o njihovim zlim namerama. Razboriti vladari pretpostavljaju zle namere.

Ovaj argument je po formi utilitaristički, i može se sažeti u dve propozicije: (1) ravnoteža snaga zaista čuva slobode Evrope (možda i sreću Evropljana), te je stoga vredno braniti je čak i po izvesnu cenu, i (2) početi borbu ranije, pre no što ravnoteža bude promenjena na neki odlučujući način, u velikoj meri smanjuje troškove odbrane, dok čekanje ne znači izbegavanje rata (osim ukoliko se čovek ne odrekne slobode) već borbe većih razmera i uz slabije izglede za pobedu. Argument je dovoljno uverljiv, ali moguće je zamisliti utilitaristički odgovor višeg reda: (3) prihvatanje propozicija (1) i (2) je opasno (a ne korisno) i sigurno će voditi „bezbrojnim i jalovim ratovima" kad god dođe do promene u odnosima snaga; ali postepene promene snaga i gubici moći su stalna odlika međunarodne politike, i savršena je ravnoteža, kao i savršena bezbednost, utopijski san; stoga je najbolje

4 Francis Bacon, *Essays* („Of Empire") [navedeno prema: Fransis Bekon, Eseji, Nova Atlantida, Apoftegme „O samodržavlju", preveo Borivoje Nedić, Kultura, Beograd, 1967, str. 66]; vidi i njegovu raspravu *Considerations Touching a War with Spain* (1624), u *The Works of Francis Bacon*, ed. James Spedding *et al.*, London, 1874, XIV, str. 469–505.

osloniti se na legalističku paradigmu ili neko slično pravilo, i čekati dok porast snage ne bude iskorišćen na neki odlučujući način. I ovo je dovoljno prihvatljivo, ali važno je istaći da stanovište za koje se od nas traži da se na njega oslonimo nije neko utemeljeno stanovište, to jest, ono samo ne počiva ni na kakvim utilitarističkim proračunima. Imajući u vidu radikalnu neizvesnost politike sile, verovatno nema nikakvog praktičnog načina da se ovo stanovište dopuni – da se donese odluka kada se boriti a kada ne – na utilitarističkim principima. Pomislimo šta sve treba znati da bi se izveli proračuni, o eksperimentima koje treba izvesti, ratovima koje bi trebalo voditi – i koje ne bi trebalo voditi. U svakom slučaju, moralne linije na spektru anticipacija označavamo na jedan potpuno različiti način.

Nije stvarno razborito pretpostaviti kod svojih suseda zlonamerne interese; to je samo cinično, primer one svetske mudrosti u skladu s kojom niko ne živi, niti bi mogao da živi. Potrebno je da donosimo sudove o namerama naših suseda, a da bi takvi sudovi bili mogući, moramo da stipuliramo izvesne činove ili skupove činova koji će se računati kao dokaz zlonamernosti. Ove stipulacije nisu arbitrarne; one nastaju, mislim, kad razmišljamo o tome šta znači *biti ugrožen*. Ne samo *biti uplašen*, mada racionalni muškarci i žene mogu odgovoriti strahom na istinsku ugroženost, a njihovo subjektivno iskustvo nije beznačajan deo argumenta o anticipaciji. Ali potreban nam je i neki objektivni standard, kao što sugeriše Bekonov izraz „razložan strah“. Taj standard mora da se poziva na preteće činove neke susedne države, jer (ostavljajući po strani opasnosti od prirodnih katastrofa) mogu biti ugrožen samo od nekoga ko mi preti, gde „pretiti“ znači ono što rečnik kaže da znači: „Izneti ili uputiti (neku povredu ili štetu) kao pretnju, objaviti svoju nameru da se nanese povreda ili šteta.“[5] O ratovima koji se vode radi ravnoteže snaga moramo da sudimo koristeći neki pojam poput ovoga. Razmotrimo stoga rat za špansko nasleđe, koji se u osamnaestom veku smatrao paradigmatičnim slučajem preventivnog rata, a koji je ipak, mislim, negativan primer pretećeg ponašanja.

5 *Oxford English Dictionary*, „threaten“.

Rat za špansko nasleđe

Pišući pedesetih godina osamnaestog veka, švajcarski pravnik Fatel predložio je sledeće kriterijume za legitimnu prevenciju: „Kad god je država pokazala znake nepravde, grabljivosti, oholosti, ambicije ili osione žudnje za vlašću, ona postaje nepouzdan sused, koga se treba čuvati: i u trenutku kada će steći zastrašujuće povećanje moći, moraju se tražiti jemstva, a ukoliko bude bilo kakvih teškoća da se ona dobiju, njeni planovi mogu biti osujećeni silom oružja.“[6] Ovi kriterijumi su bili formulisani s izričitim pozivanjem na događaje iz 1700. i 1701. godine, kada je kralj Španije, poslednji u svojoj lozi, ležao bolestan i na samrti. Mnogo ranije, Luj XIV [Louis] je Evropi pružio očigledne znake nepravde, grabljivosti, oholosti itd. Njegova spoljašnja politika bila je otvoreno ekspanzionistička i agresivna (što ne znači da nisu bila nuđena opravdanja, pominjane drevne pretenzije i prava, za svako nameravano prisvajanje teritorija). Godine 1700. činilo se da će doći do „zastrašujućeg povećanja moći“ – njegovom unuku, vojvodi od Anžua [Anjou], ponuđen je španski presto. Sa svojom uobičajenom arogancijom, Luj je odbio da pruži bilo kakva uveravanja ili garantije drugim monarsima. Što je najvažnije, odbio je da zabrani vojvodi od Anžua da nasledi francuski presto, ostavljajući time otvorenom mogućnost ujedinjene i moćne francusko-španske države. Tada je savez evropskih sila, koji je predvodila Velika Britanija, poveo rat protiv, kako su pretpostavljali, Lujevih „planova“ da dominira Evropom. Međutim, pošto je svoje kriterijume odredio u tako čvrstoj vezi s ovim slučajem, Fatel je zaključio otrežnjujućom notom: „Od tada izgleda kao da je politika [Saveznika] prepuna podozrenja.“ To je naknadna mudrost, naravno, ali je još uvek mudrost, i čovek bi očekivao neki napor da se kriterijumi preformulišu u njenom svetlu.

Puka argumentacija o snazi, čini mi se, ne može da bude opravdanje za rat, pa čak ni početak opravdanja, i to u velikoj meri iz istog razloga iz kojeg je Bekonova komercijalna ekspanzija („prigrabljenje trgovine“) još nedovoljnija. Jer i jedno i drugo

6 M. D. Vattel, *The Law of Nations*, Northampton, Mass. 1805, knj. III, gl. III, odelj. 42–44, str. 357–378. Uporedi John Westlake, *Chapters on the Principles of International Law*, Cambridge, 1894, str. 120.

navode na pomisao o razvoju koji uopšte ne mora biti politički planiran, te se stoga ne može uzeti kao dokaz o nameri. Kao što Fatel kaže, vojvodu od Anžua je pozvao na španski presto „[španski] narod, u skladu sa voljom svog poslednjeg suverena" – to jest, mada se ovde ne može govoriti o demokratskom donošenju odluka, on je bio pozvan iz španskih, a ne francuskih razloga. „Zar nemaju ova dva carstva", pitao se Džonatan Svift [Jonathan Swift] u jednom pamfletu koji se suprotstavljao ratu koji je vodila Britanija, „svoja nezavisna načela politike?..."[7] Niti odbijanje Luja XIV da nešto obeća u pogledu nekog budućeg vremena treba uzeti kao dokaz o planovima – samo, možda, o nadama. Ako bi stupanje na presto vojvode od Anžua neposredno vodilo tešnjem savezu između Španije i Francuske, čini se da bi prikladan odgovor bio čvršći savez između Britanije i Austrije. Tada bi se moglo sačekati i ponovo prosuđivati o namerama Luja XIV.

Ali ovde postoji i jedno dublje pitanje. Kad stipuliramo preteće postupke, tragamo ne samo za znakovima o namerama već i za pravom na odgovor. Okarakterisati izvesne postupke kao pretnje znači okarakterisati ih u moralnom pogledu, i na način koji čini vojni odgovor moralno razumljivim. Utilitaristički argumenti za prevenciju to ne čine, ne samo zato što su ratovi kojima vode isuviše česti već i zato što su isuviše prosti u još jednom smislu: oni su *suviše obični*. Kao i Klauzevicev opis rata kao produženja politike drugim sredstvima, oni radikalno potcenjuju značaj prelaska sa diplomatije na silu. Oni ne uviđaju problem koji postavljaju ubijanja i pogibije. Možda uviđanje počiva na izvesnom načinu vrednovanja čovekovog života, koji nije bio način državnika osamnaestog veka. (Koliko se britanskih vojnika koji su otplovili za Kontinent sa lordom Marlboroouom vratilo? Da li se iko potrudio da prebroji?) Ali ovo je svakako značajno, jer nagoveštava zašto su ljudi počeli da osećaju nelagodu u pogledu preventivnog rata. Ne želimo da se borimo sve dok ne budemo ugroženi, jer samo tada možemo da se opravdano borimo. To je pitanje moralne bezbednosti. Zato su Fatelova završna primedba o ratu za špansko nasleđe i Berkov

7 Jonathan Svift, *The Conduct of the Allies and of the Late Ministry in Beginning and Carrying on the Present War* (1711), u *Prose Works*, ed. Temple Scott, London, 1901, V, str. 116.

opšti argument o uzaludnosti takvih ratova toliko zabrinjavajući. Neizbežno je, naravno, da će politički proračuni ponekad biti pogrešni; to će biti slučaj i s moralnim izborima; nema savršene bezbednosti. Ali ipak postoji ogromna razlika između toga da ubijam i da budem ubijen od strane vojnika koji se plauzibilno mogu opisati kao oruđa jedne agresivne namere, i toga da ubijam i budem ubijen od strane vojnika koji možda predstavljaju, a možda i ne predstavljaju udaljenu pretnju našoj zemlji. U prvom slučaju, suočeni smo sa vojskom očigledno neprijateljskom, spremnom za rat, koja je zauzela položaje za napad. U drugom, neprijateljstvo je samo očekivano i zamišljeno, i uvek ćemo moći da budemo optuženi da smo poveli rat protiv vojnika koji su bili zabavljeni potpuno legitimnim (nepretećim) aktivnostima. Otuda moralna nužnost da se ne prihvati nijedan napad koji je po prirodi čisto preventivan, koji ne čeka na voljne postupke protivnika i ne odgovara na njih.

Preemptivni napadi

Sada, koji postupci treba da se računaju, koji postupci se računaju kao pretnje dovoljno ozbiljne da opravdaju rat? Nije moguće sastaviti spisak, pošto postupci država, poput postupaka ljudi uopšte, dobijaju svoje značenje iz konteksta. Ali ima izvesnih negativnih određenja koja treba istaći. Hvalisava galama kojoj su političke vođe često sklone nije sama po sebi pretnja; povreda mora biti „upućena" i u nekom materijalnom smislu. Niti se ona vrsta vojnih priprema koja je odlika klasične trke u naoružanju računa kao pretnja, osim ukoliko ne prekoračuje neku granicu u vezi s kojom postoji formalno ili prećutno slaganje. Ono što pravnici nazivaju „činovima neprijateljstva koji nisu rat", čak i ako uključuju upotrebu sile, ne treba prebrzo uzeti kao znake namere da se povede rat; oni mogu biti ogled, pokušaj samoobuzdavanja, pokušaj da se svađa zadrži unutar određenih granica. Najzad, provokacije nisu isto što i pretnje. Sholastički pisci su često „povrede i provokacije" povezivali kao dva uzroka pravednog rata. Ali sholastičari su bili pod isuviše velikim uticajem tadašnjih pojmova o časti država i, što je još važnije, suverena.[8] Moralni značaj ovakvih

8 Čak i krajem osamnaestog veka, Fatel je dokazivao da knez „ima pravo da zahteva, čak i silom oružja, zadovoljenje za uvredu". *Law of Nations*, knj. II, gl. IV, odelj. 48, str. 216.

ideja je u najmanju ruku sumnjiv. Uvrede nisu razlog za rat ništa više no što su (danas) razlog za dvoboj.

Što se ostalog tiče, vojni savezi, mobilizacija, manevri trupa, povrede granica, pomorske blokade – svi se, s verbalnim pretnjama ili bez njih, ponekad računaju, a ponekad ne računaju kao dovoljni pokazatelj neprijateljskih namera. Ali, u najmanju ruku, to su vrste postupaka kojima se ovde bavimo. Krećemo se duž spektra anticipacija, tražeći, da tako kažemo, neprijatelje: ne moguće ili potencijalne neprijatelje, ne samo one koji nam žele zlo, već države i nacije koje se već, da upotrebim izraz koji ću ponovo upotrebiti s obzirom na razliku između boraca i neboraca, *bave time da nam nanose štetu* (i koje su nam već nanele štetu svojim pretnjama, čak i ako nam još nisu nanele nikakvu fizičku povredu). A jasno je da nas ova potraga, mada nas odvodi s one strane preventivnog rata, ne dovodi do Vebsterove preempcije. Granica između legitimnog i nelegitimnog prvog udara neće biti povučena u tački bliskog napada već u tački dovoljne pretnje. Ovaj izraz je neizbežno nejasan. Želim da obuhvati tri stvari: pokazanu nameru ka povredi, neki stepen aktivne pripreme koji ovu nameru čini pozitivnom opasnošću, i opštu situaciju u kojoj bi čekanje ili bilo koji drugi postupak osim borbe u značajnoj meri povećali rizik. Argument može postati jasniji ako ove kriterijume uporedim sa Fatelovim. Umesto ranijih znakova grabljivosti i ambicije, zahtevaju se sadašnji i određeni znaci; umesto „povećanja moći", stvarne pripreme za rat; umesto odbijanja da se pruže buduća jemstva, povećanje sadašnjih opasnosti. Preventivni rat gleda i u prošlost i u budućnost, Vebsterov refleks samo na dati trenutak, dok se ideja o tome da smo izloženi pretnji usredsređuje na ono što je najbolje nazvati jednostavno *sadašnjošću*. Ne mogu da bliže odredim vremenski raspon; to je vremenski period unutar kojeg se još uvek mogu vršiti izbori, i unutar kojeg je moguće osećati se u tesnacu.[9]

Na šta liči ovo vreme najbolje se može pokazati na konkretnom slučaju. Možemo ga bliže odrediti ako ispitamo tri nedelje

9 Uporedi argument Huga Grocijusa: „Opasnost... mora da bude neposredna i bliska u vremenu. Dopuštam, sigurno, da ako napadač zgrabi oružje na takav način da je njegova namera da ubija očigledna, zločin može biti predupređen; jer u moralu, kao ni u materijalnim stvarima, ne može se naći ništa što nema neku širinu." *The Law of War and Peace*, trans. Francis W. Kelsey, Indianapolis, n. d., knj. II, gl. I, odeljak V, str. 173.

koje su prethodile Šestodnevnom ratu iz 1967. godine. Ovde imamo slučaj koji je isto toliko ključan za razumevanje anticipacije u dvadesetom veku koliko je to rat za špansko nasleđe bio u osamnaestom, i slučaj koji nagoveštava da je prelaz sa dinastičke na nacionalnu politiku, čiji su troškovi često bili isticani, takođe doneo i izvesne moralne dobitke. Jer je manje verovatno da će nacije, posebno demokratske nacije, voditi preventivne ratove, no što je to bilo verovatno za dinastije.

Šestodnevni rat

Borbe između Izraela i Egipta započele su 5. juna 1967. godine, kada je Izrael napao prvi. Prvih sati rata, Izraelci nisu priznavali da su tražili prednost iznenađenja, ali ova obmana nije potrajala. U stvari, oni su verovali da su im dramatični događaji iz prethodnih nedelja pružili opravdanje da napadnu prvi. Stoga se moramo usredsrediti na te nedelje i njihov moralni značaj. Naravno, bilo bi moguće osvrnuti se još dalje u prošlost, na ceo tok jevrejsko-arapskog sukoba na Bliskom istoku. Nesumnjivo je da ratovi imaju dugačku političku i moralnu preistoriju. Ali anticipaciju je potrebno razumeti u užem okviru. Egipćani su verovali da je osnivanje Izraela 1948. godine bilo nepravedno, da ova država nema pravo na postojanje, te da stoga može biti napadnuta u svako doba. Odatle sledi da Izrael nema nikakvo pravo na anticipaciju, zato što nema pravo na samoodbranu. Ali samoodbrana izgleda kao prvo i neosporno pravo svake političke zajednice, prosto zato što ta zajednica *postoji*, ma kakve bile okolnosti u kojima je stekla državnost.[10] Možda su se zato Egipćani u svojim formalnijim argumentima oslanjali na tvrdnju da je stanje rata već postojalo između Izraela i Egipta, i da je to stanje opravdavalo poteze koje su vukli maja 1967.[11] Ali isto to stanje bi opravdavalo i da je Izrael napao prvi. Najbolje je pretpostaviti,

10 Jedino ograničenje ovog prava ima veze sa unutrašnjom, a ne sa spoljašnjom legitimnošću: država (ili vlada) uspostavljena protiv volje svog sopstvenog naroda, koja vlada upotrebom sile, može da izgubi svoje pravo na odbranu čak i protiv spoljašnje invazije. U sledećem poglavlju ću se baviti nekim od pitanja koje pokreće ova mogućnost.

11 Walter Laquer, *The Road to War: The Origin and Aftermath of the Arab-Israeli Conflict, 1967-68*, Baltimore, 1969, str. 110.

mislim, da je postojeći prekid vatre između dve zemlje bio nešto bar nalik miru i da izbijanje rata zahteva moralno objašnjenje – a teret dokazivanja pada na Izrael, koji je započeo borbe.

Kriza je očigledno imala poreklo u izveštajima koje su preneli sovjetski zvaničnici sredinom maja, da Izrael gomila svoje snage na granici sa Sirijom. Lažnost ovih izveštaja skoro su odmah potvrdili posmatrači Ujedinjenih nacija sa lica mesta. Uprkos tome, 14. maja, egipatska vlada je svoje oružane snage stavila u stanje „najviše pripravnosti" i počela da pojačava svoje trupe na Sinaju. Četiri dana kasnije, Egipat je proterao Snage za hitna dejstva Ujedinjenih nacija sa Sinaja i iz pojasa Gaze; njihovo povlačenje je počelo odmah, mada ne smatram da je njihov naziv trebalo da sugeriše da će toliko brzo otići u slučaju hitnosti. Pojačanje egipatskih trupa se nastavilo, i 22. maja predsednik Naser [Nasser] je objavio da će Tiranski tesnac biti zatvoren za izraelske brodove.

Posle Sueckog rata iz 1956. godine, Tesnac je svetska zajednica priznala za međunarodni plovni put. To je značilo da bi njegovo zatvaranje predstavljalo *casus belli*, i Izraelci su izjavili u to doba, i još mnogo puta otada, da će ga takvim i smatrati. Rat bi mogao da bude datiran od 22. maja, a izraelski napad 5. juna da bude opisan prosto kao njegov prvi oružani incident: ratovi često počinju i pre no što počnu borbe. Ali činjenica je da je posle 22. maja izraelski kabinet još uvek raspravljao o tome da li da se uđe u rat ili ne. A u svakom slučaju, stvarna upotreba sile je ključni moralni događaj. Ako se ona ponekad može opravdati pozivanjem na ranije događaje, ipak mora da bude opravdana. U značajnom govoru od 29. maja, Naser je to opravdanje učinio mnogo lakšim, objavivši da će, ako rat počne, egipatski cilj biti ništa manje do uništenje Izraela. Jordanski kralj Husein [Hussein] je 30. maja doleteo u Kairo da bi potpisao ugovor kojim se u slučaju rata jordanska armija stavlja pod egipatsku komandu, pridruživši se tako egipatskim ciljevima. Sirija je već prihvatila takav sporazum, a posle nekoliko dana i Irak se pridružio savezu. Izraelci su napali dan posle iračke objave.

Uprkos svom uzbuđenju i strahu koje su izazvali njihovi postupci, nije verovatno da su Egipćani nameravali da počnu rat. Posle završetka borbi, Izrael je objavio dokumenta, zaplenjena tokom rata, među kojima je bio i plan za invaziju na pustinju Negev; ali to su verovatno bili planovi za kontranapad, kad se jednom izraelska ofanziva slomi na Sinaju, ili za prvi udar u nekom kasnijem trenutku. Naser bi skoro sigurno smatrao velikom pobedom da je mogao da zatvori tesnac i zadrži svoju vojsku na granicama Izraela bez rata. Zaista, to bi i bila velika pobeda, ne samo zbog ekonomske blokade koju bi uspostavila već i zbog naprezanja koje bi nametnula izraelskom odbrambenom sistemu. „Postojala je osnovna asimetrija u strukturi vojnih snaga: Egipćani su mogli da na izraelske granice izvedu... svoju veliku armiju sastavljenu od profesionalnih vojnika, i da je tamo zadrže bezgranično; Izrael bi mogao da na njihovo razmeštanje odgovori samo mobilizacijom rezervnih formacija, a rezervisti se ne mogu držati u uniformi veoma dugo... Egipat je stoga mogao da se zadrži na defanzivi, dok je Izrael morao da napada osim ukoliko kriza ne bi bila razrešena diplomatskim putem.“[12] *Morao bi da napadne*: nužnost se ne može nazvati trenutnom i ogromnom; niti bi izraelska odluka da dopuste Naseru njegovu pobedu značila išta drugo do promenu u ravnoteži snaga, koja bi predstavljala moguću opasnost u budućnosti. To bi otvorilo Izrael za napad u bilo kom trenutku. To bi predstavljalo drastično pogoršanje izraelske bezbednosti, koju bi samo odlučan neprijatelj mogao da se nada da će izazvati.

U početku izraelski odgovor nije bio tako odlučan već, iz unutrašnjepolitičkih razloga koji su delimično imali veze i s demokratskom prirodom države, kolebljiv i zbrkan. Izraelske vođe su tragale za političkim rešenjem krize – otvaranje tesnaca i demobilizaciju snaga na obe strane – ali nisu imali političke snage ni podrške da ga ostvare. Došlo je do burne diplomatske aktivnosti, koja je samo otkrila ono što se moglo unapred predvideti: nespremnost zapadnih sila da vrše pritisak na Egipat ili da ga prinude da odstupi. Čovek uvek želi da vidi diplomatsku aktivnost pre no što se pribegne ratu, tako da možemo da budemo sigurni da je rat bio poslednje sredstvo. Ali u ovom slučaju bi bilo teško izneti

12 Edward Luttwak and Dan Horowitz, *The Israeli Army*, New York, 1975, str. 212.

neki argument da je ovo sredstvo bilo nužno. Svakog dana činilo se da diplomatski napori samo povećavaju izolaciju Izraela.

U međuvremenu, „zemljom se proširio veliki strah". Izuzetni izraelski trijumf kad su borbe otpočele čini teškim da se prisetimo prethodnih nedelja strepnje. Egiptom je vladala ratna groznica, dovoljno poznata iz evropske istorije, proslava unapred očekivanih pobeda. Raspoloženje u Izraelu bilo je veoma različito, pokazujući šta znači živeti pod pretnjom: glasine o predstojećoj propasti beskonačno su ponavljane; preplašeni muškarci i žene pustošili su prodavnice hrane, kupujući sve što se u njima zateklo, uprkos vladinim objavama da postoje obilne rezerve; na vojnim grobljima iskopano je hiljade grobova; izraelske vojne i političke vođe su živele na rubu nervnog sloma.[13] Već sam dokazivao da strah sam po sebi ne uspostavlja nikakvo pravo anticipacije. Ali izraelska strepnja tokom tih nedelja čini se kao skoro klasični primer „opravdanog straha" – prvo, zato što je Izrael stvarno bio u opasnosti (s čim su se strani posmatrači spremno slagali), i drugo, zato što je Naserova namera bila da ugrozi Izrael. On je to ponovio dovoljan broj puta, ali je takođe, što je važnije, istina da njegovi vojni pokreti nisu imali nikakav drugi, ograničeniji cilj.

Izraelski prvi napad je, mislim, klasičan slučaj legitimne anticipacije. Međutim, reći ovo znači predložiti značajnu reviziju legalističke paradigme. Jer to znači da se može izvršiti agresija ne samo u odsustvu vojnog napada ili invazije već i u (verovatnom) odsustvu bilo kakve neposredne namere da se povede takav napad ili invazija. Opšta formula bi morala da glasi otprilike ovako: države smeju da koriste vojnu silu suočene s pretnjama ratom, kad god bi propust da tako postupe doveo u ozbiljnu opasnost njihov teritorijalni integritet ili političku suverenost. U takvim okolnostima može se s pravom reći da su prinuđene na borbu i da su žrtve agresije. Pošto nema policije koju bi mogle pozvati, trenutak u kome su zemlje prinuđene na borbu dolazi možda brže nego u slučaju pojedinaca u domaćem društvu. Ali, ako zamislimo jedno nestabilno društvo, nalik Divljem zapadu iz američkih filmova, analogija se može ponovo izložiti: država

13 Luttwak and Horowitz, str. 224.

pod pretnjom jeste kao pojedinac koga progone neprijatelji, koji su objavili svoju nameru da ga ubiju ili povrede. Sigurno je da bi ova osoba smela da izenadi svoje progonitelje ukoliko je to u stanju.

Ova formula je permisivna, ali ona implicira ograničenja koja se mogu potpunije razložiti samo pozivanjem na pojedinačne slučajeve. Očigledno je, na primer, da su sve druge mere osim rata poželjnije u odnosu na sam rat, kad god pružaju nadu da će imati sličnu ili skoro sličnu delotvornost. Ali kakve bi te mere mogle biti, ili koliko ih dugo treba pokušavati, ne može biti stvar apriornih stipulacija. U slučaju Šestodnevnog rata, „asimetrija u strukturi vojnih snaga" postavila je diplomatskim naporima vremensku granicu koja ne bi bila relevantna za konflikte u koje su uključene druge vrste država i armija. Opšte pravilo koje sadrži reči poput „ozbiljno" otvara široki put čovekovom prosuđivanju – dok je, nema sumnje, cilj legalističke paradigme da ga suzi ili potpuno zatvori. Ali činjenica je našeg moralnog života da političke vođe donose ovakve sudove i da ih, kad su oni jednom doneti, mi ostali ne osuđujemo jednoglasno. Mi procenjujemo njihove postupke na osnovu kriterijuma nalik onima koje sam pokušao da opišem. Kada to činimo, priznajemo da ima pretnji s kojima se ne može očekivati da će bilo koja nacija da živi. A ovo priznanje predstavlja značajan deo našeg razumevanja agresije.

6. INTERVENCIJE

Princip da države ne bi trebalo da se mešaju u unutrašnja pitanja drugih država neposredno sledi iz legalističke paradigme i, manje neposredno i dvosmislenije, iz onih pojmova o životu i slobodi koji leže u osnovi te paradigme i čine je prihvatljivom. Ali čini se da isti ti pojmovi takođe zahtevaju da ponekad zanemarimo ovaj princip, i ono što bismo mogli nazvati pravilima ovog zanemarivanja, a ne sam princip, bilo je u žiži moralnih interesovanja i rasprava. Nijedna država ne može da prizna da vodi agresivan rat i da potom brani svoje postupke. Ali intervencija se različito shvata. Ona nije definisana kao zločinačka aktivnost, i mada praksa intervenisanja često ugrožava teritorijalni integritet i političku nezavisnost država u kojima se interveniše, ona ponekad može da bude opravdana. Međutim, na početku je važnije istaći da intervencija uvek mora da bude opravdana. Teret dokaza pada na svakog političkog vođu koji pokušava da oblikuje unutrašnje odnose ili da promeni uslove života u stranoj zemlji. A kada se to pokuša oružanom silom, teret je posebno težak – ne samo zbog prisile i pustošenja koje vojna intervencija neizbežno nosi sa sobom već i zato što se misli da građani jedne suverene države imaju pravo, ukoliko će uopšte da budu prisiljavani i pustošeni, da to trpe samo jedni od drugih.

Samoodređenje i samopomoć

Argument Džona Stjuarta Mila

Ovi građani su pripadnici, pretpostavlja se, jedinstvene političke zajednice, pozvani da kolektivno određuju svoje poslove. Tačnu prirodu ovog prava lepo je obradio Džon Stjuart Mil [John Stuart Mill] u kratkom članku objavljenom iste godine kad i njegova knjiga *O slobodi* [*On Liberty*] (1859), koji nam je posebno koristan zato što je pišući ga imao na umu analogiju pojedinca i kolektiva.[1] On dokazuje da države treba da posmatramo kao samoodređujuće zajednice, bez obzira na to da li je njihovo unutrašnje političko uređenje slobodno, bez obzira na to da li građani biraju svoju vladu i otvoreno raspravljaju o politici koja se vodi u njihovo ime. Jer samoodređenje i politička sloboda nisu istoznačni termini. Ideja samoodređenja je obuhvatnija; ona opisuje ne samo pojedino institucionalno uređenje već i proces kojim zajednica dolazi do tog uređenja – ili ne dolazi. Država je samoodređujuća čak i ako se njeni građani bore i ne uspevaju da osnuju slobodne institucije, ali joj je samoodređenje uskraćeno ako im takve institucije uspostavi neki nametljivi sused. Pripadnici političke zajednice moraju da teže sopstvenoj slobodi, baš kao što pojedinac mora da neguje sopstvenu vrlinu. Oni ne mogu da budu učinjeni slobodnim, baš kao što ni on ne može biti učinjen vrlim, nekom spoljašnjom silom. Zaista, politička sloboda zavisi od individualne vrline, a veoma je malo verovatno da će nju proizvesti vojske neke druge države – osim, možda, ukoliko one ne nadahnu aktivan otpor i ne pokrenu političko samoodređenje. Samoodređenje je škola u kojoj se uči (ili ne uči) vrlina, i zadobija (ili ne zadobija) sloboda. Mil prihvata da je narod koji je imao tu „nesreću" da njime upravlja tiranska vlada naročito oštećen: on nikada nije imao priliku da razvije „vrline potrebne za održanje slobode". Ali Mil ipak insistira na strogom učenju o samopomoći. „Tokom jedne teške borbe da se vlastitim naporima postane slobodan, te vrline će imati najbolju priliku da izniknu."

Mada se Milov argument može izraziti utilitarističkim terminima, strogost njegovog zaključka navodi na pomisao da to nije najprikladniji oblik. Čini se da Milovo shvatanje samoodređenja čini da utilitaristički proračun bude nepotreban, ili bar podređen razumevanju zajedničke slobode. On ne veruje da intervencija češće ne uspeva nego što uspeva da služi ciljevima samoodređenja; on veruje da, imajući u vidu šta sloboda jeste, ona *nužno* ne uspeva. Unutrašnju slobodu političke zajednice mogu zadobiti samo pripadnici te zajednice. Argument je sličan

1 „A Few Words on Non-Intervention", u J. S. Mill, *Disertations and Discussions*, New York, 1873, III, str. 238–263.

argumentu impliciranom u dobro poznatom marksističkom načelu: „Oslobođenje radničke klase mogu da ostvare samo sami radnici."[2] Kao što to načelo, pomislilo bi se, isključuje svaku zamenu demokratije radničke klase avangardističkim elitizmom, tako Milov argument isključuje svaku zamenu unutrašnje borbe spoljašnjom intervencijom.

Samoodređenje je, tada, pravo naroda „da postane slobodan vlastitim naporima" ako može, a neintervencija je princip koji garantuje da njegov uspeh neće biti osujećen ili neuspeh sprečen mešanjem strane sile. Treba istaći da ne postoji pravo da se bude zaštićen od posledica domaćeg neuspeha, čak ni od krvavog terora. Mil uopšte uzev piše kao da veruje da građani imaju vladu kakvu zaslužuju, ili bar vladu za kakvu su „spremni". A „jedini test... da je narod postao spreman za javne institucije jeste to da su ljudi, ili toliki broj njih dovoljan da nadvladaju u sukobu, spremni na hrabar trud i opasnosti radi svog oslobođenja". Niko ne može, i niko ne bi ni trebalo, da to učini umesto njih. Milov pogled na političke sukobe je vrlo hladan, i ako mnogi buntovni građani, ponosni i puni nade u svoje sopstvene napore, prihvataju to gledište, mnogi drugi ga ne prihvataju. Nema manjka revolucionara koji su tražili, molili, pa čak i zahtevali spoljašnju pomoć. Jedan američki komentator je nedavno, žarko želeći da bude od pomoći, dokazivao da Milovo stanovište sadrži „neku vrstu darvinovske definicije [*Poreklo vrsta* je takođe objavljeno 1859. godine] samoodređenja kao opstanka najprilagođenijih u nacionalnim granicama, čak i ako *najprilagođeniji* znači najveštiji u upotrebi sile".[3] Ova poslednja fraza je nepravična, jer Milova teza je upravo i bila to da sila ne može da nadvlada, osim ukoliko nije pojačana spolja, nad narodom spremnim na „hrabar trud i opasnosti". Što se ostalog tiče, optužba je verovatno istinita, ali je teško videti koji zaključci iz toga slede. Moguće je uključiti se

2 Vidi Irving Howe, ed. *The Basic Writings of Trotsky*, New York, 1963, str. 397.

3 John Norton Moore, „International Law and the United States' Role in Vietnam: A Reply", u R. Falk ed. *The Vietnam War and International Law*, Princeton, 1968, str. 431. Mur se prvenstveno bavi argumentom V. E. Hola, iznetim u knjizi W. E. Hall, *International law*, 5. izdanje, Oxford, 1904, str. 289–290, ali Hol sledi Mila.

u domaću „darvinovsku" borbu zato što je intervencija kontinuirana i traje tokom vremena. Ali strana intervencija, ukoliko je kratka, ne može da promeni domaći odnos snaga na bilo kakav odlučan način u korist snaga slobode, dok ukoliko je dugotrajna ili višekratna, ona će sama biti najveća moguća pretnja uspehu tih snaga.

Slučaj može biti različit kad se ne radi o intervenciji već o osvajanju. Vojni poraz i slom vlade mogu toliko da uzdrmaju društveni sistem da otvore put za radikalnu obnovu političkog uređenja. Čini se da se to dogodilo Nemačkoj i Japanu posle Drugog svetskog rata, i ovi primeri su toliko značajni da ću kasnije morati da razmotrim način na koji mogu da nastanu prava na osvajanje i obnovu. Jasno je da ona ne nastaju u svakom slučaju domaće tiranije. Stoga nije istinito da je intervencija opravdana uvek kada je opravdana i revolucija; jer revolucionarna aktivnost je pokušaj samoodređenja, dok strano uplitanje poriče narodima one političke sposobnosti koje samo ovakvo upražnjavanje samoodređenja može da donese.

Ovo su istine koje izražava učenje o suverenosti, koje definiše slobodu država kao njihovu nezavisnost od strane kontrole i prinude. U stvari, naravno, nije svaka nezavisna država slobodna, ali priznanje suverenosti je jedini način kojim raspolažemo za uspostavljanje arene unutar koje se možemo boriti za slobodu i u kojoj se ona može (ponekad) osvojiti. Ovu arenu i aktivnosti koje se unutar nje odvijaju želimo da zaštitimo, i štitimo ih, skoro na isti način na koji štitimo integritet pojedinaca, postavljajući granice koje se ne smeju preći, prava koja se ne smeju kršiti. Kao i sa pojedincima, tako je i sa suverenim državama: ima stvari koje ne smemo da im uradimo, čak ni za njihovo navodno dobro.

Pa ipak, zabrana prelaženja granica nije apsolutna – delom zbog arbitrarnog i slučajnog karaktera granica među državama, delom zbog višesmislenih odnosa političke zajednice ili zajednica unutar tih granica prema vladi koja ih brani. Uprkos Milovom veoma opštem opisu samoodređenja, nije uvek jasno kada je zajednica zaista samoodređujuća, kada se kvalifikuje, tako da kažemo, za neintervenciju. Nema sumnje da slični problemi postoje i u slučaju pojedinačnih osoba, ali oni su, mislim, manje odsečni i, u svakom slučaju, njima se bavimo u okviru strukture domaćeg prava.[4] U međunarodnom društvu, pravo ne pruža nikakve autoritativne presude. Stoga je zabrana prelaženja granica podložna unilateralnoj obustavi, posebno s obzirom na tri vrste slučajeva u kojima se ne čini da služi ciljevima radi kojih je uvedena:

- kada određeni skup granica jasno obuhvata dve ili više političkih zajednica, od kojih jedna već vodi oružanu borbu velikih razmera za nezavisnost; to jest, kad se radi o secesiji ili „nacionalnom oslobođenju";
- kada je granice već prešla vojska strane sile, čak i ako je prelaženje tražila jedna od strana u građanskom ratu, to jest, kad se radi o kontraintervenciji; i
- kada je kršenje ljudskih prava unutar granica toliko užasno da govor o zajednici ili samoodređenju, ili „istrajnoj borbi" izgleda cinično i irelevantno, to jest, u slučaju porobljavanja ili pokolja.

Argumenti koji se iznose u prilog intervenciji u ovim slučajevima predstavljaju drugu, treću i četvrtu reviziju legalističke paradigme. Oni otvaraju put za pravedne ratove, koji se ne vode u samoodbrani ili protiv agresije u strogom smislu te reči. Ali, potrebno je da se ovi argumenti veoma pažljivo razrade. Imajući u vidu spremnost država da napadaju jedna drugu, revizionizam je rizična stvar.

Mil raspravlja samo o prva dva slučaja, o secesiji i kontraintervenciji, mada ni poslednji nije bio nepoznat 1859. godine.

4 Domaća analogija ukazuje na to da je najočigledniji način da se ne kvalifikuje za neintervenciju to da se bude nekompetentan (detinjast, imbecilan i sl.). Mil je verovao da ima nekompetentnih naroda, varvara, u čijem je interesu da ih stranci osvoje i drže potčinjenim. „Varvari nemaju nikakvih prava kao *nacija* (to jest, politička zajednica)..." Stoga za njih važe utilitaristički principi, i imperijalni birokrati rade na njihovom moralnom usavršavanju. Zanimljivo je primetiti slično gledište među marksistima, koji su takođe opravdavali osvajanje i imperijalnu vladavinu na izvesnim stupnjevima istorijskog razvoja. (Vidi Shlomo Avineri, ed. *Karl Marx on Colonialism and Modernisation*, New York, 1969.) Ma kakvu plauzibilnost ovakvi argumenti imali u devetnaestom veku, danas nemaju nikakvu. Međunarodno društvo se više ne može deliti na civilizovani i varvarski deo; svaka linija povučena na osnovu razvojnih principa ostavlja varvare s obe strane. Prema tome, pretpostaviću da test samopomoći podjednako važi za sve narode.

Vredno je istaći da ih Mil ne smatra izuzecima od principa neintervencije već negativnim ilustracijama njegovih razloga. Tamo gde ti razlozi ne važe, princip gubi svoju snagu. Bilo bi tačnije, sa Milovog stanovišta, formulisati relevantan princip na sledeći način: *uvek postupaj tako da priznaješ i podržavaš komunalnu autonomiju.* Neintervencija je najčešće implicirana tim priznanjem, ali ne uvek, i tada našu odanost autonomiji moramo da dokažemo na neki drugi način, možda čak i slanjem trupa preko međunarodno priznate granice. Ali, moralno tačan princip je takođe i veoma opasan, i Milov opis argumenta u ovoj tački nije opis onoga što zaista govorimo u svakodnevnom moralnom diskursu. Potrebno je da uspostavimo neku vrstu *a priori* poštovanja državnih granica; one su, kao što sam ranije dokazivao, jedine granice koje zajednice imaju. I to je razlog zašto je intervencija uvek opravdana kao izuzetak od opšteg pravila, što je ekstremnost ili urgentnost pojedinačnog slučaja čine nužnom. Druga, treća i četvrta revizija imaju donekle formu stereotipnih izvinjenja. Intervencije se toliko često preduzimaju iz „državnih razloga" koji nemaju nikakve veze sa samoodređenjem da smo postali skeptični prema svakoj pretenziji na odbranu autonomije tuđih zajednica. Otuda potiče poseban teret dokaza s kojim sam počeo, koji je tegobniji od svakog koji namećemo pojedincima ili vladama koji tvrde da postupaju u samoodbrani: države koje intervenišu moraju da dokažu da se njihov slučaj radikalno razlikuje od onoga što smatramo slučajevima koji pripadaju opštem toku, u kojima se slobodi ili budućoj slobodi građana najbolje služi ako im stranci nude samo moralnu podršku. I tako ću okarakterisati Milov argument (mada ga on sam karakteriše različito) da je Velika Britanija trebalo da interveniše u odbranu Mađarske revolucije iz 1848. i 1849. godine.

Secesija

Mađarska revolucija

Mnogo godina pre 1848. Mađarska je bila deo Habzburškog carstva. Formalno nezavisnim kraljevstvom, sa sopstvenom skupštinom, upravljale su nemačke vlasti iz Beča. Iznenadan slom tih vlasti tokom Martovskih dana – koje je simbolizovao pad Meterniha – otvorio je put nacionalistima u Budimpešti. Oni su obrazovali vladu i zahtevali samoupravu unutar Carstva; još uvek nisu bili secesionisti. Njihov zahtev je u početku prihvaćen, ali je došlo do spora u vezi sa pitanjima koja su uvek opterećivala federalističke planove: kontrola nad porezima, zapovedništvo nad vojskom. Čim je u Beču povraćen „red", počeli su napori da se povrati centralistički karakter režima, a ovi su ubrzo dobili poznati oblik vojne opresije. Carska armija je upala u Mađarsku, a nacionalisti su se borili protiv nje. Mađari su sada bili pobunjenici ili ustanici; oni su brzo uspostavili ono što stručnjaci za međunarodno pravo zovu ratničkim pravima, porazivši Austrijance i zadobivši kontrolu nad većim delom Mađarske. Tokom rata, nova vlada je skretala ulevo; aprila 1849. proglašena je republika pod predsedništvom Lajoša Košuta [Lajos Kossuth].[5]

Ova revolucija bi se savremenim terminima mogla opisati kao rat za nacionalno oslobođenje, osim što su granice stare Mađarske obuhvatale veoma veliku slovensku populaciju, i čini se da su mađarski revolucionari bili isto toliko neprijateljski raspoloženi prema hrvatskom i slovenačkom nacionalizmu koliko i Austrijanci prema njihovim zahtevima za komunalnom autonomijom. Ali ovu teškoći ću gurnuti ustranu, jer se ona kao takva nije javljala u to doba; ona nije bila deo moralnih razmišljanja liberalnih posmatrača kakav je bio Mil. Ti ljudi su oduševljeno pozdravili Mađarsku revoluciju, posebno u Francuskoj, Britaniji i Sjedinjenim Državama, a njeni emisari su srdačno primani. Odgovor vlada je bio različit, delom zato što je neintervencija bila opšte pravilo, koje su prihvatale sve tri vlade, delom zato što su prve dve vlade bile odane ravnoteži snaga u Evropi, te stoga integritetu Austrije. U Londonu, Palmerston [Palmerston] je bio formalan i hladan: „Britanska vlada ne zna ništa o Mađarskoj, osim kao o jednom od sastavnih delova Austrijskog carstva."[6] Mađari su tražili samo diplomatsko priznanje, a ne vojnu intervenciju, ali austrijski režim bi svaku vezu Britanije s novom vladom smatrao mešanjem u svoje unutrašnje poslove. Priznanje

5 Kratak pregled je iznet u Jean Sigman, *1848: The Romantic and Democratic Revolutions in Europe*, prev. L. F. Edwards, New York, 1973, gl. 10.

6 Charles Sproxton, *Palmerston and the Hungarian Revolution*, Cambridge, 1919, str. 48.

bi, štaviše, imalo trgovinske posledice koje bi mogle Britance da svrstaju na stranu Mađarske, jer su se revolucionari nadali da će na londonskom tržištu kupovati vojne zalihe. Uprkos tome, uspostavljanje formalnih veza, kad Mađari jednom pokažu da je „dovoljan broj njih" „odan nezavisnosti i spreman da se za nju bori", ne bi bilo teško opravdati milovskim terminima. Nije bilo sumnje u pogledu postojanja (mada je bilo razloga da se sumnja u njen domašaj) mađarske političke zajednice; ona je bila jedna od najstarijih nacija u Evropi, a njeno priznanje kao suverene države ne bi povredilo moralna prava austrijskog naroda. Vojno snabdevanje ustaničke vojske je složeno pitanje, i vratiću se na njega u jednom drugom slučaju, ali te složenosti nisu očigledne u ovom primeru. Međutim, ubrzo je Mađarima bilo potrebno mnogo više od oružja i municije.

U leto 1849. godine, austrijski car je pozvao u pomoć ruskog cara Nikolaja I, i ruska vojska je upala u Mađarsku. Pišući deset godina kasnije, Mil je dokazivao da je trebalo da Britanci na ovu intervenciju odgovore svojom sopstvenom intervencijom.[7]

> Možda ne bi bilo ispravno da je Engleska stala na stranu Mađarske u njenoj plemenitoj borbi protiv Austrije (nezavisno od pitanja o razboritosti); mada je austrijska vlast u Mađarskoj bila u izvesnom smislu tuđinski jaram. Ali, kada se, kad su se Mađari pokazali kao verovatni pobednici u toj borbi, umešao ruski despot, udružio svoje snage sa austrijskim i vratio Mađare, vezanih ruku i nogu, njihovim razjarenim tlačiteljima, tada bi bio častan i vro čin Engleske da je objavila da tako ne sme da bude, i da će, ako je Rusija pružila pomoć pogrešnoj strani, Engleska pomoći pravu.

Kvalifikacija austrijske vlasti u Mađarskoj kao „u izvesnom smislu tuđinskog jarma" izgleda čudno, jer ma šta da znači, takođe mora da kvalifikuje i plemenitost i ispravnost mađarske borbe za nezavisnost. Pošto Mil nije imao na umu ovu drugu kvalifikaciju, ne moramo ni prvu da uzmemo ozbiljno. Jasna tendencija njegovog argumenta jeste da se opravda pomoć secesionističkom pokretu u isto vreme kada se opravdava i kontraintervencija – zaista, da se one poistovete. U oba slučaja, pravilo protiv mešanja

7 „Non-Intervention", str. 261–262.

je stavljeno van snage zato što se strana sila, moralno, mada ne i pravno tuđa, već umešala u „domaće" poslove, to jest, u samoodređenje političke zajednice.

Međutim, Mil je u pravu kad sugeriše da je pitanje lakše kada prvobitno mešanje uključuje i prelazak priznate granice. Problem sa secesionističkim pokretom jeste to što se ne može biti siguran da li on zaista predstavlja posebnu zajednicu sve dok nije privukao na svoju stranu narod i učinio izvestan napredak u „istrajnoj borbi" za slobodu. Puko pozivanje na princip samoodređenja nije dovoljno; moraju se pružiti dokazi da stvarno postoji zajednica čiji su članovi opredeljeni za nezavisnost i koji su spremni i sposobni da odrede uslove vlastitog postojanja.[8][9] Otuda potreba za političkom ili vojnom borbom koja traje duže vreme. Milov argument ne važi za neuobličene i narode koji nemaju predstavnike, ili za pokrete u nastajanju, ili za brzo ugušene ustanke. Ali zamislimo malu naciju, uspešno mobilisanu za otpor kolonijalnoj sili, ali koja biva polako mlevena u neravnopravnoj borbi: Mil ne bi insistirao, mislim, da se susedne države drže po strani i posmatraju njen neizbežan poraz. Njegov argument opravdava vojnu akciju protiv imperijalne ili kolonijalne opresije isto kao i protiv strane intervencije. Samo su domaći tirani bezbedni, jer naš cilj u međunarodnom društvu nije (niti je, dokazuje Mil, to moguće) uspostavljanje liberalnih ili demokratskih zajednica već samo nezavisnih zajednica. Kad je neophodna

8 Vidi S. French and A. Gutman, „The Principle of National Self-determination," u Held, Morgenbesser, and Nagel, eds. *Philosophy, Morality, and International Affairs*, New York, 1974, str. 138–153.

9 Ovde postoji još jedno pitanje, koje se odnosi na prirodne resurse koji su ponekad na kocki u secesionističkim borbama. Ja sam dokazivao da „zemlja ide za narodom" (glava 4). Ali volja i sposobnosti naroda za samoodređenje ne moraju da zasnivaju pravo na secesiju ako bi secesija odvojila ne samo zemlju već i vitalno potrebna goriva i mineralne izvore od neke veće političke zajednice. Spor oko Katange s početka šezdesetih godina dvadesetog veka ukazuje na moguće teškoće takvih slučajeva – i poziva nas na zabrinutost i u pogledu motiva država koje intervenišu. Ali ono što je nedostajalo u Katangi bio je istinski nacionalni pokret sposoban, sam za sebe, za „istrajnu borbu". (Vidi Conor O'Brien, *To Katanga and Back*, New York, 1962.) Ako bi takav pokret postojao, bio bih sklon da podržim secesiju. Međutim, tada bi bilo neophodno postaviti opštija pitanja o distributivnoj pravdi u međunarodnom društvu.

radi nezavisnosti, vojna akcija je „časna i vrla", mada nije uvek „razborita". Dodao bih da argument važi i za satelitske režime i velike sile: uobličen za prvu rusku intervenciju u Mađarskoj (1849), on savršeno odgovara i za drugu (1956).

Ali, odnos vrline i razboritosti u ovakvim slučajevima nije lako odgonetnuti. Jasno je šta je Mil želeo da kaže: zapretiti Rusiji ratom moglo je da bude opasno po Britaniju i stoga u neskladu sa „obzirom koji je svaka nacija obavezna da posveti svojoj bezbednosti". Sada, o tome da li je stvarno bilo opasno ili nije, sigurno je trebalo da odluče sami Britanci, i o njima bismo sudili oštro jedino ako bi opasnosti kojima nisu želeli da se izlože bile zaista veoma male. Čak i da je kontraintervencija „časna i vrla", ona nije moralno zahtevana, upravo zbog opasnosti koje sadrži. Ali može se mnogo više istaći razboritost. Palmerston je bio zabrinut za bezbednost Evrope, a ne samo Engleske, kad je odlučio da stane na stranu Austrijskog carstva. Savršeno je moguće dopustiti da je Milovo stanovište ispravno, a ipak se opredeliti za neintervenciju na osnovu onoga što se danas naziva principima „svetskog poretka".[10] Stoga su pravda i razboritost (uz izvesno svetovno olakšanje) u suprotnosti na način na koji Mil nikada nije zamišljao da bi mogli biti. On je mislio, možda naivno, da bi svet bio uređeniji kad nijedna od njegovih političkih zajednica ne bi bila tlačena stranom vlašću. On se čak nadao da će Britanija jednoga dana biti dovoljno snažna, i da će imati neophodni „duh i hrabrost" da insistira da „u Evropi vojnici jedne sile ne treba da opale nijednu pušku protiv pobunjenih podanika druge", i da se stavi „na čelo saveza slobodnih naroda..." Danas su, pretpostavljam, Sjedinjene Države naslednik ovih staromodnih liberalnih pretenzija, mada su 1956. godine vođe SAD, poput Palmerstona 1849. godine, mislile da nije razborito da se te pretenzije silom ostvaruju.

Takođe bi se moglo reći da Sjedinjene Države nisu imale (niti danas imaju) nikakvo pravo da ih nameću silom, imajući u vidu načine (u službi vlastitih interesa) na koje njihova vlada definiše slobodu i intervenciju u drugim delovima sveta. Ni Milova Engleska nije bila u boljem položaju. Da je Palmerston

10 Ovo je uopšte uzev stanovište izneto u knjizi R. J. Vincent, *Nonintervention and World Order*, Princeton, 1974, posebno gl. 9.

razmišljao o vojnom potezu na strani Mađara, grof Švarcenberg [Schwarzenberg], Meternihov naslednik, bio bi spreman da ga opomene o „nesrećnoj Irskoj". „Gde god da izbije revolt unutar širokih granica Britanskog carstva", pisao je Švarcenberg austrijskom ambasadoru u Londonu, „engleska vlada zna kako da održi vlast zakona... čak i po cenu reke krvi. Nije na nama", nastavio je, „da je zbog toga krivimo."[11] On je tražio samo uzajamnost, a ova vrsta uzajamnosti među velikim silama nesumnjivo je sama suština razboritosti.

Dovesti razboritost i pravdu u tako radikalno neslaganje, međutim, znači pogrešno prikazati argument o pravdi. Država koja razmišlja o intervenciji ili o kontraintervenciji će iz prudencijalnih razloga odmeravati opasnosti po sebe, ali takođe mora, *i to iz moralnih razloga*, da odmerava opasnosti u koje će njene akcije dovesti narod kome bi trebalo da koristi, kao i druge narode na koje može uticati. Intervencija nije pravedna ako dovodi treću stranu u užasnu opasnost: ovo dovođenje u opasnost poništava pravednost. Da je Palmerston bio u pravu kad je verovao da će poraz Austrije ugroziti mir u Evropi, britanska intervencija koja bi osigurala ovaj poraz ne bi bila „časna i vrla" (ma koliko plemenita bila mađarska borba). A jasno je da bi američka pretnja nuklearnim ratom 1956. bila i moralno i politički neodgovorna. U ovoj meri razboritost može, i mora, da bude akomodirana u argument o pravdi. Ali treba reći da ovo poštovanje prava treće strane nije u isti mah i poštovanje lokalnih političkih interesa velikih sila. Niti ono uključuje prihvatanje uzajamnost koju je tražio Švarcenberg. Britansko priznanje austrijskih imperijalnih pretenzija ne ovlašćuje na slično priznanje. Razborito prihvatanje ruske sfere uticaja u Istočnoj Evropi ne daje pravo Sjedinjenim Državama na odrešene ruke u svojoj sopstvenoj sferi. Protiv nacionalnog oslobođenja i kontraintervencije nema preskriptivnih prava.

Građanski rat

Ako mađarsku revoluciju opišemo onako kako je Mil učinio, pretpostavljajući da Palmerston nije bio u pravu, zanemarujući zahteve Hrvata i Slovenaca, ona je praktično paradigmatičan

11 Sproxton, str. 109.

slučaj intervencije. Ona je takođe, ovako opisana, istorijski izuzetna, zaista, ona je sada jedan hipotetički slučaj. Jer takve okolnosti se ne javljaju često u istoriji: pokret za nacionalno oslobođenje koji nedvosmisleno otelovljuje zahteve jedne jedinstvene političke zajednice, koja je bar u početku sposobna da se održi na bojnom polju; izazvana od strane jedne nedvosmisleno strane sile, čija intervencija može, međutim, da bude sprečena ili poražena bez rizika od opšteg rata. Istorija nas češće suočava sa zamršenim spletom strana i frakcija, od kojih svaka pretenduje na to da govori u ime cele zajednice, koje se međusobno bore, uvlačeći krišom, ili bar ne priznajući to, strane sile u tu borbu. Građanski rat postavlja teške probleme, ne zato što je milovski standard nejasan – on bi zahtevao strogo držanje po strani – već zato što može biti, i obično i jeste, kršen u stupnjevima. Tada postaje veoma teško da se odredi tačka na kojoj se neposredna i otvorena upotreba sile može nazvati kontraintervencijom. A takođe je teško i proračunati posledice takve upotrebe sile na već iznurene stanovnike podeljene države i na čitav skup mogućih trećih strana.

U ovakvim slučajevima pravnici obično primenjuju kvalifikovanu verziju testa samopomoći.[12] Oni dopuštaju pomoć uspostavljenoj vladi – ona je, na kraju krajeva, zvaničan predstavnik autonomije zajednice u međunarodnom društvu – sve dok se ona ne suočava ni sa čim drugim do sa unutrašnjim razdorom, pobunom i ustankom. Ali čim ustanici uspostave kontrolu nad nekim značajnim delom teritorije i stanovništva države, oni stiču ratnička prava i jednakost statusa sa vladom. Tada pravnici zagovaraju strogu neutralnost. Sada, neutralnost se konvencionalno smatra optativnim stanjem, nečim što je stvar izbora, a ne dužnosti. Tako je u pogledu ratova među državama, ali čini se da u građanskom ratu ima veoma dobrih (milovskih) razloga da se ona učini obaveznom. Jer kad je jednom zajednica stvarno podeljena, strane sile teško da mogu da služe stvari samoodređenja delujući vojnom silom unutar njenih granica. Argument je sažeto izneo Montegju Bernard [Montague Bernard], čije je oksfordsko predavanje „O principu neintervencije“ [„On the Principle of Non-intervention“] po značaju ravno Milovom

12 Vidi, na primer, Hall, *International Law*, str. 293.

ogledu: „O dve stvari, jedna: pretpostavlja se da mešanje u neku stvar ili remeti ravnotežu, ili je ne remeti. U ovom drugom slučaju, ono promašuje svoj cilj; u prvom, ono daje nadmoć strani koja bez nje ne bi bila nadmoćna, i uspostavlja suverena, ili oblik vlade, koji nacija, prepuštena samoj sebi, ne bi izabrala."[13]

Međutim, čim jedna strana sila prekrši norme neutralnosti i neintervencije, otvoren je put drugim silama da učine to isto. Zaista, može izgledati sramnim da se ne ponovi kršenje – kao u slučaju Španskog građanskog rata, u kojem neintervencionistička politika Britanije, Francuske i Sjedinjenih Država nije otvorila put za unutrašnju odluku, već je naprosto dopustila Nemcima i Italijanima da „poremete ravnotežu".[14] U takvom trenutku se verovatno zahteva neki vojni odgovor ako treba sačuvati vrednosti nezavisnosti i zajedništva. Ali, mada takav odgovor podržava vrednosti koje deli međunarodno društvo, on se ne može opisati kao nametanje zakona. Njegov karakter se ne može lako objasniti terminima legalističke paradigme. Jer kontraintervencija u građanskom ratu nema za cilj kažnjavanje, pa čak ni, nužno, obuzdavanje država koje intervenišu. Umesto toga, cilj je zadržavanje kruga, čuvanje ravnoteže, obnove nekog stupnja integriteta lokalne borbe. To je kao kad bi policajac, umesto da prekine tuču dve osobe, sprečavao bilo koga sa strane da se umeša, ili, ukoliko to ne može da učini, pružio srazmernu pomoć slabijoj strani. Morao bi da ima izvesne pojmove o vrednosti borbe, i imajući u vidu obične uslove u domaćem društvu, bili bi to čudni pojmovi. Ali u svetu država, oni su potpuno prikladni; oni postavljaju standarde kojima prosuđujemo stvarne i namerne kontraintervencije.

Američki rat u Vijetnamu

Sumnjam da je moguće ispričati priču o Vijetnamu tako da bude opšteprihvaćena. Zvanična američka verzija – da je borba počela kada je Severni Vijetnam izvršio invaziju na Južni Vijetnam,

13 „On the Principle of Non-Intervention", Oxford, 1860, str. 21.

14 Vidi Hugh Thomas, *The Spanish Civil War*, New York, 1961, gl. 31, 40, 48, 58; Knjiga Normana J. Padelforfa, *International Law and Diplomacy in the Spanish Civil Strife* (New York, 1939) je neverovatno naivna odbrana sporazuma o neintervenciji.

na šta su Sjedinjene Države odgovorile u skladu sa svojim ugovornim obavezama – tesno sledi legalističku paradigmu, ali je već na površini neuverljiva. Srećom, izgleda da je praktično niko ne prihvata, te stoga nema potrebe da se ovde zadržavamo na njoj. Želim da sledim sofisticiraniju verziju američke odbrane, koja prihvata postojanje građanskog rata i opisuje ulogu Sjedinjenih Država, prvo, kao pomoć legitimnoj vladi, i drugo, kao kontraintervenciju, odgovor na tajne vojne poteze severnovijetnamskog režima.[15] Ovde su ključni termini „legitimna" i „odgovor". Prvi sugeriše da je vlada u čiju korist je preduzeta naša kontraintervencija imala lokalni status, političko prisustvo nezavisno od nas, te da je stoga bilo zamislivo da je mogla pobediti u građanskom ratu i bez pomoći spoljašnje sile. Drugi ukazuje na to da su naše sopstvene vojne operacije došle posle, i uravnotežavale vojne operacije druge sile, u skladu s argumentom koji sam već izneo. Obe ove sugestije su lažne, ali ukazuju na posebno ograničeni karakter kontraintervencije i nagoveštavaju šta neko treba (bar) da kaže kada se umeša u građanski rat u drugoj državi.

Ženevskim sporazumom iz 1954. godine, kojim je okončan prvi Vijetnamski rat, uspostavljena je privremena granica između Severnog i Južnog Vijetnama, kao i dve privremene vlade na ovim teritorijama, u očekivanju izbora zakazanih za 1956. godinu.[16] Kada je vlada Južnog Vijetnama odbila da dopusti izbore, jasno je da je izgubila svaku legitimnost koju joj je davao Ženevski sporazum. Ali neću se zadržavati na ovom gubitku, niti na činjenici da je oko šezdeset država priznalo suverenost novog režima u Južnom Vijetnamu i otvorilo svoje ambasade u Sajgonu. Sumnjam da strane države, bez obzira na to da li delaju pojedinačno ili kolektivno, potpisuju ugovore ili šalju ambasadore, mogu da uspostave ili ponište legitimnost neke vlade. Ključan je ugled te vlade kod sopstvenog naroda. Da je novi režim uspeo da pridobije podršku kod kuće, Vijetnam bi se danas pridružio

15 Korisno izlaganje ovog stanovišta može se naći u već navedenom ogledu Džona Nortona Mura, vidi fusnotu 3. Primer zvaničnog gledišta može se naći u Leonard Meeker, „Vietnam and the International Law of Self-Defence", u istom tomu, str. 318–332.

16 Držaću se opisa G. M. Kahin and John W. Lewis, *The United States in Vietnam*, New York, 1967.

dvojnim državama Nemačke i Koreje, i Ženevskog sporazuma iz 1954. sećali bismo se kao još jedne hladnoratovske podele. Ali šta je test za podršku u zemlji u kojoj je demokratija nepoznata, a izbori po pravilu kontrolisani? Test je, i za vlade i za ustanike, samopomoć. To ne znači da strane države ne mogu da pružaju pomoć. Pretpostavlja se da su novi režimi legitimni; postoji, da tako kažemo, „period odlaganja“, vreme da se izgradi podrška. Ali to vreme je u Južnom Vijetnamu loše iskorišćeno, i kontinuirana zavisnost novog režima od Sjedinjenih Država jeste dokaz koji ga osuđuje. Njegovi urgentni pozivi na vojnu intervenciju početkom šezdesetih godina dvadesetog veka jesu dokaz koji ga još više osuđuje. Mora se postaviti pitanje o predsedniku Dijemu [Diem], koje je prvi izneo Montegju Bernard: „Kako on može da oličava [predstavlja] svoj narod kad moli pomoć strane sile da bi taj narod doveo u pokornost?“[17] Zaista, to nije bilo uspešno predstavljanje.

Argument se može izneti i na drugačiji način: jasno je da vlada koja dobija ekonomsku i tehničku pomoć, oružje i vojni materijal, strateške i taktičke savete, a ipak je i dalje nesposobna da svoj narod dovede u pokornost, jeste nelegitimna vlada. Bez obzira na to da li legitimnost definišemo sociološki ili moralno, takva vlada ne uspeva da zadovolji ni najminimalnije standarde. Čovek se pita kako uopšte opstaje. Mora biti slučaj da opstaje zahvaljujući spoljašnjoj pomoći koju dobija, i ni iz kakvog drugog, unutrašnjeg razloga. Sajgonski režim je bio u tolikoj meri američka tvorevina da je teško razumeti tvrdnje vlade Sjedinjenih Država da mu je odana i obavezna da osigura njegov opstanak. To je kao kad bi naša desna ruka bila obavezna našoj levoj ruci. Nema nikavog nezavisnog moralnog ili političkog subjekta s druge strane veze, te stoga veza uopšte nije istinska. Obaveze vlastitim tvorevinama (osim ukoliko se one ne odnose na ličnu sigurnost individua) isto su toliko beznačajne politički koliko su obaveze prema samom sebi beznačajne moralno. Kad su Sjedinjene Države vojno intervenisale u Vijetnamu, one nisu postupale da bi ispunile obaveze prema drugoj državi već da bi sledile politiku koju su same stvorile.

17 „On the Principle of Non-Intervention“, str. 16.

Nasuprot svemu ovome, dokazivalo se da je narodna osnova južnovijetnamske vlade bila podrivana sistematskom kampanjom subverzije, terorizma i gerilskog rata, kojom je u velikoj meri upravljao i podržavao je Severni Vijetnam. Jasna je istina da je bilo takve kampanje, i da je Sever bio umešan u nju, mada su razmere mešanja i vreme kad je došlo do njega još uvek predmet spora. Da pišemo pravni podnesak, ove stvari bi bile od presudnog značaja, jer su Amerikaci tvrdili da Severni Vijetnam ilegalno podržava lokalni ustanak, i ljudstvom i materijalom, u vreme kad su Sjedinjene Države još uvek legitimnoj vladi pružale samo ekonomsku pomoć i snabdevale je oružjem i vojnim materijalom. Ali ova tvrdnja, ma kakva bila njena pravna snaga, na neki način promašuje moralnu stvarnost vijetnamskog slučaja. Bilo bi bolje reći da su Sjedinjene Države doslovno postavljale jednu vladu – a ubrzo čitav niz vlada – bez lokalne političke baze, dok Severni Vijetnamci pomažu ustanički pokret s dubokim korenima u seoskim oblastima. Mi smo bili od daleko vitalnijeg značaja za vladu no oni za ustanike. Zaista, slabosti vlade, njena nesposobnost da pomogne sama sebi čak i protiv svojih unutrašnjih neprijatelja, iznudila je postojanu eskalaciju američkog angažovanja. A ova činjenica mora da pokrene najozbiljnija pitanja o američkoj odbrani: jer je kontraintervencija moralno moguća samo u prilog vladi (ili pokretu, partiji i bilo kome) koja je već položila test samopomoći.

Ovde mogu da kažem veoma malo o razlozima zbog kojih su ustanici bili toliko snažni u seoskim oblastima zemlje. Zašto su komunisti bili u stanju, a vlada nije, da „oličavaju" vijetnamski nacionalizam? Verovatno su za to u velikoj meri bili odgovorni karakter i obim američkog prisustva. Nacionalizam ne može lako predstavljati režim koji je toliko zavisan od strane podrške kao što je to bio režim u Sajgonu. Značajno je i to što potezi Severnog Vijetnama nisu u sličnoj meri žigosali one koje su podržavali kao strane agente. U nacijama podeljenim kao što je to bio Vijetnam, infiltraciju preko linije razdvajanja ljudi s druge strane ne moraju neizbežno smatrati spoljašnjim mešanjem. Korejski rat je mogao izgledati mnogo drugačije nego što je izgledao da severnjaci nisu u velikom broju prešli 38. paralelu, već da su umesto toga tajno pomagali južnjačke pobunjenike. Međutim, nasuprot Vijetnamu, u Južnoj Koreji nije bilo nikakve pobune – a postojala je znatna podrška vladi.[18] Ove hladnoratovske linije razdvajanja imaju uobičajeni značaj međunarodnih granica samo utoliko ukoliko razdvajaju, ili s vremenom počnu da razdvajaju, dve političke zajednice unutar kojih građani osećaju izvesnu lokalnu lojalnost. Da je Južni Vijetnam imao ovakvu prirodu, američka vojna aktivnost, suočavajući se sa severnjačkom popustljivošću prema terorizmu i gerilskom ratu, mogla se shvatiti kao kontraintervencija. O ovom nazivu bi se moglo raspravljati. Pošto to nije bio slučaj, nije se radilo ni o kontraintervenciji.

Ostaje pitanje da li bi američka kontraintervencija, da je bilo takve, mogla s pravom da dobije veličinu i obuhvat rata koji smo na kraju vodili. Ovde je relevantan neki pojam simetrije, mada se ne može utvrditi apsolutno na aritmetički način. Kada se jedna država upusti u to da sačuva ili povrati integritet lokalne borbe, njena vojna aktivnost treba da bude otprilike jednaka aktivnosti drugih država koje intervenišu. Kontraintervencija je čin uravnotežavanja. Ovu tezu sam izneo ranije, ali je vredno istaći je ponovo, jer ona izražava dublju istinu o značenju saosećajnosti: *cilj kontraintervencije nije da se pobedi u ratu.* Da ovo nije neka ezoterična ili nedokučiva istina nagoveštava dobro poznat opis Vijetnamskog rata, koji je izneo predsednik Kenedi [Kennedy]: „I, ono što je najbitnije“, rekao je Kenedi, „to je njihov rat. Oni su ti koji treba da ga dobiju ili izgube. Možemo da im pomognemo, možemo da im damo opremu, možemo da naše ljude pošaljemo tamo kao savetnike, ali oni moraju da pobede u njemu – narod Vijetnama protiv komunista...“[19] Mada su ovo gledište ponavljali i kasniji američki predsednici, ono nije, nažalost, konačna reč američke politike. U stvari, Sjedinjene Države su na najdramatičniji način propustile da poštuju karakter i dimenzije građanskog rata u Vijetnamu, a doživeli smo neuspeh zato što nismo mogli da dobijemo rat dokle god je on zadržao taj karakter i bio vođen u okviru tih dimenzija. Tragajući za nivoom sukoba na kojem bi naša vlastita tehnička superiornost

18 Vidi Gregory Henderson, *Korea: The Politics of the Vortex*, Cambridge, Mass. 1968, gl. 6.

19 Kahin and Lewis, str. 146.

mogla da ima uticaj, neprekidno smo eskalirali borbe, sve dok to konačno nije postao američki rat, vođen radi američkih ciljeva, u nečijoj tuđoj zemlji.

Humanitarna intervencija

Legitimna vlada je vlada koja može sama da vodi svoje unutrašnje ratove. A spoljašnja pomoć u tim ratovima s pravom se naziva kontraintervencijom samo kada uravnotežava, i ne čini više od toga, prethodnu intervenciju neke strane sile, ponovo omogućavajući lokalnim snagama da same dobiju ili izgube rat. Ishod građanskog rata treba da odražava ne relativnu snagu država koje intervenišu već lokalni odnos snaga. Međutim, postoji i drugačija vrsta slučajeva, u kojima ne očekujemo ishode ove vrste, u kojima ne želimo da prevlada lokalni odnos snaga. Ako se dominantna snaga unutar države upušta u velika kršenja ljudskih prava, pozivanje na samoodređenje u milovskom smislu samopomoći nije veoma privlačno. To pozivanje je povezano sa slobodom zajednice uzete kao celine; ono nema snagu kada se radi o golom opstanku ili minimalnoj slobodi (nekog znatnog broja) njenih pripadnika. Protiv porobljavanja ili masakra političkih oponenata, etničkih manjina i verskih sekti možda neće biti pomoći osim ukoliko pomoć ne stigne spolja. A kada se vlada divljački obruši na svoj sopstveni narod, moramo posumnjati u samo postojanje političke zajednice na koju bi se ideja o samoodređenju mogla primeniti.

Primere nije teško pronaći; ono što zbunjuje je njihova brojnost. Spisak opresivnih režima, spisak masakriranih naroda, zastrašujuće je dugačak. Mada nacistički holokaust nema premca u istoriji, ubijanja manjih razmera su toliko proširena da su gotovo uobičajena. S druge strane – ili možda baš iz tog razloga – veoma su retki jasni primeri onoga što se naziva „humanitarnom intervencijom“.[20] Zaista, ja nisam našao nijedan, već samo kombinovane slučajeve u kojima je humanitarni motiv samo jedan

20 Eleri C. Stovel [Ellery C. Stowel] predlaže neke moguće primere u *Intervention in International Law* (Washington, 1921), gl. II. Savremena pravna gledišta (i noviji primeri) izneti su u Richard Lillich, ed. *Humanitarian Intervention and the United Nations*, Charlottesville, Virginia, 1973.

od mnogih. Države ne šalju svoje vojnike u druge države, čini se, samo da bi spasle živote. Životi stranaca nemaju tu težinu na vagi domaćeg donošenja odluka. Stoga ćemo morati da razmotrimo moralni značaj isprepletanih motiva.[21] Nije nužno argument protiv humanitarne intervencije to što je ona, u najbolju ruku, samo delimično humanitarna, ali to jeste razlog da se bude skeptičan i da se pažljivo razmotre i njeni drugi delovi.

Kuba, 1898. i Bangladeš 1971. godine

Oba ova slučaja mogu se svrstati u nacionalno oslobođenje i kontraintervenciju. Ali, svaki ima i dalji značaj zbog zverstava koja su počinile španska i pakistanska vlada. Lakše je govoriti o brutalnostima Španaca, jer nisu dostigla sistematske masakre. Boreći se protiv kubanske ustaničke vojske, koja je živela na selu i imala naizgled veliku podršku seljaka, Španci su prvi razradili politiku prisilnog preseljavanja. Oni su je nazivali, bez eufemizama, *la reconcentración*. Proglas generala Vejlera [Weyler] nalagao je da:[22]

> Svi stanovnici seoskih oblasti ili oblasti van utvrđenih gradova budu za osam dana koncentrisani u gradovima koje drže trupe. Svi pojedinci koji ne poslušaju ili koji se zateknu van propisanih oblasti smatraće se pobunjenicima i kao takvima biće im suđeno.

Kasnije ću postaviti pitanje da li je „koncentracija“ sama po sebi zločinačka politika. Neposredni zločin Španaca bilo je ostvarivanje ove politike silom i uz toliko malo obzira prema zdravlju ljudi da su hiljade njih patile i umrle. O njihovom životu i smrti naširoko se pisalo u Sjedinjenim Državama, i to ne samo u žutoj štampi, i to su nesumnjivo mnogi Amerikanci smatrali glavnim opravdanjem za rat protiv Španije. Tako se u Kongresnoj

21 Očigledno je slučaj različit kada je reč o životima sugrađana. Intervencije zamišljene da izbave građane kojima je pretila smrt u stranoj zemlji konvencionalno su nazivane humanitarnim, i nema razloga da im se poriče taj naziv kada su stvarno u pitanju život ili smrt. Izraelski napad na aerodrom Entebe u Ugandi (4. jul 1976) verovatno izgleda kao jasan slučaj. Ovde se ne radi, ili ne bi trebalo da se radi, o pomešanim motivima: jedini cilj je izbavljenje ljudi prema kojima je sila koja interveniše imala posebne obaveze.

22 Navedeno u Philip S. Foner, *The Spanish-Cuban-American War and the Birth of American Imperialism*, New York, 1972, I, str. 111.

rezoluciji od 20. aprila 1898. godine kaže: „Dok su užasni uslovi koji već više od tri godine vladaju na Kubi, koja je toliko blizu našim granicama, šokirali moralni osećaj naroda Sjedinjenih Država...“[23] Ali je bilo i drugih razloga za ulazak u rat.

Najznačajniji od razloga bili su ekonomske i strateške prirode, povezani sa, prvo, američkim investicijama u kubanski šećer, što je bila stvar od interesa za jedan deo finansijske zajednice; i drugo, sa pomorskim pristupom Panamskoj prevlaci, na kojoj će se jednog dana izgraditi kanal, što je bila stvar od interesa za intelektualce i političare koji su zagovarali američku ekspanziju. Kuba je bila minorni element u planovima ljudi poput Mahana [Mahan] i Adamsa [Adams], Ruzvelta [Roosevelt] i Lodža [Lodge], koji su se više zanimali za Tihi okean nego za Karipsko more. Ali, kanal koji će ih povezati nosio je centralni strateški značaj, i rat da bi se to zadobilo bio je vredan utoliko ukoliko je navikavao Amerikance na imperijalne poduhvate (a doveo je i do osvajanja Filipina). Većinom je istorijska rasprava o uzrocima rata bila usredsređena na različite vidove ekonomskog i političkog imperijalizma, na potragu za tržištima i prilikama za investicije, na težnju za sticanjem „nacionalne moći radi nje same“.[24] Međutim, vredno je setiti se da su rat podržavali i antiimperijalistički političari – ili, tačnije, da su podržavali slobodu Kube, a potom humanitarnu intervenciju američkih vojnih snaga kao posledicu španske brutalnosti. Međutim, rat u kojem smo se stvarno borili i intervencija koju su zagovarali populisti i demokrati bile su dve različite stvari.

Kubanski ustanici su od Sjedinjenih Država tražili tri stvari: da priznaju njihovu privremenu vladu kao legitimnu vladu Kube, da njihovoj vojsci pruže pomoć u oružju i vojnom materijalu i da američki ratni brodovi blokiraju kubansku obalu i prekinu snabdevanje španske armije. Sa ovakvom pomoći, govorilo se, ustaničke snage će jačati, Španci se neće moći dugo održati, i Kubanci će moći da rekonstruišu svoju zemlju (uz američku

---

23 Navedeno u Stowell, str. 122n.

24 Vidi, na primer, Julius W. Pratt, *Expansionists of 1898*, Baltimore, 1936, i Walter La Feber, *The New Empire: An Interpretation of American Expansion*, Ithaca, 1963; takođe i Foner, I, gl. XIV.

pomoć) i upravljaju svojim poslovima.[25] To je bio i program američkih radikala. Ali predsednik Mekinli [McKinley] i njegovi savetnici nisu verovali da su Kubanci sposobni da upravljaju svojim sopstvenim poslovima, ili su se plašili radikalne rekonstrukcije. U svakom slučaju, Sjedinjene Države su intervenisale bez priznavanja ustanika, izvršile invaziju na ostrvo i brzo porazile španske snage i zamenile ih. Pobeda je nesumnjivo imala humanitarne posledice. Mada su američki vojni napori bili izuzetno neefikasni, rat je bio kratak i malo je doprineo bedi civilnog stanovništva. Operacije pružanja pomoći, takođe izuzetno neefikasne u početku, počele su čim su borbe prestale. U svom standardnom opisu rata, admiral Čedvik [Chadwick] se hvalio relativno malim prolivanjem krvi: „Rat sam po sebi", pisao je Čedvik, „ne može da bude veliko zlo; zlo je u užasima, od kojih mnogi nisu nužno istovremeni... Rat koji sada počinje između Sjedinjenih Država i Španije bio je rat u kojem su ti veći užasi bili u velikoj meri odsutni."[26] Užasi su zaista bili odsutni; daleko više, bar, nego tokom dugih godina Kubanskog ustanka. Ali invazija na Kubu, tri godine vojne okupacije, konačno davanje drastično ograničene nezavisnosti (po odredbama Platovog [Platt] amandmana) u velikoj meri objašnjavaju skepticizam s kojim se konvencionalno dočekuju američke izjave o brizi za humanost. Ceo tok akcije, od 1898. do 1902. godine, može se uzeti kao primer benevolentnog imperijalizma, imajući u vidu „piratska vremena", ali nije primer humanitarne intervencije.[27]

Sudovi koje donosimo u ovakvim slučajevima ne počivaju na činjenici da su se i drugi obziri osim humanosti javljali u vladinim planovima, pa čak ni na činjenici da humanost nije bila najznačajniji razlog. Ne znam da li ikada i jeste, a merenje je posebno teško u liberalnim demokratijama u kojima pomešani motivi vlade odražavaju pluralizam društva. Niti je to pitanje benevolentnih ishoda. Kao rezultat američke pobede, *reconcentrados*

25 Foner, I, gl. XIII.

26 F. E. Chadwick, *The Relations of the United States and Spain: Diplomacy*, New York, 1909, str. 586–587. Ovi redovi su epigraf opisu rata Valtera Milisa [Walter Millis]: *The Martial Spirit* (n. p. 1931).

27 Millis, str. 404; treba istaći da Milis piše o američkoj odluci da stupi u rat: „Retko kad je istorija zabeležila jasniji slučaj vojne agresije..." (str. 160).

su bili u stanju da se vrate svojim domovima. Ali to bi bili u stanju i da su Sjedinjene Države stupile u rat na strani Španaca i, zajedno s njima, odlučno porazile kubanske ustanike. „Koncentracija" je bila ratna politika i prestala bi sa završetkom rata, ma kakav bio njegov kraj. Ključno je jedno drugo pitanje. Humanitarna intervencija obuhvata vojnu akciju na strani potlačenog naroda, i zahteva da država koja interveniše uđe do izvesne mere u ciljeve tog naroda. Ona ne mora sama da se upusti u ostvarivanje tih ciljeva, ali takođe ne može ni da se nađe na putu njihovog ostvarenja. Ljudi se tlače, pretpostavlja se, zato što teže nekom cilju – verskoj toleranciji, nacionalnoj slobodi, ili već čemu – koji je neprihvatljiv njihovim tlačiteljima. Ne može se intervenisati na njihovoj strani, a protiv tih ciljeva. Ne želim da dokazujem da su ciljevi potlačenih nužno pravedni, ili da ih je potrebno prihvatiti u potpunosti. Ali čini se da im treba posvetiti veću pažnju no što su to Sjedinjene Države bile spremne da učine 1898. godine.

Ovaj obzir prema ciljevima potlačenih neposredno je paralelan poštovanju za lokalnu autonomiju, koje je nužna odlika kontraintervencije. Dva revizionistička principa odražavaju opštu obavezu: da intervencija bude koliko god je više moguće nalik neintervenciji. U jednom slučaju, cilj je ravnoteža; u drugom, cilj je pomoć. Ni u jednom ni u drugom slučaju, a izvesno je ne u borbama za otcepljenje i nacionalno oslobođenje, ne sme država koja interveniše s pravom zahtevati bilo kakve političke prerogative za sebe samu. A kad god polaže takva prava (kao što su učinile Sjedinjene Države kad su okupirale Kubu i ponovo kad su uvele Platov amandman), podozrevamo da je politička moć bila njen cilj od samog početka.

Indijska invazija na Istočni Pakistan (Bangladeš) 1971. godine bolji je primer humanitarne intervencije – ne zbog jedinstvenosti ili čistote vladinih motiva već zato što su njeni različiti motivi konvergirali u jedinstven tok akcije, koji je takođe bio i tok akcije koji su tražili Bengalci. Ova konvergencija objašnjava zašto su Indijci toliko brzo ušli u tu zemlju i toliko brzo izašli iz nje, porazili pakistansku armiju, ali je nisu zamenili, i nisu nametali nikakvu političku kontrolu državi Bangladeš koja se rađala. Nema sumnje, u osnovi ove politike leže strateški, kao i moralni interesi: Pakistan, stari neprijatelj Indije, bio je značajno oslabljen, dok je sama Indija izbegla da bude odgovorna za jednu očajnički siromašnu naciju, čija će unutrašnja politika verovatno još dugo biti nestabilna i promenljiva. Ali, ova intervencija se kvalifikuje za humanitarnu zato što je bila operacija priskakanja u *pomoć*, strogo i usko definisanog. Tako okolnosti ponekad od svih nas čine svece.

Neću opširno govoriti o pakistanskom tlačenju u Bengalu. Priča je užasna i do danas je već prilično dobro dokumentovana.[28] Suočena s pokretom za autonomiju u tadašnjoj istočnoj provinciji, Vlada Pakistana je marta 1971. bukvalno dala odrešene ruke vojsci protiv svog sopstvenog naroda – ili, tačnije, pendžabskoj armiji protiv bengalskog naroda, jer je jedinstvo istoka i zapada već bilo slomljeno. Pokolji su taj prekid samo dovršili i učinili nepopravljivim. Armija nije bila potpuno bez smernica, njeni oficiri su nosili sa sobom „spiskove smrti" sa imenima političkih, kulturnih i intelektualnih vođa Bengala. Ulagani su i sistematski napori da se pobiju i sledbenici tih ljudi: studenti univerziteta, politički aktivisti itd. Osim eliminacije ovih grupa, vojnici su slobodno krstarili, paleći, silujući, ubijajući. Milioni Bengalaca su prebegli u Indiju, a njihov dolazak, iscrpljenih, gladnih, sa neverovatnim pričama, uspostavio je moralni temelj kasnije indijske intervencije. „Uzaludno je u ovakvim slučajevima dokazivati da je dužnost susednog naroda da mirno posmatra."[29] Sledili su meseci diplomatskih manevara, ali tokom tog vremena Indijci su već pomagali bengalskim gerilcima i pružali utočište ne samo izbeglicama već i naoružanim borcima. Dvonedeljni rat iz decembra 1971. godine naizgled je počeo pakistanskim vazdušnim napadom, ali indijskoj invaziji nije bio potreban takav prvi napad, ona je bila opravdana na drugim osnovama.

Snaga bengalskih gerilaca i njihovi uspesi između marta i decembra donekle su predmet sporova, kao i njihova uloga u dvonedeljnom ratu. Međutim, jasno je da cilj indijske invazije

28 Opis jednog savremenog britanskog novinara iznet je u David Loshak, *Pakistan Crisis*, London, 1971.

29 John Westlake, *International Law*, tom I, *Peace*, 2. izdanje, Cambridge, 1910, str. 319–320.

nije bio da se otvori put bengalskoj borbi, niti snaga ili slabost gerilaca utiče na naše shvatanje te invazije. Kad su ljudi izloženi pokoljima, ne zahtevamo da prođu test samopomoći pre no što im priskočimo u pomoć. Baš nas njihova nesposobnost i navodi da pomognemo. Cilj indijske armije bio je da se poraze pakistanske snage i da se isteraju iz Bangladeša, to jest, da se dobije rat. Cilj je različit od cilja kontraintervencije, i to iz jednog značajnog moralnog razloga. Ljudi koji izazivaju masakre gube svoje pravo da učestvuju u normalnom (pa čak i u normalno nasilnom) procesu domaćeg samoodređenja. Njihov vojni poraz je moralno nužan.

Vlade i vojske koji vrše pokolje mogu se lako identifikovati kao zločinačke vlade i vojske (one su krive, prema nirnberškom kodeksu, za „zločine protiv čovečnosti"). Stoga se humanitarna intervencija približava više od ijedne druge vrste intervencije onome što se u domaćem društvu obično smatra primenom zakona i policijskim radom. Međutim, u isto vreme ona zahteva prelaženje međunarodno priznate granice, a ovakve prelaske zabranjuje legalistička paradigma – osim ukoliko ih je ovlastilo društvo nacija. U slučajevima koje sam razmatrao, zakon je jednostrano primenjen; policija je samoproglašena. Sada, unilateralizam je uvek preovlađivao u međunarodnoj areni, ali nam on zadaje veće brige kada se radi o odgovoru na domaće nasilje, a ne na spoljašnju agresiju. Zabrinuti smo da će, pod maskom humanitarizma, države početi da prisiljavaju svoje susede i dominiraju nad njima; još jednom, nije teško pronaći primere. Stoga mnogi pravnici više vole da se pridržavaju legalističke paradigme. Prema njihovom mišljenju, to od njih ne zahteva da poriču da (povremeno) postoji potreba za intervencijom. Oni prosto uskraćuju pravničko priznavanje te potrebe. Humanitarna intervencija „ne pripada carstvu prava već moralnog izbora, koji nacije, isto kao i individue, ponekad moraju da vrše..."[30] Ali, ovo je prihvatljiva formulacija samo ako se ne ostane na njoj, kao što je verovatno da će pravnici učiniti. Jer moralni izbori se ne *vrše*, o njima se takođe prosuđuje, te tako moraju postojati neki kriterijumi

30 Thomas M. Franck and Nigel S. Rodley, „After Bangladesh: The Law of Humanitarian Intervention by Military Force", 67 *American Journal of International Law* 304, 1973.

prosuđivanja. Ako njih ne pruža pravo, ili ukoliko se pravne odredbe zaustavljaju na nekoj tački, oni su ipak sadržani u našem zajedničkom moralu, koji nema takvo ograničenje i koji treba da bude ekspliciran pošto su pravnici završili.

Moral, u najmanju ruku, nije prepreka unilateralnoj akciji, sve dok nije dostupna neka neposredna alternativa. U slučaju Bengala nje nije bilo. Bez sumnje, pokolji su nešto što je od sveopšteg interesa, ali samo se Indija zainteresovala za njih. Ovaj slučaj je formalno iznet pred Ujedinjene nacije, ali nije usledila nikakva akcija. Niti je meni jasno da bi akcija koju bi preduzele Ujedinjene nacije, ili neka koalicija sila, nužno imala moralni kvalitet nadmoćan moralnom kvalitetu indijskog napada. Ono za čime se traga u brojevima jeste odvajanje od partikularističkih gledišta i konsenzus na osnovu moralnih pravila. A za to, zasad, nema institucionalnog poziva, poziv je čovečanstvu kao celini. Države ne gube svoju partikularističku prirodu samo time što zajednički deluju. Ako vlade imaju pomešane motive, njih imaju i koalicije vlada. Neki ciljevi se, možda, uzajamno potiru tokom političkih cenjkanja kojima se obrazuju koalicije, ali drugi su dodati; i mešavina koja nastaje je slučajna s obzirom na moralna pitanja koliko i politički interesi i ideologije jedne jedine države.

Humanitarna intervencija je opravdana kada je odgovor (uz razumne izglede na uspeh) na postupke „koji šokiraju moralnu savest čovečanstva". Staromodni jezik mi se čini precizno tačan. Ne radi se o savesti političkih vođa, na koju se poziva u ovakvim slučajevima. Pozivamo se na moralna ubeđenja običnih muškaraca i žena, stečena tokom njihovih svakodnevnih aktivnosti. A imajući u vidu to da se terminima ovakvih ubeđenja mogu uobličiti uverljivi argumenti, ne mislim da ima ikakvih moralnih razloga za prihvatanje stava pasivnosti, koji se može nazvati čekanjem na Ujedinjene nacije (čekanjem na univerzalnu državu, čekanjem na mesiju...).

> Pretpostavimo da je... velika sila odlučila da je jedini način na koji bi mogla i dalje da kontroliše satelitsku državu taj da zbriše celokupno stanovništvo satelitske države s lica zemlje i da tu oblast ponovo naseli „pouzdanim" ljudima. Pretpostavimo da se satelitska vlada složila s ovom merom i sačinila potreban aparat za masovno uništenje... Da li bi ostale

članice Ujedinjenih nacija bile obavezne da stoje po strani i posmatraju tu operaciju samo zato što je neophodna odluka organa Ujedinjenih nacija blokirana, a operacija ne uključuje „oružani napad" na bilo koju [državu članicu]?...[31]

Ovo pitanje je retoričko. Svaka država koja je u stanju da zaustavi pokolj ima pravo bar da pokuša da to učini. Legalistička paradigma zaista zabranjuje ovakve napore, ali to samo navodi na pomisao da paradigma, nerevidirana, ne može da objasni moralne realnosti vojne intervencije.

Druga, treća i četvrta izmena ove paradigme imaju ovaj oblik: države mogu biti izložene invaziji, a ratovi mogu biti s pravom započeti da bi se pomoglo secesionističkim pokretima (kada su pokazali svoj reprezentativan karakter), da bi se uravnotežile prethodne intervencije drugih sila, i da bi se izbavili ljudi kojima preti masakr. U svakom od ovih slučajeva mi dopuštamo, ili, *post factum*, slavimo, ili ne osuđujemo ova kršenja formalnih pravila suverenosti, zato što ona podržavaju vrednosti individualnog života i zajedničke slobode čija je suverenost puki izraz. Ova formula je, još jednom, permisivna, ali raspravljajući o pojedinačnim slučajevima pokušavao sam da pokažem da su stvarni zahtevi pravedne intervencije zaista ograničeni. A revizije se moraju shvatati tako da sadrže ova ograničenja. Pošto se ova ograničenja često zanemaruju, ponekad se dokazuje da bi bilo najbolje insistirati na nekom apsolutnom pravilu neintervencije (kao što bi bilo najbolje insistirati i na nekom apsolutnom pravilu neanticipacije). Ali i apsolutno pravilo će takođe biti zanemarivano, te tako nećemo imati standarde koje sam pokušavao da ocrtam. Oni izražavaju duboka i vredna, mada u primeni teška i problematična, obavezivanja na ljudska prava.

31 Julius Stone, *Aggression and World Order*, str. 99.

7. CILJEVI RATA I VAŽNOST POBEDE

Ono što možemo nazvati modernističkim shvatanjem rata sumorno je sažeto u pesmi Rendala Džarela (Randall Jarrell):[1]

> Profiti i smrt rastu marginalno:
> Samo se oplakivani i oni koji oplakuju sećaju
> Ratova koje gubimo, ratova koje dobijamo;
> A svet je – onakav kakav je i bio.

Rat ubija; to je sve što čini; čak ni njegovi ekonomski uzroci nisu odraženi u njegovim ishodima; a vojnici koji ginu su, kako se danas kaže, „potrošeni". Džarel govori u ime tih potrošenih ljudi, drugova koji su već mrtvi i onih koji znaju da će ubrzo poginuti. A njihovi pogledi su merodavni: njih je toliko mnogo. Kada vojnici ginu u malom broju, u svima razumljivim bitkama, mogu pridati neko značenje svojoj smrti. Žrtvovanje i herojstvo su razumljivi pojmovi. Ali pokolji savremenog ratovanja nadmašuju sposobnost moralnog razumevanja vojnika; cinizam je njihovo poslednje utočište. Međutim, on nije naše poslednje utočište, niti najznačajniji oblik našeg shvatanja rata u kojem se Džarel borio. Zaista, većina njegovih preživelih drugova još uvek bi želela da tvrdi kako je svet različit i bolji zato što su Saveznici pobedili, a nacistički režim bio poražen. A i njihovi pogledi su merodavni: njih je toliko mnogo. U doba kad je čovekov senzibilitet savršeno usklađen sa svim prelivima očajanja, još uvek izgleda značajno reći za one koji ginu u ratu da *nisu umrli uzalud*. A kada to ne možemo da kažemo, ili mislimo da ne možemo, naše žaljenje je pomešano sa gnevom. Tražimo krivce. Još uvek smo privrženi moralnom svetu.

Šta znači *ne poginuti uzalud*? Moraju postojati ciljevi za koje vredi umreti, ishodi za čije ostvarenje životi vojnika nisu previsoka

---

1 „The Range in the Desert", *The Complete Poems*, str. 176.

cena. Ideja pravednog rata zahteva istu ovu pretpostavku. Pravedan rat je rat u kojem je moralno značajno pobediti, i vojnik koji gine u pravednom ratu ne gine uzalud. Ključne vrednosti su na kocki: politička nezavisnost, sloboda zajednice, čovekov život. Ako druga sredstva ne uspeju (što je značajno ograničenje), ratovi koji se vode da bi se odbranile ove vrednosti jesu pravedni. Smrti do kojih dolazi u njima, na obe strane, moralno su shvatljive – što ne znači da one nisu i rezultat vojne gluposti i birokratske zbrke: vojnici besmisleno ginu čak i u ratovima koji nisu besmisleni.

Ali, mada je ponekad značajno pobediti, nije uvek jasno šta pobeda znači. Prema konvencionalnom vojničkom gledištu, jedini istinski cilj rata jeste „uništenje glavnine neprijateljskih snaga na bojnom polju".[2] Klauzevic govori o „savlađivanju neprijatelja".[3] Ali, mnogi ratovi se završavaju bez ovako dramatičnih ishoda, a mogu biti postignuti mnogi ratni ciljevi osim uništenja i savlađivanja. Potrebno je da potražimo legitimne ciljeve rata, ciljeve kojima se s pravom može težiti. Oni će takođe biti i ograničenja pravednog rata. Kad su jednom ostvareni, ili kada su jednom politički na dohvat ruke, borbe bi trebalo da prestanu. Vojnici koji ginu posle tog trenutka ginu nepotrebno, a prisiljavati ih da se bore i da možda poginu predstavlja zločin srodan zločinu same agresije. Međutim, obično se za teoriju pravednog rata kaže da ona zapravo ne povlači ovu liniju na bilo kojoj tački pre uništenja i odbacivanja, da se najekstremniji vojnički argument i „moralistički" argument podudaraju u tome što zahtevaju da se ratovi vode sve do ovog konačnog cilja. Posle Drugog svetskog rata, pojavila se grupa autora koji su dokazivali da je pokušaj ostvarenja pravde duboko impliciran u užasima ratova dvadesetog veka.[4] Sebe su nazivali „realistima", a i ja ću

---

2 B. H. Liddell Hart, *Strategy*, 2. dopunjeno izdanje, New York, 1974, str. 339; sam Lidel Hart zastupa drugačije, i mnogo tananije stanovište.

3 Klauzevic, *O ratu*, preveo Milivoj Lazarević, „Vuk Karadžić", Beograd, 1951, str. 512.

4 Rad Rajnholda Nibura [Reinhold Niebhur] bio je osnovna inspiracija ove grupe, a Hans Morgentau [Hans Morganthau] njen najsistematičniji teoretičar. Radovi koji su neposrednije relevantni za moje ciljeve u ovom poglavlju su: George Kennan, *American Diplomacy: 1900-1950*, Chicago, 1951; John W. Spanier, *The Truman-MacArthur Controversy and the Korean War*, Cambridge, Mass. 1959; Paul Kecskemeti, *Strategic Surrender:*

koristiti taj termin, mada oni zapravo nisu bili sledbenici Tukidida i Hobsa. Njihov argument je bio manje opšti i u krajnjoj liniji manje subverzivan u pogledu konvencionalnog morala. Pravedni ratovi se preokreću u krstaške pohode, tvrdili su, a tada državnici i vojnici koji ih vode teže jedinoj pobedi koja je prikladna za njihovu stvar: totalnoj pobedi, bezuslovnoj predaji neprijatelja. Oni se bore isuviše brutalno i isuviše dugo. Oni seju pravdu, a žanju oluju. Ovo je snažan argument, mada ću izneti ideju da i s obzirom na način vođenja rata i s obzirom na ciljeve radi kojih se vodi, ovaj argument nema smisla osim kao moralni argument. Lek koji su realisti predlagali bilo je odricanje od pravde i težnja da se ostvare samo skromniji ishodi. Lek koji ja želim da predložim umesto toga jeste bolje razumevanje pravde, kojoj ne možemo a da ne težimo.

Bezuslovna predaja

Politika Saveznika u Drugom svetskom ratu

Stanovište realista može se sažeto izložiti na sledeći način. Odlika je demokratske ili liberalne kulture to da se mir shvata kao normativno stanje. Ratovi se mogu voditi, stoga, jedino ako ih zahteva neki „univerzalni moralni princip“: očuvanje mira, opstanak demokratije itd. A kada jednom rat otpočne, ovaj princip mora biti apsolutno odbranjen; ništa manje od potpune pobede neće opravdati to što se pribeglo „zlom sredstvu“ vojne sile. Pretnja miru ili demokratiji mora biti potpuno uništena.[5] „Demokratske kulture“, pisao je Kečkemeti [Kecskemeti] u svojoj dobro poznatoj knjizi o predaji, „duboko su neratoborne: za njih rat može biti opravdan samo ako se vodi da bi se eliminisao rat... Ova krstaška ideologija... odražena je u ubeđenju da se neprijateljstva ne mogu okončati pre no što se uništi zao neprijateljski sistem.“[6] *Locus classicus* ove ideologije jeste misao

the Politics of Victory and Defeat, New York, 1964. Korisna kritika „realista“ može se naći u Charles Frankel, *Morality and U. S. Foreign Policy*, Izdanja Udruženja za spoljnu politiku [Foreign Policy Association Hedline Series], br. 224, 1975.

5 Spanier, str. 5.

6 Kecskemeti, str. 25–26.

Vudroua Vilsona [Woodrow Wilson], a njen najzanačajniji materijalni izraz je zahtev Saveznika za bezuslovnom predajom sila Osovine u Drugom svetskom ratu.

Demokratskom idealizmu, onako kako su ga opisali realisti, može se prigovoriti to što postavlja ciljeve koji se ne mogu postići, i za koje vojnici mogu da ginu samo uzalud. Ovo je moralna primedba, i značajna je ako se od vojnika zaista traži da ginu za ciljeve kao što je „zbrisati zlo s lica zemlje“. Njihovi najherojskiji napori, na kraju krajeva, mogu da okončaju samo jedan određeni rat; ne mogu da okončaju rat kao takav. Oni mogu da spasu demokratiju od određene pretnje, ali ne mogu svet da učine bezbednim mestom za demokratiju. Ali sklon sam da mislim da se u realističkoj literaturi veoma preuveličava značaj ovih vilsonovskih parola. U doba kad je Vilson uveo Sjedinjene Države u Prvi svetski rat, borbe su u velikoj meri nadišle granice pravde i razuma. Najgore od onih „povreda... strukture ljudskog društva koje ni stoleće neće izbrisati“ već su bile nanete, a ljudi za to odgovorni nisu bili nedužni Amerikanci već trezveni državnici i vojnici Britanije, Francuske i Nemačke. Vilsonovih četrnaest tačaka omogućilo je da se Nemačka preda pod uslovima koji su bili daleko blaži od ratnih ciljeva Lojda Džordža [Lloyd George] i Klemansoa [Clemenceau].[7] Zaista, Nemci su izneli optužbu da ovi uslovi nisu poštovani u stvarnom mirovnom sporazumu (što je bilo istina), što je navelo Saveznike da insistiraju na bezuslovnoj predaji u Drugom svetskom ratu. „Uopšte nećemo uvažavati onakve argumente kakvim se Nemačka služila posle prošlog rata“, izjavio je Čerčil pred Donjim domom februara 1944.[8] „Politika bezuslovne predaje“, pisao je Kečkemeti, „predstavlja promišljeni kontrast političkom držanju predsednika Vilsona u ratu 1918. godine“. Ali, ako je ovo istina, neće biti lako shvatiti kako se i vilsonovska i antivilsonovska politika, i predaja pod određenim uslovima i bezuslovna predaja, mogu

7 O vezi između Vilsonovog „pogleda na svet“ i njegove želje za kompromisnim mirom vidi N. Gordon Levin, Jr., *Woodrow Wilson and World Politics: America's Response to War and Revolution*, New York, 1970, str. 43, 52 ff.

8 Čerčil, *Drugi svetski rat*, tom IV, *Prekretnica sudbine*, preveli Kaliopa Nikolajević i Momčilo Popović, Kultura, Beograd, *s. a.*, str 641.

pripisati „tradicionalnom moralističkom, 'sve ili ništa' pristupu Amerikanaca ratu i miru".[9]

I pored sveg svog idealizma, Vilson je vodio ograničeni rat; njegovi ideali su određivali granice. (Da li su te granice bile ispravne ili nisu, drugo je pitanje.) Niti je Drugi svetski rat bio jedan neograničeni rat, uprkos odbijanju Saveznika da ponude uslove za predaju. Zahtev za bezuslovnom predajom, uveravao je Čerčil Donji dom, „ne znači da [pobednici] imaju pravo da se ponašaju na varvarski način, niti da žele da zbrišu Nemačku iz reda nacija Evrope". Ono što zahtev znači, nastavio je, jeste to da „ako smo obavezni, obavezni smo civilizaciji po sopstvenoj savesti. Nećemo biti obavezni Nemcima na osnovu bilo kakve zaključene pogodbe".[10] Bilo bi mnogo tačnije da je rekao da Saveznici nemaju obaveze prema nemačkoj *vladi*, jer Nemci, u svakom slučaju, bar veliki broj njih, moraju da budu uključeni u rubriku „civilizacija". Oni su imali pravo na zaštitu normi koje nosi civilizacija i nikada ne bi mogli biti predati potpuno na milost i nemilost svojih osvajača. Zaista nema takve stvari (u moralnom svetu) kao što je bezuslovna predaja neke nacije, jer se uslovi sadrže u samoj ideji međunarodnih odnosa, kao što se sadrže i u ideji ljudskih odnosa – a otprilike su isti u obe. Čak i domaći kriminalci, sa kojima vlasti obično ne vode pregovore, nikada se ne predaju bezuslovno. Ako ne mogu da postave uslove povrh onih koji su sadržani u zakonu, ipak je istina da zakon priznaje prava – pravo da se ne bude mučen, na primer – koja im pripadaju kao ljudskim bićima i kao građanima, ma kakvi bili njihovi zločini. Nacije imaju slična prava u međunarodnom društvu, iznad svega pravo da ne budu „izbrisane", zauvek lišene suverenosti i slobode.[11]

9 Kecskemeti, str. 217, 241.

10 Čerčil, *Drugi svetski rat*, tom IV, *Prekretnica sudbine*, preveli Kaliopa Nikolajević i Momčilo Popović, Kultura, Beograd, *s. a.* str. 641; vidi i memorandum Čerčilovog kabineta od 14. januara 1944, *op. cit.*, str. 640.

11 Nekada su pravnici i filozofi dokazivali da osvajač ima pravo da ubije ili pretvori u roblje građane osvojene države. Nasuprot ovom gledištu, u ime prirodnog zakona ili ljudskih prava, Monteskje [Montesquieu] i Ruso [Rousseau] su tvrdili da se osvajačeva posebna prava odnose samo na državu, a ne i na ljude i žene koji je čine. „Država je udruženje ljudi, a ne sami ti ljudi; građanin može da nestane, a čovek da ostane."

Konkretno, politika bezuslovne predaje obuhvata dve obaveze: prvo, da Saveznici neće pregovarati sa nacističkim vođama, da neće imati nikakvih odnosa s njima, „osim da ih upute u pojedinosti mirne kapitulacije"; drugo, da nijedna nemačka vlada neće biti priznata za legalnu i ovlašćenu sve dok Saveznici ne dobiju rat, okupiraju Nemačku i uspostave nov režim. Imajući u vidu karakter postojeće nemačke vlasti, ove obaveze mi ne izgledaju kao preterani idealizam. Ali one ukazuju na krajnje granice onoga čemu se legitimno može težiti u ratu. Krajnja granica je osvajanje i politička rekonstrukcija neprijateljske države, i samo protiv neprijatelja kao što je bio nacizam može biti ispravno ići toliko daleko. U svojim predavanjima o američkoj diplomatiji, Džordž Kenan [George Kennan] je sugerisao da o bezuslovnoj predaji ne bi trebalo govoriti, ali se ipak slaže „da je Hitler bio čovek s kojim bi kompromisan mir bio neizvodiv i nezamisliv..."[12] To je, moglo bi se reći, realističan moralni sud. On prihvata, a da izričito ne pominje, zlo nacističkog režima, i s pravom stavlja nacizam van (moralnog) sveta pregovaranja i prilagođavanja. Možemo da razumemo pravo na osvajanje i rekonstrukciju samo u ovakvim slučajevima. Ovo se pravo ne javlja u svakom ratu; mislim da ga nije bilo u ratu protiv Japana. Ono postoji samo u slučajevima u kojima zločinstvo agresorske države preti onim dubokim vrednostima koje u međunarodnom poretku otelotvoruju politička nezavisnost i teritorijalni integritet, i kada pretnja nije ni u kom smislu slučajna ili prolazna već inherentna u samoj prirodi datog režima.

Ovde moramo biti pažljivi, na ovoj tački se pravedni ratovi najviše približavaju krstaškim ratovima. Krstaški rat je rat koji se vodi za verske ili ideološke ciljeve. On ne smera na odbranu ili ostvarivanje prava već na stvaranje novog političkog poretka

(*Duh zakona*, X.3.) „Ponekad je moguće ubiti Državu a da se ne ubije ni jedan jedini od njenih članova, i rat ne daje nikakvo pravo koje nije nužno za postizanje njegovog cilja." (*Društveni ugovor*, I.4.) Ali ovo je još uvek isuviše permisivno gledište, jer u prava pojedinaca spada i pravo na političko udruživanje, i ako je građanin ubijen ili država uništena, umire i ponešto od čoveka. Čak se i uništenje određenog režima može braniti, kao što ću dokazivati, u izuzetnim okolnostima.

12 *American Diplomacy*, str. 87–88.

i na masovno preobraćanje. On je međunarodni ekvivalent verskih progona i političke opresije, i očigledno je zabranjen argumentom o pravednosti. Pa ipak nas samo postojanje nacizma dovodi u iskušenje, kao što je dovelo i generala Ajzenhauera, da Drugi svetski rat zamislimo kao „krstaški rat u Evropi". Stoga moramo da povučemo granicu između pravednih ratova i krstaških ratova što jasnije možemo. Razmotrimo sledeći argument jednog engleskog pravnika iz devetnaestog veka:[13]

> Prvo ograničenje opšteg prava, koje pripada svakoj državi, da prihvati bilo koji oblik vladavine koji joj se svidi... je sledeće:
>
> Nijedna država nema prava da uspostavlja oblik vladavine koji je izgrađen na javno prihvaćenim principima neprijateljstva prema drugim nacijama.

Ovakvo određivanje granice veoma je opasno, jer navodi na pomisao da možemo da vodimo ratove protiv vlada čije „javno prihvaćene principe" imamo razloga da ne volimo, ili da ih se plašimo. Ali nije stvar u prihvatanju principa. Nemamo jasno znanje kada je verovatno da će se postupati u skladu s njima, a kada neće. Nijedan pojedinačan oblik vladavine nije posebno sklon agresiji. Sigurno je da nije slučaj, kao što su verovali liberali devetnaestog veka, da je verovatnije da će autoritarne države voditi ratove nego demokratske: istorija demokratskih režima, počevši od Atine, ne pruža za to nikakvu evidenciju. Niti je ovde relevantno neprijateljstvo prema vladama, osim utoliko ukoliko one reprezentuju samoodređujuću aktivnost nacija. Nacisti su bili u ratu protiv nacija, a ne samo protiv vlada; nisu samo ispovedali određene principe već su aktivno neprijateljski nastrojeni prema samom postojanju čitavih naroda. I samo kao odgovor na neprijateljstvo ove vrste nastaju prava na osvajanje i političku rekonstrukciju.

Ali pretpostavimo da su Nemci ustali protiv Hitlera, kao što su 1918. ustali protiv kajzera, i sami stvorili novi režim. Čini se da su se Saveznici obavezali da neće imati posla čak ni sa revolucionarnom nemačkom vladom. „Moralno orijentisanim Saveznicima", pisao je Kečkemeti, „svako odstupanje od strogih pravila bezuslovnosti značilo je da će neki element zle prošlosti

13 Robert Phillimore, *Commentaries Upon International Law*, Philadelphia, 1854, I, str. 315.

preživeti i posle predaje gubitnika i time savezničku pobedu učiniti besmislenom.“[14] U stvari, postojao je još jedan, i više realistički, motiv za strogost: uzajamno nepoverenje među Hitlerovim neprijateljima, potrebe koalicione politike. Zapadne sile i Rusi nisu mogli da se slože ni oko čega osim oko nekog apsolutnog pravila.[15] Pravda ukazuje na drugi put, iz razloga blisko srodnih razlozima koji izdvajaju i drastično ograničavaju praksu intervencije. Da su sami Nemci pokušali da unište nacizam, postojali bi svi razlozi da im se pomogne, i ne bi bilo potrebe za spoljašnjom rekonstrukcijom njihove političke zajednice. Nemačka revolucija bi učinila da osvajanje Nemačke bude moralno nepotrebno. Ali nije bilo nikakve revolucije i bilo je izuzetno malo otpora nacističkoj vlasti. Politički značajna opozicija razvila se samo unutar vladajućih kadrova, i samo pred kraj rata koji je bio izgubljen: otuda državni udar (*coup d'etat*) koji su pokušali nemački generali jula 1944. godine. U doba mira, ovakav pokušaj bi se smatrao činom samoodređenja, i kad bi bio uspešan, druge države ne bi imale izbora do da posluju s novom vladom. Imajući u vidu rat koji su nacisti vodili, i u koji su generali bili do guše umešani, slučaj je teži. Sklon sam da mislim da su 1944. godine Saveznici imali pravo da očekuju, i da nametnu, sveobuhvatniju obnovu nemačkog političkog života. Čak bi i generali morali da se bezuslovno predaju (bar neki od njih su bili spremni da to učine).

Bezuslovna predaja se s pravom smatra kaznenom merom. Važno je da tačno shvatimo u kom smislu je ona takva. Ova politika bi kaznila nemački narod samo utoliko ukoliko bi objavila da je njegova politička sloboda privremeno ukinuta i podvrgla ga vojnoj okupaciji. Pre no što se uspostavi postnacistički i antinacistički režim, Nemci treba da budu stavljeni pod političko tutorstvo: to je posledica njihovog neuspeha da sami zbace Hitlera, što je glavni od načina na koji se oni mogu smatrati odgovornim za štetu koju su Hitler i njegovi sledbenici naneli drugim nacijama. Međutim, privremeno ukidanje nezavisnosti ne povlači za sobom dalje gubitke prava; kazna je ograničena i privremena; ona pretpostavlja, prema Čerčilovim rečima, da nemačka nacija

14 Kecskemeti, str. 219.

15 Vidi Raymond G. O'Connor, *Diplomacy for Victory: FDR and Unconditional Surrender*, New York, 1971.

i dalje postoji. Ali Saveznici su imali u vidu i određenije i bolnije kazne. Oni su odbijali kompromis sa nacističkim režimom zato što su planirali da njegove vođe izvedu pred sud koji bi mogao da im izrekne smrtne kazne. Voditi rat sa ovakvim ciljem, dokazuje Kečkemeti, znači podleći „pedagoškoj grešci", to jest, pokušavati da se izgradi miroljubivi posleratni svet „na trajnom sećanju na pravednu telesnu kaznu". Ali, to se ne može postići zato što odvraćanje nema isti učinak u međunarodnom koji ima u domaćem društvu: broj aktera je daleko manji; njihovi postupci nisu stereotipni i ponavljani; pouke kažnjavanja se tumače veoma različito od strane onih koji ih izriču i onih koji ih trpe; a u svakom slučaju, one ubrzo postaju irelevantne s promenom okolnosti.[16] Sada, „pravedno telesno kažnjavanje" je upravo ono što bi zahtevala legalistička paradigma, a Kečkemetijeve kritike ukazuju na potrebu za budućom revizijom. Ali on dokazuje samo da je odvraćanje nedelotvorno, i njegov argument, mada je dovoljno prihvatljiv, ni izdaleka nije izvesno istinit. Umesto toga želim da ukažem na to da poseban karakter međunarodnog društva čini da puna mera domaće primene zakona bude *moralno* neizvodiva, i istovremeno da je poseban karakter nacizma zapravo zahtevao „telesno kažnjavanje" vodećih nacista.

Međunarodno društvo je posebno po kolektivnoj prirodi svojih članova. Svaki donosilac odluka stoji umesto cele jedne zajednice muškaraca i žena; uticaj njegovih agresivnih ili defanzivnih ratova ima širok geografski i politički domet. Rat utiče na više ljudi nego domaći zločini i kažnjavanja, i prava tih ljudi su ono što nas nagoni da ograničimo njegove ciljeve. Možemo da razmotrimo novu verziju domaće analogije, orijentisane prema kolektivnoj, a ne ka individualnoj akciji: napad jedne države na drugu više je nalik na sukobe feudalaca nego na kriminalni napad (čak i kada jeste kriminalni napad u doslovnom smislu). On liči na feudalne razmirice više nego na pljačku, ne samo zato što nema opšteprihvaćene policije već i zato što je verovatnije da će rituali kažnjavanja proširiti, a ne umanjiti nasilje. Osim najoštrijih i najizuzetnijih mera – istrebljenja, progonstva, političkog rasparčavanja – neprijateljska država, poput nekog aristokratskog

16 Kecskemeti, str. 240.

klana, a nasuprot običnom kriminalcu, ne može biti u potpunosti lišena moći obnovljene aktivnosti. Ali najoštrije i najizuzetnije mere se ne mogu nikada braniti, tako da se s neprijateljskim državama mora postupati, u moralnom, kao i u strateškom pogledu, kao sa budućim partnerima u nekoj vrsti međunarodnog poretka.

Stabilnost među državama, kao i među aristokratskim frakcijama i porodicama, počiva na izvesnom obrascu prilagođavanja i uzdržavanja, a državnici i vojnici bi dobro učinili da ga ne poremete. Ali ovi obrasci nisu puke diplomatske tvorevine; oni imaju moralnu dimenziju. Oni počivaju na uzajamnom razumevanju; oni su shvatljivi samo unutar sveta zajedničkih vrednosti. Nacizam je bio svesna i voljna pretnja samoj egzistenciji takvog sveta: program istrebljenja, proganjanja i političkog rasparčavanja. U izvesnom smislu, agresija je bila najmanji od Hitlerovih zločina. Stoga nije potpuno tačno ako se osvajanje i okupacija Nemačke i suđenja nacističkim vođama opišu kao (uzaludni) pokušaji da se odvrati buduća agresija. Bolje ih je razumeti kao izraze kolektivnog zgražavanja, kao reafirmaciju naših najdubljih vrednosti.[17] A tačno je reći, kao što su mnogi ljudi rekli, da je rat protiv nacizma morao da se okonča takvom reafirmacijom ako je uopšte trebalo da ima neki smisleni kraj.

Pravda u mirovnim nagodbama

Politika bezuslovne predaje, usmerena protiv vlade ali ne i protiv naroda, bila je prikladan odgovor nacizmu. Ali ona nije uvek prikladna. Ostvarivati pravdu, u legalističkom smislu, nije uvek prava stvar koju treba učiniti. (Već sam dokazivao da ona ne može biti cilj kontraintervencije.) Ključna greška realista leži u pretpostavci da se, ako se borimo za „univerzalne moralne principe“, uvek moramo boriti na isti način, kao da univerzalni principi nemaju konkretne i raznolike primene. Stoga je potrebno da pogledamo slučaj u kojem su bili postavljeni ograničeni ciljevi, ne na osnovu zahteva realističke analize – jer realizam ne postavlja nikakve moralne zahteve; i agresori mogu biti realisti – već na osnovu argumenta o pravdi.

17 Opšte gledište o kažnjavanju kao javnoj osudi izneto je u „The Expressive Function of Punishment“, u Joel Feinberg, *Doing and Deserving*, Princeton, 1970, gl. 5.

Korejski rat

Američki rat u Koreji je zvanično bio opisan kao „policijska akcija". Priskočili smo u pomoć državi koja se branila od agresije velikih razmera, obavezali se na težak posao prisilne primene međunarodnog prava. Ovlašćenje Ujedinjenih nacija je pojačalo našu obavezu, ali njegovi termini su zapravo bili unilateralno oblikovani. Još jednom smo bili u ratu protiv agresije kao takve, isto kao i protiv određenog neprijatelja. Sada, šta su bili ratni ciljevi vlade Sjedinjenih Država? Čovek bi očekivao da je američka demokratija, koja se sporo ljuti, ali je užasna u svom gnevu, trebalo da teži potpunom uništenju severnokorejskog režima. U stvari, naši ciljevi su u početku bili ograničeni. U raspravi vođenoj u Senatu o odluci predsednika Trumana da američke trupe pošalje u borbu, više puta se tvrdilo da je naš jedini cilj da trupe Severne Koreje vratimo na liniju razgraničenja i povratimo *status quo ante bellum*. Senator Flenders [Flanders] je insistirao da predsednik „nema prava da goni korejske snage severno od 38. paralele". Senator Lukas [Lucas], vladin predstavnik, „složio se od sveg srca".[18] Rasprava se usredsredila na ustavna pitanja; nije bilo objave rata, tako da su predsednikova „prava" bila ograničena. Istovremeno, Senat nije želeo objavu rata koja bi povećala ta prava; njegovi članovi su se zadovoljavali onim što bi se moglo nazvati konzervativnim ratom. „Državi sklonoj prisvajanjima", piše Lidel Hart, „koja je inherentno nezadovoljna, potrebna je pobeda da bi postigla svoje ciljeve... Konzervativna država može da ostvari svoj cilj... ako osujeti pokušaj druge strane da pobedi."[19]

To je bio američki cilj sve dok mi sami, posle Mekarturovog trijumfa kod Inčona, nismo prešli 38. paralelu. Odluku da se ona pređe uopšte nije lako protumačiti, ali čini se da je to u mnogo većoj meri bio primer vojničkog *hubrisa* nego demokratskog idealizma. Čini se da se o širim političkim i moralnim implikacijama ovog postupka u to doba nije mnogo mislilo; ovaj korak se branio uglavnom taktičkim razlozima. Zaustaviti se na staroj liniji podele, govorilo se, značilo bi prepustiti vojnu inicijativu neprijatelju i dopustiti mu da svoju vojsku pregrupiše za

18 Glen D. Paige, *The Korean Decision*, New York, 1968, str. 218–219.
19 *Strategy*, str. 355.

novu ofanzivu. „Neprijateljskim snagama ne treba dozvoliti da nađu utočište iza jedne imaginarne linije“, izjavio je ambasador Ostin [Austin] u Ujedinjenim nacijama, „zato što bi to obnovilo pretnju miru...“[20] Ostaviću po strani čudnovatu misao da je 38. paralela imaginarna linija (kako smo tada prepoznali prvobitnu agresiju?). Nije neprihvatljivo izneti ideju da Severnokorejci nemaju pravo na vojno bezbedno utočište i da napadi preko 38. paralele s ograničenim ciljem da se spreči pregrupisavanje njihovih trupa mogu biti opravdani. U odgovor na oružanu invaziju legitimno je za cilj imati ne samo uspešnu odbranu već i izvesnu razumnu bezbednost od budućih napada. Ali, kada smo prešli staru liniju podele, prihvatili smo i radikalnije ciljeve. Sada je američki cilj, ponovo odobren od strane Ujedinjenih nacija, bio da silom oružja ujedinimo Koreju i stvorimo novu demokratsku vlast. A to je zahtevalo ne ograničene napade unutar granica Severne Koreje već osvajanje cele njene teritorije. Pitanje je da li ratovi protiv agresije nužno rađaju ovakve dalekosežne i uzvišene ciljeve. Da li je to ono što zahteva pravda?

Da jeste, bilo bi bolje da smo se zadovoljili nečim manjim. Ali bilo bi čudno da Amerikanci potvrdno odgovore na ovo pitanje, pošto smo pokušaj Severne Koreje da ujedini zemlju silom formalno žigosali kao zločinačku agresiju. Čini se da je državni sekretar Ačison [Acheson] osetio ovu teškoću kada je izjavio u Senatu (tokom saslušanja Mekartura) da ujedinjenje nikada nije bilo naš *vojni* cilj. Težili smo samo da „pohvatamo ljude koji su vršili agresiju“. To bi stvorilo politički vakuum na severu, nastavio je, i Koreja bi potom bila ujedinjena, ne silom već „izborima i sličnim načinima...“[21] Neiskreno kao što jeste, ovo ipak ukazuje na ono što zahteva argument o pravdi. Braneći moralnost američke politike, Ačison je bio prinuđen da insistira na ograničenom karakteru naših vojnih napora i da poriče da je reč o krstaškom pohodu protiv komunizma. Međutim, on je verovao da uspešnost naše policijske akcije zahteva nešto veoma nalik na osvajanje Severne Koreje.

---

20 Navedeno u Spanier, str. 88.

21 Navedeno u David, Rees, *Korea: The Limited War*, Baltimore, 1970, str. 101.

Jasno je da je na umu imao analogiju s domaćim ostvarivanjem zakona, gde nije reč samo o zaustavljanju zločinačke aktivnosti i povratku na *status quo ante*, već i o „hvatanju" zločinaca i njihovom izvođenju na sud i kažnjavanju. Ali ova odlika domaćeg modela (te stoga i legalističke paradigme) ne može da se lako prenese u međunarodnu arenu, jer će hvatanje agresora najčešće zahtevati vojno osvajanje, a osvajanje ima posledice koje se odnose na daleko širi krug ljudi od onih koji su „pohvatani". Ono produžava rat u kojem je praktično verovatno da će živote izgubiti veliki broj nedužnih muškaraca i žena, i ceo narod stavlja, kao što smo videli, pod političko tutorstvo. Osvajanje to čini čak i ako vodi demokratskim metodima ("slobodni izbori i tome slčno"), zato što zamenjuje sistem koji sam narod osvojene zemlje nije težio da zameni – zapravo, za koji se donedavno borio i ginuo. Osim ukoliko postupci tog režima nisu uvreda za savest čovečanstva, njegovo uništenje nije legitiman vojni cilj. A ma koliko sumornu sliku naslikali, režim Severne Koreje nije predstavljao takvu uvredu; njegova politika je više ličila na politiku Bizmarkove nego Hitlerove Nemačke. Njegove vođe su mogle biti krive za zločinačku agresiju, ali njihovo fizičko hvatanje i kažnjavanje izgleda u najboljem slučaju uzgredna korist od jedne vrste vojne pobede, a ne razlog da se teži takvoj pobedi.

Na ovoj tački argument bi se mogao izraziti pomoću srazmernosti, učenja za koje se često kaže da postavlja granice trajanju ratova i obliku mirovnih sporazuma. U ovom slučaju, trebalo bi da uravnotežimo troškove produžavanja borbi sa vrednošću kažnjavanja agresora. Imajući u vidu naše današnje znanje o kineskoj invaziji i njenim posledicama, možemo reći da su troškovi bili nesrazmerni (a agresor nikada nije bio kažnjen). Ali čak i bez tog znanja, mogli su se navesti snažni razlozi da Ačisonovo „hvatanje" nije opravdavalo svoju verovatnu cenu. S druge strane, karakteristika je argumenata ove vrste to da se podjednako snažni razlozi mogu izneti i na drugoj strani, prostim proširenjem našeg poimanja ciljeva ovog rata. Srazmernost je stvar usklađivanja sredstava i ciljeva, ali, kao što je pokazao izraelski filozof Jehuda Melcer [Yehuda Melzer], u doba rata postoji preovlađujuća tendencija da se umesto toga ciljevi usklade sa sredstvima, to jest, da se redefinišu u početku uski ciljevi tako da odgovaraju raspoloživim vojnim sredstvima i tehnologijama.[22] Možda se osvajanje Severne Koreje nije moglo braniti kao sredstvo da se kazni agresor; ipak bi se moglo braniti kao sredstvo da se to učini i istovremeno da se ukine granica koja bi mogla da bude (a ustvari je i bila) središte budućih tenzija – te da se tako izbegnu budući ratovi. U ovakvim argumentima je neophodno *da ciljevi ostanu nepromenjeni*, ali kako to učiniti? U praksi, inflacija ciljeva je verovatno neizbežna, osim ukoliko je zabranjena obzirima same pravde.

Sada, pravda u mirovnim nagodbama je složen pojam, ali ima izvestan minimalan sadržaj koji su, čini se, dobro shvatale američke vođe na početku rata. Kad je jednom ovaj minimalni sadržaj ostvaren, prava naroda neprijateljske zemlje isključuju dalje borbe, ma kakva bila dodatna vrednost tih borbi.[23] Nema sumnje da je severnokorejski režim bio loš predstavnik ovih vrednosti, ali to po sebi nije, kao što smo videli, dovoljan razlog za rat koji se vodi radi osvajanja i rekonstrukcije. Zločin agresora je to što je napao prava pojedinaca i zajednica, i države koje odgovaraju na agresiju ne smeju da ponove ovakav napad kad je jednom sačuvana ravnoteža vrednosti.

---

22 *Concepts of Just War*, str. 170–171.

23 Ili su to prava našeg sopstvenog naroda. Razmotrimo klasičnu raspravu o srazmernosti u ratu iz Šekspirove tragedije *Troil i Kresida* (čin I, scena 2), preveli Živojin Simić i Sima Pandurović, Šekspir, *Celokupna dela*, tom III, str. 42. Hektor i Troil raspravljaju o tome da li da se Jelena vrati Grcima:

> *Hektor*: Brate moj, ona ne vredi toliko
> Koliko staje njeno čuvanje.
> *Troil*: Vrednost je stvari samo u proceni.
> *Hektor*: Al' ne u proceni pojedinca samo.
> Vrednost je stvari i vrednost po sebi,
> Bez obzira na procenjivača.
> Ludo je idolopoklonstvo smatrati
> Službu bogu većom nego što je bog.

Troil brzo premešta argument sa pitanja o Jeleni na čast trojanskih ratnika, i tako pobeđuje u raspravi, jer se zaista čini da vrednost časti leži u proceni procenjivača. Ovaj potez je tipičan i na njega se može odgovoriti samo moralnom tvrdnjom da trojanski ratnici nemaju prava da ceo grad dovedu u opasnost radi sopstvene časti. Nije reč o tome da je žrtva prinesena bogu veća nego bog, već o tome da ljudi, žene i deca koji će verovatno biti prineseni na žrtvu nisu nužno i oni koji u tog boga veruju, već ne učestvuju u obožavanju.

Sada mogu da ponovo formulišem petu reviziju legalističke paradigme. Zbog kolektivnog karaktera država, domaće konvencije hvatanja i kažnjavanja ne odgovaraju zahtevima međunarodnog društva. Nije verovatno da će imati značajan efekat odvraćanja; veoma je verovatno da će povećati, a ne ograničiti broj ljudi izloženih nasilju i opasnostima; i zahtevaju osvajanje koje može biti usmereno samo na cele političke zajednice. Osim kada su uperene protiv država nalik nacističkim, pravedni ratovi su po karakteru konzervativni, ne može biti njihov cilj, kao što je cilj domaćeg policijskog rada, da izbrišu svako nezakonito nasilje, već samo da izađu na kraj sa određenim činovima nasilja. Otuda prava i granice postavljene argumentom o pravdi: otpor, obnova, razumna prevencija. Plašim se da one nisu toliko uske kao što bi mogle da nam se učine. Često će biti potreban prilično odlučan vojni poraz da bi se agresorske države ubedile da ne mogu da uspeju u svojim osvajanjima. Očigledno je da ne bi ni počinjale borbu da njihove vođe nemaju velike nade. A dalja vojna akcija može biti nužna pre no što se može izraditi mirovni sporazum koji žrtvi pruža čak i samo minimalnu bezbednost: prekid borbi, demilitarizacija, kontrola naoružanja, spoljašnja arbitraža itd.[24] Neka njihova kombinacija, koja odgovara okolnostima određenog slučaja, predstavlja legitiman ratni cilj. Ukoliko ovo ne predstavlja „kažnjavanje agresije“, treba reći da je vojni poraz uvek kazna i da su preventivne mere koje sam naveo takođe kazne, zapravo kolektivne kazne, utoliko ukoliko uključuju izvesno ograničavanje državne suverenosti.

24 Ovaj spisak se može proširiti tako da obuhvati privremenu okupaciju teritorije neprijatelja, dok se ne postigne mirovni sporazum ili tokom nekog perioda vremena određenog sporazumom. On ne uključuje aneksiju, čak ni kao meru obezbeđenja od budućih napada. Razlog je Marks pomenuo u „Drugoj adresi“ (s obzirom na Alzas i Lorenu): „Ako se granice budu određivale prema vojnim interesima, onda zahtevima neće nikada biti kraja, jer svaka vojna linija mora neminovno imati nedostataka i može se popraviti aneksijom još daljih teritorija. Osim toga, one se nikad ne mogu odrediti konačno i pravično, jer njih uvek pobednik nameće pobeđenome, i prema tome one uvek nose u sebi klicu novoga rata.“ (K. Marks, F. Engels, *Izabrana dela*, Kultura, Beograd, 1949, tom I, str. 445–446.) Međutim, istina je da neke linije imaju više „nedostataka“ od drugih i da se mogu izneti i prihvatljive i neprihvatljive verzije argumenta kojem se Marks suprotstavlja. Snažniji razlog protiv aneksije, mislim, počiva na pravima stanovništva anektiranog područja.

„Cilj rata je bolje stanje mira."[25] A *bolje*, unutar argumenta o pravdi, znači bezbednije nego *status quo ante bellum*, manje izloženo teritorijalnoj ekspanziji, sigurnije za obične muškarce i žene i za njihovo domaće samoodređenje. Ključne reči su po karakteru relativne: ne „neizloženo" nego „manje izloženo", ne „sigurno" nego „sigurnije". Pravedni ratovi su ograničeni ratovi; postoje moralni razlozi da državnici i vojnici koji ih vode budu razboriti i realistični. Međutim, pokušaji da se postigne previše uobičajeni su u ratu, i imaju mnoge uzroke; ne želim da poričem da je među njima i izvesno iskrivljavanje argumenta o pravdi. Demokratski idealizam u izopačenom obliku uverenosti u vlastitu pravednost ponekad produžava trajanje ratova, ali to čine i aristokratski ponos, vojnička *hubris*, verska i politička netolerancija. Nekoliko rečenica iz Hjumovog ogleda „O ravnoteži moći" nagoveštava da bi trebalo da spisku dodamo „tvrdoglavost i strast", kojima su čak i trezveni državnici poput onih iz Britanije osamnaestog veka, branili ravnotežu:[26]

> Isti mir koji je kasnije sklopljen u Rizviku 1697, ponuđen je već 1692. godine; mir zaključen u Utrehtu 1712. mogao se postići pod podjednako dobrim uslovima... 1708; a u Frankfurtu smo 1743. mogli da ponudimo iste uslove koje smo bili srećni da dobijemo u Eks la Šapelu 1748. Polovina naših ratova u Francuskoj... više duguje našoj nerazboritoj žestini nego ambiciji našeg suseda.

Realisti su (nerealistički) tražili jednog jedinog neprijatelja; u stvari, imaju ih više no što mogu da savladaju bez podrške jedne potpuno razvijene moralne doktrine.

U vatrenim raspravama vođenim o američkom ratu u Koreji, političke i vojne vođe koje su se zalagale za proširenje sukoba često su navodile načelo: *u ratu nema zamene za pobedu.* Ova ideja, treba reći, lakše se može izvesti iz shvatanja Klauzevica nego Vudroua Vilsona; u svakom slučaju, to je glupa ideja, jer ne nudi nikakvu definiciju pobede. U slučaju o kojem raspravljamo, verovatno je ova reč trebalo da opiše stanje kada je neprijatelj potpuno slomljen, bez dalje mogućnosti otpora. Imajući

---

25 Liddell Hart, *Strategy*, str. 338.

26 Hume, *Theory of Politics*, ed. Frederick Watkins, Edinburgh, 1951, str. 190–191.

u vidu to značenje, može se reći da je načelo i istorijski i moralno netačno. Njegova netačnost nije nekakvo ezoterično učenje; ona je bilo široko prihvaćena među američkim vođama početkom pedesetih godina dvadesetog veka, i vlada je bila u stanju da, u teškim vremenima, i dalje traga za zamenom. Ali načelo je tačno u jednom drugom smislu. U pravednom ratu, čiji su ciljevi prikladno ograničeni, zaista nema ničeg poput pobede. Naravno, postoje i alternativni ishodi, ali oni se mogu prihvatiti samo uz izvesnu cenu po osnovne ljudske vrednosti. A to znači da ponekad postoje moralni razlozi za produžetak rata. Razmotrimo mesece tokom kojih su pregovori u Koreji zapali u ćorsokak oko pitanja o prinudnoj repatrijaciji zarobljenika. Američki pregovarači su insistirali na principu slobodnog izbora, da mir ne bi bio isto toliko nasilan koliko i sam rat, i prihvatali su produžavanje borbi, a ne popuštanje u ovom pitanju. Oni su verovatno bili u pravu, mada je s ove udaljenosti teško odmeriti uključene vrednosti – i ovde je učenje o srazmernosti sigurno relevantno. U svakom slučaju, iz argumenta o pravdi sledi da se ratovi mogu završiti isuviše brzo. Uvek postoji humanitarni impuls da se zaustave borbe, i velike sile (ili Ujedinjene nacije) često pokušavaju da nametnu prekid vatre. Ali nije uvek tačno da ovakvi prekidi vatre služe humanosti. Osim ukoliko ne dovode do „boljeg stanja mira", mogu jednostavno da odrede uslove pod kojima će ponovo doći do borbi, kasnije i s novim intenzitetom. Ili mogu da potvrde gubitak vrednosti u ime kojih je rat i počeo.

Teorija o okončanju rata uobličena je istim pravima koja uopšte i opravdavaju borbe – najznačajnije, pravom nacija, čak i neprijateljskih nacija, na produženje nacionalnog postojanja i na, osim u krajnjim okolnostima, političke prerogative državnosti. Teorija obuhvata argumente za razboritost i realizam; ona je delotvorna prepreka totalnom ratu; i u skladu je, mislim, s drugim odlikama *jus ad bellum*. Ali, slučaj teorije sredstava je različit, i sada moram da pređem na njega. Ovde izgleda da postoje tenzije, pa čak i kontradikcije koje su imanentne argumentu o pravdi. S obzirom na način vođenja rata, a ne s obzirom na cilj radi kojega se vodi, čini se da potreba za pravdom ponekad navodi državnike i vojnike da se bore nepravedno, da se bore bez obuzdavanja i s krstaškom revnošću.

Kada smo se jednom složili o karakteru agresije, i o onim pretnjama ratom koje predstavljaju agresiju, i o onim delima kolonijalne opresije i stranog mešanja koja opravdavaju intervenciju i kontraintervenciju, takođe smo i omogućili da se utvrdi ko su neprijatelji: ko su vlade i armije kojima se s pravom možemo opirati (i kojima možda treba da se opiremo). Za ratove koji nastaju iz ovog otpora odgovornost pada na te vlade i armije; pakao rata je njihov zločin. A ako nije uvek istina da njihove vođe treba kazniti za zločine, od vitalnog je značaja to da im se ne dopusti da iz njih izvuku korist. Ako im se s pravom možemo suprotstavljati, njima se treba uspešno suprotstaviti. Otuda izazov da se borimo svim sredstvima – što nas dovodi do onoga što sam u prvom delu knjige opisao kao fundamentalni dualizam našeg poimanja rata. Jer pravila sukoba ne uzimaju u obzir relativnu krivicu vlada i armija. Teorija o *jus in bello*, mada se temelji na pravima na život i slobodu, stoji nezavisno od teorije agresije, i pored nje. Granice koje ona nameće nametnute su podjednako i agresorima i njihovim protivnicima bez razlike. A prihvatanje ovih granica – umerenost u borbi – može otežati postizanje ratnih ciljeva, čak i ako su oni umereni. Mogu li pravila tada biti gurnuta ustranu radi pravednog cilja? Pokušaću da odgovorim na ovo pitanje, ili da predložim neke načine na koje se na njega može odgovoriti, ali samo pošto podrobno ispitam prirodu i praktično delovanje samih ovih pravila.

Treći deo
Ratna konvencija

8. RATNA SREDSTVA I ZNAČAJ POŠTENOG RATOVANJA

Svrha je ratne konvencije da odredi dužnosti zaraćenih strana, zapovednika vojski i pojedinačnih vojnika, s obzirom na vođenje borbi. Već sam dokazivao da su te dužnosti potpuno iste za države i vojnike koji vode agresivne ili defanzivne ratove. Kad donosimo sud o borbama, ne uzimamo u obzir pravednost stvari za koju se bori. Tako postupamo zato što je moralni status vojnika na obe strane isti: navedeni su na borbu svojom lojalnošću državi i pokoravanjem zakonu. Veoma je verovatno da će biti ubeđeni da je njihov rat pravedan, i mada osnov ovog verovanja nije neminovno racionalno istraživanje već češće neka vrsta neupitnog prihvatanja zvanične propagande, ipak oni nisu zločinci; oni se međusobno suočavaju kao moralno jednaki.

Ovde je domaća analogija od male pomoći. Rat je aktivnost (vođenje, a ne otpočinjanje borbi) koja nema ekvivalent u uređenom civilnom društvu. On nije nalik oružanoj pljački, na primer, čak ni kada ima cilj slične vrste. Zaista, suprotnost, a ne sličnost, rasvetljava ratnu konvenciju. Ova suprotnost se može lako eksplicirati; treba samo da pomislimo na sledeće vrste slučajeva. (1) Tokom pljačke banke, razbojnik puca na čuvara koji je pokušao da potegne pištolj. Razbojnik je kriv za ubistvo, čak i ako tvrdi da je reagovao u samoodbrani. Pošto nema nikakva prava da pljačka banku, takođe nema ni prava da se brani od čuvara banke. Nije ništa manje kriv za ubistvo čuvara no što bi bio kriv za ubistvo nenaoružanog prolaznika ili, recimo, osobe koja na šalteru deponuje svoj novac. Razbojnikovi saučesnici mogu da ga slave zato što je ubio čuvara, što je za njih bilo neophodno, a da ga osuđuju za ubistvo prolaznika, koje je bilo obesno i opasno. Ali mi nećemo o njemu suditi na ovaj način, zato što se ideja neophodnosti ne primenjuje na zločinačku aktivnost: uopšte nije neophodno pljačkati banke.

Sada, i agresija je zločinačka aktivnost, ali na one koji učestvuju u njoj gledamo veoma različito: (2) Tokom agresivnog rata, vojnik puca u drugog vojnika, pripadnika neprijateljske armije koji brani svoju domovinu. Pretpostavljajući konvencionalnu borbu, ovo se ne naziva ubistvom, niti vojnika posle rata smatraju ubicom, čak ni njegovi bivši neprijatelji. Ovaj slučaj se u stvari ne razlikuje od slučaja kad bi drugi vojnik ubio prvog. Nijedan od njih nije zločinac, stoga se za obojicu može reći da postupaju u samoodbrani. Nazivamo ih ubicama samo kad ciljaju na neborce, nedužne posmatrače sa strane (civile), na ranjene ili nenaoružane vojnike. Ako pucaju u čoveka koji pokušava da se preda ili se pridruže pokolju stanovnika osvojenog grada, ne oklevamo (ili ne bi trebalo da oklevamo) da ih osudimo. Ali sve dok se bore u skladu s pravilima rata, nije moguća nikakva osuda.

Ključno je to što zaista postoje *pravila* rata, mada nema pravila oružane pljačke (ili silovanja ili ubistva). Moralna jednakost na bojnom polju razlikuje rat od domaćeg zločina. Ako treba da sudimo o onome što se događa tokom bitke, tada „moramo da tretiramo obe strane“, kao što je pisao Henri Sidžvik, „na osnovu pretpostavke da svaka veruje da je u pravu.“ I moramo da postavimo pitanje: „Kako treba odrediti dužnosti boraca koji se bore u ime pravde i uz moralna ograničenja?“[1] Ili, direktnije, bez pozivanja na pravednost stvari za koju se bore, kako vojnici mogu da se bore pravedno?

Korist i srazmernost

Argument Henrija Sidžvika

Sidžvik na ovo pitanje odgovara iznoseći dvostruko pravilo, koje lepo sažima najopštije utilitarističke poglede na ratnu konvenciju. Tokom neprijateljstava nije dopustivo učiniti „bilo kakvo zlodelo koje nema materijalnu tendenciju prema cilju [pobedi], niti bilo kakvo zlodelo čija je tendencija da vodi prema ovom

1 *Elements of Politics*, str. 253–254.

cilju mala u poređenju sa veličinom zlodela".[2] Ovim je zabranjeno nanošenje preterane štete. Predložena su dva kriterijuma za određivanje preteranosti. Prvi je sama pobeda, ili ono što se obično naziva vojnom nužnošću. Drugi počiva na nekom pojmu srazmernosti: treba da samerimo „učinjeno zlodelo", što verovatno ne znači samo neposrednu štetu za individue već i povredu trajnih interesa čovečanstva, sa doprinosom zlodela cilju pobede.

Međutim, ovako izložen argument pridaje interesima pojedinaca i čovečanstva manju vrednost nego pobedi kojoj se teži. Svaka primena sile koja na značajan način doprinosi pobedi u ratu verovatno će biti nazvana dopustivom; svaki oficir koji tvrdi da će napad „voditi" pobedi verovatno će postupati kako želi. Još jednom se pokazuje da je srazmernost kriterijum koji je teško primeniti, jer nema gotovog puta da se utvrdi nezavisno ili stabilno gledište o vrednostima kojima se meri destrukcija u ratu. Naši moralni sudovi (ako je Sidžvik u pravu) čekaju na čisto vojna razmatranja i retko kad će se održati pred analizom uslova bitke ili strategije vojnih aktivnosti koju iznose kvalifikovani profesionalci. Bilo bi teško osuditi vojnike za bilo šta što čine tokom bitke ili rata ako iskreno veruju, i ako imaju dobre razloge da veruju, da je to nužno, ili važno, ili jednostavno korisno za određenje njegovog ishoda. Sidžvik kao da je verovao da je ovaj zaključak neizbežan kad se jednom složimo da nećemo donositi sudove o relativnoj korisnosti različitih ishoda. Jer tada moramo da prihvatimo da su vojnici ovlašćeni da pobede u ratu koji imaju prava da vode. To znači da smeju da urade ono što moraju da urade da bi pobedili; smeju da daju sve od sebe, sve dok je ono što čine stvarno povezano s pobedom. Zaista, oni bi trebalo da daju sve od sebe, tako da okončaju borbe što je brže moguće. Pravila rata zabranjuju jedino besmisleno ili obesno nasilje.

Međutim, ovo nije malo postignuće. Kad bi bilo delotvorno primenjeno u praksi, eliminisalo bi veliki deo surovosti u ratu. Jer mora se reći za mnoge ljude koji ginu u ratu, za vojnike, kao i za civile, da njihova smrt nema „materijalnu tendenciju da vodi

2 *Elements of Politics*, str. 254; savremeno izlaganje sa otprilike istog stanovišta može se naći u R. B. Brandt, „Utilitarianism and the Rules of War", 1 *Philosophy and Public Affairs* 1972, 145–65.

prema cilju [pobedi]" ili da je taj doprinos zaista „mali". Ove smrti nisu ništa drugo do neizbežna posledica toga što se smrtonosno oružje daje u ruke nedisciplinovanim vojnicima, a naoružani ljudi poveravaju glupim ili fanatičnim generalima. Svaka vojna istorija je priča o nasilju i uništavanju koje ne stoji ni u kakvom odnosu prema zahtevima borbe: s jedne strane, pokolji, i s druge, loše planirane i razorne bitke, koje su malo šta drugo do pokolji.

Sidžvikovo dvostruko pravilo teži da nametne ekonomiju sile. Ono zahteva disciplinu i proračun. Svaka inteligentna vojna strategija, naravno, nameće iste zahteve. Prema Sidžvikovom gledištu, dobar general je moralan čovek. On obuzdava svoje vojnike, posvećene samo borbi, tako da ne divljaju među civilima; on ih šalje u borbu samo pošto je promislio plan bitke, a njegov plan ima za cilj što jeftiniju i što je moguće bržu pobedu. On je nalik generalu Robertsu [Roberts] u bici kod Pardeberga (u Burskom ratu), koji je opozvao frontalni juriš na burske rovove koji je naredio Kičener [Kitchener], njegov zamenik, rekavši da se gubici života „nisu... opravdani zahtevima situacije".[3] Jednostavna odluka, mada ne toliko česta u ratu koliko bismo to očekivali. Ne znam da li je doneta zbog ikakvog dubokog poštovanja prema ljudskom životu; možda je Roberts mislio samo na svoju čast generala (koji ne šalje svoje ljude na klanicu), ili se možda brinuo da li će njegove trupe biti u stanju da obnove borbe sledećeg dana. U svakom slučaju, ovo je bila ona vrsta odluke koju bi Sidžvik zahtevao.

Ali mada su granice korisnosti i srazmernosti veoma značajne, one ne iscrpljuju ratnu konvenciju; zaista, one ne objašnjavaju ključne sudove koje donosimo o vojnicima i njihovim generalima. Da to čine, moralni život u ratu bio bi mnogo lakši nego što jeste. Ratna konvencija zahteva od vojnika da proračunavaju troškove i koristi samo do jedne tačke, i na toj tački ustanovljava niz jasnih pravila – moralnih utvrđenja, da tako kažemo, na koja se može jurišati samo po visoku moralnu cenu. Niti vojnik može da opravda to što krši pravila pozivanjem na nužnosti svoje borbene situacije, niti dokazujući da ništa drugo osim onoga što je

3 Byron Farwell, *The Great Anglo-Boer War*, New York, 1976, str. 209.

učinio ne bi značajno doprinelo pobedi. Vojnici koji razmišljaju na ovaj način nikada ne bi mogli da prekrše Sidžvikove granice, jer je sve što Sidžvik zahteva to da vojnici razmišljaju na ovaj način. Ali opravdanja ove vrste nisu uvek prihvatljiva, ni u pravu, ni u moralu. Ona su „uopšte uzev odbačena", prema priručniku vojnog zakonodavstva za Armiju Sjedinjenih Država, „... u slučaju postupaka zabranjenih običajnim i konvencionalnim zakonima rata, utoliko ukoliko su [ti zakoni] razvijeni i uobličeni s obzirom na pojam vojne nužnosti".[4] Sada, koji su to postupci, i koji su razlozi za njihovu zabranu, ako ne važe Sidžvikovi kriterijumi? Kasnije ću morati da objasnim na koji način se „vojna nužnost" uzima u obzir prilikom formulisanja tih zabrana; sada me zanima njihov opšti karakter.

Zaraćene armije imaju pravo da pokušaju da dobiju rat, ali nemaju pravo da učine sve što je nužno, ili što im izgleda nužno, da bi ga dobile. One su podložne jednom skupu ograničenja koja delimično počivaju na sporazumima država, ali koja imaju i nezavisnu osnovu u moralnim principima. Ne mislim da su ova ograničenja ikada bila izložena na utilitaristički način, mada je bez sumnje dobro da budu izložena i da se ponašanje vojnika upravlja prema ovim zahtevima. Kada apstrahujemo korisnost određenih ishoda i usredsredimo se isključivo na *jus in bello*, utilitaristički proračuni su radikalno ograničeni. Moglo bi se reći da bi, kad bi svaki rat u nizu koji se neodređeno proteže u budućnost bio vođen bez ikakvih drugih ograničenja osim onih koja je predložio Sidžvik, posledice po čovečanstvo bile gore nego kad bi svaki rat u istom nizu bio vođen unutar granica koje postavlja neki dodatni skup zabrana.[5] Ali to reći ne znači nagovestiti

4 *The Law of Land Warfare*, U. S. Department of the Army Field Manual FM 27-10 (1956), paragraf 3. Vidi raspravu o ovoj odredbi u Telford Taylor, *Nuremberg and Vietnam*, Chicago, 1970, str. 34–36 i Marshall Cohen, „Morality and the Laws of War", *Philosophy, Morality, and International Affairs*, str. 72 ff.

5 Alternativan utilitaristički argument je argument generala Fon Moltkea: dodatne zabrane samo produžavaju trajanje rata, dok je „najveće dobročinstvo u ratu dovesti ga što brže do kraja". Ali, ako zamislimo niz ratova, ovaj argument verovatno neće imati snagu. Na svakom datom nivou ograničenja, recimo, rat će trajati toliko i toliko meseci. Ako jedna od zaraćenih strana prekrši pravila, on bi mogao da se okonča brže, ali

koje su zabrane ispravne. A svaki pokušaj da se pronađe koje su ispravne proračunavanjem verovatnih efekata tokom vremena vođenja ratova na izvestan način (što je izuzetno težak zadatak) sigurno će se sudariti sa neuzdržanim utilitarističkim argumentima: da će pobeda ovde i sada okončati niz ratova, ili umanjiti verovatnoću budućih borbi, ili izbeći neposredne i užasne posledice. Stoga treba da bude dozvoljeno sve što je korisno i srazmerno pobedi kojoj se teži. Utilitarizam je očigledno najdelotvorniji kada ukazuje na ishode o kojima imamo (relativno) jasnu ideju. Iz tog razloga, verovatnije će nam reći da pravila rata treba da budu odbačena u ovom ili onom slučaju nego što će nam reći šta su ta pravila – osim i pored Sidžvikovih minimalnih zahteva, koji ne mogu niti ikada moraju da budu odbačeni.

Dok ograničenja ne budu ukinuta i bitne posledice pobede i poraza odmerene jedne nasuprot drugima, utilitarizam pruža samo opšte prihvatanje ratne konvencije (dvostruko pravilo, kao i sva druga opšteprihvaćena pravila); na kraju krajeva, nije verovatno da će utilitarizam utvrditi pravila već samo pojedinačne tokove akcije. Jedno od najtežih pitanja u teoriji rata jeste pitanje kada ukinuti ograničenja. Pokušaću da na njega odgovorim u četvrtom delu, i tada ću opisati pozitivnu ulogu utilitarističkih proračuna: oni izdvajaju one posebne slučajeve u kojima je pobeda toliko važna ili poraz toliko zastrašujući da je nužno u moralnom, isto kao i u vojnom pogledu, da se odbace pravila rata. Ali ovakav argument nije moguć sve dok ne priznamo pravila pored i osim Sidžvikovih, i dok ne shvatimo njihovu moralnu snagu.

U međuvremenu, vredno je da se za trenutak zadržimo na tačnoj prirodi opšteg prihvatanja. Od vođenja ograničenih ratova imamo dve vrste koristi. Korist ima veze ne samo sa smanjivanjem ukupne količine patnji već i sa tim da mogućnost mira i povratka predratnim aktivnostima ostane otvorena. Jer ako smo (bar formalno) ravnodušni prema tome koja će strana pobediti,

---

samo ako druga strana ne odgovori ili ne može da odgovori na isti način. Ako se obe strane bore na nižem nivou uzdržanosti, rat može biti kraći ili duži; neće biti nikakvog opšteg pravila. A ako se ograničenja odbace u jednom ratu, nije verovatno da će biti poštovana u sledećem, stoga je verovatno da se nikakva neposredna korist neće pokazati u ukupnom rezultatu tokom vremena.

moramo da pretpostavimo da će se zaista vratiti tim aktivnostima, i to sa istim ili sličnim akterima. Tada je važno obezbediti da pobeda bude u nekom smislu i tokom nekog perioda vremena mirovna nagodba među zaraćenim stranama. A da bi to bilo moguće, rat se mora voditi, prema Sidžvikovim rečima, tako da se izbegne „opasnost da se podstakne odmazda i izaziva ogorčenost koja će nadživeti" borbe.[6] Ogorčenost koju Sidžvik ima na umu može biti, naravno, posledica ishoda za koji se misli da je nepravedan (poput aneksije Alzasa i Lorene 1871. godine), ali može poticati od ponašanja u ratu koje se smatra nepotrebnim, brutalnim ili nepravednim, ili prosto ponašanjem „protiv pravila". Dokle god poraz sledi iz onoga što se smatra legitimnim činovima rata, bar je moguće da iza sebe neće ostaviti ogorčenu mržnju, osećaj da računi nisu izravnati, nikakvu duboku potrebu za individualnom ili kolektivnom osvetom. (Vlada ili oficirski kor poražene države mogu imati sopstvene razloge da podstiču ovakva osećanja, ali to je nešto drugo.) Ponovo se može povući analogija s porodičnim osvetama, čije je poreklo odavno zaboravljeno, kao i njihova opravdanost. Osveta ove vrste može trajati godinama, obeležena povremenim ubistvom oca ili odraslog sina, ujaka ili sestrića, prvo iz jedne porodice, potom iz druge. Sve dok se ništa drugo ne dešava, mogućnost izmirenja ostaje otvorena. Ali ako neko u nastupu gneva ili strasti, ili čak slučajno ili greškom, ubije ženu ili dete, posledica može biti pokolj ili niz pokolja, koji neće prestajati sve dok jedna od porodica ne bude istrebljena ili proterana.[7] Neke granice moraju biti opšteprihvaćene, i manje-više dosledno održavane, ako ikad treba da nastupi mir koji se ne bi sastojao u potpunom potčinjavanju jedne od zaraćenih strana.

Verovatno je tačno da će svako ograničenje ovde biti korisno sve dok je zaista opšteprihvaćeno. Ali nijedno ograničenje nije prihvaćeno samo zato što se smatra da će biti korisno. Ratna konvencija mora prvo biti moralno prihvatljiva velikom broju muškaraca i žena; ona mora odgovarati našem osećaju za ono

---

6 *Elements of Politics*, str. 264.

7 Primer „morala" krvne osvete može se naći u Margaret Hasluck, „The Albanian Blood Feud", u Paul Bohannan, *Law and Warfare: Studies in the Anthropology of Conflict*, New York, 1967, str. 381–408.

što je ispravno. Tek tada ćemo je priznati kao ozbiljnu prepreku ovoj ili onoj vojnoj odluci, i tek tada ćemo moći da raspravljamo o njenoj korisnosti u ovom ili onom pojedinom slučaju. Jer drugačije ne bismo znali koja prepreka od beskonačnog broja zamislivih prepreka, i od veoma velikog broja istorijski zabeleženih prepreka, treba da bude predmet naše rasprave. S obzirom na pravila rata, utilitarizmu nedostaje kreativna moć. Osim minimalnih ograničenja „onoga što vodi pobedi" i srazmernosti, on jednostavno potvrđuje naše običaje i konvencije, ma kakvi da su, ili predlaže da budu odbačeni; ali nam ne pruža običaje i konvencije. Za to se moramo okrenuti teoriji ljudskih prava.

Ljudska prava

Silovanje Italijanki

Važnost pravâ se može najbolje nagovestiti ako pogledamo jedan istorijski primer, smešten, da tako kažemo, na marginama Sidžvikovog argumenta. Razmotrimo stoga slučaj marokanskih vojnika koji su se borili u snagama Slobodne Francuske u Italiji 1943. godine. Radilo se o najamnicima koji su se borili u skladu s odredbama svojih ugovora, a u odredbe je spadala i dozvola da se siluje i pljačka na neprijateljskoj teritoriji. (Italija je bila neprijateljska teritorija sve dok režim maršala Badolja [Badoglio] nije stupio u rat protiv Nemačke, oktobra 1943. godine; ne znam da li je dozvola tada bila ukinuta; ako je to i bio slučaj, čini se da ukidanje nije bilo delotvorno.) Silovan je veliki broj žena; poznat nam je približan broj zato što im je italijanska vlada kasnije ponudila skromne penzije.[8] Sada, argument u prilog tome da se vojnicima daju ovakve privilegije jeste utilitaristički. Njega je odavno izneo Vitorija u toku rasprave o pravu na pljačku: nije nezakonito grad izložiti pljački, kaže on, ako je to „nužno za vođenje rata... kao podsticaj hrabrosti trupa".[9] Kada bismo ovaj argument primenili na slučaj kojim se bavimo, Sidžvik bi mogao da odgovori da je reč „nužno" ovde verovatno pogrešna i da je doprinos silova-

8 Priča je izneta u Ignazio Silone, „Reflections on the Welfare State", 8 *Dissent* 189, 1961; De Sikin [De Sica] film „Dve žene" zasnovan je na događaju iz tog perioda italijanske istorije.

9 *On the Law of War*, str. 184–185.

nja i pljačkanja vojnoj pobedi „neznatan" u poređenju sa štetom nanetom ženama o kojima je reč. Ovo nije neuverljiv odgovor, ali nije ni potpuno ubedljiv, a teško da uopšte dopire do korena naše osude silovanja.

Šta je to čemu zameramo kod ove dozvole date marokanskim vojnicima? Sigurno je da naš sud ne počiva na činjenici da je silovanje samo trivijalan ili neefikasan „podsticaj" muškoj hrabrosti (ako je uopšte podsticaj: sumnjam da su hrabri ljudi oni koji siluju). Silovanje je zločin, u ratu kao i u miru, zato što krši prava napadnute žene. Ponuditi je kao mamac najamniku znači postupati s njom kao da uopšte nije osoba već puki objekat, nagrada ili ratni trofej. Priznavanje njene ličnosti uobličava naš sud.[10] A to je istina čak i u odsustvu koncepcije ljudskih prava, kao što sledeći odeljak iz Pete knjige Mojsijeve – najraniji pokušaj da se reguliše postupanje prema ženama u doba rata koji sam našao – jasno svedoči:[11]

> Kad otideš na vojsku na neprijatelje svoje, i preda ih Gospodin Bog tvoj u ruke tvoje i zarobiš ih mnogo, i ugledaš u roblju lijepu ženu, i omili ti da bi je htio uzeti za ženu, odvedi je kući svojoj... i neka sjedi u kući tvojoj, i žali za ocem svojim i za materom svojom cio mjesec dana; po tom lezi s njom i budi joj muž i ona neka ti bude žena. Ako ti poslije ne bi bila po volji, pusti je neka ide kuda joj drago, ali nikako da je ne prodaš za novce ni da njom trguješ...

10 U snažnom eseju pod naslovom „Human Personality", Simona Vajl [Simone Weil] je napala ovaj način govora o onome što smemo i ne smemo da radimo drugim ljudima. Govor o pravima, tvrdi ona, preokreće „ono što treba da bude krik protesta iz dubine srca... u kreštavo zakeranje, tvrdnje i protivtvrdnje..." A ona svoj argument primenjuje na slučaj veoma sličan našem: „Ako mlada devojka bude prisiljena da uđe u burdelj, ona neće govoriti o svojim pravima. U takvoj situaciji, ova reč zvuči smešno neadekvatno." (*Selected Essays: 1934–1943*, ed. Richard Rees, London, 1962, str. 21.) Simona Vajl želi da se umesto ovoga pozovemo na neki pojam svetog, na sliku Boga u čoveku. Možda je nekakvo ovakvo najviše pozivanje nužno, ali mislim da greši kad tvrdi šta „zvuči" kao ispravan govor. U stvari, argumenti o ljudskim pravima su imali značajnu ulogu u borbi protiv tlačenja, uključujući i seksualnu opresiju nad ženama.

11 *Peta knjiga Mojsijeva*, 21:10-14. Ovaj odeljak je zanemaren u analizi „istinskog hebrejskog shvatanja... silovanja" Suzane Braunmiler [Susan Brownmiller] u *Against Our Will: Men, Women, and Rape*, New York, 1975, str. 19–23.

Ovo daleko zaostaje za današnjim shvatanjima, mada mislim da bi i danas bilo teško ostvarivo isto kao i u doba kraljeva Judeje. Ma koji teološki ili sociološki opis ovog pravila bio tačan, jasno je da je ovde na delu shvatanje zarobljene žene kao osobe koja mora biti poštovana, uprkos tome što je zarobljena; otuda mesec dana žalosti pre nego što bude seksualno iskorišćena, zahtev za ženidbom, zabrana da bude prodata u roblje. Izgubila je neka od svojih prava, možemo reći, ali ne sva. Naša sopstvena ratna konvencija zahteva slično shvatanje. I zabrane za koje važi Sidžvikovo dvostruko pravilo i zabrane koje leže u osnovi ovog pravila treba shvatiti preko pojma pravâ. Pravila „poštene borbe" prosto su niz priznavanja muškaraca i žena koji imaju moralan status nezavisno od slučajnosti rata i čiji je moralni status otporan na te slučajnosti.

U ratu je legitiman onaj čin koji ne krši prava ljudi protiv kojih je uperen. Još jednom, ovde se radi o životu i slobodi, mada je sada reč o individualnim, a ne o kolektivnim pravima. Njihovu suštinu mogu da sažmem terminima koje sam koristio ranije: niko ne sme biti prisiljen da se bori ili da rizikuje svoj život, nikome se ne sme pretiti ratom ili ratovati protiv njega, osim ukoliko se nekim svojim postupkom nije odrekao svojih prava ili ih izgubio. Ovaj temeljni princip leži u osnovi sudova koje donosimo o ponašanju u ratu i oblikuje ih. On je samo neadekvatno izražen u pozitivnom međunarodnom pravu, ali u njemu utvrđene zabrane ovaj princip imaju kao svoj izvor. Pravnici ponekad govore kao da su pravne norme samo čovekoljubive po karakteru, kao da su zabrana silovanja ili namernog ubijanja civila samo puka pristojnost.[12] Ali kada vojnici poštuju ove zabrane, oni ne postupaju pristojno ili milosrdno ili velikodušno; oni postupaju ispravno. Ako se radi o humanim vojnicima, oni zaista mogu da učine i više no što se od njih zahteva – da podele svoju hranu sa civilima, na primer, a ne samo da ih ne siluju ili ne ubijaju. Ali zabrana silovanja i ubijanja je stvar prava. Zakon priznaje ovo pravo, bliže ga određuje, ograničava i ponekad iskrivljuje, ali ga ne uspostavlja. A mi možemo da ga priznamo, a ponekad to i činimo, čak i u odsustvu zakonskog priznanja.

12 Vidi, na primer, McDougal and Feliciano, *Law and Minimum World Public Order*, str. 42 *et passim*.

Države postoje da bi štitile prava svojih pripadnika, ali teškoća teorije rata leži u tome što kolektivna odbrana prava ova prava čini individualno problematičnim. Neposredan problem je to što vojnici koji se bore, mada se retko kad može reći da su izabrali da se bore, gube prava koja navodno brane. Oni stiču ratna prava kao borci i potencijalni zarobljenici, ali sada ih njihovi neprijatelji mogu po volji napadati i ubijati. Prosto, time što se bore, ma kakve bile njihove lične nade i namere, izgubili su pravo na život i slobodu, a izgubili su ih i onda kada, za razliku od agresorskih država, nisu počinili nikakav zločin. „Vojnici su stvoreni da budu ubijeni", kao što je Napoleon rekao; zbog toga rat i jeste pakao.[13] Ali čak i ako je pakao naše stanovište, još uvek možemo da kažemo da *niko drugi nije stvoren da bi bio ubijen*. Ova je distinkcija temelj pravilâ rata.

Svi drugi zadržavaju svoja prava, a države ostaju obavezne, i imaju pravo da brane ova prava bez obzira na to da li su njihovi ratovi agresivni ili ne. Ali sada to čine ne borbom već sklapanjem međusobnih sporazuma (koji utvrđuju pojedinosti imuniteta neboraca), poštujući te sporazume i očekujući da ih i drugi poštuju, i preteći kaznama vojnim vođama ili vojnicima koji ih krše. Ovo poslednje je ključno za razumevanje ratne konvencije. Čak i agresorska država može s pravom da kazni ratne zločince – neprijateljske vojnike, na primer, koji siluju ili ubijaju civile. Pravila rata s istom snagom važe i za agresore i za njihove protivnike. A sada možemo da vidimo da nije puka moralna jednakost vojnika ono što zahteva ovo obostrano podvrgavanje pravilima; to zahtevaju i prava civila. Vojnici koji se bore za agresorsku državu nisu sami po sebi zločinci; stoga oni imaju ista ratna prava kao i njihovi protivnici. Vojnici koji se bore protiv agresorske države nemaju dozvolu da postanu zločinci: stoga su podvrgnuti istim

13 Navodeći ovu rečenicu, ne želim da podržim vojnički nihilizam koji ona izražava. Napoleon je, posebno u svojim kasnijim godinama, imao običaj da izriče ovakve tvrdnje, a one nisu ništa neobično ni u literaturi o ratu. Jedan pisac tvrdi da one ilustruju kvalitet vođstva koji on naziva „robustnošću". Napoleonova izjava: „Ne dajem ni pet para za živote milion ljudi" jeste, kaže on, krajnji primer robustnosti. Mogao bi se smisliti i neki bolji naziv. (Alfred H. Burne, *The Art of War on Land*, London, 1944, str. 8.)

ograničenjima kao i njihovi protivnici. Primena ovih ograničenja je jedan od oblika primene zakona u međunarodnom društvu, a zakon mogu da primenjuju čak i zločinačke države protiv „policajaca" koji namerno ubijaju nedužne posmatrače. Jer ti posmatrači sa strane ne gube svoja prava kad njihove države nepravedno uđu u rat. Vojska koja se bori protiv agresije sme da povredi teritorijalni integritet i političku suverenost države agresora, ali njeni vojnici ne smeju da krše prava na život i slobodu njenih građana.

Ratna konvencija počiva na izvesnom shvatanju boraca koje proglašava da su na bojnom polju svi jednaki. Ali dublji je osnov izvesno shvatanje neboraca, prema kojem su oni muškarci i žene s pravima, koji ne mogu biti korišćeni za neke vojne ciljeve, čak i ako su ti ciljevi legitimni. Na ovom mestu, argument nije neslićan argumentu koji važi u domaćem društvu, u kojem je čoveku koji se bori u samoodbrani, na primer, zabranjeno da napadne ili povredi nedužne posmatrače ili neku treću stranu. On sme da napada samo svoje napadače. U domaćem društvu, međutim, relativno je lako razlikovati posmatrače i treće strane, dok je u međunarodnom društvu, usled kolektivnog karaktera država i armija, teže povući ovu distinkciju. Zaista, često se kaže da se ona uopšte ne može povući, jer vojnici su samo civili pod prinudom, a civili su oni koji voljno podržavaju svoje armije na bojnom polju. A tada ono što određuje naše sudove o ponašanju u ratu ne može biti ono što se duguje žrtvama već samo ono što je nužno za borbu. Evo ključnog testa za svakoga ko dokazuje da se pravila rata temelje na teoriji prava: učiniti da distinkcija između boraca i neboraca bude prihvatljiva unutar pojmovnog okvira teorije, to jest, pružiti podroban opis istorije individualnih prava u uslovima rata i borbe – način na koji su ona zadržana, izgubljena, zamenjena (za ratna prava) i povraćena. Time ću se baviti u sledećim poglavljima.

9. IMUNITET NEBORACA I VOJNA NUŽNOST

Status pojedinaca

Prvi princip ratne konvencije je taj da, kad se rat jednom objavi, vojnici mogu biti mete u svakom trenutku (osim kada su ranjeni ili zarobljeni). A prva kritika tog pravila jeste da je ono nepošteno, da je to primer zakonodavstva u interesu jedne grupe. Ono ne uzima u obzir da je svega nekolicina vojnika posvećena ratovanju. Većina vojnika sebe ne doživljava kao ratnike; ili barem ne vidi ratovanje kao svoje jedino ili glavno zanimanje, niti je to profesija koju su izabrali. Niti, opet, provode veći deo svog vremena ratujući; oni zanemaruju ratovanje kad god je to moguće. Sada želim da se osvrnem na čestu pojavu u vojnoj istoriji kada se čini da vojnici, prosto time što odbijaju da se bore, zadobijaju svoje pravo na život. U stvari, nisu ga zadobili, ali to što tako izgleda pomoći će nam da shvatimo osnovu na kojoj počiva to pravo, a činjenice će pojasniti značenje njegovog gubitka.

Goli vojnici

Ista priča se javlja iznova i iznova u ratnim memoarima i u pismima s fronta. Ona ima sledeći opšti oblik: vojnik u patroli ili na stražarskoj dužnosti ugleda neprijateljskog vojnika, drži ga na nišanu, lako može da ga ubije, a tada mora da odluči da li da puca na njega ili da propusti tu priliku. U takvim trenucima dolazi do oklevanja da se puca – ne uvek iz moralnih razloga već iz razloga koji su ipak relevantni za moralni argument koji želim da iznesem. Bez sumnje, u ovim slučajevima ima udela duboka psihološka uznemirenost kad se radi o ubijanju. Ova uznemirenost, u stvari, bila je ponuđena kao opšte objašnjenje za oklevanje vojnika da se uopšte bore. U toku studije ponašanja u borbi u Drugom svetskom ratu, S. L. A. Maršal [S. L. A. Marshall] je otkrio da značajna većina ljudi na prvim borbenim linijama nikad nije pucala iz svog oružja.[1] On je mislio da je to rezultat, pre svega, njihovog civilnog vaspitanja, stečene moćne zabrane protiv namernog nanošenja povreda drugom ljudskom biću. Ali, u slučajevima koje ću navesti, ove zabrane ne izgledaju kao odlučujući faktor. Nijedan od pet vojnika koji su pisali izveštaje nije bio od onih koji su oklevali da pucaju u neprijatelja, niti su to bili, koliko sam ja mogao da utvrdim, drugi ljudi koji su imali ključne uloge u njihovim pričama. I pored toga, dali su razloge protiv ubijanja ili u prilog oklevanju da se puca, što su vojnici koje je Maršal intervjuisao retko kad bili u stanju da urade.

1) Prvi primer ću uzeti iz pisma koje je napisao pesnik Vilfred Oven svom bratu u Engleskoj, 14. maja 1917.[2]

> Dok smo marširali duž ograđenog puta, iznenada smo se uplašili. Znali smo da smo morali proći nemačke predstraže negde s naše leve strane. Odjednom, začulo se naređenje: „Postrojte se duž puta!" Došlo je do velike jurnjave, nameštanja bajoneta, povlačenja zatvarača i otvaranja fišeklija, ali kada smo provirili iz zaklona, ugledali smo usamljenog Nemca, koji nam se primicao pognute glave i ispruženih ruku kao da se sprema da zaroni u zemlju (što ne sumnjam da bi rado učinio). Niko se nije ponudio da puca, izgledao je isuviše smešno...

Možda su svi čekali naređenje da pucaju, ali Oven je bez sumnje mislio da niko od njih nije želeo da puca. Vojnik koji izgleda smešno nije bio u tom trenutku ratna meta, on nije borac već prosto običan čovek, a niko ne puca u obične ljude. U ovom slučaju, zaista, bilo bi izlišno tako postupiti: smešni Nemac je ubrzo zarobljen. Ali to nije uvek moguće, kako se vidi iz narednih slučajeva, a oklevanje ili odbijanje da se puca nema uvek veze sa postojanjem neke druge vojne opcije. Uvek postoji neka nevojna opcija.

2) U svojoj autobiografiji *Zbogom svemu tome* [*Good-bye to All That*] Robert Grejvs [Robert Graves] se priseća jedinog slučaja u kome se „uzdržao da puca u Nemca" koji nije bio ni ranjen niti zarobljenik.[3]

---

1 S. L. A. Marshall, *Men Against Fire*, New York, 1966, gl. 5 i 6.
2 Wilfred Owen, *Collected Letters*, ed. Harold Owen and John Bell, London, 1967, str. 458 (14. maj 1917).
3 *Good-bye to All That*, rev. ed., New York, 1957, str. 132.

> Dok sam osmatrao kroz otvor na vrhu nasipa, video sam kroz teleskop jednog Nemca, udaljenog oko 600 metara. Kupao se u pozadini nemačkih linija. Nije mi se svidela pomisao da pucam na golog čoveka, pa sam dodao pušku vodniku koji je bio sa mnom. 'Izvoli, ti bolje gađaš od mene.' Pogodio ga je, ali ja nisam ostao da to posmatram.

Oklevam da kažem da se ovde radilo o moralnim osećanjima, pogotovo ne moralnim osećanjima koja prevazilaze klasne podele. Ali kad ih opišemo kao prezir jednog oficira i džentlmena prema postupku koji bi bio nemuški i neherojski, to što se Grejvsu „nije svidela pomisao" i dalje zavisi od moralno važnih ubeđenja. Goli čovek, isto kao i smešan čovek, ne smatra se vojnikom. A šta da poslušni i pretpostavljamo bezosećajni vodnik nije bio sa njim?

3) Za vreme Španskog građanskog rata, Džordž Orvel je imao slično iskustvo kao snajperista na prvim linijama republikanske vojske. Verovatno Orvelu nikad ne bi palo na pamet da svoju pušku preda nižem po rangu vojniku, u svakom slučaju, on je bio u anarhističkim brigadama koje nisu imale vojnu hijerarhiju.[4]

> U tom trenutku, čovek koji verovatno nosi poruku svom oficiru, iskočio je iz rova i potrčao duž grudobrana potpuno se izlažući našem pogledu. Bio je napola obučen i pridržavao je pantalone obema rukama dok je trčao. Uzdržao sam se da pucam u njega. Istina je da sam loš nišandžija i da bi bilo malo verovatno da bih pogodio čoveka u trku na 100 metara... Pa ipak, nisam pucao delimično i zbog te pojedinosti o načinu na koji je pridržavao pantalone. Došao sam ovamo da bih pucao na „fašiste", ali čovek koji pridržava svoje pantalone nije „fašista", očigledno je on biće srodno nama, čovek sličan meni, a ne puca mi se u takve ljude.

Orvel kaže „ne puca mi se" umesto „ne bi trebalo da pucam", a razlika između ova dva izraza je velika. Ali osnovno uviđanje je isto kao i u drugim slučajevima i potpunije izloženo. Štaviše, Orvel nam kaže da se „ovakve pojave često dešavaju u ratovima", mada sa kakvim dokazima on ovo tvrdi i da li misli da neko ne želi da puca ili da neko ne puca „sve vreme", ne znam.

---

4 *The Collected Essays, Journalism and Letters of George Orwell*, ed. Sonia Orwell and Ian Angus, New York, 1968, II, str. 254.

4) Reli Trevelijan [Raleigh Trevelyan], britanski vojnik u Drugom svetskom ratu, objavio je *Dnevnik iz Ancija* u kome govori o sledećoj epizodi.[5]

> Bilo je vulgarno divno svanuće. Sve je bilo u boji roze muškatle i čuo se cvrkut ptica. Osećali smo se kao što je Noje morao da se oseća kada je ugledao dugu. Iznenada, Viner je pokazao preko pustare obrasle šibljem. Jedna individua, obučena u nemačku uniformu, teturala se poput mesečara duž naše vatrene linije. Bilo je očigledno da je za trenutak zaboravio na rat – kao što smo ga i mi zaboravili – i da uživa u nagoveštaju topline i proleća. „Da li da ga smaknem?", upitao je Viner, bez trunke osećanja u glasu. Morao sam brzo da odlučim. „Ne", odgovorih, „samo ga zaplaši, neka pobegne."

Ovde, kao i u Orvelovom slučaju, glavna odlika je otkriće čoveka „sličnog nama", koji radi „ono što bismo i mi radili". Naravno, dva vojnika koji pucaju jedan na drugog su takođe veoma slični; jedan radi isto što i drugi, i obojica se bave nečim što bismo mogli nazvati osobenom ljudskom aktivnošću. Ali osećaj „bića srodnog nama" iz očiglednog razloga zavisi od različite vrste identiteta, koji je u potpunosti odvojen od bilo čega pretećeg. Družina vojnika koja se veseli na suncu dobar je primer, premda nije netaknuta pritiskom „vojne nužnosti".

> Jedino se narednik Česterton nije smejao. Rekao je da je trebalo da ga ubijemo jer će sada reći tačan položaj naših rovova svojim drugovima.

Izgleda da narednici nose veći deo teškog bremena rata.

5) Najmisaoniji opis koji sam pronašao delo je jednog italijanskog vojnika koji se borio protiv Austrijanaca u Prvom svetskom ratu: Emilija Lusua [Emilio Lussu], koji je kasnije bio socijalistički vođa i prognani antifašista. Lusu, koji je tada bio poručnik, zajedno sa kaplarom došunjao se tokom noći na položaj iznad austrijskih rovova. Posmatrao je kako austrijski vojnici ispijaju jutarnju kafu i osetio zapanjenost kao da nije očekivao da vidi išta ljudsko u neprijateljskim rovovima.[6]

---

5 *The Fortress: A Diary of Anzio and After*, Hammondsworth, 1958, str. 21.

6 *Sardinian Brigade: A Memoir of World War I*, trans. Marion Rawson, New York, 1970, str. 166–171.

> Ti jako branjeni rovovi, koje smo mi bezuspešno napadali bezbroj puta, na kraju su nam izgledali beživotno, kao puste zgrade nenastanjene ljudima, utočišta misterioznih i strašnih bića o kojima nismo znali ništa. Sada su nam se pokazali onakvim kakvim su zaista bili, ljudi i vojnici poput nas, u uniformama poput naših, koji se kreću unaokolo, pričajući i ispijajući kafu isto kao što su i naši drugovi to radili u tom trenutku.

Jedan mladi oficir se pojavio i Lusu ga je uzeo na nišan; tada je Austrijanac zapalio cigaretu i Lusu je zastao. „Ta cigareta je napravila nevidljivu vezu između nas. Čim sam video njen dim, poželeo sam i sam da zapalim cigaretu...“ Savršeno skriven zaklonom, imao je vremena da porazmisli o svom sledećem koraku. Osećao je da rat opravdava „surovu nužnost“. Znao je da ima obavezu prema ljudima kojima je zapovedao. „Znao sam da mi je dužnost da pucam.“ Pa ipak to nije učinio. Oklevao je, kako je napisao, zato što je austrijski oficir bio tako potpuno nesvestan opasnosti koja mu je pretila.

> Mislio sam sledeće: Voditi stotine, čak hiljade ljudi protiv drugih stotina ili hiljada ljudi jedna je stvar, ali izdvojiti jednog čoveka od ostalih i reći mu, da tako kažemo: „Ne miči se, sad ću da pucam na tebe. Sad ću da te ubijem...“, nešto je sasvim drugo... Boriti se je jedna stvar, a ubiti čoveka je druga stvar. A lišiti ga života na ovaj način jeste ubistvo.

Lusu se, poput Grejvsa, obratio svom kaplaru, ali (možda zato što je bio socijalista) pitanjem, a ne naredbom. „Slušaj sad, neću da pucam na usamljenog čoveka tek tako. Hoćeš li ti?“... „Ne, neću ni ja.“ Ovde je jasno povučena granica između pripadnika armije koji se bori zajedno sa svojim drugovima i usamljenog pojedinca. Lusu prigovara protiv lova na ljude. Međutim, šta drugo rade snajperisti?

Nije protivno ratnim pravilima, kao što ih danas shvatamo, da se puca na vojnike koji deluju smešno, koji se u tom trenutku kupaju, pridržavaju pantalone da im ne spadnu, vesele se na suncu, puše cigarete... Ipak, čini se da odbijanje ovih pet ljudi seže do srca ratne konvencije. Jer, šta znači reći da neko ima pravo na život? To znači prepoznati srodno ljudsko biće, koje mi ne preti, čije aktivnosti imaju draž mira i drugarstva, čija je ličnost vredna koliko i moja. Neprijatelj treba da bude opisan drugačije, i mada su stereotipi kroz koje se on posmatra često groteskni, u njima ima i izvesne istine. Neprijatelj otuđuje sebe samog od mene kada pokušava da me ubije, i od naše zajedničke ljudskosti. Ali to otuđenje je privremeno, ljudskost je imanentna. Ona se vraća, da tako kažemo, prozaičnim postupcima koji ruše stereotipe u svakoj od ovih pet priča. Zato što je on smešan, nag, i tako dalje, moj je neprijatelj promenjen, kao što Lusu kaže, u čoveka. „Čoveka!"

Slučaj se menja ako zamislimo tog čoveka kao vojnika „srcem i dušom". U svojoj kupki, pušeći jutarnju cigaretu, on misli o predstojećoj bici i o tome koliko će neprijatelja pobiti. On je zabavljen vođenjem rata isto koliko sam i ja zabavljen pisanjem ove knjige, on misli o tome sve vreme, ili u najčudnijim trenucima. Ali ovo je malo verovatna slika običnog vojnika. Rat nije, u stvari, ono čime se on bavi, već je to preživljavanje ove bitke, izbegavanje sledeće. Uglavnom se skriva, uplašen je, ne puca, moli se za laku ranu, za put kući, dug odmor. I kad ga vidimo kako se odmara, pomislimo da misli na dom i mir, kao što bismo mi to činili. Ako je to slučaj, kako bi moglo biti opravdano ubiti ga? Pa ipak to je opravdano, kao što većina vojnika iz ovih pet priča misli. Njihovo odbijanje se čini, čak i njima, kao prkošenje vojničkoj dužnosti. Ukorenjeno u moralnom uvidu, odbijanje je ipak više vođeno osećajem nego principijelnim odlukama. To su činovi samilosti i utoliko ukoliko ne povlače za sobom nikakvu opasnost ili ne smanjuju ni u najmanjoj meri šansu za kasniju pobedu, mogu se uporediti sa postupcima koji prevazilaze zahteve dužnosti. Ne time što uključuju nešto više od onoga što se moralno zahteva; već zato što uključuju nešto manje od onoga što je dozvoljeno.

Standardi onoga što je dozvoljeno počivaju na pravima pojedinaca, ali nisu precizno definisani tim pravima. Jer definicija je složeni proces, po prirodi istorijski kao i teorijski, i na značajan način uslovljen vojnom nužnošću. Sada je vreme da vidimo šta to uslovljavanje može, a šta ne može da učini, a slučaj „golog vojnika" pruža jedan koristan primer. U devetnaestom veku, uloženi su napori da se zaštiti jedna vrsta „golog vojnika": čovek na straži van svog položaja, ili na kraju svojih linija. Razlozi koji su dati za izdvajanje ovog usamljenog pojedinca slični su razlozima iznetim u ovih pet priča. „Nijedan drugi termin osim ubistva", pisao je jedan Englez koji je proučavao rat, „ne može da izrazi oduzimanje života usamljenom stražaru lakim hicem sa velike udaljenosti. To je kao da pucate u jarebicu koja sedi."[7] Ista ideja je očigledno na delu u kodeksu vojničkog ponašanja koji je sastavio Frensis Liber [Francis Lieber] za armiju Unije u američkom Građanskom ratu: „Na predstraže i stražare ne treba pucati, osim da bi se oterali..."[8] Sada, lako je zamisliti rat u kojem bi ova ideja bila proširena tako da se mogu napadati samo vojnici koji se zaista bore, stotina protiv stotine, hiljada protiv hiljade, kao što kaže Lusu. Ovakav rat bi činio niz dogovorenih borbi, formalno ili neformalno unapred najavljenih, a koje bi se prekidale na neki jasan način. Moglo bi se dopustiti gonjenje poražene armije, tako da nijednoj strani ne bude uskraćena mogućnost odlučujuće pobede. Ali neprekidno uznemiravanje, napadi iz zasede, iznenadni napadi – sve to bi bilo zabranjeno. Ratovi su se zaista vodili na ovaj način, ali ovi običaji nisu nikada bili postojani, zato što su sistematsku prednost davali vojsci koja je bila veća i bolje opremljena. Slabija strana je stalno odbijala da postavi ikakve granice mogućnostima napada na vojnike neprijatelja (krajnji oblik ovog odbijanja je gerilski rat), pozivajući se na vojnu nužnost. Šta to znači?

Priroda nužnosti (1)

Ovo pozivanje ima standardan oblik. Ovaj ili onaj tok akcije, kaže se, „nužan je da bi se neprijatelj naterao na predaju uz najmanji mogući utrošak vremena, života i novca".[9] Ovo je srž onoga što Nemci nazivaju *kriegsraison*, ratnim razlogom. Ovo učenje opravdava ne samo sve ono što je nužno da bi se pobedilo u ratu već i sve ono što je nužno da bi se umanjila opasnost od toga da se on izgubi, ili da bi se umanjili gubici ili verovatnoća gubitaka u ratu. U stvari, uopšte se ne radi o nužnosti; ovo je

---

7 Archibald Forbes, navedeno u M. Spaight, *War Rights on Land*, London, 1911, str. 104.

8 *Instructions for the Goverment of Armies of the United States in the Field*, General Orders 100, april 1863, Washington, 1898, član 69.

9 M. Greenspan, *The Modern Law of Land Warfare*, Berkeley, 1959, str. 313–314.

način izražavanja u šiframa, ili hiperbolama, o verovatnoći i riziku. Čak i ako prihvatimo pravo država ili armija i individualnih vojnika da smanjuju opasnosti po sebe, određeni tok akcije će biti *nužan* za taj cilj samo ukoliko nijedan drugi kurs ne poboljšava izglede u borbi. Biće izbora koje treba izvršiti, a radi se o moralnim kao i o vojnim izborima. Neki od njih su dopušteni, a neki zabranjeni ratnom konvencijom. Da ta konvencija ne ističe ovakvu razliku, imala bi mali uticaj na stvarno vođenje ratova i bitaka; radilo bi se jednostavno o kodeksu pogodnosti – na šta će se verovatno svesti Sidžvikovo dvostruko pravilo pod pritiskom stvarnog rata.

„Razlog rata" može da opravda samo ubijanje ljudi za koje već imamo razloge da ih smatramo podložnim tome da budu ubijeni. Ovde nije reč toliko o proračunavanju verovatnoće i rizika koliko o razmišljanjima o statusu muškaraca i žena čiji životi su na kocki. Slučaj „golog vojnika" je rešen na ovaj način: vojnici kao klasa su izdvojeni iz sveta miroljubivih aktivnosti; uvežbavani su za borbu, naoružani, od njih se traži da se bore po komandi. Bez sumnje, ne bore se uvek; niti je rat njihov lični poduhvat. Ali to je posao njihove klase, i ova činjenica radikalno razdvaja individualnog vojnika od civila koje on ostavlja za sobom.[10] Ako mu se skrene pažnja na to da je uvek u opasnosti, to nije toliko veliko uznemirenje u njegovom životu koliko bi bilo u slučaju civila. Zaista, skrenuti civilu pažnju znači zapravo prisiliti ga da se bori, *ali vojnik je već bio prisiljen da se bori.* To jest, on je stupio u vojsku zato što misli da njegova zemlja treba da se

10 U svom dirljivom opisu poraza Francuske 1940. godine, Mark Blok [Marc Bloch] je kritikovao ovu distinkciju: „Suočeni sa opasnošću po celu naciju i sa dužnostima koje to nameće svakom građaninu, sve odrasle osobe su jednake i samo bi čudnovato ograničeni duh tvrdio da bilo ko od njih ima privilegiju imuniteta. Šta je, naposletku, 'civil' u vreme rata? On nije ništa više od čoveka koga njegovo breme godina, zdravlje, profesija... sprečavaju da efektivno nosi oružje... Zašto bi mu [ovi činioci] dali pravo da se izbavi opšte opasnosti?" (*Strange Defeat*, trans. Gerald Hopkins, New York, 1968, str. 130.) Ali ne leži teorijski problem u tome da se opiše kako se stiče imunitet već kako se gubi. Na početku svi imamo imunitet, naše pravo da ne budemo napadnuti je odlika normalnih ljudskih odnosa. Ovo pravo gube oni koji „efektivno" nose oružje, zato što predstavljaju opasnost po druge ljude. Pravo ponovo stiču oni koji uopšte ne nose oružje.

brani, ili zato što je regrutovan. Međutim, važno je da istaknemo da nije bio prisiljen da se bori neposrednim napadom na sebe; to bi ponovilo zločin agresije na nivou individue. On lično može da bude napadnut samo zato što je već borac. On je preobražen u opasnog čoveka, i mada je možda imao malo izbora, ipak je tačno reći da je dopustio da bude preobražen u opasnog čoveka. Iz tog razloga, otkriva da se nalazi u opasnosti. Stvarni rizici s kojima živi mogu biti umanjeni ili povećani: ovde pojam vojne nužnosti, kao i pojmovi milosrđa i velikodušnosti, imaju slobodan prostor. Ali rizici mogu biti povećani do najveće mere a da njegova prava ne budu prekršena.

Teže je razumeti proširenje statusa borca van klase vojnika, mada je u savremenom ratu to obična stvar. To je nametnuo razvoj vojne tehnologije, može se reći, jer je rat danas isto toliko ekonomska koliko i vojna aktivnost. Ogroman broj radnika mora da bude mobilisan pre no što vojska može i da se pojavi na bojnom polju; a kada su jednom stupili u borbe, vojnici radikalno zavise od neprekidnog dotoka opreme, goriva, municije, hrane i tome slično. Stoga je veliki izazov napasti neprijateljsku armiju u njenoj pozadini, posebno kada same borbe ne idu dobro. Ali napasti pozadinu znači voditi rat protiv ljudi koji su bar nominalno civili. Kako se to može opravdati? I ovde sud koji donosimo zavisi od našeg shvatanja muškaraca i žena o kojima je reč. Pokušavamo da povučemo liniju između onih koji su izgubili svoja prava zbog svojih aktivnosti nalik ratnim, i onih koji nisu. Na jednoj strani je klasa ljudi neodređeno nazvanih „radnicima industrije naoružanja“, koji proizvode oružje za vojsku ili čiji rad neposredno doprinosi vođenju rata. Na drugoj strani su oni ljudi koji se, prema rečima britanskog filozofa G. E. M. Enskombove [G. E. M. Anscomb], „ne bore i nisu angažovani na snabdevanju sredstvima za borbu onih koji se bore“.[11]

Relevantna distinkcija nije distinkcija između onih koji rade za ratne napore i onih koji ne rade, već između onih koji proizvode ono što je vojnicima potrebno za borbu i onih koji proizvode ono što im je potrebno da bi živeli, kao i svi mi. Kad

11 G. E. M. Anscombe, *Mr. Truman's Degree*, privatno izdanje, 1958, str. 7; vidi i „War and Murder“, u *Nuclear Weapons and Christian Conscience*, ed. Walter Stein, London, 1963.

je to u vojnom pogledu nužno, radnici u fabrici tenkova mogu biti napadnuti i ubijani, ali ne i radnici u fabrikama za preradu hrane. Prvi su poistovećeni s klasom vojnika – delimično poistovećeni, rekao bih, zato što oni nisu naoružani ljudi spremni za borbu, i stoga mogu biti napadnuti samo u svojoj fabrici (a ne i u svom domu), kada se zaista bave aktivnostima koje ugrožavaju njihove neprijatelje i nanose im štetu. Ovi drugi, čak i ako ne prerađuju ništa osim hrane za vojsku, nisu na sličan način angažovani. Oni su slični radnicima koji proizvode medicinski materijal, ili odeću, ili bilo šta drugo što će biti potrebno, u ovom ili onom obliku, u mirnodopsko vreme isto kao i u ratu. Armija, sigurno je, ima ogroman stomak, i mora biti nahranjena da bi se borila. Ali ono što je čini armijom nije njen stomak već njene ruke. Muškarci i žene koji opskrbljuju njen stomak ne čine ništa izuzetno ratničko. Otuda njihov imunitet od napada: oni su poistovećeni sa ostatkom civilnog stanovništva. Nazivamo ih *nedužnim* ljudima, što je tehnički termin koji znači da oni nisu učinili ništa, i ne čine ništa što povlači za sobom gubitak prava koja imaju.

Ovo je prihvatljiva linija, mislim, mada je možda isuviše fino povučena. Važnije je to što je povučena pod pritiskom. Počeli smo sa distinkcijom između vojnika angažovanih u borbama i vojnika na odmoru; tada smo prešli na distinkciju između vojnika kao klase i civila; a tada smo dopuštali napade na ovu ili onu grupu civila već prema tome kako procesi ekonomske mobilizacije daju svoj neposredni doprinos borbama. Kad je jednom doprinos jasno utvrđen, samo „vojna nužnost" može da odredi da li se civili o kojima je reč mogu napadati ili ne mogu. Oni ne treba da budu napadani ako njihove aktivnosti mogu biti prekinute, ili njihovi proizvodi zaplenjeni i uništeni na neki drugi način i bez značajnog rizika. Zakoni rata su neprekidno priznavali ovu obavezu. Prema pomorskom kodeksu, na primer, mornari trgovačke mornarice na brodovima koji prevoze vojni materijal nekada su smatrani civilima koji su imali, uprkos poslu koji obavljaju, pravo da ne budu napadani, jer je bilo moguće (a ponekad još uvek jeste) zapleniti njihove brodove bez pucanja na njih. Ali kad god zaplena bez pucanja postane nemoguća, prestaje i obaveza, i pravo ističe. To nije svakodnevno već ratno pravo, i ono počiva samo na pristanku država i na učenju o vojnoj nužnosti. Istorija podmorničkog ratovanja lepo ilustruje ovaj proces kojim su grupe civila, tako da kažemo, uvučene u pakao. Ona će mi takođe omogućiti da nagovestim tačku na kojoj postaje moralno nužno odupreti se ovom uvlačenju.

Podmorničko ratovanje: slučaj Lakonije

Pomorski rat je tradicionalno bio najviše džentlmenski oblik borbe, moguće i zato što je toliko džentlmena odlazilo u mornaricu, ali i, što je važnije, zbog prirode mora kao bojišta. Jedina uporediva kopnena sredina je pustinja; njima je zajedničko odsustvo ili relativno odsustvo civilnih stanovnika. Stoga je borba naročito čista, sukob između boraca u koji niko drugi nije uključen – baš ono što intuitivno želimo da rat bude. Međutim, ova čistota je umrljana činjenicom da se more u veoma velikoj meri koristi za transport. Ratni brodovi susreću se s trgovačkim brodovima. Pravila koja upravljaju ovim susretima jesu, ili su bila, prilično razrađena.[12] Pošto su razrađena pre pronalaska podmornice, ona nose obeležja svojih tehnoloških, kao i moralnih pretpostavki. Trgovački brod koji prevozi vojne zalihe može zakonito da bude zaustavljen na otvorenom moru, na njega neprijateljska posada može da se ukrca, da ga zapleni i dovede u luku. Ako se mornari trgovačke mornarice odupru ovom postupku u bilo kojoj fazi, svaka sila potrebna da se nadvlada ovaj otpor takođe je zakonita. Ako se mirno predaju, nikakva sila ne može biti upotrebljena protiv njih. Ako je nemoguće dovesti brod u luku, on može biti potopljen, „uz apsolutnu dužnost da se posadi, putnicima i brodskim ispravama obezbedi sigurnost". Najčešće se to postizalo uzimanjem svih njih na ratni brod. Posada i putnici se tada moraju smatrati ne ratnim zarobljenicima, jer njihov susret s ratnim brodom nije bio borba, već interniranim civilnim licima.

Ali u Prvom svetskom ratu, zapovednici podmornica (i državni funkcioneri koji su im naređivali) otvoreno su odbili da postupaju u skladu s ovom „apsolutnom dužnošću", pozivajući se na vojnu nužnost. Oni ne bi mogli da izrone na površinu pre

12 Vidi Sir Frederic Smith, *The Destruction of Merchant Ships under International Law*, London, 1917, i Tucker, *Law of War and Neutrality at Sea.*

no što ispale svoja torpeda, jer su njihove podmornice na palubi imale samo lako naoružanje i mogle su veoma lako ako da budu potopljene ako ih neprijateljski brod udari pramcem; ne bi mogli da iz svoje malobrojne posade obezbede ljude koji bi zauzeli brod, osim ukoliko bi se i oni vraćali u luku; niti bi mogli da prime mornare trgovačke mornarice na podmornicu, jer nije bilo mesta. Stoga je njihova politika bila „potopi čim vidiš", mada su prihvatali izvesnu odgovornost da pomažu preživelima pošto bi brod potonuo. „Potopi čim vidiš" je predstavljalo politiku nemačke vlade. Alternativa bi, dokazivali su njeni zastupnici, bila da se uopšte ne koriste podmornice, ili da se koriste neefikasno, što bi kontrolu nad morem prepustilo britanskoj mornarici. Posle završetka rata, možda zato što ga je Nemačka izgubila, ponovo su potvrđena tradicionalna pravila. Londonski Pomorski protokol iz 1936. godine, koji su ratifikovale sve glavne učesnice poslednjeg rata (Nemačka 1939), eksplicitno je određivao da „u svojim akcijama protiv trgovačkih brodova, podmornice moraju da se drže pravila međunarodnog prava kojima su podložni površinski brodovi". Prema uglednim ekspertima za pomorsko pravo, ovo je još uvek „obavezujuće pravilo", mada svako ko brani ovo pravilo mora to da čini „uprkos iskustvu Drugog svetskog rata".[13]

Pristup ovom iskustvu možemo najbolje obezbediti ako se odmah okrenemo poznatom „naređenju *Lakonija*" koje je izdao admiral Denic [Doenitz], zapovednik nemačke Podmorničke komande 1942. godine. Denic je zahtevao ne samo da podmornice napadaju bez upozorenja već i da uopšte ništa ne čine da bi pomogle članovima posade potopljenog broda: „Svi pokušaji da se spasu članovi posade potopljenog broda treba da prestanu, uključujući tu i vađenje ljudi iz mora, ispravljanje čamaca za spasavanje koji su se prevrnuli, i davanje hrane i vode."[14] Ova naredba je u to doba izazvala veliko negodovanje, a posle rata je izdavanje ove naredbe bilo među zločinima za koje je Denic optužen u Nirnbergu. Ali sudije su odbile da ga proglase krivim po ovoj tački optužnice. Želim da pažljivo razmotrim razloge njihove odluke. Međutim, pošto je njihov jezik nejasan, postaviću

13 H. A. Smith, *Law and Custom of the Sea*, London, 1950, str. 123.
14 Tucker, str 72.

i pitanje kakvi su mogli biti njihovi razlozi i kakve razloge bismo mogli mi imati da zahtevamo ili da ne zahtevamo pružanje pomoći na moru.

Jasno je da je pitanje bilo samo spasavanje i ništa drugo; sud nije osporio politiku „potopi čim vidiš", uprkos „obavezujućem pravilu" međunarodnog prava. Sudije su naizged odlučile da razlika između trgovačkih brodova i ratnih brodova više nema mnogo smisla:[15]

> Ubrzo po izbijanju rata, britanski Admiralitet... naoružao je svoje trgovačke brodove, u mnogim slučajevima pratio njihove konvoje oružanom pratnjom, izdao naredbe da se šalju izveštaji o njihovom položaju kada se ugledaju podmornice, uključivši na taj način trgovačke brodove u obaveštajni sistem ratne mornarice. Admiralitet je 1. oktobra 1939. godine objavio da je britanskim trgovačkim brodovima naređeno da udaraju podmornice pramcem ukoliko je to moguće.

U tom trenutku, čini se da je razmišljao sud, mornari trgovačke mornarice su regrutovani u vojnu službu; stoga je bilo dopustivo da budu iznenada napadani baš kao i vojnici. Ali, ovaj argument sam po sebi nije preterano dobar. Jer ako je regrutovanje pomoraca trgovačke mornarice bilo odgovor na nelegitimne podmorničke napade (ili čak na veliku verovatnoću takvih napada), na njega se ne može pozivati da bi se opravdali isti ti napadi. Mora biti slučaj da je politika „potopi čim ugledaš" bila i pre toga opravdana. Pronalazak podmornice učinio je ovu politiku „nužnom". Stara pravila bila su moralno, mada ne i pravno, stavljena van snage, jer je snabdevanje morem – vojni poduhvat čiji su učesnici oduvek bili podložni napadima – sada prestalo da bude stvar za koju važi zabrana nasilja.

Međutim, „Naredba *Lakonija*" imala je mnogo dalji domašaj od ovoga, jer je sugerisala da bespomoćnim pomorcima u moru, za razliku od ranjenih vojnika na kopnu, nema potrebe pomagati kad su borbe završene. Denicov argument je bio da borba, u stvari, nikada nije završena, sve dok podmornica nije bila bezbedna u svojoj matičnoj luci. Potapanje trgovačkog broda je bio samo prvi udarac u dugoj i napetoj borbi. Radar i avion su preobrazili otvorena

15 Tucker, str. 67.

mora u jedno jedino bojno polje, i osim ukoliko podmornica ne počne odmah manevre izbegavanja, ona je u velikoj nevolji, ili bi to mogla biti.[16] Pomorcima je nekada bilo bolje nego vojnicima, bili su privilegovana klasa neboraca, s kojima se postupalo kao da su civili; sada im je, iznenada, bilo gore.

Evo opet argumenta na osnovu vojne nužnosti, i opet možemo da vidimo da je to pre svega argument o riziku. Životi posade podmornice biće ugroženi, tvrdio je Denic, ako pokušaju da spasu svoje žrtve. Sada, jasno je da ovo nije uvek slučaj: u svom opisu uništenja jednog savezničkog konvoja u Severnom moru, Dejvid Irving [David Irving] iznosi određen broj slučajeva kada su nemačke podmornice izronile i ponudile pomoć mornarima trgovačke mornarice u čamcima za spasavanje, ne povećavajući pri tom sopstvene rizike:[17]

> Podmornica U-456 kojom je zapovedao poručnik Tajhert [Teichert]... ispalila je torpeda. Tajhert je svoju podmornicu doveo do čamaca za spasavanje i pozvao zapovednika, kapetana Stranda [Strand] da dođe na palubu; on je bio zarobljen. Mornare su zapitali da li imaju dovoljno vode, a oficiri s podmornice su im dali konzerve s mesom i hleb. Rečeno im je da će ih kroz nekoliko dana pokupiti razarači.

Ovo se dogodilo samo nekoliko meseci pre no što je Denicova naredba zabranila ovakvu pomoć, i u okolnostima koje su događaj činile potpuno bezbednim. Konvoj PQ 17 se rasuo, pošto ga je napustila pratnja; on više ni u kom smislu nije bio borbena snaga; Nemci su kontrolisali nebo, kao i more. Jasno je da je bitka bila okončana, i vojna nužnost teško da bi opravdavala odbijanje da se pruži pomoć. Mislio bih da bi, ako bi se takvo odbijanje u sličnim uslovima moglo pripisati „Naredbi *Lakonija*“, Denic zaista bio kriv za ratni zločin. Ali ništa ni nalik tome nije dokazano u Nirnbergu.

Niti je sud otvoreno prihvatio argument koji se poziva na vojnu nužnost: da je u različitim uslovima odbijanje pomoći

16 Doenitz, *Memoirs: Ten Years and Twenty Days*, trans. K. H. Stevens, London, 1959, str. 261.

17 *The Destruction of Convoy PQ 17* (New York, n. d.), str. 157; drugi primeri se mogu naći na str. 145, 192-193.

opravdano rizikom koji ono povlači za sobom. Zaista, sudije su ponovo potvrdile obavezujuće pravilo: „Ako zapovednik ne može da pruži pomoć", dokazivali su, „tada... ne može da potopi trgovački brod..." Ali nisu primenili ovo pravilo i kaznili Denica. Admiral američke mornarice Nimic [Nimitz], koga su Denicovi branioci pozvali da svedoči, rekao im je da „američke podmornice [uopšte uzev] nisu spasavale preživele neprijatelje ukoliko bi time bile izložene nepotrebnom ili dodatnom riziku". Britanska politika je bila slična. Vodeći se time, sudije su odlučile „da presuda Denicu nije doneta na osnovu njegovog kršenja međunarodnog prava pomorskog ratovanja".[18] Sudije nisu prihvatile argumente advokata odbrane da je pravo očetno izmenjeno neformalnim dogovorom zaraćenih strana. Ali su očigledno osećale da je taj dogovor ipak učinio da zakon bude neprimenljiv (ili bar neprimenljiv samo za jednu stranu, koja ga je narušila) – primerena sudska odluka, ali koja otvara i neka moralna pitanja.

U stvari, Denic i njegovi navodni saučesnici imali su razloge za pravilo koje su usvojili, i ti razlozi se otprilike uklapaju u okvire ratne konvencije. Ranjeni ili bespomoćni borci više ne mogu da budu izloženi napadanju, u tom smislu oni su povratili svoje pravo na život. Ali oni nemaju prava na pomoć dok god bitka traje, a pobeda njihovih neprijatelja nije izvesna. Ono što je ovde presudno nije vojna nužnost već poistovećivanje mornara trgovačke mornarice s vojničkom klasom. Vojnici nisu obavezni da rizikuju svoje živote zarad svojih neprijatelja, zato što su i oni i njihovi neprijatelji izloženi nužnostima rata. Međutim, postoje ljudi koji su bezbedni od tih nužnosti, ili koji streme da budu zaštićeni od njih, i ti ljudi, takođe, imaju svoju ulogu u slučaju *Lakonija.*

Lakonija je bila putnički brod, koji je prevozio 268 britanskih vojnika, kao i članove njihovih porodica, koji su se vraćali kući sa svojih predratnih položaja na Srednjem istoku, i 1.800 italijanskih ratnih zarobljenika. Brod je torpedovala i potopila blizu obale Zapadne Afrike podmornica čiji zapovednik nije znao ko su njegovi putnici (putničke brodove su Saveznici često koristili za prevoz trupa). Kad je Denic saznao za potapanje i za identitet ljudi u moru, naredio je masovno spasavanje, u kojem

18 *Nazi Conspiracy and Aggression: Opinion and Judgment*, str. 140.

je učestvovalo na početku još nekoliko podmornica.[19] Od italijanskih ratnih brodova je zatraženo da pohitaju na mesto potapanja, a zapovednik podmornice odgovorne za potapanje poslao je radiom opšti poziv u pomoć na engleskom. Ali, podmornice su napali saveznički avioni, čiji piloti, pretpostavlja se, nisu znali šta se dešava u moru ispod njih, ili nisu poverovali u ono što su čuli. Ovakva zbrka je tipična u ratno doba: neznanje na svim stranama, pogoršano uzajamnim strahom i podozrenjem.

Avioni su zapravo izazvali malo štete, ali je Denicov odgovor bio nemilosrdan. On je naredio nemačkim zapovednicima da svoje spasilačke napore ograniče na italijanske vojnike; britanske vojnike i njihove porodice trebalo je ostaviti da plutaju. Za ovaj prizor žena i dece prepuštenih moru, i za kasniju naredbu koja kao da je tražila njegovo ponavljanje, mislilo se da su bezočni – i s pravom, čini mi se, mada je „neograničeni" podmornički rat tada već bio opšteprihvaćen. Jer oko civila ocrtavamo krug prava, a za vojnike se pretpostavlja da treba da preuzmu (neki) rizik da bi spasli živote civila. Ne radi se o tome da treba da rade nešto izuzetno, ili da budu dobri samarićani. Oni su i ugrozili živote civila, pa čak i ako to čine tokom legitimnih vojnih operacija, još uvek moraju da ulože neki pozitivan napor da ograniče štetu koju nanose. To je zapravo bilo Denicovo stanovište pre napada Saveznika, stanovište koje je zadržao uprkos kritikama drugih članova nemačke Vrhovne komande: „Ne mogu da gurnem te ljude u vodu. Nastaviću [pokušaje spasavanja]." Ovde se ne radi o milosrđu već o dužnosti, i o „Naredbi *Lakonija*" sudimo pozivajući se na ovu dužnost. Pokušaj spasavanja preduzet radi neboraca može privremeno da bude prekinut zbog napada, ali ne može biti opozvan pre ikakvog napada samo zato što bi do napada moglo da dođe (ili da se on ponovi). Jer barem jedan napad se već dogodio i doveo nedužne ljude u smrtnu opasnost. Sada im se mora pomoći.

Dvostruki efekat

Drugi princip ratne konvencije je taj da neborci nikada ne mogu biti napadani. Oni nikada ne mogu biti predmet ili meta vojnih aktivnosti. Ali, kao što nagoveštava slučaj *Lakonije*, neborci

19 Doenitz, *Memoirs*, str. 259.

su često ugroženi ne zbog toga što je bilo ko odlučio da ih napadne već samo zbog svoje blizine poprištu bitke koja se vodi protiv nekog drugog. Pokušavao sam da dokazujem da se tada ne zahteva da borba bude prekinuta već da se preduzmu izvesne mera da se ne ozlede civili – što znači, veoma jednostavno, da njihova prava čuvamo najbolje što možemo u ratnim uslovima. Ali koji stepen brige treba uložiti? I po koju cenu za individualne vojnike koji su uključeni? Zakoni rata ne kažu ništa o ovakvim stvarima; oni donošenje najsurovijih odluka prepuštaju ljudima na licu mesta, koji se mogu oslanjati samo na svoja obična moralna shvatanja ili na vojnu tradiciju armije u kojoj služe. Povremeno poneki od tih vojnika ostavi zapis o svojim odlukama, a to može biti poput svetla u tami. Evo jednog događaja iz uspomena Frenka Ričardsa [Frank Richards] o Prvom svetskom ratu. To je jedan od nekoliko opisa koje su za sobom ostavili obični vojnici:[20]

> Kad bacate ručne granate u zemunice i podrume, uvek je mudro da ih prvo bacite, a potom pogledate u njih. Ali u ovom selu smo morali da budemo veoma pažljivi, pošto je u nekim od podruma bilo civila. Vikali smo im u podrume da bismo bili sigurni. Jedan vojnik i ja smo vikali u podrum dvaput, i pošto nismo dobili odgovor, upravo smo se spremali da izvučemo osigurače iz granata kad smo začuli glas neke žene, i jedna mlada devojka se pojavi na stepenicama podruma... Ona i članovi njene prorodice... nisu napustili [podrum] nekoliko dana. Nagađali su da je napad u toku, i kad smo prvi put zavikali, bili su isuviše uplašeni da bi odgovorili. Da mlada žena nije povikala na vreme, nedužno bismo ih sve pobili.

Nedužno pobili, zato što su prvo vikali; ali da nisu vikali, a da su potom pobili francusku porodicu, to bi bilo, veruje Ričards, jednostavno ubistvo. A ipak je prihvatao izvestan rizik kad je vikao, jer da su u podrumu bili nemački vojnici, mogli bi da izađu pucajući. Bilo bi razboritije baciti bombe bez upozorenja, što znači da bi mu vojna nužnost pružila opravdanje da tako postupi. Zaista, imao bi opravdanje i iz drugih razloga, kao što ćemo videti. A ipak je vikao.

Na moralnu doktrinu se često poziva kad je u pitanju princip dvostrukog efekta. Prvi put pominjan od strane katoličkih

---

20 *Old Soldiers Never Die*, New York, 1966, str. 198.

kazuista u srednjem veku, dvostruki efekat je složen pojam, ali je istovremeno i blisko povezan s današnjim načinom mišljenja o moralnom životu. Često sam nalazio da se upotrebljava u vojnim i političkim raspravama. Oficiri su skloni da koriste jezik dvostrukih efekata, bilo da to znaju ili ne, kad god aktivnost koju planiraju može dovesti do povređivanja civila. I sami katolički pisci često koriste vojne primere; jedan je od njihovih ciljeva i da predlože šta bi trebalo da mislimo kada „vojnik pucajući na neprijatelje pogodi i neke civile u blizini".[21] Takav razvoj događaja je dovoljno čest u ratu; vojnici uopšte ne bi mogli da se bore, osim u pustinji ili na moru, a da ne ugroze okolne civile. A ipak civile ne čini podložnim napadu bliskost već samo neki njihov doprinos borbama. Dvostruki efekat je način da se apsolutna zabrana napada na neborce pomiri s legitimnim vođenjem vojnih aktivnosti. Dokazivaću, sledeći primer Frenka Ričardsa, da je ovo pomirenje isuviše lako, ali prvo moramo da vidimo kako je ono tačno razrađeno.

Dokazivaću sledeće: dopušteno je izvesti neki čin koji će verovatno imati loše posledice (ubijanje neboraca) ako su zadovoljena sledeća četiri uslova:[22]

1) Čin je sam po sebi dobar, ili bar indiferentan, što u našem slučaju znači da je to legitiman čin u ratu.
2) Neposredni efekat je moralno prihvatljiv – uništenje vojnih zaliha, na primer, ili ubijanje neprijateljskih vojnika.
3) Namera ovog čina je dobra, to jest, cilj čina su samo prihvatljivi efekti; zao efekat nije jedan od njih, niti je sredstvo za te ciljeve.
4) Dobar efekat je dovoljno dobar da kompenzuje zle efekte; on mora biti opravdan prema Sidžvikovom pravilu srazmernosti.

---

21 Kenneth Dougherty, *General Ethics: An Introduction to the Basic Principles of the Moral Life According to St. Thomas Aquinas*, Peekskill, N. Y., 1959, str. 64.

22 Dougherty, str. 65–66; uporedi John C. Ford, S. J. „The Morality of Obliteration Bombing", u *War and Morality*, ed. Richard Wasserstrom, Belmont, Cal. 1970. Ovde ne mogu ni da pokušam da prikažem filozofske sporove oko dvostrukog efekta. Dogerti [Dougherty] pruža (veoma jednostavan) udžbenički opis, Ford brižljivu (i hrabru) primenu.

Teret dokazivanja nosi treći uslov. „Dobri" i zli efekti koji idu skupa, ubijanje vojnika i civila u njihovoj blizini, mogu se braniti samo ukoliko su potekli iz namere koja je za cilj imala prve, ali ne i druge. Argument ukazuje na veliki značaj određivanja meta u ratu, i ispravno ograničava mete koje se mogu uzimati na nišan. Ali mislim da treba da budemo zabrinuti zbog svih onih nenamernih, ali predvidivih smrti, jer njihov broj može biti veliki, a podvrgnut samo pravilu srazmernosti – što je slab uslov – dvostruki efekat pruža opšte pokriće. Stoga ovaj princip izaziva gnevan ili ciničan odgovor: u čemu je razlika između toga da li je smrt civila posredan ili neposredan efekat mojih akcija? Teško da je to važno poginulim civilima, a ako unapred znam da ću verovatno pobiti toliko i toliko nedužnih ljudi, a ipak nastavim, kako mogu da budem bez krivice?[23]

Ovo pitanje možemo da postavimo na konkretniji način. Da li bi Frenk Ričards bio bez krivice da je ubacio u podrum ručne granate bez upozorenja? Princip dvostrukog efekta bi mu dozvolio da tako postupi. On je bio angažovan u legitimnoj vojnoj aktivnosti, jer su mnoge podrume zaista koristili neprijateljski vojnici. Da je „bacaj granate bez upozorenja" učinio svojim opštim načinom postupanja, efekat toga bi bilo umanjenje rizika da sam bude ubijen ili onesposobljen, kao i ubrzavanje zauzimanja sela, a to su „dobri" efekti. Štaviše, oni su bili jedini koje je jasno nameravao da postigne; smrt civila ne bi koristila nikakvim njegovim ciljevima. I najzad, tokom jednog dužeg perioda vremena, srazmere bi verovatno bile povoljne po njega, ili bar ne bi bile nepovoljne; počinjeno zlodelo bi, pretpostavimo, bilo izravnato doprinosom pobedi. Pa ipak je Ričards sigurno radio pravu stvar kada je vikao svoja upozorenja. On je postupao onako kako moralan čovek treba da postupa; on nije primer herojskog postupanja u ratu iznad i preko onoga na šta dužnost poziva, već jednostavno primer poštene borbe. To je ono što očekujemo od vojnika. Međutim, pre no što pokušam da ovo očekivanje preciznije izložim, želim da vidim kako ono deluje u složenijim borbenim situacijama.

---

23 Filozofska verzija argumenta da ne može biti razlike u tome da li je ubijanje nedužnih ljudi bilo posredno ili neposredno, izneta je u Jonathan Bennett, „Whatever the Consequencies", u *Ethics*, ed. Judith Jarvis Thomson and Gerald Dworkin, New York, 1968.

Bombardovanje u Koreji

Ovde ću se držati opisa načina na koji je američka vojska vodila rat u Koreji koji je izneo jedan britanski novinar. Da li je to potpuno tačan opis ne znam, ali me moralno pitanje koje on pokreće zanima više nego istorijska verodostojnost. Evo jednog „tipičnog“ susreta na putu za Pjongjang. Bataljon američkih vojnika je sporo napredovao, bez otpora, u senci niskih brda. „Sada smo se nalazili duboko u dolini... razvučeni duž otvorenog puta, kada se začula oštra pucnjava iz automatskog oružja, a zrna su dizala prašinu oko nas.“[24] Vojnici su se zaustavili i potražili zaklon. Tri tenka su izbila napred, „tukući svojim granatama obronke brda i cepajući vazduh svojim mitraljezima. U ovom paklu je bilo nemoguće otkriti neprijatelja, ili proceniti odakle on puca.“ Kroz petnaest minuta doletelo je nekoliko borbenih aviona, „ponirući na brda i ispaljujući svoje rakete“. Ovo je nova tehnika ratovanja, piše britanski novinar, „rođena iz ogromne proizvodne i materijalne moći“: „oprezno napredovanje, neprijateljska vatra iz lakog oružja, zaustavljanje, bliska podrška iz vazduha, artiljerija, oprezno napredovanje itd.“ Ona je smišljena da bi se sačuvali životi vojnika, i može ali ne mora imati taj efekat. „Izvesno je da ubija civile, ljude, žene i decu, neselektivno i u velikom broju, i da uništava svu njihovu imovinu.“

Ali postoji i drugi način borbe, mada je mogu voditi samo vojnici koji su imali „vojničku“ obuku i koji nisu navikli da tako „lagodno putuju“. Može se poslati patrola da s krila opkoli položaj neprijatelja. Na kraju, često se to ipak dešava, kao što se desilo i u ovom slučaju, jer tenkovi i avioni nisu uspeli da pogode severnokorejske mitraljesce. „Najzad, posle više od jednog sata... vod čete Bejker počeo je da napreduje kroz grmlje upravo ispod grebena brda.“ Ali, uvek su se prvo oslanjali na bombardovanje. „Svaki hitac neprijatelja izazivao je poplavu razaranja.“ A bombardovanje je imalo, ili je ponekad imalo, svoj karakteristični dvostruki efekat: ginuli su neprijateljski vojnici, ali i civili koji bi se zatekli u blizini. Nije bila namera oficira koji su pozivali artiljeriju i avione da ubijaju civile; oni su tako postupali zbog brige za sopstvene ljude. A to je legitimna briga. Niko ne želi da mu

24 Reginald Thompson, *Cry Korea*, London, 1951, str. 54, 142–143.

u ratu zapoveda oficir koji ne ceni živote svojih vojnika. Ali on mora da ceni i živote civila, a to moraju i njegovi vojnici. On ih ne može spasti, zato što oni ne mogu da spasu same sebe ubijajući nedužne civile. Ne radi se samo o tome da ne mogu da pobiju premnogo nedužnih ljudi. Čak i ako su srazmere povoljne, u pojedinim slučajevima ili tokom nekog perioda vremena, mislim da ćemo još uvek želeti da kažemo da mora biti poslata patrola, prihvaćen rizik, pre no što se pozove najteže naoružanje. Vojnici poslati u patrolu mogu uverljivo da dokazuju da nikada nisu izabrali da ratuju u Koreji; oni su ipak vojnici, postoje obaveze koje prate njihova ratna prava, a prva od njih je obaveza da se čuvaju prava civila – tačnije, onih civila čije živote oni sami ugrožavaju.

Tako je principu dvostrukog efekta potrebna ispravka. Dvostruki efekat se može braniti, želim da dokazujem, samo kada su dva ishoda rezultat *dvostruke namere*: prvo, da se postigne „dobro", drugo, da se predvidivo zlo smanji što je više moguće. Stoga se navedeni treći uslov može preformulisati ovako:

3) Namera aktera je dobra, to jest, njegov cilj su samo prihvatljivi efekti; zao efekat nije jedan od njegovih ciljeva, niti je sredstvo za njegove ciljeve, i, svestan zla o kojem se radi, on teži da ga svede na najmanju moguću meru, sam prihvatajući odgovarajuću cenu.

Isuviše je lako samo ne nameravati smrt civila; najčešće, u borbenim uslovima, intencije vojnika su usmerene samo na neprijatelja. U takvim slučajevima tražimo neki znak pozitivne rešenosti da se sačuvaju životi civila. Ne samo da se primeni pravilo srazmernosti i da se ne pobije više civila nego što je vojno nužno – ovo pravilo se primenjuje i na vojnike, niko ne treba da bude ubijen radi trivijalnih ciljeva. A ako čuvanje života civila znači rizikovanje života vojnika, ovaj se rizik mora prihvatiti. Ali postoji ograničenje rizika koje zahtevamo. To su, na kraju krajeva, nenamerne smrti i legitimne vojne operacije, i apsolutno pravilo protiv napada na civile ne može da se primeni. Rat nužno civile dovodi u opasnost; to je još jedna strana pakla rata. Od vojnika možemo da tražimo samo da minimalizuju opasnosti koje izazivaju.

Teško je reći koliko daleko u tome treba da idu, i iz tog razloga može se činiti čudno tvrdnja da u ovim stvarima civili imaju prava. Šta bi to moglo da znači? Da li civili imaju pravo ne samo da ne budu napadnuti već i da ne budu dovedeni u opasnost u toj i toj meri, tako da je nametanje 1 prema 10 šansi za smrt opravdano, a 3 u 10 šansi nije opravdano? U stvari, stepen rizika koji je dozvoljen variraće s prirodom mete, sa hitnošću trenutka, dostupnom tehnologijom i tome slično. Najbolje je, mislim, jednostavno reći da civili imaju pravo da se preduzmu mere „s dužnom pažnjom“.[25][26] Slučaj je isti i u domaćem društvu: kada kompanija za gas radi na cevima za snabdevanje koje idu ispod moje ulice, moje je pravo da njeni radnici poštuju veoma stroge mere bezbednosti. Ali ako je posao hitan zbog neposredne opasnosti da će doći do eksplozije u susednoj ulici, mere mogu blaže, a da moja prava ne budu prekršena. Sada, vojna nužnost deluje isto kao i inžinjerska hitnost, osim što su u ratu standardi koji su nam poznati u domaćem društvu uvek sniženi. Međutim, ovo ne znači da uopšte nema nikakvih standarda, i nikakvih prava. Kad god je verovatno da će biti sekundarnog efekta, zahteva se druga namera. Možemo se donekle približiti definisanju granica te druge namere ako razmotrimo još dva primera iz rata.

Bombardovanje okupirane Francuske i napad na Vemork

Za vreme Drugog svetskog rata, ratna avijacija Slobodne Francuske vršila je vazdušne napade na ciljeve u okupiranoj Francuskoj. Te bombe su, neizbežno, ubijale i Francuze koji su radili (pod prinudom) za nemačke ratne potrebe, a takođe su neizbežno ubijale i Francuze koji su prosto slučajno živeli u blizini fabrika

25 U razmišljanju o ovim pitanjima pomogla mi je rasprava Čarlsa Frida [Charles Fried] u članku „Imposing Risks on Others“, *An Anatomy of Values: Problems of Personal and Social Choice*, Cambridge, Mass. 1970, gl. XI.

26 Pošto sudovi o „dužnoj pažnji“ obuhvataju proračune o relativnoj vrednosti, hitnosti i tome slično, treba reći da utilitaristički argumenti i argumenti koji se pozivaju na prava (relativni bar prema posrednim efektima) nisu potpuno različiti. Uprkos tome, proračuni koje zahteva načelo proporcionalnosti i oni koje zahteva „princip dužne pažnje“ nisu isti. Čak i pošto su prihvaćeni najviši mogući standardi brige, verovatni civilni gubici mogu biti nesrazmerni vrednosti mete; tada se napad mora opozvati. Ili, češće, vojni planeri mogu odlučiti da gubici koje za sobom povlači napad, i ako je izveden uz minimalan rizik po napadače, nisu nesrazmerni vrednosti mete; tada je „dužna pažnja“ dodatni zahtev.

koje su bile mete napada. To je pilote postavilo pred surovu dilemu, koju su oni rešavali ne tako što su odustajali od napada ili tražili od nekog drugog da izvrši napad već tako što su prihvatali veći rizik po sebe. „... Ovo neprekidno pitanje bombardovanja same Francuske", kaže Pijer Mandes-Frans [Pierre Mendes-France], koji je posle bekstva iz nemačkog zatvora služio u vazduhoplovstvu, „dovelo nas je do toga da upražnjavamo sve preciznije i preciznije bombardovanje, to jest, do toga da letimo na veoma malim visinama. To je bilo opasnije, ali je takođe omogućavalo veću preciznost."[27] Naravno, te iste fabrike su eksplozivom mogli (morali) napadati partizanski odredi ili komandosi; njihova preciznost bi bila savršena, a ne samo bolja, i nikakvi civili osim onih koji su radili u fabrikama ne bi bili ugroženi. Ali takvi bi napadi bili izrazito opasni, a šanse za uspeh, posebno za ponovljene uspehe, bile bi mršave. Rizik takve vrste bio bi veći no što su Francuzi očekivali, čak i od svojih sopstvenih vojnika. Stoga su granice rizika postavljene, grubo uzev, na tačku u kojoj bi svaki dalji rizik gotovo sigurno osudio na propast vojni poduhvat, ili ga učinio tako skupim da ne bi mogao da bude ponovljen.

Ovde očigledno ima mesta za vojno prosuđivanje: stratezi i planeri bi po svom nahođenju odmeravali važnost meta nasuprot važnosti života svojih vojnika. Ali čak i ako je meta veoma važna, a broj ugroženih nedužnih ljudi relativno mali, oni moraju svoje vojnike izložiti riziku pre no što se civili ubiju. Razmotrimo, na primer, jedan slučaj iz Drugog svetskog rata, gde je pokušan napad komandosa umesto vazdušnog napada. Fabriku teške vode u Vemorku u okupiranoj Norveškoj uništili su 1943. godine norveški komandosi, koji su delovali kao produžena ruka britanske SOE (Special Operations Executive – Komande za specijalne operacije). Bilo je od vitalne važnosti zaustaviti proizvodnju teške vode da bi se usporio razvoj atomske bombe na kojem su radili nemački naučnici. Britanski i norveški zvaničnici su razmatrali da li da izvrše vazdušni ili kopneni napad i izabrali su ovaj drugi pristup, jer je bila manja verovatnoća da će civili biti povređeni.[28] Ali to je bilo veoma opasno za komandose.

27 Navedeno iz objavljenog scenarija Ofilsovog dokumentarnog filma „The Sorrow and the Pity", New York, 1972, str. 131.

28 Thomas Gallagher, *Assault in Norway*, New York, 1975, str. 19–20, 50.

Prvi pokušaj je propao i tom prilikom su poginula trideset četvorica ljudi; drugi pokušaj, u kojem je učestvovao manji broj ljudi, bio je uspešan i bez gubitaka – na iznenađenje svih, pa i samih komandosa. Takav rizik je bilo moguće prihvatiti u slučaju jedne operacije koju, kako se mislilo, nije bilo potrebno ponavljati. U „borbi" na duži vremenski period, koja se sastoji od više odvojenih bitaka, to ne bi bilo moguće.

Kasnije tokom rata, kada je u Vermoku obnovljena proizvodnja, a obezbeđenje veoma pojačano, fabriku su bombardovali američki avioni. Bombardovanje je bilo uspešno, ali su poginula dvadeset dva norveška civila. U ovom slučaju se čini da dvostruki efekat važi, opravdavajući vazdušni napad. Zaista, u svojoj nerevidiranoj formi on bi važio i ranije. Važnost vojne mete i broj žrtava (unapred predvidljivih, pretpostavićemo) opravdao bi bombardovanje. Ali posebna vrednost koju pripisujemo životima civila sprečila je tu odluku.

Ista vrednost se pridaje životima nemačkih, kao i životima francuskih ili norveških civila. Postoje, naravno, dodatni moralni, kao i emocionalni razlozi da se to poštuje i da se prihvati cena u slučaju našeg sopstvenog naroda ili naših saveznika (i nije slučajno što se moja dva primera odnose na napade na okupiranoj teritoriji). Vojnici imaju neposrednu obavezu prema civilima u svojoj pozadini, što je povezano sa samim smislom vojske i s njenom političkom odanošću. Ali zgrada pravâ stoji nezavisno od političke odanosti; ona utvrđuje obaveze koje se duguju, da tako kažemo, samom čovečanstvu i pojedinačnim ljudskim bićima, a ne samo našim sugrađanima. Prava nemačkih civila – koji se nisu borili i nisu bili angažovani na snabdevanju oružanih snaga sredstvima za borbu – nisu se razlikovala od prava njihovih francuskih parnjaka, baš kao što se ratna prava nemačkih vojnika nisu razlikovala od ratnih prava francuskih vojnika, ma šta mi mislili o ratu koji su vodili.

Međutim, slučaj okupirane Francuske (ili Norveške) složen je na još jedan način. Čak i da su francuski piloti smanjili svoj rizik i leteli na većoj visini, ne bismo samo njih smatrali odgovornima za smrt civila koju su prouzrokovali. Tu odgovornost bi delili sa Nemcima – delimično zato što su Nemci napali i okupirali

Francusku, ali takođe (što je važnije za naš trenutni cilj) i zato što su francusku privredu stavili u službu sopstvenih strateških ciljeva, prinudivši francuske radnike da opslužuju nemačku ratnu mašineriju, što je preobrazilo francuske fabrike u legitimne vojne mete i ugrozilo susedne stambene oblasti. Pitanje posrednog i neposrednog efekta je komplikovano pitanjem o prinudi. Kad prosuđujemo nenamerno ubijanje civila, potrebno je da znamo kako su se ti civili uopšte zatekli u zoni borbi. To je, možda, još jedan način da se postavi pitanje ko ih je doveo u opasnost i koji su pozitivni napori uloženi da se oni izbave. Ali to pokreće pitanja kojima se još nisam bavio, i koja su najdramatičnije vidljiva kad se okrenemo jednoj drugoj, mnogo starijoj vrsti ratovanja.

10. RAT PROTIV CIVILA: OPSADE I BLOKADE

Opsada je najstariji oblik totalnog rata. Duga istorija opsada navodi na pomisao da ni tehnološki napredak ni demokratska revolucija nisu ključni činioci koji su ratovanje proširili i na neboračku populaciju. Civili su napadani zajedno sa vojnicima, ili da bi se doprlo do vojnika, isto toliko često u antici kao i u modernom dobu. Ovakvi napadi su verovatni kad god neka vojska traži ono što bismo mogli nazvati civilnim štitom i bori se iza gradskih zidina ili iz gradskih zgrada, ili kad god stanovnici ugroženog grada traže najneposredniji oblik vojne zaštite i pristaju da njihov grad posedne vojska koja će ih štititi. Tada su, zatvoreni unutar zidina, civili i vojnici izloženi istim opasnostima. Bliskost i oskudica čine ih podjednako ranjivim. Ili ih možda i ne čine podjednako ranjivim: u ovakvoj vrsti rata, kad jednom borbe počnu, verovatnije je da će ginuti civili. Vojnici se bore sa zaštićenih položaja, a civili, koji se uopšte ne bore, brzo postaju (prema rečima koje sam preuzeo iz vojničke literature) „beskorisna usta". Dobijaju hranu poslednji, i to samo ono što preostaje od vojske; oni umiru prvi. Više civila je umrlo tokom opsade Lenjingrada nego u paklu Hamburga, Drezdena, Tokija, Hirošime i Nagasakija zajedno. Verovatno je njihova smrt bila i bolnija, mada na staromodan način. Dnevnici i uspomene iz opsada u dvadesetom veku potpuno su bliski svakom ko je pročitao, na primer, Josifovu [Josephus] zastrašujuću istoriju rimske opsade Jerusalima. A moralna pitanja koja pokreće Josif poznata su svakome ko je razmišljao o ratovima u prošlom stoleću.

Prinuda i odgovornost

Opsada Jerusalima, 72. godine pre nove ere

Kolektivna glad je gorka sudbina: roditelji i deca, prijatelji i ljubavnici, moraju da posmatraju kako njihovi voljeni umiru, a umiranje je užasno dugotrajno, fizički i moralno razorno mnogo pre svog kraja. Mada zvuči kao kraj sveta, sledeći odeljak iz Josifovog dela odnosi se na relativno rano vreme tokom rimske opsade:[1]

> Nedostatak slobode da uđu u grad i izađu iz njega oduzeo je Jevrejima svu nadu u bezbednost, a sve veća glad je odnosila cela domaćinstva i porodice; i kuće su bile pune mrtvih žena i dece; a ulice prekrivene mrtvim telima staraca. A mladi ljudi, naduti poput senke mrtvaca, hodali su tržnicom i padali mrtvi. A broj leševa je bio toliki da ih živi nisu mogli sahraniti; niti su se starali da ih sahrane, jer ni sami nisu znali šta ih čeka. A mnogi koji su pokušavali da sahrane leševe padali su i sami mrtvi pored njih... A mnogi živi su se uvlačili u svoje grobove i tu umirali. A ipak, i pored sve ove nesreće, nije bilo plača ni tužbalica, jer glad je nadvladala sva osećanja. A oni koji su još bili živi, bez suza su posmatrali one koji su, budući mrtvi, sada počivali u miru pred njima. U gradu se nije čuo ni glas...

Ovo nije opis iz prve ruke; Josif je bio van gradskih zidina, sa rimskom vojskom. Prema drugim piscima, žene žive najduže u opsadama, mladi ljudi najbrže zapadaju u letargiju koja prethodi smrti.[2] Ali ovaj opis je dovoljno tačan: takva je opsada. Štaviše, *i treba da bude takva.* Kad je grad opkoljen i kad je sprečeno dostavljanje hrane u njega, napadači ne očekuju da će se vojna posada držati sve dok vojnici ne popadaju, poput Josifovih staraca, mrtvi po ulicama. Očekuje se da će smrt običnih stanovnika grada prisiliti vojne i civilne vođe na predaju. Cilj je predaja; sredstvo nije poraz neprijateljske vojske već užasan prizor smrti civila.

Princip dvostrukog efekta, ma kako ga formulisali, ovde ne pruža nikakvo opravdanje. Ove smrti su namerno izazvane. Pa ipak, opsade nisu zabranjene pravilima ratovanja. „Ne dovodi se u pitanje prikladnost da se gladovanjem prinudi [grad] na predaju."[3] Ako postoji opšte pravilo da ne treba za cilj imati smrt civila, opsada predstavlja veliki izuzetak – i vrstu primera koja izgleda kao da, ako je moralno opravdana, ruši samo pravilo.

1 *The Works of Josephus*, trans. Tho. Lodge, London, 1620: *The Wars of the Jews*, knj. VI, gl. XIV, str. 721.

2 Vidi, na primer, izuzetne uspomene Elene Skrjabine, *Siege and Survival: The Odyssey of a Leningrader*, Carbonville, Ill. 1971.

3 Charles Chaney Hyde, *International Law*, 2. dopunjeno izdanje, Boston, 1945, III, str. 1802.

Moramo da razmotrimo razloge za ovaj izuzetak. Kako se može misliti da je ispravno zatvoriti civile u smrtonosnu klopku u opkoljenom gradu?

Očigledan je odgovor to da je osvajanje gradova često značajan vojni cilj – u doba gradova-država, to je bio najvažniji cilj – a ukoliko frontalni napad ne uspe, opsada je jedino preostalo sredstvo za ostvarenje cilja. Međutim, zapravo nije neophodno da frontalni napad doživi neuspeh pre nego što se pomisli da je opsada opravdana. Sedeti i čekati je daleko jeftinije po opsadničku armiju nego napad, a ovakve proračune dozvoljava (kao što smo videli) princip vojne nužnosti. Ali ovaj argument nije najzanimljivija odbrana opsadnog rata, niti je, mislim, ono čime su zapovednici umirivali svoju savest. Josif sugeriše alternativu. Tit je, kaže nam, oplakivao smrt tolikih Jerusalimljana, „i dižući svoje ruke ka nebu... pozvao je boga za svedoka da to nije njegovo delo."[4] Čije je to delo?

Posle samog Tita, postoje još samo dva kandidata: političke ili vojne vođe grada, koje su odbile da se predaju pod određenim uslovima i prinudile stanovnike na borbu; ili sami stanovnici, koji su se složili s ovim odbijanjem i pristali, da tako kažemo, na sve opasnosti rata. Tit se implicitno, a Josif eksplicitno, opredeljuje za prvu od ovih mogućnosti. Jerusalimom su ovladali, dokazuju oni, fanatični ziloti, koji su rat nametnuli većini umerenih Jevreja, inače spremnih da se predaju. Možda u ovom gledištu ima izvesne istine, ali ovo nije zadovoljavajući argument. On samog Tita čini bezličnim oruđem uništenja, koje je pokrenula tvrdoglavost drugih, bez ikakvih njegovih planova i ciljeva. A on sugeriše da su gradovi (a zašto ne i zemlje?) koji se ne predaju s pravom izloženi totalnom ratu. Ovo nisu prihvatljive tvrdnje. Čak i ako ih odbacimo, međutim, pripisivanje odgovornosti u opsadnom ratu složen je posao. Ova složenost pomaže da se objasni, mada ću dokazivati da ne opravdava, poseban status opsada u ratnom pravu. Ona nas takođe navodi da zapazimo da ima moralnih pitanja na koja treba odgovoriti pre no što se pozovemo na princip dvostrukog efekta. Kako je došlo do toga da se ovi civili nađu toliko blizu bojnom polju, na kojem sada

4 *The Works*, str. 722.

(namerno ili slučajno) bivaju ubijani? Da li su tu na osnovu svog izbora? Ili su bili prinuđeni da se suoče s ratom i smrću?

Grad zaista može biti branjen protiv volje svojih građana – od strane vojske, poražene na bojnom polju, koja se sklanja iza njegovih zidina; od strane tuđeg garnizona, koji služi strateškim interesima udaljenog zapovedništva; od strane ratobornih, politički moćnih manjina ove ili one vrste. Kad bi bili vešti kazuisti, vođe ovih grupa bi mogle da razmišljaju na sledeći način: „Znamo da će civili umirati zbog naše odluke da se borimo ovde, a ne na nekom drugom mestu. Ali nećemo ih mi ubijati, a njihova smrt nam neće doneti nikakvu korist. Ona nije naš cilj, niti deo našeg cilja, niti sredstvo za naše ciljeve. Prikupljajući i racionišući hranu, učinićemo sve što možemo da spasemo živote civila. Nismo odgovorni za one koji umru." Jasno je da se ove vođe ne mogu osuditi u skladu s principom dvostrukog efekta. Ali ipak mogu biti osuđene – utoliko ukoliko stanovnici grada odbijaju da budu branjeni. U srednjovekovnoj istoriji ima mnogo ovakvih primera: građana spremnih da se predaju, aristokratskih ratnika obaveznih (ali ne građanima) da nastave borbu.[5] U ovakvim slučajevima, ratnici sigurno snose izvesnu odgovornost za smrt građana. Oni su akteri prinude unutar gradskih zidina, kao što je opsadnička armija to spolja, a civili su ulovljeni u klopku između njih. Ali ovakvi slučajevi su danas retki, kao što su bili i u klasično doba. Politička integracija i građanska disciplina stvaraju gradove čiji stanovnici očekuju da budu branjeni, i koji su spremni, moralno, mada ne uvek i materijalno, da podnesu teret opsade. Pristanak oslobađa optužbi branioce, i samo pristanak to može.

Šta sa napadačima? Pretpostavljam da nude predaju pod određenim uslovima; ovo je jednostavno kolektivni ekvivalent poštede, i trebalo bi da uvek bude dostupno. Ali predaja je odbačena. Tada postoje dve vojne opcije. Prvo, mogu se bombardovati gradska utvrđenja i jurišati na zidove. Bez sumnje će civili ginuti, ali vojnici koji napadaju s pravom mogu reći da ih ne treba kriviti za njihovu smrt. Mada oni ubijaju, te smrti nisu, u jednom značajnom smislu, njihovo „delo". Napadači su oslobođeni

5 U delu M. H. Keen, *The Laws of War in the Middle Ages,* London, 1965, str. 128, iznet je opis aristokratskih obaveza u takvim slučajevima.

odgovornosti odbijanjem predaje, što predstavlja prihvatanje rizika rata (ili moralna odgovornost prelazi na vojsku koja se brani, koja je onemogućila predaju). Ali ovaj argument važi samo za one smrti koje su stvarno slučajne u odnosu prema legitimnim vojnim operacijama. Odbijanje predaje ne čini od civila neposredni predmet napada. Oni time nisu stupili u rat, mada neki od njih mogu kasnije biti mobilisani za ratne aktivnosti unutar grada. Oni su jednostavno na svom „pravom i trajnom mestu boravka", a njihov status kao građana opsednutog grada ne razlikuje se od njihovog statusa kao građana zemlje u ratu. Ako oni smeju biti ubijani, ko ne sme? Ali tada se čini da je zabranjena druga vojna opcija: grad se ne sme opkoliti, odseći od sveta, njegovi stanovnici se ne smeju sistematski izgladnjivati.

Pravnici su liniju razgraničenja povukli drugačije, mada i oni priznaju da pitanja o prinudi i pristanku prethode pitanjima o neposrednim i posrednim efektima. Razmotrimo sledeći slučaj iz Makijavelijeve [Machiavelli] *Veštine ratovanja* [*Art of War*]:[6]

> Aleksandar Veliki, želeći da osvoji Levkadu, prvo je zagospodario susednim gradovima i sve stanovnike oterao u Levkadu; najzad je grad bio toliko pun ljudi da ga je odmah bacio na kolena glađu.

Makijaveli je bio oduševljen ovom strategijom, ali ona nikad nije postala prihvaćena vojna praksa. Štaviše, ona nije prihvaćena čak ni kada je cilj prinudne evakuacije dobroćudniji od Aleksandrovog: isprazniti predgrađa radi vojnih operacija, recimo, ili oterati ljude koje opsadnička armija ne može da hrani. Da je Aleksandar postupao iz ovakvih motiva, a potom zauzeo Levkadu na juriš, slučajna smrt evakuisanih bi i dalje bila njegova odgovornost, jer ih je prisilno izložio rizicima rata.

Pravna norma je *status quo*.[7] Zapovednik opsadničke armije se ne smatra odgovornim, niti on sam misli da je odgovoran za one ljude koji su oduvek živeli u gradu – koji su tu, da tako kažemo, prirodno – niti za one koji su tu dobrovoljno, koji su tražili zaštitu gradskih zidova, vođeni samo opštim strahom od

6 *The Art of War*, trans. Ellis Fameworth, dopunjeno izdanje sa predgovorom Nila Vuda [Neal Wood], Indianapolis, 1965, str. 193.

7 Spejtova [Spaight] rasprava je najbolja: *War Rights*, str. 174 ff.

rata. On nije odgovoran u pogledu tih ljudi, ma kako užasno oni umirali, ma koliko bio njegov cilj da umiru užasno, zato što ih nije prisilio da se nađu na mestu gde će umreti. Nije ih gurnuo kroz vrata grada pre no što ih je u njemu zaključao. Ovo je, pretpostavljam, razumljiv način da se povuče granica, ali mi se ne čini da je i ispravan. Teško pitanje jeste to da li se granica uopšte može povući na neki drugi način a da se opsade potpuno ne zabrane. U dugoj istoriji opsadnog ratovanja, ovo pitanje ima specifičan oblik: da li bi civilima trebalo dozvoliti da napuste grad, što bi ih spaslo smrti od gladi i olakšalo pritisak na kolektivne zalihe hrane, pošto je bio opkoljen? Opštije, zar nije isto zatvoriti ih u opsednutom gradu i naterati ih u njega? A ako jeste, zar ih ne bi trebalo pustiti da izađu, tako da se za one koji ostanu da se bore i umiru od gladi zaista može reći da su izabrali da ostanu? Tokom opsade Jerusalima, Tit je naredio da svaki Jevrejin koji pobegne iz grada bude razapet na krstu. Na ovom mestu svoje priče Josif oseća potrebu da opravda svog novog gospodara.[8] Ali preći ću na savremeni primer, jer su ova pitanja neposredno postavljena pred sudom u Nirnbergu posle Drugog svetskog rata.

Pravo da se napusti grad

Opsada Lenjingrada

Kada su i poslednje drumske i železničke veze sa istokom presekle nemačke snage koje su napredovale, 8. septembra 1941. godine, u Lenjingradu se nalazilo preko tri miliona ljudi, od kojih su 200.000 bili vojnici.[9] Ovo je bilo otprilike jednako predratnoj populaciji grada. Oko pola miliona ljudi je bilo evakuisano pre početka opsade, ali su taj broj nadoknadile izbeglice iz baltičkih država, sa Karelijske prevlake i iz zapadnih i južnih predgrađa Lenjingrada. Trebalo je da ovi ljudi budu premešteni negde dalje, a sama evakuacija grada ubrzana; sovjetske vlasti su bile zastrašujuće neefikasne. Ali evakuacija je uvek teško političko pitanje. Organizovati je rano i u velikim razmerama izgleda kao defetizam; to je način da se prizna da armija neće biti u stanju

8 *The Works*, str. 718.

9 Držaću se opisa iznetog u Leon Goure, *The Siege of Leningrad*, Stanford, 1962.

da održi front ispred grada. Štaviše, ona zahteva ogroman napor u vreme, kao što se obično kaže, kada sredstva i ljudstvo treba da se usredsrede na vojnu odbranu. A čak i kada opasnost neposredno predstoji, verovatno je da će se evakuacija suočiti s otporom civila. Politika je uzrok dve vrste otpora: otpora onih koji se nadaju da će dobrodošlicom dočekati neprijatelja i da će izvući koristi iz njegove pobede, i onih koji nisu spremni da „dezertiraju" iz patriotske borbe. Neizbežno, same vlasti koje organizuju evakuaciju takođe vode i propagandnu kampanju, koja dezerterstvo prikazuje kao beščasno. Ali dublji otpor je nepolitičkog karaktera, duboko ukorenjen u osećanja pripadnosti mestu i srodnicima: nespremnost da se napusti svoj dom, da se razdvoji od prijatelja i porodice, da se postane izbeglica.

Iz svih tih razloga, veliki broj Lenjingrađana zarobljenih u gradu posle 8. septembra nije ništa neobično u istoriji opsada. Niti su oni bili apsolutno uhvaćeni u klopku. Nemci nikada nisu uspeli da se povežu s finskim snagama na istočnim ili zapadnim obalama jezera Ladoga, tako da je ostao otvoren put za evakuaciju u unutrašnjost Rusije, prvo čamcima preko jezera, a potom, kad se jezero zaledilo, pešice, sankama i kamionima. Međutim, do organizacije konvojâ velikih razmera (januara 1942. godine), samo je mali broj ljudi bio u stanju da se izbavi. Bio je dostupan i neposredniji put za izbavljenje – kroz nemačke linije. Jer nemačke linije su se protezale duž širokog luka južno od grada, dugačkog mnogo kilometara i na izvesnim mestima oskudno zaposednutom. Civilima je bilo moguće da se pešice provuku kroz linije i, dok je očajanje u gradu raslo, hiljade njih je to pokušalo. Nemačka komanda je na ove pokušaje odgovorila naredbom, izdatom prvo 18. septembra, a potom ponovljenom posle dva meseca, da se izbeglice zaustave po svaku cenu. Trebalo je koristiti artiljeriju da se „ovakvi pokušaji spreče na najvećoj mogućoj udaljenosti od naših linija, tako da pešadija bude pošteđena... toga da puca na civile".[10] Nisam mogao da otkrijem koliko je civila poginulo kao neposredna ili posredna posledica ove naredbe; niti znam da li je pešadija stvarno pucala. Ali ako pretpostavimo da je nemački napor bio bar delimično uspešan, mnogi koji su

10 Goure, str. 141; *Trials of War Criminals before the Nuremberg Military Tribunals*, Washington, 1950, XI, str. 563.

razmišljali o ovakvom izbavljenju, slušajući artiljerijsku vatru ili pucnje pušaka, sigurno su ostali u gradu. A u njemu su mnogi od njih pomrli. Do kraja opsade 1943. godine više od milion civila je umrlo od gladi i bolesti.

U Nirnbergu, feldmaršal Fon Leb [von Leeb], koji je zapovedao Armijskom grupom sever od juna do decembra 1941. godine i koji je stoga bio odgovoran za prve mesece opsade, bio je formalno optužen za ratne zločine zbog naredbe od 18. septembra. Odbrana Fon Leba je tvrdila da je ono što je učinio uobičajena praksa u ratu, a sudije, pošto su konsultovale pravne priručnike, bile su prinuđene da se slože. Naveli su profesora Hajda [Hyde], američkog stručnjaka za međunarodno pravo: „Kaže se da je, ako zapovednik opsednutog mesta protera neborce da bi smanjio broj onih koji troše njegove zalihe hrane, zakonita, mada ekstremna mera naterati ih da se vrate kako bi se ubrzala predaja.“[11] Nisu uloženi napori da se razlikuju „proterani“ civili od onih koji napuštaju opsednuto mesto svojevoljno, a možda ova distinkcija nije ni relevantna za krivicu ili nevinost Fon Leba. Korist po opsednutu armiju bila bi ista u oba slučaja. Pravila rata dopuštaju napadačima da spreče korist po napadnute ako mogu. „Možda bismo mi voleli da je zakon drugačiji“, izjavile su sudije, „ali moramo da ga primenjujemo onakav kakav je.“ Fon Leb je oslobođen optužbi.

Sudije su mogle da pronađu slučajeve kada je civilima bilo dozvoljeno da napuste opsednute gradove. Tokom francusko-pruskog rata, Švajcarska je organizovala ograničenu evakuaciju civila iz Strazbura. Američki zapovednik je dozvolio civilima da napuste Santjago pre no što je naredio da grad bude bombardovan 1898. Japanci su ponudili slobodan izlazak neborcima iz Port Artura 1905. godine, ali su ruske vlasti odbile tu ponudu.[12] Međutim, sve su to slučajevi u kojima je napadačka armija očekivala da će grad zauzeti na juriš, a njeni zapovednici su želeli da učine humani gest – oni ne bi rekli da priznaju prava neboraca – koji ih neće koštati ništa. Ali kada treba čekati da se branioci predaju, podvrgnuti sporom izgladnjivanju, presedani su drugačiji. Ruska opsada Plevne u rusko-turskom ratu 1877. godine je tipičnija.[13]

11 Navod je iz Hyde, *International Law*, III, str. 1802–1803.
12 Spaight, str. 174 ff.
13 Spaight, str. 177–178.

> Kada su zalihe hrane Osman-paše počele da se smanjuju, pokupio je starce i starice iz grada i zahtevao za njih slobodan prolaz do Sofije ili Rakova. General Gurko [ruski zapovednik] je to odbio i vratio ih nazad.

A stručnjak za međunarodno pravo koji navodi ovaj slučaj iznosi komentar: „Ne bi mogao da postupi drugačije a da ne naškodi svojim planovima." Feldmaršal Fon Leb je mogao da se pozove na svetao primer generala Gurka.

Argument koji treba izneti i protiv Gurka i protiv Fon Leba nagovešten je u nemačkoj naredbi od 18. septembra. Pretpostavimo da je veliki broj ruskih civila, ubeđenih da će umreti ukoliko se vrate u Lenjingrad, uporno pokušavao da se, uprkos artiljerijskoj vatri, približi nemačkim linijama. Da li bi ih pešadija pobila? Očigledno je da oficiri nisu bili sigurni. Takve stvari su obavljali posebni „eskadroni smrti" čak i u Hitlerovoj armiji. Sigurno je da bi bilo izvesnog oklevanja, pa čak i odbijanja, a sigurno je da bi bilo ispravno odbiti. Ili, pretpostavimo da ove izbeglice nisu bile pobijene već opkoljene i zarobljene. Da li bi bilo prihvatljivo prema zakonima rata obavestiti zapovednika opsednutog grada da će one biti držane bez hrane i sistematski izgladnjivane sve dok se on ne preda? Nema sumnje da bi sudije ovo smatrale neprihvatljivim (mada su ponekad priznavale pravo da se ubijaju taoci). Oni ne bi dovodili u pitanje odgovornost Fon Leba za te ljude, koje je, u mom izmišljenom primeru, pohvatao i zatvorio. Ali po čemu je slučaj opsade grada različit?

Stanovnici grada, mada su slobodno izabrali da žive unutar njegovih zidina, nisu izabrali da žive pod opsadom. Sama opsada je čin prisile, kršenje *status quo*, i ne mogu da vidim kako bi zapovednik armije koja je opsela grad mogao da izbegne odgovornost za posledice opsade. On nema prava da vodi totalni rat, čak i ako su civili i vojnici u gradu politički ujedinjeni u odbijanju predaje. Sistematsko izgladnjivanje civila pod opsadom jedan je od onih vojnih postupaka koji su „mada dopušteni običajima, u upadljivoj suprotnosti s principom kojim je običaj navodno vođen".[14]

14 Hall, *International Law*, str. 398.

Jedini postupak koji se može opravdati, mislim, iznet je u talmudskom zakonu o opsadama, koji je sumirao filozof Majmonid u dvanaestom veku (a čiju verziju navodi Grocijus u sedamnaestom): „Kada se grad opsedne da bi se zauzeo, ne sme biti opkoljen sa sve četiri strane, već samo sa tri, da bi se pružila prilika da se spasu oni koji žele da pobegnu da bi sačuvali život..."[15] Ali ovo izgleda beznadežno naivno. Kako je moguće „opkoliti" grad sa tri strane? Ovakva rečenica, moglo bi se reći, može da se pojavi samo u spisima naroda koji nema ni svoju državu ni svoju vojsku. To je argument iznet ne iz vojničke perspektive već s tačke gledišta izbeglica. Međutim, to je ključno: u strahotama opsade ljudi imaju pravo da budu izbeglice. A tada se mora reći da opsadnička armija ima odgovornost da otvori, ukoliko može, put za njihovo bekstvo.

U praksi, mnogi muškarci i žene će odbiti da odu. Mada sam civile pod opsadom opisao kao ljude uhvaćene u klopku, nalik taocima, život u gradu nije sličan životu u zarobljeničkom logoru; on je i mnogo gori i mnogo bolji. S jedne strane, treba obaviti značajan posao, i postoje opšteprihvaćeni razlozi da se on obavi. Opsednuti su gradovi pozornice kolektivnog herojstva, pa čak i kada iščezne obična ljubav prema mestu u kome se živelo, emotivni život ugroženog grada čini da odlazak bude težak, bar za neke građane.[16] Civilima koji obavljaju poslove bitne za vojsku neće, naravno, biti dopušteno da odu; oni su, u stvari, mobilisani. Zajedno sa civilnim herojima opsade, oni su stoga legitimni objekat vojnog napada. Ponuda slobodnog izlaska čini od svih ljudi koji odaberu da ostanu u gradu, ili koji su prisiljeni da ostanu, čak i ako su na svom „pravom i trajnom mestu boravka", nešto nalik na garnizon: oni su se odrekli svojih civilnih prava. To što muškarci i žene moraju, u ovom slučaju, da napuste svoje domove da bi zadržali svoj imunitet jeste još jedan primer prisilnosti rata. Ali ovo nije sud o zapovedniku opsade. Kad otvara svoje linije civilnim izbeglicama, on umanjuje neposrednu nasilnost svojih aktivnosti, i učinivši to, verovatno ima pravo

15 *The Code of Maimonides: Book Fourteen: The Book of Judges*, trans. Abraham M. Hershman, New Haven, 1949, str. 222; Grotius, *Law of War and Peace*, knj. III, gl. XI, odeljak xiv, str. 739–740.

16 Vidi Skrjabina, *Siege and Survival*, „Leningrad".

da nastavi s tim aktivnostima (pretpostavljajući da one imaju neki značajan vojni cilj). Ponuda slobodnog izlaska oslobađa ga odgovornosti za smrt civila.

Na ovom mestu potrebno je argument učiniti opštijim. Izneo sam ideju da kada sudimo o onim oblicima ratovanja koji uključuju civilnu populaciju, kao što su opsade (i, kao što ćemo videti, gerilski rat), pitanje prisile i pristanka dobija prvenstvo nad pitanjem neposrednosti i posrednosti. Želimo da znamo kako su se civili našli na vojno izloženim pozicijama: koja sila je upotrebljena protiv njih, koje izbore su slobodno izvršili. Postoji široka lepeza mogućnosti:

1) prisilili su ih njihovi tobožnji branioci, koji tada moraju da dele odgovornost za njihovu smrt, mada ih ne ubijaju oni sami;
2) pristali su da budu branjeni, te su tako oslobodili odgovornosti zapovednika armije branilaca;
3) prisilili su ih njihovi napadači, doveli ih u izloženi položaj i ubili, u kom slučaju nije važno da li je ubijanje neposredna ili sporedna posledica napada, jer se u oba slučaja radi o zločinu;
4) napadnuti su, ali nisu prisiljeni, napadnuti na njihovom „prirodnom“ mestu, a tada u igru ulazi princip dvostrukog efekta i opsada izgladnjivanjem postaje moralno neprihvatljiva; i
5) napadači su im ponudili slobodan izlazak, posle čega oni koji ostaju mogu opravdano biti ubijani, neposredno ili posredno.

Poslednje dve mogućnosti su najznačajnije, mada ću kasnije uvesti izvesna ograničenja. One zahtevaju jasnu promenu savremenih zakona, onakvih kako su oni formulisani ili preformulisani u Nirnbergu, tako da se ustanovi i dâ sadržaj principu koji je, mislim, opšteprihvaćen: da vojnici imaju obavezu da civilima pomognu da napuste mesto na kojem se vode borbe. U slučaju opsade, želim da tvrdim, sama borba je moguća u moralnom pogledu jedino kada ispune ovu obavezu.

Ali da li je moguća i u vojnom? Kad je jednom ponuđen slobodan izlazak, i kada ga prihvati značajan broj ljudi, opsadnička armija je u izvesnoj meri u nepovoljnijem položaju. Zalihe hrane grada će sada trajati duže. Upravo ovu nepovoljnost su zapovednici opsada u prošlosti odbijali da prihvate. Međutim, ne vidim da se radi o nepovoljnosti različite vrste od drugih nepovoljnosti koje nameće ratna konvencija. Ona ne čini da opsade budu potpuno nepraktične, samo ih malo otežava – imajući u vidu nemilosrdnost savremene države, moramo reći, marginalno otežava; jer nije verovatno da će se dopustiti da prisustvo velikog broja civila u opsednutom gradu ometa odbranu grada. U Lenjingradu, vojnici nisu gladovali, mada su civili umirali od gladi. S druge strane, civili su evakuisani iz Lenjingrada kada se jezero Lagoda zaledilo i kada su dopremljene zalihe hrane. U različitim okolnostima, slobodan izlaz može veoma promeniti vojnu situaciju, namećući frontalni napad na grad (zato što i opsadnička armija može imati probleme sa zalihama) ili znatno produženje opsade. Ali ovo su prihvatljive posledice, i one „škode" planovima zapovednika opsade samo ako ih on nije unapred predvideo i uključio u svoje planove. U svakom slučaju, ako želi (a verovatno će želeti) da digne ruke prema nebu i izjavi za civile koje ubija: „To nije moje delo", on nema drugog izbora do da im ponudi priliku da odu.

Određivanje cilja i učenje o dvostrukom efektu

Međutim, pitanje je teže kada se cela zemlja nalazi u uslovima opsade, kao kada invaziona armija počne sistematski da uništava useve i zalihe hrane, na primer, ili kada pomorska blokada preseče uvoz značajan za život. Ovde slobodan izlazak nije prihvatljiva mogućnost (bila bi potrebna masovna migracija), a pitanje o odgovornosti dobija donekle izmenjen oblik. Još jednom, treba naglasiti da je borba da se obezbedi i uskrati snabdevanje opšta odlika antičkog, kao i savremenog ratovanja. Ona je bila predmet zakonodavstva dugo pre no što su izgrađeni savremeni zakoni rata. Kodeks iz Pete knjige Mojsijeve, na primer, izričito zabranjuje seču voćaka: „... Drveta koja znaš da im se rod ne jede, njih obaljuj i sijeci i gradi zaklon od grada..."[17] Ali čini se da je malo vojski u istoriji poštovalo ovu zabranu. Ona je očigledno bila nepoznata u Grčkoj; tokom Peloponeskog rata,

17 *Peta knjiga Mojsijeva*, 20:20.

uništavanje gajeva maslina je praktično bilo prvi čin napadačke vojske; sudeći po Cezarovom *Galskom ratu*, i Rimljani su se borili na isti način.[18] Od početka modernog doba, dugo pre no što je postalo moguće naučno uništavanje useva, učenje o strateškom pustošenju bilo je neka vrsta konvencionalne mudrosti među vojnim zapovednicima. „Palatinat je bio opustošen [u Tridesetogodišnjem ratu] da bi se carskoj vojsci uskratili proizvodi zemlje; Marlboro je iz sličnih razloga uništio seoska imanja i useve u Bavarskoj [u Ratu za špansko nasleđe]..."[19] Dolina Šenandoa je opustošena u američkom Građanskom ratu; a spaljivanje farmi prilikom Šermanovog marša kroz Džordžiju imalo je, između ostalih ciljeva, strateški cilj izgladnjivanja armije Konfederacije. U naše doba, i s naprednijim tehnologijama, ogromni delovi Vijetnama su pretrpeli slično razaranje.

Savremeni zakoni rata zahtevaju da ovakvi napori budu usmereni, ma kakve bile njihove posredne posledice, samo na oružane snage neprijatelja. Za civile u gradu misli se da su legitimne mete, civili kao takvi nisu: oni su, mada u velikom broju, samo slučajne žrtve strateškog razaranja. Ovde je dozvoljeni vojni cilj onemogućavanje snabdevanja neprijateljske vojske, i kada generali prekorače ovaj cilj – pokušavajući, kao general Šerman, da rat okončaju „kažnjavanjem" civilnog stanovništva – njih, uopšte uzev, osuđujemo. Zašto je to tako nisam siguran, mada je lakše otkriti zašto bi to trebalo da bude tako. Nemogućnost slobodnog izlaza zabranjuje bilo kakav neposredan napad na civilno stanovništvo.

Međutim, ovo ne pruža veliku zaštitu civilima, jer se ne mogu uništiti vojne zalihe a da se prvo ne unište civilne zalihe. Moralno poželjno pravilo izložio je Spejt [Spaight]: „Ako pod takvim posebnim uslovima kakvi su postojali u Konfederaciji i u Južnoj Africi [tokom Burskog rata]... zalihe neprijatelja zavise od viška žitarica itd. koje su u vlasništvu neboračkog stanovništva, tada zapovednik ima opravdanje na osnovu nužnosti rata da uništi ili zapleni taj *višak*."[20] Ali nije slučaj da vojska živi od civilnih

18 *Hobbes' Thucydides*, str. 123-124 (2:19-20); *War Commentaries of Caesar*, trans. Rex Warner (New York, 1960), str. 70, 96 (*Gallic Wars*, 3:3, 5:1).

19 A. C. Bell, *A History of the Blockade of Germany*, London, 1937, str. 213–214.

20 Spaight, str. 138.

viškova; mnogo je verovatnije da su civili prisiljeni da žive od onoga što pretekne pošto je armija nahranjena. Stoga strateško uništavanje nije usmereno, i ne može biti usmereno, na „proizvode potrebne vojsci" već na zalihe hrane uopšte. A civili pate mnogo pre no što vojnici osete oskudicu. Ali ko izaziva ove patnje, vojska koja uništava zalihe hrane, ili vojska koja ono što preostane rekvirira za sebe? Ovim pitanjem se bavi zvanična istorija Prvog svetskog rata britanske vlade.

Britanska blokada Nemačke

Po svom poreklu, blokada je prosto opsada s mora, „opkoliti s mora", koja sprečava sve brodove da uplove u blokiranu oblast (obično glavnu luku) ili isplove iz nje i prekida, koliko je to moguće, celokupno snabdevanje. Međutim, nije se mislilo da je pravno ili moralno opravdano proširiti ovu zabranu na celokupnu trgovinu jedne zemlje. Većina komentatora iz devetnaestog veka delila je gledište da ekonomski život neprijateljske zemlje ne sme da bude legitiman vojni cilj. Uskraćivanje vojnih potreba je, naravno, bilo dopustivo, i imajući u vidu mogućnost da se brodovi zaustavljaju i pretražuju na otvorenom moru, razvijena su složena pravila za regulaciju trgovine tokom rata. Zaraćene sile su objavljivale spiskove dobara koja su se smatrala „kontrabandom" i koja su se smela zapleniti. Mada su ovi spiskovi imali tendenciju da postaju sve duži i obuhvatniji, zakoni pomorskog rata su stipulirali postojanje kategorije „uslovne kontrabande" (u koju su obično spadali hrana i lekovi), robe koja se ne sme zapleniti osim ukoliko nije poznato da je namenjena vojsci. Ovde je relevantan princip bio proširenje distinkcije borac/neborac. „Zaplena trgovačke robe postaje nelegitimna čim prestane da za cilj ima slabljenje pomorskih i vojnih resursa [neprijateljske] zemlje i počne da vrši pritisak neposredno na civilno stanovništvo."[21]

U Prvom svetskom ratu, ova pravila su podrivana na dva načina: prvo, proširenjem pojma blokade, a potom pretpostavljanjem da sva uslovna „kontrabanda" ima vojnu svrhu. Rezultat je bio ekonomski rat velikih razmera, borba oko snabdevanja

21 Hall, *International Law*, str. 656.

koja je po ciljevima i posledicama bila slična strateškom pustošenju. Nemci su vodili ovaj rat podmornicama; Britanci, koji su kontrolisali bar površinu mora, koristili su konvencionalne pomorske snage, blokirajući celu obalu Nemačke. U ovom slučaju, konvencionalne snage su odnele pobedu. Sistem konvoja je na kraju nadvladao pretnju podmornicama, dok je blokada, prema Lidelu Hartu, bila odlučujući činilac u porazu Nemačke. „Bauk sporog iscrpljivanja koje se završava slomom", dokazuje Hart, „navelo je Vrhovnu komandu da preduzme svoju katastrofalnu ofanzivu 1918."[22] Neposrednije, i manje vojne posledice se takođe mogu pripisati blokadi. „Sporo iscrpljivanje" zemlje na nesreću implicira smrt individualnih građana. Mada civili u Nemačkoj nisu umirali od gladi tokom poslednjih godina rata, masovna neuhranjenost je veoma pogoršala normalne posledice bolesti. Statistička proučavanja izvršena posle rata pokazuju da je oko pola miliona umrlih civila čija se smrt može neposredno pripisati bolestima kao što su grip i tifus, zapravo umrlo usled oskudice koju je nametnula britanska blokada.[23]

Britanski zvaničnici su pravnim terminima branili blokadu kao odmazdu za nemački podmornički rat. Međutim, za našu svrhu je značajnije njihovo dosledno poricanje da je sprečavanje snabdevanja usmereno protiv nemačkih civila. Kabinet je planirao samo „ograničeni ekonomski rat", usmeren, prema zvaničnoj istoriji, „protiv oružanih snaga neprijatelja". Ali, nemačka vlada je održavala svoj otpor „stavljajući između armijâ i ekonomskih sredstava koja su bila usmerena protiv njih nemački narod, i puštajući civilno stanovništvo da snosi time izazvane patnje".[24] Ova rečenica izaziva smeh, a ipak je teško zamisliti ikakvu drugu odbranu pomorske blokade (ili strateškog pustošenja u ratu na kopnu). Pasivan oblik glagola „izazvati" nosi argument. Ko je izazvao patnje? Nisu to bili Britanci, mada su oni zaustavljali

22 B. H. Liddell Hart, *The Real War: 1914-1918*, Boston, 1964, str. 473.

23 Proučavanja su izveli nemački statističari, ali je Bel prihvatio njihove rezultate. Međutim, on donekle okleva da te rezultate smatra znakom „uspeha" britanske blokade: vidi str. 673.

24 Bell, str. 117. Uporedi isti argument koji je izneo francuski istoričar Louis Guichard, *The Naval Blockade: 1914-1918*, trans. Christopher R. Turner, New York, 1930, str. 304.

brodove i plenili teret; Britanci su ciljali na nemačku armiju i težili ostvarenju samo vojnih ciljeva. A tada, nagoveštava zvanični istoričar, sami Nemci su gurnuli civile na prvu liniju ekonomskog rata – kao da su ih oterali u prve borbene redove u Bici na Somi – gde Britanci nisu mogli a da ih ne ubijaju tokom legitimne vojne operacije.

Ako treba da sledimo ovaj argument, moraćemo da pretpostavimo ono što ne izgleda verovatno: da cilj Britanaca zapravo nije bila ona korist koju su izvukli iz sporog izgladnjivanja nemačkih civila. Imajući u vidu ovo srećno slepilo, tvrdnja da Britanija treba da bude oslobođena krivice za smrt tih civila u najmanju ruku je zanimljiva, mada u krajnjoj liniji neprihvatljiva. Pre svega, zanimljivo je da zvanični britanski istoričar iznosi tvrdnju u ovom složenom obliku umesto da jednostavno pretenduje na ratno pravo da se civili izgladnjuju (kao u slučaju opsada). A drugo, zanimljivo je i zato što oslobađanje Britanaca krivice toliko radikalno zavisi od osude Nemaca. Bez „stavljanja između“, Britanci nemaju dokaze, jer revidirani princip dvostrukog efekta zabranjuje strategiju koju su primenili.

Naravno, lažno je reći da je nemačka vlada „stavila civilno stanovništvo između“ blokade i vojske. Civili su ostali tamo gde su oduvek i bili. Ako su stajali iza vojske u nacionalnom redu za hranu, tamo su oduvek i stajali. Pravo prvenstva vojske na resurse nije izmišljeno da bi se izašlo na kraj s teškoćama blokade. Štaviše, to pravo je verovatno prihvatala većina Nemaca, bar do poslednjih meseci rata. Kada su Britanci za cilj uzeli neprijateljsku armiju, prema tome, oni su ciljali *kroz* civilno stanovništvo, znajući da se civili tamo nalaze i da su na svom normalnom mestu, na svom „pravom i trajnom mestu boravka“. U odnosu prema nemačkoj armiji, oni su bili smešteni na isti način kao i britanski civili u odnosu prema britanskoj armiji. Možda Britanci nisu nameravali da ih pobiju; ubijati ih nije bilo (ako ozbiljno uzmemo zvaničnu istoriju) sredstvo za cilj koji je postavio Kabinet. Ali ako uspeh britanske strategije nije zavisio od smrti civila, on je ipak zahtevao da ništa ne bude učinjeno da bi se njihova smrt izbegla. Civili su morali biti pogođeni pre no što vojnici mogu da budu pogođeni, a ova vrsta napada je moralno neprihvatljiva.

Vojnik mora brižljivo da nišani *na* svoj vojni cilj i *mimo* nevojnih ciljeva. On može da puca samo ako njegov hitac može da bude neometen; on sme da napada samo ako je direktni napad moguć. On može da rizikuje slučajnu smrt civila, ali ne sme da ubija civile prosto zato što ih zatiče između sebe i neprijatelja.[25]

Ovaj princip zabranjuje prošireni oblik pomorske blokade, kao i svaku vrstu strateškog pustošenja, osim u slučajevima u kojima se mogu doneti odgovarajući propisi za neborce i u onima u kojima su takvi propisi doneti. Ovo nije princip koji je bio opšteprihvaćen u ratu, bar ne od strane boraca. Ali on je u skladu, mislim, s drugim delovima ratne konvencije, i postepeno je stekao priznanje, iz političkih isto koliko i iz moralnih razloga, s obzirom na veoma značajan vid savremenog ratovanja. Sistematsko uništavanje useva i zaliha hrane je česta strategija u borbama protiv gerilaca, i pošto vlade koje vode ovakve borbe uopšte uzev polažu pravo na suverenitet nad teritorijom i stanovništvom o kojima je reč, one su bile sklone da prihvate odgovornost za ishranu civila (što ne znači da su civili uvek bili hranjeni). U sledećem poglavlju ću razmotriti šta sve ovo tačno obuhvata. U ovom sam dokazivao da je čak i civilno stanovništvo neprijatelja, nad kojim se ne pretenduje na suverenitet, odgovornost napadačkih armija kad god te armije prihvataju strategije koje civile dovode u opasnost.

25 Međutim, ostaje istina da se pitanje „interpolacije" (ili prisile) mora prvo rešiti. Razmotrimo jedan primer iz francusko-pruskog rata iz 1870. godine: tokom opsade Pariza, Francuzi su koristili neregularne snage u pozadini neprijatelja da napadaju vozove koji su prenosili vojne zalihe nemačkoj vojsci. Nemci su odgovorili time što su na vozove stavljali civilne taoce. Sada više nije bilo moguće imati „neometan hitac" na ono što je još uvek bila legitimna vojna meta. Ali civili na vozovima nisu se nalazili na svom normalnom mestu; oni su bili pod radikalnom prisilom; i odgovornost za njihovu smrt, čak i ako su tu smrt zapravo izazvali Francuzi, leži na nemačkim zapovednicima. O ovoj tezi vidi raspravu o „nedužnim štitovima od pretnje" u Robert Nozick, *Anarchy, State and Utopia*, str. 35.

11. GERILSKI RAT

Otpor vojnoj okupaciji

Partizanski napad

Iznenađenje je bitna odlika gerilskog rata; tako je zaseda klasična gerilska taktika. Ona je, naravno, i taktika konvencionalnog rata; skrivanje i kamuflaža koje uključuje, mada su nekada bili odbojni oficirima i džentlmenima, odavno se smatraju legitimnim oblikom borbe. Ali postoji jedna vrsta zasede koja nije legitimna u konvencionalnom ratu i koja dovodi u samu žižu moralne teškoće s kojima se suočavaju gerilci i njihovi neprijatelji. To je zaseda postavljena iza političkih i moralnih, a ne prirodnih zaklona. Jedan primer je izneo kapetan nemačke vojske Helmut Tauzend [Helmut Tausend] u dokumentarnom filmu Marsela Ofilsa [Marcel Ophuls] „Tuga i sažaljenje" [„The Sorrow and the Pity"]. Tauzend nam priča o vodu vojnika koji marširaju kroz francuski seoski predeo u doba nemačke okupacije. Oni prolaze pored grupe mladića, francuskih seljaka, ili bar tako izgleda, koji kopaju krompir. Ali to zapravo nisu bili seljaci, bili su to pripadnici Pokreta otpora. Dok su Nemci prolazili pored njih, „seljaci" su pobacali svoje ašove, dohvatili oružje skriveno u polju i otvorili vatru. Pogođeno je četrnaest vojnika. Godinama kasnije, njihov kapetan je još uvek bio gnevan. „Ovo zovete 'partizanskim' otporom? Ja ga ne zovem tako. Za mene su partizani ljudi koji mogu biti identifikovani, ljudi koji nose neku posebnu traku oko ruke ili kapu, nešto pomoći čega možete da ih prepoznate. Ono što se odigralo na tom polju s krompirom bilo je ubistvo."[1]

Kapetanov argument o trakama oko ruke i kapama jednostavno je navod iz međunarodnog ratnog prava, iz Haške i Ženevske konvencije, i o njima ću kasnije više reći. Važno je istaći

1 *The Sorrow and the Pity*, str. 113–114.

prvo da su se partizani ovde dvostruko prerušili. Oni su bili prerušeni u miroljubive seljake, a takođe i u Francuze, to jest, građane države koja se predala, za koju je rat bio završen (baš kao što se gerilci u revolucionarnoj borbi prerušavaju u nenaoružane civile i takođe u lojalne građane države koja uopšte nije u ratu). Zbog ovog drugog prerušavanja je zaseda bila toliko savršena. Nemci su mislili da se nalaze u pozadini, a ne na frontu, te stoga nisu bili spremni za borbu; ispred njih nije išla izvidnica; nisu sumnjali u mladiće u polju. Iznenađenje koje su postigli partizani bilo bi praktično nemoguće postići u stvarnoj borbi. Ono je poticalo od onoga što se može nazvati zaštitnom bojom nacionalne predaje, a njegov učinak je očigledno bila erozija moralnog i pravnog shvatanja na kojima počiva predaja.

Predaja je eksplicitan sporazum i razmena: individualni vojnik obećava da će prestati da se bori u zamenu za benevolentni karantin tokom trajanja rata; vlada obećava da će njeni građani prestati da se bore u zamenu za obnovu uobičajenog javnog života. Precizni uslovi „benevolentnog karantina" i „javnog života" navedeni su u pravnim knjigama; ovde ne moram da se u njih upuštam.[2] Navedene su i obaveze pojedinaca: oni mogu pokušavati da pobegnu iz zarobljeničkih logora ili sa okupirane teritorije, a ako uspeju u svom bekstvu, slobodni su da se ponovo bore, povratili su svoja ratna prava. Ali ne smeju se opirati svom karantinu ili okupaciji. Ako zarobljenik ubije stražara prilikom bekstva, to je ubistvo; ako građani poražene zemlje napadnu okupacione vlasti, taj postupak ima, ili je ranije imao, još strašnije ime: to je, ili je bilo, „ratna izdaja" (ili „ratna pobuna"), kršenje političkog poverenja, kažnjivo smrću, poput obične izdaje ili pobune i špijunaže.

Ali ne čini se da je naziv „izdajnik" pravo ime za ove francuske partizane. Zaista, upravo je njihovo iskustvo, i iskustvo drugih gerilskih boraca u Drugom svetskom ratu, ono što je dovelo do praktičnog iščezavanja pojma „ratne izdaje" iz pravnih knjiga i ideje o kršenju poverenja iz moralnih rasprava o otporu u ratu (kao i mirnodopske pobune, kada je ona usmerena protiv strane

2 Koristan pregled pravne situacije iznet je u Gerhard von Glahn, *The Occupation of Enemy Territory*, Minneapolis, 1957.

ili kolonijalne vlasti). Danas smo skloni da poričemo da pojedinci automatski stoje iza odluka svojih vlada, ili da dele sudbinu svojih armija. Počeli smo da shvatamo moralnu obavezu koju mogu da osećaju da brane svoju otadžbinu i svoju političku zajednicu, čak i kada je rat zvanično okončan.[3] Ratni zarobljenik, na kraju krajeva, zna da će se borbe nastaviti uprkos tome što je zarobljen, njegova vlada i dalje postoji, njegova zemlja se još uvek brani. Ali slučaj je drugačiji posle nacionalne predaje, i ukoliko još uvek postoje vrednosti koje vredi braniti, niko drugi ih ne može braniti osim običnih muškaraca i žena, građana bez političkog ili pravnog statusa. Pretpostavljam da nas neki ovakav opšti osećaj da postoje takve vrednosti navodi, ili nas često navodi, da tim ljudima priznamo moralni autoritet.

Ali mada ovo priznavanje autoriteta odražava nov i vredan demokratski senzibilitet, ono takođe pokreće i ozbiljna pitanja. Jer, ako građani poražene zemlje i dalje imaju pravo da se bore, šta znači predaja? I kakve obaveze mogu da nametnu osvajačke armije? Ne može biti uobičajenog javnog života na okupiranoj teritoriji ako su okupacione vlasti izložene napadima u bilo koje vreme i od strane bilo kog građanina. A i uobičajeni život je vrednost. On je nešto čemu se većina građana poražene zemlje najusrdnije nada. Heroji otpora ga stavljaju na kocku, i moramo da odmerimo rizike koje oni nameću drugima da bismo razumeli rizike koje sami prihvataju. Štaviše, ako vlasti zaista teže obnovi svakodnevnog mirnog života, izgleda kao da one imaju pravo da oružani otpor smatraju zločinačkom aktivnošću. Stoga se priča s početka ove glave može završiti na sledeći način (u filmu ona nema završetak): preživeli vojnici se okupljaju i uzvraćaju udarac; neki od partizana su uhvaćeni, suđeno im je kao ubicama, osuđeni su i pogubljeni. Mislim da ova pogubljenja ne bismo dodali spisku nacističkih ratnih zločina. Istovremeno, ne bismo se ni pridružili osudama.

Tako situaciju možemo rezimirati na sledeći način: otpor je legitiman, i kažnjavanje otpora je legitimno. To može izgledati kao prost ćorsokak i odricanje od etičkog suda. Zapravo je to

---

3 Vidi, na primer, W. F. Ford, „Resistance Movements and International Law“, 7-8 *International Review of the Red Cross*, 1967–1968, i G. I. A. D. Draper, „The Status of Combatants and the Question of Guerrilla War“, 45 *British Yearbook of International Law*, 1971.

precizan odraz moralne stvarnosti vojnog poraza. Ponovo želim da istaknem da naše razumevanje ove realnosti nema nikakve veze s našim shvatanjima o dve zaraćene strane. Možemo da osuđujemo otpor, a da partizane ne nazivamo izdajnicima; možemo da mrzimo okupaciju, a da pogubljenja partizana ne nazivamo zločinom. Naravno, ako promenimo priču, ili joj nešto dodamo, slučaj će se promeniti. Ako okupacione vlasti ne ispunjavaju obaveze koje imaju prema sporazumu o predaji, one gube svoja prava. A kad gerilska borba dostigne izvesnu meru ozbiljnosti i intenziteta, možemo da odlučimo da je rat efektivno obnovljen, da je o tome obaveštena druga strana, da je front ponovno uspostavljen (čak i ako nema *linije fronta*), i da vojnici više nemaju pravo da budu iznenađeni čak ni iznenadnim napadima. Tada gerilci koje vlasti uhvate moraju da budu tretirani kao ratni zarobljenici – pod uslovom da su se i sami borili u skladu s ratnom konvencijom.

Ali gerilci se ne bore na ovaj način. Njihova borba je subverzivna ne samo u odnosu na okupaciju ili na njihovu sopstvenu vladu već i u odnosu na samu ratnu konvenciju. Noseći seljačku odeću i krijući se među civilnim stanovništvom, oni osporavaju najfundamentalniji princip pravila rata. Jer svrha tih pravila jeste to da odrede za svakog pojedinca jedan jedini identitet; on mora biti ili vojnik ili civil. Britanski *Priručnik vojnog prava* [*Manual of Military Law*] ovu tezu iznosi posebno jasno: „Obe ove klase imaju posebne privilegije, dužnosti i lišavanja... jedan pojedinac mora da definitivno izabere da pripada jednoj ili drugoj klasi; posebno... pojedincu neće biti dozvoljeno da ubija ili ranjava pripadnike armije protivničke države, a da se potom, ako bude uhvaćen ili bude u životnoj opasnosti, pretvara da je miroljubivi građanin.“[4] Međutim, to je ono što gerilci čine, ili ponekad čine. Stoga možemo da zamislimo i drugačiji kraj priče o napadu partizana. Partizani se uspešno povlače iz borbe, razilaze svojim kućama i nastavljaju da se bave uobičajenim poslovima. Kada te noći nemačke trupe dođu u njihovo selo, one ne mogu da razlikuju gerilske borce od drugih seljana. Šta tada čine? Ako, istragom i ispitivanjima – što je posao policajaca, a ne vojnika – uhvate jednog od partizana, da li treba da s njim postupaju kao

4 Navedeno u Draper, str. 188.

sa uhvaćenim zločincem ili kao sa ratnim zarobljenikom (ostavljajući sad po strani probleme predaje i otpora)? A ako ne uhvate nikoga, smeju li da kazne celo selo? Ako partizani ne poštuju razliku između vojnika i civila, zašto bi to Nemci činili?

Prava gerilskih boraca

Kao što ovaj primer pokazuje, gerilci ne podrivaju ratnu konvenciju time što sami napadaju civile; nije nužna odlika njihove borbe da to čine. Umesto toga, oni izazivaju svoje neprijatelje da tako postupaju. Odbijajući da prihvate jedan jedini identitet, oni teže da onemoguće svojim neprijateljima da pridaju borcima i neborcima njihove „posebne privilegije... i lišavanja". Političko vjeruju gerilaca je u suštini odbrana ovog odbijanja. Narod, kažu, više ne brani armija; jedina armija na bojnom polju je armija tlačitelja; narod brani samog sebe. Gerilski rat je „narodni rat", poseban vid *levée an masse*, ovlašćen odozdo. „Oslobodilački rat", prema jednom pamfletu vijetnamskog Nacionalnog oslobodilačkog fronta, „vodi sam narod; ceo narod... je pokretačka snaga... Ne samo seljaci iz seoskih oblasti već i radnici u gradu, zajedno sa intelektualcima, studentima i poslovnim ljudima upustili su se u borbu protiv neprijatelja."[5] A Nacionalni oslobodilački front je ovu tezu jasno istakao, nazivajući svoje paramilitarne snage *Dan Quan*, doslovno, narodna vojska. Slika koju gerilac ima o samom sebi nije slika usamljenog borca koji se krije među narodom već slika celog naroda mobilisanog za rat, dok je on samo verni član, jedan od mnogih. Ako želite da se borite protiv nas, kažu gerilci, moraćete da se borite protiv civila, jer niste u ratu s armijom već sa nacijom. Prema tome, uopšte ne bi trebalo da se borite, a ako se borite, vi ste varvari koji ubijaju žene i decu.

U stvari, gerilci mobilišu samo mali deo nacije – veoma mali deo, kada prvi put počinju svoje napade. Oni se oslanjaju na protivnapade svojih neprijatelja da bi mobilisali ostale. Njihova strategija je uobličena na osnovu ratne konvencije: oni teže da optužbu za nediskriminativno ratovanje prebace na neprijateljsku vojsku. Sami gerilci moraju da prave razliku, makar samo

5 Navedeno u Douglas Pike, *Viet Cong*, Cambridge, Mass., 1968, str. 242.

da bi dokazali da su zaista vojnici (a ne neprijatelji) naroda. Takođe je, što je možda i važnije, istina da im je relativno lako da se drže relevantnih razlika. Ne želim da kažem da se gerilci nikada ne upuštaju u terorističke kampanje (čak i protiv svojih sugrađana), ili da nikada ne uzimaju taoce ili ne spaljuju sela. Oni sve to čine, mada to uopšte uzev čine manje od antigerilskih snaga. Jer gerilci znaju ko su im neprijatelji, i znaju gde su oni. Oni se bore u malim grupama, s lakim naoružanjem, na uskim područjima – a vojnici protiv kojih se bore nose uniforme. Čak i kada ubijaju civile, u stanju su da povuku distinkciju: meta su im dobro poznati zvaničnici, ozloglašeni kolaboracionisti i tome slično. Ako „ceo narod" nije stvarno „pokretačka snaga", on nije ni meta gerilskih napada.

Iz tog razloga, gerilske vođe i njihovi glasnogovornici su u stanju da naglase moralni kvalitet ne samo ciljeva kojima teže već i sredstava koja koriste. Razmotrimo za trenutak „Osam tačaka na koje treba obraćati pažnju" od Mao Cedunga. Mao uopšte nije odan pojmu imuniteta neboraca (kao što ćemo videti), ali piše kao da, u Kini gospodara rata i Kuomintanga, samo komunisti poštuju živote i imovinu ljudi. „Osam tačaka" treba da razdvoje gerilce prvo i pre svega od njihovih preteča, bandita tradicionalne Kine, a potom od njihovih sadašnjih neprijatelja, koji pljačkaju selo. One pokazuju kako se u demokratskom dobu mogu radikalno uprostiti vojničke vrline:[6]

1. Govori učtivo.
2. Pošteno plaćaj ono što kupiš.
3. Vrati sve što pozajmiš.
4. Plati za svaku štetu koju učiniš.
5. Ne udaraj i ne psuj ljude.
6. Ne nanosi štetu usevima.
7. Ne budi bezobrazan prema ženama.
8. Ne postupaj loše sa zarobljenicima.

Poslednja tačka je naročito problematična, jer u uslovima gerilskog rata to često zahteva puštanje zarobljenika, nešto što se većini gerilaca bez sumnje ne sviđa. Pa ipak se to bar ponekad

6 Mao Tse-tung, *Selected Military Writings* (Peking, 1966), str. 343.

čini, kao što svedoči jedan opis Kubanske revolucije, prvobitno objavljen u *Marine Corps Gazette*:[7]

> Iste večeri, posmatrao sam predaju nekoliko stotina *Batistianosa* iz garnizona jednog gradića. Bili su okupljeni unutar kruga pobunjenika naoružanih automatima, a obratio im se Raul Kastro [Raul Castro]:
>
> „Nadamo se da ćete ostati sa nama i boriti se protiv gospodara koji vas je tako zloupotrebio. Ako odlučite da odbijete ovaj poziv – a neću ga ponavljati – bićete predati kubanskom Crvenom krstu sutradan. Kada ponovo budete pod Batistinom [Batista] komandom, nadamo se da nećete dići oružje na nas. Ali ako to učinite, zapamtite sledeće:
>
> Ovog puta smo vas zarobili. Možemo da vas zarobimo ponovo. A kada vas zarobimo, nećemo vas zastrašivati, ni mučiti, ni ubiti... Ako budete zarobljeni po drugi, pa čak i po treći put... ponovo ćemo vas pustiti, baš kao što i sada činimo.“

Međutim, čak i kada se gerilci ponašaju na ovaj način, nije jasno da oni sami imaju pravo na status ratnih zarobljenika kada budu uhvaćeni, niti da uopšte imaju ikakva ratna prava. Jer, ako ne ratuju protiv neboraca, oni *ne ratuju* ni protiv vojnika: „Ono što se odigralo na tom polju s krompirom bilo je ubistvo.“ Oni napadaju iz potaje, podmuklo, bez upozorenja i prerušeni. Oni krše implicitno poverenje na kojem počiva ratna konvencija: vojnici se moraju osećati bezbedno među civilima ako civili treba da budu bezbedni od vojnika. Nije slučaj, kao što je Mao sugerisao, da je odnos gerilaca prema narodu takav da se gerilci među narodom osećaju kao riba u vodi. Pravi odnos je odnos ribe prema ribama, a podjednako je verovatno da se gerilci jave među sitnom ribom kao i među ajkulama.

Ovo je bar paradigmatski oblik gerilskog rata. Dodaću da to nije oblik koji ti ratovi uvek ili nužno imaju. Disciplina i mobilnost koji se zahtevaju od gerilskih boraca često sprečavaju povlačenje među narod. Njihove glavne snage obično deluju iz logora smeštenih u udaljenim oblastima zemlje. A zanimljivo,

7 Dickey Chapelle, „How Castro Won“, u *The Guerrilla – And How to Fight Him: Selections from Marine Corps Gazette,* ed. T. N. Green (New York, 1965), str. 223.

kako gerilske jedinice postaju sve veće i stabilnije, sve je verovatnije da će njihovi pripadnici obući uniforme. Titovi partizani u Jugoslaviji, na primer, nosili su posebnu odeću, a očigledno to nije bila smetnja u onoj vrsti rata koju su vodili.[8] Sva svedočanstva ukazuju na to da, potpuno nezavisno od pravila rata, gerilci, poput drugih vojnika, više vole da nose uniforme; to jača njihov osećaj pripadnosti i solidarnosti. U svakom slučaju, vojnici koje napadnu glavne gerilske snage, čim napad počne, znaju ko ih je napao; ništa brže neće saznati ko je napadač u slučaju kada ih uniformisani ljudi napadnu iz zasede. Kad gerilci „iščeznu" posle takvog napada, oni se češće povlače u džungle ili planine nego u sela, a ovakvo povlačenje ne postavlja moralne probleme. Bitke ove vrste mogu se lako poistovetiti s neregularnim bitkama vojnih jedinica poput Vingejtovih [Wingate] „čindita" [Chindits] ili „Merilovih marodera" [Merill] u Drugom svetskom ratu.[9] Ali većina ljudi nema ovo na umu kad govori o gerilskom ratu. Paradigma koju su izradili gerilski glasnogovornici (zajedno s njihovim neprijateljima) usredsređuje se upravo na ono što predstavlja moralnu teškoću u pogledu gerilskog rata, kao i, kao što ćemo videti, antigerilskog rata. Da bih se bavio ovim teškoćama, jednostavno ću prihvatiti paradigmu i tretirati gerilce onako kako traže da budu tretirani, kao ribe među ribama u moru. Kakva su tada njihova ratna prava?

Pravna pravila su jednostavna i jasna, mada i ona nose svoje probleme. Da bi ratna prava vojnika važila i za njih, gerilski borci moraju da nose „određene prepoznatljive oznake vidljive sa udaljenosti" i moraju „da svoje oružje nose otvoreno".[10] Moguće je naširoko raspravljati o tačnom značenju određenosti, prepoznatljivosti i otvorenosti, ali ne mislim da bismo na taj način mnogo naučili. U stvari, ova pravila su često suspendovana, a posebno je zanimljiv slučaj opšteg ustanka da bi se odbila invazija ili pružio otpor stranoj tiraniji. Kada ljudi ustanu *en masse*, od njih se ne traži da obuku uniforme. Niti će svoje oružje nositi otvoreno ako se bore, kao što obično čine, iz zasede: ako se sami kriju, teško da se od njih može očekivati da pokažu svoje oružje.

8 Draper, str. 202.
9 Vidi Michael Calvert, *Chindits: Long Range Penetration*, New York, 1973.
10 Draper, str. 202–204.

Frensis Liber, u jednoj od prvih pravnih studija o gerilskom ratu, navodi slučaj grčkog ustanka protiv Turaka, u kojem je turska vlada ubijala ili prodavala u roblje sve zarobljenike: „Ali smatram", pisao je, „da civilizovana vlada ne bi dopustila da činjenica da Grci... vode planinski gerilski rat utiče na njeno ponašanje prema zarobljenicima."[11]

Ključno moralno pitanje, kojim se pravo samo nesavršeno bavi, nema veze sa prepoznatljivom odećom ili vidljivim oružjem, već sa korišćenjem civilne odeće kao ratnim lukavstvom i prerušavanjem.[12] Ovo savršeno ilustruje napad francuskih partizana, i treba reći, mislim, da je pogibija nemačkih vojnika bila više nalik atentatu nego ratu. Ne samo zbog iznenađenja već zbog vrste i mere obmane: iste vrste obmane o kojoj je reč kad javnog funkcionera ili partijskog vođu ubije neki politički neprijatelj koji je izgledao kao prijatelj, ili pristalica, ili nedužni prolaznik. Sada može biti slučaj – ja sam više nego otvoren za ovu sugestiju – da je nemačka armija u Francuskoj napadala civile na način koji je opravdavao ubistva pojedinih vojnika, baš kao što može biti slučaj da je javni funkcioner ili partijski vođa bio brutalni tiranin koji je zaslužio da umre. Ali atentatori ne mogu da polažu pravo na zaštitu prema pravilima rata; oni se upuštaju u različitu aktivnost. Većina drugih poduhvata radi kojih je gerilcima potrebno da se preruše u civile takođe je „različita". U njih spadaju sve moguće vrste špijunaže i sabotaže; oni se najbolje mogu razumeti ako se uporede s aktivnostima koje iza neprijateljskih linija izvode tajni agenti konvencionalnih armija. Široko

11 *Guerrilla Parties Considered With Reference to the Laws and Usages of War*, New York, 1862. Liber je napisao svoj pamflet na zahtev generala Haleka [Halleck].

12 Slučaj nošenja civilne odeće je isti kao i slučaj nošenja neprijateljske uniforme. U svojim uspomenama o Burskom ratu, Denis Rajc [Deneys Reitz] izveštava da su burski gerilci ponekad nosili uniforme skinute s britanskih vojnika. Lord Kičener, britanski zapovednik, upozorio je da će svako ko bude uhvaćen u britanskoj uniformi biti streljan, i kasnije je pogubljen znatan broj zarobljenika. Mada insistira da „niko od nas nije nosio zaplenjene uniforme sa svesnom namerom da namami neprijatelja već samo iz preke potrebe", Rajc ipak opravdava Kičenerovu naredbu pišući o incidentu u kojem su ubijena dva britanska vojnika koja su oklevala da pucaju na gerilce odevene u britansku uniformu (*Commando*, London, 1932, str. 247).

je prihvaćeno da ovakvi agenti nemaju nikakva ratna prava, čak ni ako je stvar za koju se bore pravedna. Njima su poznati rizici njihovih aktivnosti, i ja ne vidim nikakvih razloga da rizike gerilaca koji se bave sličnim poduhvatima opišem drugačije. Gerilske vođe zahtevaju ratna prava za svoje sledbenike, ali ima smisla razlikovati, ako je to moguće, one gerilce koji koriste civilno odelo kao ratno lukavstvo i onih koji se oslanjaju na kamuflažu, okrilje mraka, taktičko iznenađenje i tome slično.

Međutim, pitanja koja pokreće paradigma gerilskog rata nisu rešena ovom distinkcijom. Jer gerilci se ne bore samo *kao* civili, oni se bore i *među* civilima, i to u dva smisla. Prvo, njihov svakodnevni život je mnogo bliže povezan sa svakodnevnim životom ljudi oko njih nego što je to ikada slučaj sa konvencionalnim armijama. Oni žive sa ljudima za koje tvrde da ih brane, dok se konvencionalne trupe obično smeštaju u domovima civila tek posle završetka rata ili bitke. I drugo, oni se bore tamo gde žive; njihovi vojni položaji nisu baze, uporišta, logori, utvrđenja ili tvrđave, već sela. Stoga radikalno zavise od seljana, čak i kad ne uspeju da ih mobilišu za „narodni rat". Sada, svaka armija zavisi od civilnog stanovništva svoje otadžbine u pogledu snabdevanja, regruta i političke podrške. Ali ova zavisnost je obično indirektna, posredovana birokratskim aparatom države ili tržišnim sistemom privrede. Tako hrana prelazi od seljaka do trgovačke zadruge, do fabrike za preradu hrane do prevoznika, do armijskog intendanta. Ali, u gerilskom ratu, zavisnost je neposredna: seljak hranu predaje gerilcu, i bilo da je primljena kao namet ili plaćena u skladu sa Maovom drugom tačkom, na koju treba obratiti pažnju, odnos između njih je odnos licem u lice. Slično tome, obični građani mogu glasati za političku stranku koja sa svoje strane podržava ratne napore i čije se vođe pozivaju na sastanke s vojnicima. Ali u gerilskom ratu, podrška koju pruža civil je mnogo neposrednija. Nema potrebe da se s njim održavaju sastanci; on već zna najvažnije vojne tajne; on zna ko su gerilci. Ako on ne sačuva tu informaciju za sebe, gerilci su propali.

Njihovi neprijatelji kažu da se gerilci oslanjaju na teror da bi stekli podršku ili bar ćutanje seljana. Ali izgleda verovatnije da, kada imaju značajnu narodnu podršku (koju nemaju uvek), tu podršku imaju iz drugih razloga. „Nasilje može da objasni saradnju nekolicine pojedinaca“, piše jedan Amerikanac koji je proučavao Vijetnamski rat, „ali ono ne može da objasni saradnju cele jedne društvene klase (seljaštva).“[13] Kad bi ubijanje civila bilo dovoljno za sticanje njihove podrške, gerilci bi uvek bili u nepovoljnijem položaju, jer njihovi neprijatelji poseduju daleko veću vatrenu moć nego oni. Ali ubijanje bi radilo protiv ubica, „osim ukoliko oni već nisu zadobili veliki deo stanovništva, a potom ograničili svoje činove nasilja na oštro ocrtanu manjinu“. Stoga, kad gerilci uspevaju u borbi među narodom, najbolje je pretpostaviti da uživaju izvesnu ozbiljnu političku podršku među narodom. Ljudi, ili neki njihov deo, saučesnici su u gerilskom ratu, i rat bi bio nemoguć bez njihove saradnje. To ne znači da oni traže priliku da pomognu. Čak i kad oseća simpatije za ciljeve gerilaca, možemo da pretpostavimo da bi prosečni civil radije glasao za njih nego ih skrivao u svom domu. Ali gerilski rat dovodi do prisilne prisnosti, i ljudi su uvučeni u njega na nove načine čak i onda kada usluge koje pružaju nisu ništa više do funkcionalni ekvivalenti usluga koje su civili uvek pružali vojnicima. Jer sama prisnost je jedna dodatna usluga, koja nema svoj funkcionalni ekvivalent. Dok se pretpostavlja da vojnici štite civile koji stoje iza njih, gerilce štite civili među kojima se oni nalaze.

Ali meni se ne čini da činjenica da prihvataju ovu zaštitu i da zavise od nje oduzima gerilcima njihova ratna prava. Zaista, plauzibilniji je upravo suprotan argument: da su ratna prava koja bi ljudi imali kad bi ustali *en masse* preneta na neregularne borce koje oni podržavaju i štite – pretpostavljajući da je podrška dobrovoljna. Jer vojnici stiču ratna prava ne kao pojedinačni ratnici već kao političko oruđe u službi zajednice, koja sa svoje strane pruža usluge svojim vojnicima. Gerilci dobijaju sličan identitet kad god stoje u sličnom ili ekvivalentnom odnosu, to jest, kad god narod pomaže i sarađuje na način koji sam opisao. Kad ljudi ne pružaju ovo priznanje i podršku, gerilci ne stiču nikakva ratna prava, i njihovi neprijatelji mogu s pravom da ih tretiraju kad ih zarobe kao „bandite“ ili zločince. Ali svaki značajan stepen narodne podrške daje pravo gerilcima na benevolentni

13 Jeffrey Race, *War Comes to Long An*, Berkeley, 1972, str. 196–197.

karantin koji se po običaju nudi ratnim zarobljenicima (osim ukoliko nisu krivi za određena dela atentata ili sabotaže, za koja i vojnici mogu da budu kažnjeni).[14]

Ovaj argument jasno uspostavlja prava gerilaca; međutim, on pokreće najozbiljnija pitanja o pravima ljudi, a to su ključna pitanja gerilskog rata. Iskustva borbe na nov način izlažu ljude rizicima bitke. U praksi, priroda ove izloženosti, i njen stepen, biće određeni od strane vlade i njenih saveznika. Stoga teret odluke prelazi sa gerilaca na njihove neprijatelje. Njihovi neprijatelji moraju (kao što i mi moramo) da odmeravaju moralni značaj narodne podrške koju gerilci i uživaju i iskorišćavaju. Teško se možemo boriti protiv muškaraca i žena koji se bore među civilima a da ne dovedemo u opasnost živote civila. Da li su ovi civili lišeni svog imuniteta? Ili, uprkos svojoj saradnji u ratu, još uvek imaju prava u odnosu na protivgerilske snage?

Prava civilnih pomagača

Kad civili ne bi imali nikakva prava, ili kad bi se mislilo da ih nemaju, skrivanje među njima bilo bi od male koristi. U izvesnom smislu, prednosti kojima gerilci teže zavise od skrupula njihovih neprijatelja – mada se mogu steći druge prednosti ako su njihovi neprijatelji beskrupulozni: zato je ratovanje protiv gerile toliko teško. Nastojaću da pokažem da ove skrupule imaju moralnu osnovu, ali vredi prvo izneti ideju da one imaju i stratešku osnovu. Uvek je u interesu antigerilskih snaga insistirati na razlici između vojnika i civila, čak i kada gerilci postupaju (kao što će uvek postupati ako mogu) tako da zamagle

14 Argument koji ovde iznosim paralelan je argumentu koji iznose pravnici s obzirom na „priznavanje ratnog stanja“. U kom trenutku bi, postavljaju pitanje, grupu pobunjenika trebalo priznati za zaraćenu stranu i dati im ona ratna prava koja po običaju pripadaju samo uspostavljenim vladama? Odgovor je obično bio taj da priznanje treba da sledi po uspostavljanju bezbedne teritorijalne baze ustanika. Jer tada oni zaista funkcionišu kao vlada, preuzimajući odgovornost za ljude koji žive na teritoriji koju kontrolišu. Ali ovo pretpostavlja konvencionalni ili gotovo konvencionalni rat. U slučaju gerilske borbe, moramo drugačije da opišemo prikladnu relaciju između pobunjenika i naroda: gerilci ne stiču ratna prava kada se staraju za narod već kada se narod „stara“ za pobunjenike.

ovu razliku. Svi priručnici o borbi protiv ustanika iznose isti argument: neophodno je izolovati gerilce od civilnog stanovništva, odseći ih od onih koji ih štite i istovremeno zaštititi civile od borbi.[15] Ovo poslednje je značajnije u gerilskom nego u konvencionalnom ratu, jer u konvencionalnom ratu pretpostavljamo neprijateljstvo „neprijateljskih civila", dok u gerilskom ratovanju moramo da tražimo njihovu naklonost i podršku. Gerilski rat je politički, pa čak i ideološki sukob. „Naša kraljevstva leže u svesti svakog čoveka", pisao je T. E. Lorens [T. E. Lawrence] o arapskim gerilcima koje je predvodio u Prvom svetskom ratu. „Pokrajina će biti osvojena kad civile u njoj naučimo da umiru za naš ideal slobode."[16] A može se povratiti samo ako se ti isti civili nauče da žive za neki suprotni ideal (ili u slučaju vojne okupacije, da prećutno pristanu na ponovno uspostavljanje poretka i uobičajenog života). To je ono što se ima na umu kad se kaže da se bitka vodi za „srca i duše" ljudi. A u takvoj bici se ne može trijumfovati ako se ljudi tretiraju kao neprijatelji koje treba napadati i ubijati zajedno sa gerilcima koji žive među njima.

Ali šta ako se gerilci ne mogu razdvojiti od naroda? Šta ako je *levée en masse* stvarnost, a ne puka propaganda? Karakteristično je da vojni priručnici niti postavljaju ovakva pitanja niti odgovaraju na njih. Međutim, ako se stigne do ove tačke, treba izneti jedan moralni argument: antigerilski rat tada više ne može da se vodi – i to ne samo zato što se, sa strateške tačke gledišta, on više ne može dobiti. On se ne može voditi zato što više nije antigerilski već antidruštveni rat, rat protiv celog jednog naroda, u kojem u stvarnim borbama više neće biti moguće nikakvo razlikovanje. Ali ovo je granični slučaj gerilskog rata. U stvari, prava ljudi ulaze u igru ranije, i sada moram da pokušam da im dam neku prihvatljivu definiciju.

Razmotrimo ponovo slučaj napada partizana u okupiranoj Francuskoj. Ako se posle napada iz zasede partizani sakriju u obližnjem selu, kakva su prava seljana među kojima se kriju?

---

15 Vidi *The Guerrilla – And How to Fight Him*, John McCuen, *The Art of Counter-Revolutionary War*, London, 1966, Frank Kitson, *Low Intensity Operations: Subversion, Insurgency, and Peacekeeping*, Harrisburs, 1971.

16 *Seven Pillars of Wisdom*, New York, 1936, knj. III, gl. 33, str. 196.

Recimo da nemački vojnici stignu te noći, tražeći muškarce i žene koji su neposredno učestvovali u napadu, ili bili povezani s njim, i tražeći takođe neki način da spreče buduće napade. Civili koje sreću su neprijateljski nastrojeni, ali to ih ne čini *neprijateljima* u smislu ratne konvencije, jer oni ne pružaju stvarni otpor nastojanjima vojnika. Oni se ponašaju isto kao što se ponekad građani ponašaju pri policijskom ispitivanju: oni su pasivni, zbunjeni, izvlače se. Moramo da zamislimo domaće vanredno stanje i da se zapitamo na koji način bi policija mogla legitimno da odgovori na ovakvo neprijateljsko raspoloženje. Vojnici ne mogu da učine ništa više kad obavljaju posao policije, jer status neprijateljski nastrojenog civila nije različit. Ispitivanja, pretrage, zaplena imovine, policijski čas – sve to izgleda opšteprihvaćeno (neću pokušavati da objasnim zašto), ali ne i mučenje osumnjičenih, ili uzimanje talaca, ili interniranje muškaraca i žena koji su, ili bi mogli biti nevini.[17] U ovakvim okolnostima civili i dalje imaju prava. Ako njihova sloboda može biti privremeno ograničena na razne načine, ona nije u potpunosti izgubljena, niti su njihovi životi u opasnosti. Međutim, argument bi bio mnogo teži da su vojnici napadnuti iz zasede dok su se kretali kroz samo selo, da je na njih pucano iz zaklona seoskih kuća i ambara. Da bismo razumeli šta se tada dešava, moramo pogledati još jedan istorijski primer.

Američka „pravila borbe" u Vijetnamu

Evo jednog tipičnog incidenta iz Vijetnamskog rata. „Na američku jedinicu koja se kretala putem 18 [u pokrajini Long An] pucano je iz lakog oružja iz jednog sela, a kao odgovor, taktički zapovednik je zatražio artiljerijske i vazdušne napade na selo, što je dovelo do teških žrtava među civilima i velikog fizičkog razaranja."[18] Nešto slično se dešavalo stotinama i hiljadama puta. Bombardovanje selâ je uobičajena taktika američkih snaga. Nama je posebno zanimljivo što je to dozvoljeno „pravilima borbe"

17 Slikovit opis vojnika koji prekoračuju ovlašćenja iznet je u romanu o Vijetnamskom ratu Viktora Kolpakova [Victor Kolpacoff], *The Prisoners of Quai Dong*, New York, 1967.

18 Race, str. 233.

Armije Sjedinjenih Država, koja su postavljena, tako je bar rečeno, da bi se izolovali gerilci i smanjile civilne žrtve.

Napad na selo pored puta 18 izgleda kao da mu je cilj bio da na najmanju moguću meru svede samo broj žrtava među vojnicima. To izgleda kao još jedan slučaj prakse koju sam već ispitao: nediskriminativne upotrebe savremene oružane sile da bi se vojnici poštedeli muka i opasnosti. Ali, u ovom slučaju, muke i opasnost su veoma različiti od onih na liniji fronta u konvencionalnom ratu. Nije verovatno da bi armijska patrola koja bi ušla u selo bila u stanju da locira i uništi neprijateljske položaje. Vojnici bi zatekli... selo, zlovoljno i ćutljivo stanovništvo, gerilske borce koji se kriju, gerilske „fortifikacije" koje se ne mogu razlikovati od kuća i zgrada meštana. Oni bi mogli da se nađu pod vatrom neprijatelja; verovatnije, izgubili bi ljude usled mina i skrivenih eksplozivnih naprava, čiji tačan položaj zna svako u selu, a niko neće da ga otkrije. U takvim okolnostima, vojnicima nije teško da „ustanove" da je selo vojno uporište i legitimna meta. A ako se zna da je uporište, sigurno bi moglo biti napadnuto, kao i svaki drugi neprijateljski položaj, i pre no što se suoči sa neprijateljskom vatrom. U stvari, ovo je postala američka politika još na početku rata: sela iz kojih se razumno može očekivati neprijateljska vatra bila su bombardovana s kopna i iz vazduha pre no što bi vojnici ušli u njih, pa čak i ako nikakav ulazak nije ni planiran. Ali kako se tada civilne žrtve svode na najmanju moguću meru, a kamoli zadobija civilno stanovništvo? Da bi se odgovorilo na ova pitanja razvijena su pravila borbe.

Ključna tačka pravila, onako kako ih je opisao novinar Džonatan Šel [Jonathan Schell], bilo je to da seljani treba da budu upozoreni pre uništenja njihovog sela, tako da mogu da raskinu s gerlicima, oteraju ih, ili da sami napuste selo.[19] Cilj je bio da se prisilno dovede do razdvajanja boraca i neboraca, a sredstvo je bio teror. Saradnja sa gerilcima u gerilskom ratu je sa sobom nosila ogroman rizik, ali to je rizik koji se mogao nametnuti samo celim selima; nikakvo dalje razlikovanje nije bilo moguće. Ne radi se o tome da su civili držani kao taoci za aktivnosti gerilaca. Naprotiv, oni su smatrani odgovornim za sopstvene aktivnosti,

19 Jonathan Schell, *The Military Half*, New York, 1968, str. 14 ff.

čak i kada ta aktivnost nije bila otvoreno vojna. Činjenica da je aktivnost ponekad bila otvoreno vojna, da su desetogodišnjaci bacali bombe na američke vojnike (vojnici su verovatno preuveličavali broj ovakvih napada, delimično i zato da bi opravdali svoje ponašanje prema civilima) zamagljuje prirodu ove odgovornosti. Ali treba naglasiti da je selo smatrano neprijateljskim ne zato što su žene i deca bili spremni da se bore već zato što nisu bili spremni da uskrate materijalnu podršku gerilcima ili da otkriju njihova skloništa ili lokaciju mina i skrivenih eksplozivnih naprava koje su gerilci postavili.

Evo pravila borbe: (1) Selo se može granatirati ili bombardovati bez upozorenja ako je iz sela otvorena vatra na američke trupe. Pretpostavlja se da su seljani u stanju da spreče da njihovo selo bude iskorišćeno kao vatreni položaj, a bilo da su bili u stanju ili nisu, sigurno su znali unapred da li će ono biti tako iskorišćeno. U svakom slučaju, samo pucanje je bilo upozorenje, jer treba očekivati uzvratnu vatru – mada nije verovatno da su meštani očekivali da odgovor bude toliko nesrazmeran kao što bi obično bio, sve dok ovaj obrazac nije postao opštepoznat. (2) Svako selo za koje se zna da je neprijateljsko može biti bombardovano s kopna i iz vazduha ako se njegovi stanovnici unapred upozore, bilo bacanjem letaka, bilo razglasom iz helikoptera. Postojale su dve vrste upozorenja: ponekad su ona bila određena, upućena neposredno pre napada, tako da su seljani imali vremena samo da napuste selo (a tada su i gerilci mogli da odu zajedno s njima), ili su bila opšta, i opisivala napad koji bi mogao da usledi ukoliko seljani ne proteraju gerilce.

> Marinci Sjedinjenih Država neće oklevati da odmah unište svako selo ili zaselak koji pruža utočište Vijetkongu... Izbor je na vama. Ukoliko odbijete da dopustite Vijetkongu da koristi vaša sela i zaseoke kao bojno polje, vaši domovi i vaši životi biće spaseni.

A ako ne odbijete, onda neće. Uprkos isticanju izbora, ovo nije baš liberalna objava, jer je izbor o kojem je reč kolektivan. Egzodus je, naravno, ostajao individualni izbor: ljudi mogu da napuste sela u kojima se Vijetkong utvrdio, bežeći kod rođaka u druga sela, ili u gradove, ili u vladine logore. Međutim, najčešće su to činili tek pošto bi bombardovanje počelo, bilo zato što nisu shvatili upozorenje, ili mu nisu poverovali, bilo zato što su se očajnički nadali da će njihovi sopstveni domovi nekako biti pošteđeni. Stoga se ponekad smatralo humanim da se izbor potpuno izbegne i da se seljani prisilno deportuju iz oblasti za koje se smatralo da su pod kontrolom neprijatelja. Tada je na snagu stupalo treće pravilo borbi. (3) Kad je civilno stanovništvo iseljeno, selo i okolina se mogu proglasiti „zonom slobodne vatre“, koja se može bombardovati po volji. Pretpostavljalo se da je svako ko još uvek živi u toj oblasti gerilac ili „tvrdokorni“ pomagač gerilaca. Deportacija je uklanjala zaštitu koju su pružali civili, kao što je defolijacija uklanjala zaštitu koju je pružala priroda, i neprijatelj je ostajao na čistini.[20]

Razmatrajući ova pravila, prva stvar koju treba zapaziti je to da su bila radikalno neefikasna. „Moje istraživanje je otkrilo“, piše Šel, „da su procedure za primenu ovih ograničenja bile menjane, iskrivljavane ili zanemarivane u tolikoj meri da su u praksi ograničenja potpuno nestala...“[21] Često, u stvari, nikakvo upozorenje nije ni upućivano, ili su leci bili od male pomoći seljanima koji nisu znali da čitaju, ili je prisilna evakuacija iza sebe ostavljala veliki broj civila, ili nije bilo odgovarajuće ishrane za deportovane porodice i one su se vraćale svojim domovima i imanjima. Ništa od toga, naravno, ne govori o vrednosti samih pravila, osim ukoliko neefikasnost nije na neki način bila intrinsična pravilima ili situaciji u kojoj su primenjivana. Jasno je da je to bio slučaj u Vijetnamu. Jer nije realistično misliti da će tamo gde gerilci uživaju znatnu narodnu podršku i gde su uspostavili politički aparat u selima, seljani proterati gerilce, ili da će moći da ih proteraju. To nema nikakve veze s vrlinom vlade gerilaca: podjednako bi nerealistično bilo misliti da bi nemački radnici, mada su im domovi bili bombardovani, a porodice ubijane, zbacili naciste. Stoga je jedina zaštita koju pravila pružaju to što savetuju ili prisiljavaju ne odlazak gerilaca iz miroljubivih sela već civila iz onoga što će verovatno postati bojno polje.

20 Opis prisilne deportacije iznet je u Jonathan Schell, *The Village of Ben Suc*, New York, 1967.

21 *The Other Half*, str. 151.

Sada, u konvencionalnom ratu, sklanjanje civila s bojnog polja je očigledno dobra stvar; pozitivno međunarodno pravo ga zahteva kad god je to moguće. Slično je i u slučaju opsednutih gradova: civilima se mora dopustiti da ih napuste, a ako to odbiju (tako sam dokazivao), mogu biti napadnuti isto kao i vojnici koji ih brane. Ali bojno polje i grad su određene oblasti, a bitka i opsada su obično ograničenog trajanja. Civili odlaze, zatim se vraćaju. Gerilski rat će verovatno biti veoma različit. Ovde se bojno polje prostire preko velikog dela zemlje, a borba je, kao što je pisao Mao, „dugotrajna“. Ovde nije prikladna analogija sa opsadom grada već sa blokadom ili strateškim pustošenjem mnogo šire oblasti. Politika koja je ležala u osnovi američkih pravila za borbu zapravo je predviđala preseljavanje veoma znatnog dela seoskog stanovništva Vijetnama: miliona ljudi, žena i dece. Ali to je neverovatan zadatak i, ostavljajući za trenutak po strani verovatno zločinačku prirodu celog projekta, nikada nije bilo ničeg više od pretvaranja da će za njegovo ostvarenje biti stavljeni na raspolaganje dovoljni resursi. Tada je bilo neizbežno, i znalo se da je neizbežno, da civili žive u selima koja će biti granatirana i bombardovana.

Ono što se desilo ukratko je opisano:[22]

> Avgusta 1967. godine, tokom operacije Benton, logori za „pacifikaciju“ su postali toliko puni da je armijskim jedinicama naređeno da „ne stvaraju“ još izbeglica. Armija je poslušala. Ali operacije pretrage i uništavanja su nastavljene. Samo sada seljani nisu bili upozoravani pre vazdušnog udara na njihova sela. Ubijani su u svojim selima zato što više nije bilo mesta u pretrpanim logorima za pacifikaciju.

Dodao bih da se ovakve stvari ne dešavaju uvek, čak ni u antigerilskom ratu – mada je politika prisilnog preseljenja ili „koncentracije“ od svojih početaka u Kubanskom ustanku i Burskom ratu, retko kad bila izvođena na humani način ili s adekvatnim resursima.[23] Ali mogu se naći i protivprimeri. U Malaji,

---

22 Orville and Jonathan Schell, pismo *Njujork tajmsu*, 26. novembar 1969, navedeno u Noam Chomsky, *At War With Asia*, New York, 1970, str. 292–293.

23 Vidi opis logora koje su Britanci osnovali za burske seljake: Farwell, *Anglo-Boer War*, gl. 40 i 41.

početkom pedesetih godina dvadesetog veka, gde su gerilci imali podršku samo relativno malog dela seoskog stanovništva, čini se da je ograničeno preseljenje (u nova sela, a ne u koncentracione logore) imalo uspeha. U svakom slučaju, kaže se da je posle prestanka borbi mali broj preseljenih seljana želeo da se vrati svojim ranijim domovima.[24] Ovo nije dovoljan kriterijum moralnog uspeha, ali je znak dopustivog programa. Pošto se za vlade uopšte uzev misli da imaju pravo da presele relativno mali broj svojih građana radi nekog opšteprihvaćenog društvenog cilja, ova politika se ne može potpuno zabraniti u doba gerilskog rata. Ali osim ukoliko broj nije ograničen, biće teško izneti zadovoljavajuće dokaze o opšteprihvaćenosti. A ovde, u doba mira, postoje neki zahtevi da se obezbedi adekvatna ekonomska podrška i uporediv životni prostor. U Vijetnamu to nikada nije bilo moguće. Opseg rata je bio isuviše širok; nova sela se nisu mogla izgraditi; logori su bili sumorni; a stotine hiljada izmeštenih seljana je pretrpalo gradove, obrazujući u njima novi *lumpenproletarijat*, bedan, bolestan, bez posla, ili su bili izrabljivani na loše plaćenim fizičkim poslovima, ili kao sluge, prostitutke itd.

Čak i da je sve ovo bilo delotvorno, u ograničenom smislu da su izbegnute pogibije civila, teško bi se mogla braniti pravila borbe i politika koju su ona otelotvoravala. Čini se da ona krše čak i princip srazmernosti – što nikako nije lako, kao što smo već više puta videli, jer se vrednosti s kojima treba odmeravati razaranja i patnje tako lako mogu preuveličati. Ali u ovom slučaju, argument je jasan, jer se odbrana preseljavanja svodi konačno na tvrdnju nalik izjavi jednog američkog oficira o gradiću Ben Tre: Morali smo da ga razorimo da bismo ga spasli.[25] Da bismo spasli Vijetnam, morali smo da uništimo seosko društvo i kulturu Vijetnamaca. Sigurno je da je ova jednačina neuspešna i da ova politika ne može da bude prihvaćena, bar u kontekstu borbe samih Vijetnamaca. (Uvek možemo preći, pretpostavljam, na višu matematiku međunarodne državničke veštine.)

Ali pravila borbe pokreću i jedno zanimljivije pitanje. Pretpostavimo da civili, propisno upozoreni, ne samo da odbiju da

24 Sir Robert Thompson, *Defeating Communist Insurgency*, New York, 1966, str. 125.

25 Don Oberdorfer, *Tet*, New York, 1972, str. 202.

oteraju gerilce već odbiju i da sami odu. Da li mogu biti napadnuti i ubijeni, kao što pravila impliciraju? Kakva su njihova prava? Izvesno je da mogu biti izloženi riziku, jer verovatno je da će se u njihovim selima voditi borbe. A rizici s kojima moraju da žive biće znatno veći od rizika u konvencionalnoj borbi. Povećani rizik potiče od prisne povezanosti s gerilcima koju sam već opisao; sada bih ukazao na to da je ovo jedini rezultat te prisne povezanosti, bar u moralnoj oblasti. I ovo je već dovoljno ozbiljno. Rat protiv gerilaca predstavlja užasan napor za konvencionalne trupe, i čak ako su i disciplinovane i pažljive, kao što bi trebalo da budu, sigurno je da će civili ginuti od njihove ruke. Vojnik koji, kad je jednom stupio u borbu, prosto puca na svakog seljanina starog između petnaest i pedeset (recimo) godina, verovatno ima opravdanje što to čini, kao što ga ne bi imao u konvencionalnoj borbi. Smrt nedužnih do koje dolazi u ovakvoj vrsti borbe je odgovornost gerilaca i njihovih civilnih pomagača; prema učenju o dvostrukom efektu, vojnici su oslobođeni odgovornosti. Međutim, treba istaći da sami pomagači, sve dok pružaju samo političku podršku, nisu legitimne mete, bilo kao grupa bilo kao pojedinci. Zamislivo je da neki od njih mogu biti optuženi za saradnju, ne u gerilskom ratu uopšte već u pojedinačnim činovima atentata i sabotaže. Ali optužbe ove vrste moraju biti dokazane pred nekom vrstom suda. Dok traje sukob, na ove ljude se ne može pucati čim se vide, kada nema stvarnih okršaja; niti se mogu napadati njihova sela samo zato što mogu biti iskorišćena kao vatreni položaji ili zato što se očekuje da će tako biti korišćena; niti se mogu nasumice bombardovati i granatirati, čak ni posle upozorenja.

Američka pravila samo prividno priznaju i obraćaju pažnju na distinkciju između boraca i neboraca. Ona u stvari povlače novu distinkciju: između lojalnih i nelojalnih, ili prijateljski i neprijateljski raspoloženih neboraca. Ista dihotomija je na delu i u tvrdnjama američkih vojnika o selima koja napadaju: „Ovo mesto je skoro potpuno pod kontrolom Vijetkonga, ili je za njih.“ „Skoro svakog ovde smatramo tvrdokornim vijetkongovcem, ili bar nekom vrstom pomagača.“[26] U iskazima ove vrste ne naglašavaju se

26 Schell, *The Other Half*, str. 96, 139.

vojne aktivnosti seljana već njihova politička privrženost. Čak i s obzirom na to, iskazi su očevidno lažni, jer su bar neki od seljana deca, za koju se ne može reći da imaju bilo kakvu političku privrženost. U svakom slučaju, kao što sam već dokazivao na primeru seljana iz okupirane Francuske, političko neprijateljstvo ne čini od ljudi neprijatelje u smislu ratne konvencije. (Kad bi to bio slučaj, ne bi uopšte bilo nikakvog imuniteta civila, osim kada se ratovi vode u neutralnim zemljama.) Oni nisu učinili ništa što bi dovelo do gubitka njihovog prava na život, i to pravo se mora poštovati što se bolje može u toku napada na neregularne borce na koje seljani liče i kojima pružaju utočište.

Važno je sada reći nešto o mogućem obliku tih napada, mada o njima ne mogu da govorim kao vojni strateg; mogu samo da komentarišem nešto od onoga što stratezi govore. Nema sumnje da se bombardovanje i granatiranje sa udaljenosti brane pozivanjem na vojnu nužnost. Ali ovo je i u strateškom i u moralnom pogledu podjednako rđav argument. Jer ima drugih i efikasnijih načina borbe. Tako jedan britanski ekspert za borbu protiv pobunjenika piše da upotreba „teško naoružanih helikoptera“ protiv selâ „može biti opravdana ako su se borbe toliko pogoršale da se praktično više ne mogu razlikovati od konvencionalnog rata“.[27] Sumnjam da čak i tada može biti opravdana, ali ponovo želim da istaknem ono što je ovaj ekspert shvatio: da borba protiv pobunjenika zahteva strategiju i taktiku selekcije. Gerilci mogu da budu poraženi (ili da pobede) samo u borbama koje se vode iz blizine. S obzirom na sela, ovo sugeriše dve različite vrste kampanje, o kojima se opširno raspravljalo u literaturi. U oblastima „operacija niskog intenziteta“, sela moraju da zaposednu male jedinice posebno uvežbavane za politički i policijski rad neophodan za otkrivanje onih koji podržavaju i obaveštavaju gerilce. U oblastima koje gerilci uspešno kontrolišu, sela moraju biti opkoljena i u njih se mora ući silom. Bernar Fol (Bernard Fall) je podrobno opisao jedan francuski napad ove vrste u Vijetnamu pedesetih godina dvadesetog veka.[28] Ovde imamo napor da se iskoriste brojnost, znanje i tehnologija, i da se gerilci prinude da prihvate

27 Kitson, str. 138.
28 *Street Without Joy*, New York, 1972, g. 7.

borbu u situaciji u kojoj vatra može da bude relativno precizna, ili da se uteraju u mrežu vojnika koji ih okružuju. Ako su vojnici pripremljeni i opremljeni na odgovarajući način, ne moraju da prihvate nepodnošljive rizike u borbi ove vrste, i ne moraju da izazivaju nediskriminativno razaranje. Kao što Fol pokazuje, za ovu strategiju je potreban veoma veliki broj ljudi: „Neprijateljeva sila se ne može odseći osim ukoliko odnos napadača i branilaca nije 15 prema 1, pa čak i 20 prema 1, jer neprijatelj na svojoj strani ima prisno poznavanje terena, prednost organizovane odbrane i simpatije stanovništva." Ali ovi odnosi se često postižu u gerilskom ratu, a strategija „opkoli i jurišaj" bila bi lako izvodiva da nema jedne druge i mnogo ozbiljnije teškoće.

Pošto sela ne mogu (ili ne bi trebalo) da budu uništena kada se na njih juriša, i pošto seljani nisu preseljeni, gerilcima je uvek moguće da se vrate kad se sila posebno okupljena za jedan zadatak udalji. Uspeh zahteva da posle vojnih operacija usledi politička kampanja – a to u Vijetnamu ni Francuzi ni Amerikanci posle njih nisu bili u stanju da organizuju na neki ozbiljan način. Odluka da se sela uništavaju sa udaljenosti bila je posledica tog neuspeha, koji nikako nije isto što i „pogoršavanje", to jest, prelazak gerilskog u konvencionalni rat.

U nekom trenutku vojnog razvoja pobune, ili opadanja političkog ugleda vlade koja joj se suprotstavlja, može postati nemoguće da se s gerilcima bori iz blizine. Nema dovoljno ljudi ili, verovatnije, vlada, mada može da dobije pojedinu bitku, nema više moć da zadrži vlast. Čim su borbe okončane, seljani pozdravljaju povratak ustaničkih snaga. Sada se vlada (i njeni spoljni Saveznici) suočava s onim što je u stvari, ili što je postalo, narodni rat. Međutim, ovaj počasni naziv se može primeniti samo pošto je gerilski pokret zadobio veoma veliku popularnu podršku. To nikako ne važi uvek. Potrebno je samo da proučimo neuspelu kampanju Če Gevare [Che Guevara] u džunglama Bolivije, pa da shvatimo koliko je lako uništiti gerilsku grupu koja ne uživa nikakvu podršku iz naroda.[29] Od ovog slučaja možemo pratiti kontinuum sve veće teškoće: na nekoj tački ovog

29 Vidi opis u Regis Debray, *Che's Guerrilla War*, trans. Rosemary Sneed, Hammondsworth, 1975.

kontinuuma gerilski borci stiču ratna prava, a na nekoj daljoj tački mora se dovesti u pitanje pravo vlade da nastavi borbu.

Nije verovatno da će vojnici shvatiti ili prihvatiti ovu poslednju tezu. Jer aksiom je ratne konvencije (i ograničenje pravila rata) da se, ako je napad moralno moguć, protivnapad ne može zabraniti. Ne može biti slučaj da gerilci mogu da se tako čvrsto spoje sa civilnim stanovništvom i da učine sebe neranjivim. Ali ako je uvek moralno moguće boriti se, nije uvek moguće činiti sve što je potrebno da bi se pobedilo. U svakoj borbi, konvencionalnoj ili nekonvencionalnoj, pravila rata mogu u nekom trenutku da postanu prepreka pobedi jedne ili druge strane. Međutim, ako bi ih bilo moguće tada odgurnuti u stranu, uopšte ne bi ni imala nikakvu vrednost. Upravo su tada najznačajnija ograničenja koja ona nameću. To možemo jasno da vidimo u slučaju Vijetnama. Alternativne strategije koje sam ukratko ocrtao bile su zamisliv način da se pobedi (kao što su Britanci pobedili u Malaji) sve dok gerilci nisu učvrstili svoju političku bazu u selima. Ova pobeda je u stvari okončala rat. To nije, pretpostavljam, pobeda koja se na bilo koji određeni način može razlikovati od političke i vojne borbe koja joj je prethodila. Ali može se s izvesnom sigurnošću reći da je do nje dolazilo kad god su obični vojnici (koji nisu moralna čudovišta i koji žele da se bore po pravilima ako mogu) postajali ubeđeni da su starci, žene i deca njihovi neprijatelji. Jer, posle toga, nije verovatno da se rat može voditi drugačije osim sistematskim nastojanjem da se pobiju civili ili da se uništi njihovo društvo i kultura.

Sklon sam da kažem i više. U teoriji rata, kao što smo videli, razmatranja o *jus ad bellum* i *jus in bello* logički su nezavisna, i sudovi koje donosimo o jednom ili drugom nisu nužno isti. Ali ovde se povezuju. Ovakav rat ne može biti dobijen, i ne treba da bude dobijen. Ne može da bude dobijen, jer jedina dostupna strategija uključuje rat protiv civila, i ne treba da bude dobijen, jer nivo podrške civila koji isključuje alternativne strategije takođe čini gerilce legitimnom vlašću u zemlji. Borba protiv njih je nepravedna borba, kao i borba koja može da bude vođena jedino na nepravedan način. Ako je vode stranci, to je agresivni rat; ako je vodi samo lokalni režim, to je tiranija. Položaj antigerilskih snaga je postao dvostruko neodrživ.

12. TERORIZAM

Politički kodeks

Reč „terorizam“ se najčešće koristi da bi se opisalo revolucionarno nasilje. To je mala pobeda za branioce poretka, za koje je takođe poznato da koriste teror. Sistematsko terorisanje celokupnog stanovništva je strategija i konvencionalnog i gerilskog rata, i uspostavljenih vlada i radikalnih pokreta. Njegov cilj je da se uništi moral cele nacije ili klase, da se potkopa njihova solidarnost; njegov metod je nasumično ubijanje nedužnih ljudi. Nasumičnost je ključna odlika terorističke aktivnosti. Ako čovek želi da se strah proširi i s vremenom poveća, nije poželjno ubijati pojedine ljude poistovećene na neki određeni način sa nekim režimom, partijom ili politikom. Smrt mora slučajno pogoditi pojedine Francuze, ili Nemce, ili irske protestante, ili Jevreje, prosto zato što su Francuzi ili Nemci, protestanti ili Jevreji, sve dok se ne osete smrtno ugroženim i ne počnu da zahtevaju da njihove vlade povedu pregovore radi njihove bezbednosti.

U ratu, terorizam je način da se izbegne upuštanje u borbu s armijom neprijatelja. On predstavlja krajnji oblik strategije „posrednog pristupa“.[1] Pristup je toliko posredan da su pojedini vojnici odbili da ga uopšte nazovu ratom. To je stvar isto toliko profesionalnog ponosa koliko i moralnog suda. Razmotrimo izjavu jednog britanskog admirala u Drugom svetskom ratu, koji je protestovao protiv bombardovanja nemačkih gradova: „Mi smo beznadežno nevojnička nacija ako zamišljamo da [možemo] dobiti rat bombardujući nemačke žene i decu umesto da porazimo njihovu vojsku i mornaricu.“[2] Ovde je ključna reč „nevojnička“.

1 Ali Lidel Hart [Liddell Hart], najistaknutiji strateg „posrednog pristupa“, dosledno se suprotstavljao terorističkim taktikama: vidi, na primer, *Strategy*, str. 349–350 (o teror bombardovanju).

2 Kontraadmiral L. H. K. Hamilton [L. H. K. Hamilton], naveden u Irving, *Destruction of Convoy PQ 17*, str. 44.

Admiral s pravom vidi terorizam kao strategiju civila. Moglo bi se reći da terorizam predstavlja produženje rata političkim sredstvima. Terorisanje običnih ljudi pre svega je delatnost domaće tiranije, kao što je pisao Aristotel: „Prva namera i cilj [tirana] jeste da slome duh svojih podanika."[3] Britanci su opisali „nameru i cilj" terorističkog bombardovanja na isti način: ono čemu su težili bilo je uništenje morala civila.

Tirani su ovom metodu naučili vojnike, a vojnici savremene revolucionare. Ovo je samo ovlaš ocrtana istorija; iznosim je samo da bih postavio precizniju istorijsku tezu: terorizam u strogom smislu, nasumično ubijanje nedužnih ljudi, pojavio se kao strategija revolucionarne borbe tek u periodu posle Drugog svetskog rata, to jest, tek pošto je postao jedno svojstvo konvencionalnog rata. U oba slučaja, i u ratu i u revoluciji, na putu ovog razvoja stajala je neka vrsta ratničke časti, posebno među profesionalnim oficirima i „profesionalnim revolucionarima". Sve veće korišćenje terora od strane krajnje levice i ultranacionalističkih pokreta predstavlja slom političkog kodeksa koji je razvijen najpre u drugoj polovini devetnaestog veka i bio grubo sličan zakonima rata donetim u istom periodu. Prihvatanje ovog kodeksa nije sprečilo da militantni revolucionari budu nazivani teroristima, ali je, u stvari, njihovo nasilje imalo malo zajedničkog sa savremenim terorizmom. Ono nije bilo nasumično ubijanje već atentat, i obuhvatalo je povlačenje granice koju možemo lako prepoznati kao političku paralelu granici koja razdvaja borce od neboraca.

Ruski narodnjaci, IRA i banda Stern

Revolucionarni „kodeks časti" najbolje mogu da opišem navodeći neke primere takozvanih terorista koji su delovali ili pokušavali da deluju u skladu s njegovim normama. Izabrao sam tri istorijska slučaja. Prvi ćemo lako prepoznati, jer ga je Alber Kami [Albert Camus] učinio osnovom svoje drame *Pravednici*.

1) Početkom dvadesetog veka, grupa ruskih revolucionara je odlučila da ubije carističkog zvaničnika, velikog kneza Sergeja, čoveka lično uključenog u suzbijanje radikalnih aktivnosti. Planirali su da bace bombu na njegovu kočiju, i određenog dana

3 *Politika*, 1314a

je jedan od njih stajao na mestu pored uobičajenog puta velikog kneza. Kad se kočija približila, mladi revolucionar, sa bombom skrivenom ispod kaputa, primetio je da žrtva nije sama; veliki knez je na krilu držao dvoje male dece. Ubica je gledao, oklevao, a onda se brzo udaljio. Čekaće drugu priliku. U Kamijevoj drami, jedan od njegovih drugova kaže, odobravajući njegovu odluku: „Čak i u uništavanju, postoji ispravan način i neispravan način – a postoje i neke granice."[4]

2) Tokom 1938–1939, Irska republikanska armija [Irish Republican Army – IRA] vodila je bombašku kampanju u Britaniji. Tokom kampanje, jedan pripadnik IRA dobio je naređenje da prenese unapred podešenu tempiranu bombu do električne centrale u Koventriju. Vozio se biciklom, s bombom u korpi bicikla, i zalutao u spletu uličica. Dok se vreme određeno za eksploziju približavalo, uspaničio se, ostavio bicikl i pobegao. Bomba je eksplodirala i ubila petoro prolaznika. Niko u IRA (kakva je tada bila) nije mislio da je to pobeda njihove stvari; ljudi neposredno uključeni u poduhvat bili su užasnuti. Prema jednom skorašnjem istoričaru, kampanja je bila brižljivo planirana tako da se izbegne ubijanje nedužnih prolaznika.[5]

3) Novembra 1944. godine, lorda Mojna [Moyne], britanskog državnog ministra na Srednjem istoku, ubila su u Kairu dvojica pripadnika bande Stern, desničarske cionističke grupe. Dvojicu atentatora je, nekoliko minuta kasnije, uhvatio egipatski policajac. Jedan od njih je na suđenju opisao kako je uhvaćen: „Pratio nas je policajac na motociklu. Moj drug je bio iza mene. Video sam kako mu se policajac približava... Bilo bi mi lako da ubijem policajca, ali sam se zadovoljio time da... ispalim nekoliko hitaca u vazduh. Video sam kako moj drug pada sa bicikla. Policajac ga je skoro uhvatio. Ponovo, mogao sam da policajca oborim jednim metkom, ali nisam. Tada sam bio uhvaćen."[6]

---

4 „The Just Assassins", u *Caligula and Three Other Plays*, trans. Stuart Gilbert, New York, 1958), str. 258. Stvarni istorijski događaj je opisan u Roland Gaucher, *The Terrorists: from Tsarist Russia to the OAS*, London, 1965, str. 49, 50 n.

5 J. Bowyer Bell, *The Secret Army: A History of the IRA*, Cambridge, Mass. 1974, str. 161–162.

6 Gerold Frank, *The Deed*, New York, 1963, str. 248–249.

Ovim slučajevima je zajednička moralna distinkcija koju su povlačili „teroristi", između ljudi koji mogu, i onih koji ne mogu da budu ubijeni. Prvu kategoriju ne čine muškarci i žene koji nose oružje, koji su neposredno opasni zbog svoje vojne uvežbanosti i posvećenosti. Nju čine zvaničnici, politički agenti režima koji se smatra opresivnim. Ovakve ljude, naravno, štiti ratna konvencija i pozitivno međunarodno pravo. Karakteristično je (i nije glupo) da pravnici s neodobravanjem gledaju na atentat, a politički zvaničnici su svrstani u klasu lica koja nisu vojnici i koja nikada nisu legitiman predmet napada.[7] Ali ovo svrstavanje samo delimično izražava naše opšte moralne sudove. Jer o atentatoru sudimo prema njegovoj žrtvi, i kada je njegova žrtva neko nalik Hitleru, verovatno ćemo slaviti delo atentatora, mada ga još uvek nećemo nazvati vojnikom. Druga kategorija je manje problematična: obični građani, koji ne nanose političku štetu – to jest ne bave se donošenjem ili primenom zakona za koje se misli da su nepravedni – uživaju imunitet od napada bilo da podržavaju takve zakone, bilo da ih ne podržavaju. Tako deca aristokrata, prolaznici u Koventriju, pa čak i egipatski policajac (koji nema nikakve veze s britanskim imperijalizmom u Palestini) – ovi ljudi su nalik civilima u doba rata. Oni su politički nedužni, kao što su i civili nedužni vojno. Međutim, savremeni teroristi pokušavaju da ubiju upravo ovakve ljude.

Ratna konvencija i politički kodeks su strukturno slični, i distinkciji između zvaničnika i građana odgovara distinkcija između vojnika i civila (mada ove dve distinkcije nisu iste). Ono što leži u osnovi obe, mislim, i što ih čini prihvatljivim, jeste moralna razlika između uzimanja za cilj i ne uzimanja – ili, tačnije, između uzimanja za cilj pojedinačnih ljudi zbog onoga što su učinili ili što čine, i uzimanja za cilj celih grupa ljudi, neselektivno, zbog onoga što oni jesu. Prva vrsta uzimanja za cilj je prikladna za ograničenu borbu protiv režimâ i politikâ. Druga vrsta prelazi preko svih granica; ona je beskonačno preteća po cele narode, čiji su pojedini pripadnici sistematski izloženi

7 James E. Bond, *The Rulers of Riot: Internal Conflict and the Law of War*, Princeton, 1974, str. 89–90.

nasilnoj smrti u bilo kom i svakom trenutku tokom svog (većinom nedužnog) života. Bomba postavljena na uglu ulice, skrivena na autobuskoj stanici, bačena u restoran ili kafić – to je besciljno ubijanje, osim što žrtve verovatno dele ono što ne mogu da izbegnu, kolektivan identitet. Pošto neke od ovih žrtava moraju uživati imunitet od napada (osim ukoliko krivica ne sledi iz prvobitnog greha), svaki kodeks koji usmerava i kontroliše vatru militanata biće bar minimalno privlačan. On predstavlja bar minimalni napredak u odnosu na proizvoljnu nasumičnost terorističkih napada. Čak se možemo osećati lakše u pogledu ubijanja zvaničnika nego u pogledu ubijanja vojnika, jer država retko kad regrutuje svoje političke predstavnike, za razliku od vojnika; oni su kao svoj poziv izabrali to da budu zvaničnici.

Međutim, vojnici i zvaničnici se razlikuju u jednom drugom pogledu. Preteći karakter aktivnosti vojnika je činjenica; nepravedan ili opresivan karakter aktivnosti zvaničnika je stvar političkog suda. Iz tog razloga, politički kodeks nikada nije stekao isti status kao i ratna konvencija. Niti atentatori mogu da zahtevaju ikakva prava, čak ni na osnovu toga što se najstrože pridržavaju principa političkog kodeksa. U očima nas čiji se sudovi o opresiji i nepravdi razlikuju od atentatorovih, politički atentatori su naprosto ubice, potpuno nalik ubicama običnih građana. Slučaj s vojnicima nije isti, o njima se uopšte ne sudi politički, i oni se nazivaju ubicama samo ako ubijaju neborce. Političko ubistvo nameće rizike potpuno različite od rizika rata, rizike čiji karakter najbolje otkriva činjenica da ne postoji benevolentni karantin za vreme trajanja političke borbe. Mladi ruski revolucionar, koji je na kraju ipak ubio velikog kneza, bio je izveden pred sud i pogubljen zbog ubistva, kao i atentatori na lorda Mojna iz bande Stern. Sva trojica su bila tretirana tačno kao militanti IRA, koji su takođe bili uhvaćeni, koji su smatrani odgovornim za smrt običnih civila. Ovaj tretman meni izgleda prikladan, čak i ako delimo političke sudove ljudi o kojima je reč i branimo njihovo pribegavanje nasilju. S druge strane, čak i ako ne delimo njihov sud, ovi ljudi imaju pravo na neku vrstu moralnog poštovanja koje teroristi ne zaslužuju, zato što su postavili izvesna ograničenja svojim akcijama.

Atentatorska kampanja Vijetkonga

Precizne granice je teško definisati, kao i u slučaju imuniteta neboraca. Ali možda možemo da se približimo definiciji ako pogledamo gerilski rat u kojem su zvaničnici napadani u velikim razmerama. Počevši od kraja pedesetih godina dvadesetog veka, Nacionalni oslobodilački front je vodio kampanju s ciljem da uništi strukturu vlasti na vijetnamskom selu. Od 1960. do 1965. godine, vijetkongovci su izveli atentate na oko 7.500 seoskih i pokrajinskih funkcionera. Jedan Amerikanac koji je proučavao Vijetkong, opisujući ove funkcionere kao „prirodne vođe" vijetnamskog društva, dokazuje da se „po bilo kojoj definiciji ova akcija Nacionalnog oslobodilačkog fronta... svodi na genocid."[8] To pretpostavlja da su sve prirodne vođe Vijetnama bili vladini zvaničnici (a tada, ko je vodio Nacionalni oslobodilački front?), te da su stoga vladini zvaničnici doslovno neophodni za postojanje nacije. Pošto ova pretpostavka uopšte nije uverljiva, treba reći da „po bilo kojoj definiciji" ubijanje vođa nije isto što i uništavanje celog jednog naroda. Terorizam može da nagovesti genocid, ali atentat ne može.

S druge strane, kampanja Nacionalnog oslobodilačkog fronta je širila granice pojma zvaničnika kako sam ga ja koristio. Front je bio sklon da među zvaničnike uključi svakoga koga je plaćala vlada, čak i ako posao koji je to lice obavljalo – kao službenik u zdravstvu, na primer – nije imao nikakve veze s politikom kojoj se suprotstavljao Nacionalni oslobodilački front.[9] A Vijetkong je bio sklon da u zvaničnike svrsta i ljude kao što su sveštenici i zemljoposednici, koji su na određene načine koristili svoj autoritet u korist vlade. Nisu ubili nikoga naizgled samo zato što je bio sveštenik ili zemljoposednik; kampanja atentata bila je planirana uz obraćanje velike pažnje na pojedinosti individualnih akcija, i uložen je dosledan napor „da se osigura da ne bude neobjašnjenih ubistava".[10] Pa ipak je domašaj izloženosti atentatu bio proširen na uznemiravajući način.

Moglo bi se dokazivati, pretpostavljam, da je svaki zvaničnik po definiciji angažovan u političkim nastojanjima (navodno)

8 Pike, *Viet Cong*, str. 248.

9 Race, *War Comes to Long An*, str. 83, što navodi na pomisao da su napadani *najbolji* zdravstveni radnici, učitelji itd., zato što su predstavljali moguće antikomunističke vođe.

10 Pike, str. 250.

nepravednog režima, baš kao što je i svaki vojnik, bez obzira na to da li se sada bori ili ne, angažovan u ratnim naporima. Ali raznovrsnost aktivnosti koje podržava i plaća savremena država je izuzetna, i izgleda neumereno i ekstravagantno da se sve ovakve aktivnosti pretvore u razlog za atentat. Pretpostavljajući da je režim zaista tlačiteljski, treba tražiti one koji tlače, a ne samo vladine predstavnike. Što se tiče privatnih lica, oni mi izgledaju potpuno imuni. Oni su izloženi, naravno, uobičajenim oblicima društvenog i političkog pritiska (koji se obično pojačavaju u gerilskom ratu), ali ne i političkom nasilju. Ovde je slučaj isti sa građanima kao i sa civilima: kad bi bilo dopustivo da se oni ubijaju zato što podržavaju vladu ili rat, brzo bi nestala granica koja razdvaja osobe koje uživaju imunitet od onih koje su izložene napadima. Vredno je istaći da politički atentatori ne žele da ova linija nestane; oni imaju razloge da brižljivo biraju mete i da izbegavaju neselektivna ubistva. „Rečeno nam je", izjavio je gerilac Vijetkonga Amerikancima koji su ga uhvatili, „da u Singapuru pobunjenici izvesnih dana napadaju dinamitom svaki šezdeset sedmi tramvaj... sutradan to može biti svaki trideseti i tako dalje; ali nam je rečeno i da je to narod okrenulo protiv pobunjenika, zato što je toliko ljudi nepotrebno poginulo."[11]

Sve do sada nisam isticao kako većina političkih boraca sebe uopšte ne smatra ubicama već dželatima. Oni se bave, ili tako po pravilu tvrde, revolucionarnom verzijom pravde koju sprovode sami građani. To sugeriše još jedan razlog da se ubijaju samo neki zvaničnici, a da se drugi ne ubijaju, ali ovo je u potpunosti samodeskripcija. Samoorganizovani građani koji sprovode pravdu u uobičajenom smislu primenjuju konvencionalna shvatanja zločina, mada na grub i sirov način. Revolucionari zastupaju novu koncepciju, oko koje nije verovatno da će postojati široko slaganje. Oni smatraju da se zvaničnici smeju napadati zato ili utoliko što su stvarno krivi za „zločine protiv naroda". Bezličnija istina je to da su izloženi napadima, ili izloženiji od običnih građana, samo zato što se njihove akcije mogu opisati kao zločini protiv naroda. Upražnjavanje političke moći je opasan posao. Kad to kažem, ne mislim da branim atentate. Atentati su najčešće gnusna politika, jer je pravda koju ostvaruju sami građani

11 Pike, str. 251.

najčešće rđav način ostvarivanja zakona; oni koji je vrše su obično gangsteri, a ponekad i ludaci u političkom ruhu. A ipak su „pravedni atentati" bar mogući, a muškarce i žene koji za cilj imaju ovakvu vrstu ubistva i odbacuju svaku drugu treba razdvojiti od onih koji ubijaju nasumično – ne kao izvršioce pravde, nužno, jer o tome ne moramo da se slažemo, već kao revolucionare sa čašću. Oni ne žele da revoluciju, kao što kaže jedan od Kamijevih likova, „prezre ceo ljudski rod".

Ma kako odredili politički kodeks, terorizam predstavlja svesno kršenje njegovih normi. Jer obični građani bivaju ubijeni, a nikakva odbrana koja bi zavisila od njihovih akcija nije ponuđena, niti može biti ponuđena. Imena i zanimanja poginulih ne znaju se unapred; oni su ubijeni prosto da bi se poslala poruka drugima njima sličnim. Šta je sadržaj poruke? Pretpostavljam da može biti bilo šta; ali u praksi, terorizam, pošto je usmeren protiv celog naroda ili klase, ima tendenciju da prenosi najbrutalnije i najekstremnije poruke – iznad svega, tiransku opresiju, progon, ili masovno ubistvo stanovništva koje je napadnuto. Stoga su savremene terorističke kampanje najčešće usmerene na ljude čija je nacionalna egzistencija radikalno obezvređena: na protestante u Severnoj Irskoj, Jevreje u Izraelu itd. Kampanja je objava obezvređenja. Stoga je toliko malo verovatno da će napadnuti ljudi verovati da je kompromis s njihovim neprijateljima moguć. U ratu, terorizam je povezan sa zahtevom za bezuslovnom predajom i, na sličan način, ima tendenciju da isključi bilo koju vrstu kompromisnog sporazuma.

U svojim savremenim manifestacijama, terorizam je totalitarni oblik rata i politike. On razbija ratnu konvenciju i politički kodeks. On prekoračuje moralna ograničenja, iza kojih nikakva dalja ograničenja ne izgledaju moguća, jer unutar kategorija civila i građana nema nijedne manje grupe za koju se može zahtevati imunitet (osim dece, ali ne mislim da se može reći da deca uživaju „imunitet" ako se njihovi roditelji napadaju i ubijaju). Teroristi u svakom slučaju ne postavljaju takve zahteve; oni ubijaju bilo koga. Uprkos tome, terorizam su branili ne samo sami teroristi već i filozofske apologete koje su pisale u njihovo ime. Političke odbrane su najsličnije odbranama koje se iznose kad god vojnici napadnu civile. One predstavljaju ovu ili onu verziju argumenta na osnovu vojne nužnosti.[12] Rečeno je, na primer, da nema alternative terorističkoj aktivnosti ako potlačeni narodi treba da se oslobode. A rečeno je i, dalje, da je oduvek bilo tako: terorizam je jedino, te stoga uobičajeno sredstvo za uništenje opresivnog režima i osnivanje novih nacija.[13] Slučajevi koje sam već obradio navode na pomisao da su ove tvrdnje lažne. Oni koji ih iznose, mislim, izgubili su razumevanje istorijske prošlosti; oni pate od zloćudnog zaborava, koji briše sve moralne distinkcije, zajedno s muškarcima i ženama koji su ih s mukom stvorili.

Nasilje i oslobođenje

Žan-Pol Sartr i bitka za Alžir

Ali postoji još jedan argument koji, zbog rasprostranjenosti koju je stekao, moramo sada da razmotrimo, mada nema neposredni analogon u raspravama u doba rata. Njega je u najogoljenijem obliku izneo Sartr [Sartre] kao opravdanje terorizma Nacionalnog oslobodilačkog fronta u Alžiru, objavljenom kao predgovor knjizi Franca Fanona [Franz Fanon] *Prokleti na zemlji* [*The Wretched of the Earth*]. Ovako glasi rezime argumenta:[14]

---

12 Među revolucionarima, kao i među vladinim zvaničnicima, ovaj argument često sklizne s analize pojedinih slučajeva prinude i nužnosti (koji su retko ubedljivi) u opštu tvrdnju da je rat pakao i da je sve dozvoljeno. Gledište generala Šermana prihvata, na primer, italijanski levičar Franko Solinas [Franco Solinas], koji je napisao scenario za film Đina Pontekorva [Pontecorvo] „Bitka za Alžir" [The Battle of Algiers] i branio terorizam alžirskog Nacionalnog oslobodilačkog fronta: „Stolećima su pokušavali da dokažu da je rat poštena borba, nalik dvobojima, ali to rat nije, i stoga je svaki metod koji se u njemu koristi dobar... Ne radi se o etici ili fer-pleju. Moramo da napadnemo sam rat i situacije koje dovode do njega." (The Battle of Algiers, ed. i trans. by PierNico Solinas, New York, 1973, str. 195–196.) Uporedi isti argument koji su izneli američki zvaničnici braneći bacanje atomske bombe na Hirošimu, Glava 16.

13 Argument, pretpostavljam, potiče od Makijavelija, mada je većina njegovih opisa nužnog nasilja osnivača i reformatora odnosi na ubijanje određenih ljudi, pripadnika stare vladajuće klase: vidi, na primer, *Vladalac* [*The Prince*], gl. VIII, i *Discourses*, I:9.

14 *The Wretched of the Earth*, trans. Constance Farrington, New York, n. d., str. 18–19.

Ubiti Evropljanina znači ubiti dve muve jednim udarcem, uništiti istovremeno tlačitelja i čoveka koga on tlači: ostaju mrtav čovek i slobodan čovek.

Na svoj uobičajeni način, sa izvesnim uživanjem u hegelovskoj melodrami, Sartr ovde opisuje ono što smatra činom psihološkog oslobođenja. Samo kada sluga ustane na svog gospodara, kad se fizički sukobi s njim i ubije ga, stvara on sebe kao slobodno ljudsko biće. Gospodar umire, sluga je preporođen. Čak i da je ovo uverljiva slika terorističkog čina, argument nije ubedljiv, i izložen je dvama očiglednim i poraznim pitanjima. Prvo, da li je odnos jedan prema jedan nužan? Da li je potreban jedan mrtav Evropljanin da bi se oslobodio jedan Alžirac? Ako je tako, nema dovoljno Evropljana koji žive u Alžiru; trebalo bi dovesti još njih da bi se alžirski narod oslobodio na Sartrov način. Ako nije, sledi da još neko pored čoveka koji ubija može da bude oslobođen... Kako? Time što posmatra? Time što o ubistvu čita u novinama? Teško je videti kako bi iskustvo nekog drugog, nekog zastupnika, moglo da ima značajnu ulogu u procesu ličnog oslobođenja (onako kako ga je opisao egzistencijalistički filozof).

Drugo pitanje pokreće poznatije probleme: Da li je dovoljan bilo koji Evropljanin? Osim ukoliko Sartr ne misli da su svi Evropljani, uključujući i decu, tlačitelji, on u ovo ne bi mogao da veruje. Ali ako oslobađa samo napad na tlačitelja i njegovo ubistvo, vratili smo se na politički kodeks. Iz Sartrove perspektive to ne može biti tačno, pošto su muškarci i žene koje brani izričito odbacili ovaj kodeks. Oni su Evropljane ubijali nasumično, kao u dobro poznatoj sceni iz (istorijski verodostojnog) filma „Bitka za Alžir“, u kojem je bomba postavljena u kafiću u kojem francuski tinejdžeri piju i igraju.[15]

KAFIĆ. EKSPLOZIJA. EKSTERIJER. DAN.
Džuboks je izbačen nasred ulice. Svuda krv, komadi mesa, cigle i malter... beli dim i krici, plač, histerično vrištanje devojaka. Jedna od njih više nema ruku i trči okolo očajnički vrišteći; nemoguće je kontrolisati je... Čuje se zvuk sirena... Stižu kola hitne pomoći...

15 *Gillo Pontecorvo's The Battle of Algiers*, ed. Piernico Solinas, New York, 1973, str. 79–80.

Ovakav događaj se ne može lako prikazati kao egzistencijalni susret gospodara i slugu.

Izvesno, ima istorijskih trenutaka kada je oružana borba nužna radi ljudske slobode. Ali ako ishod te borbe treba da budu dostojanstvo i samopoštovanje, ona se ne može sastojati od terorističkih napada na decu. Može se dokazivati da su takvi napadi neizbežan proizvod opresije, i u nekom smislu, pretpostavljam, to je tačno. Mržnja, strah i žudnja za dominacijom psihološka su obeležja i tlačitelja i potlačenih, i za njihovo ispoljavanje, na obe strane, može se reći da je radikalno determinisano. Obeležje revolucionarne borbe protiv tlačitelja, međutim, nisu bezumni bes i nasumično nasilje, već uzdržanost i samokontrola. Revolucionar pokazuje svoju slobodu na isti način na koji je i stiče, neposredno se suočavajući sa svojim neprijateljima i uzdržavajući se od napada na bilo koga drugog. Revolucionarni borci nisu razradili distinkciju između zvaničnika i običnih građana samo da bi poštedeli nedužne već i da bi poštedeli sebe od ubijanja nedužnih. Ma kakva bila njegova strateška vrednost, politički kodeks intrinsično je povezan sa psihološkim oslobađanjem. Kod ljudi uhvaćenih u zamku krvavih borbi, taj kodeks je presudan za samopoštovanje. Isto se može reći i za ratnu konvenciju: u kontekstu užasne prisile, vojnici najjasnije potvrđuju svoju slobodu kad se pokoravaju moralnom zakonu.

13. REPRESALIJE

Odvraćanje bez uzvraćanja

Kada su Britanci uveli blokadu Nemačkoj 1916, nazvali su je odmazdom; kada su Nemci počeli sistematsko bombardovanje Londona 1940, branili su se na isti način. Nijedan deo ratne konvencije nije toliko podložan zloupotrebama, niti je toliko zloupotrebljavan, kao učenje o represalijama. Jer ovo učenje je, ili se nekada mislilo da jeste, permisivno u odnosu prema ostatku konvencije. Ono opravdava akcije koje bi inače bile zločinačke ako se one preduzimaju kao odgovor na zločine koje je prethodno počinio neprijatelj. „Vršiti represalije", piše jedan pacifista koji kritikuje pravila rata, „znači činiti ono što smatrate zlim na osnovu toga što je neko drugi to učinio prvi."[1] A, nastavlja on, neko drugi će to uvek učiniti prvi. Stoga represalije stvaraju lanac zlodela, na kraju kojeg svaki odgovoran akter može upreti prst u nekog drugog aktera i reći *tu quoque*.

Međutim, eksplicitan je cilj represalija da prekinu ovaj lanac, da zaustave zlodela *sada*, ovim poslednjim činom. Ponekad – mada se mora reći ne često – ovaj cilj je postignut. Želim da počnem slučajem u kojem je cilj ostvaren, tako da bar možemo da pridamo neki smisao onome što je mnogo godina bilo konvencionalno mišljenje – kako ga je izneo, na primer, francuski pravnik iz devetnaestog veka: „Represalije su sredstvo da se spreči da rat postane potpuno varvarski."[2]

Zarobljenici Francuskih unutrašnjih snaga u Anesiju

U leto 1944. godine, veći deo Francuske bio je bojno polje. Savezničke armije su se borile u Normandiji; grupe partizana, organizovanih sada u Francuske unutrašnje snage [French Forces

1 G. Lowes Dickinson, *War: Its Nature, Cause and Cure*, London, 1923, str. 15.
2 H. Brocher, „Les principes naturels du droit de la guerre", 5 *Revue de droit international et de legislation comparée* 249 (1873).

of the Interior – FFI] i povezanih i sa Saveznicima, i sa De Golovom Privremenom vladom u Alžiru, izvodile su operacije velikih razmera u mnogim delovima zemlje. Oni su imali borbene oznake; oružje su nosili otvoreno. Jasno je da je primirje iz 1940. godine stvarno poništeno i da su vojne borbe obnovljene. Uprkos tome, nemačke vlasti su i dalje uhvaćene partizane tretirale kao ratne izdajnike ili ratne pobunjenike, koji se mogu pogubiti po kratkom postupku. Ni pun dan posle iskrcavanja Saveznika, na primer, petnaest partizana uhvaćenih u Kaenu bili su odmah streljani.[3] A pogubljenja su se nastavljala sa porastom intenziteta borbi, tokom sledećih meseci. Francuske unutrašnje snage su se žalille na ova pogubljenja Privremenoj vladi, koja je sa svoje strane uputila formalni protest Nemcima. Pošto nisu priznavali Privremenu vladu, Nemci su odbili da prime protest. U svojoj noti, Francuzi su zapretili represalijama nad nemačkim zarobljenicima. Međutim, nastavak ubijanja nije izazvao ovakav odgovor – možda zato što su vojnicima pod neposrednom komandom Privremene vlade, koji su bili regrutovani van Francuske, Nemci i dalje priznavali status ratnih zarobljenika.

Avgusta 1944. veliki broj nemačkih vojnika u južnoj Francuskoj počeo je da se predaje partizanskim grupama, i vođe Francuskih unutrašnjih snaga su iznenada bile u položaju da ispune vladinu pretnju. „Kada se... saznalo da su Nemci... pogubili 80 francuskih zarobljenika, i da predstoje i dalja pogubljenja, komanda Francuskih unutrašnjih snaga u Anesiju odlučila je da zauzvrat bude streljano 80 zarobljenika u njenim rukama."[4] U tom trenutku intervenisao je Crveni krst, izdejstvovao odlaganje pogubljenja, i tražio od Nemaca pristanak da će odsada tretirati uhvaćene partizane kao ratne zarobljenike. Partizani su čekali šest dana, i zatim, kako Nemci nisu odgovarali, streljali 80 zarobljenika.[5] Posledice ove odmazde nije lako ustanoviti, jer je

3 Robert B. Asprey, *War in the Shadows: The Guerrilla in History*, New York, 1975, I, str. 478.

4 Frits Kalshoven, *Belligerent Repraisals*, Leyden, 1971, str. 193–200.

5 Nikada nisam shvatao zašto, u slučajevima poput ovog, ljudi nisu jednostavno bili sakriveni pošto se objavi njihova smrt. Zašto moraju da stvarno budu pobijeni? Pošto se po ratnoj konvenciji prihvataju obmane raznih vrsta, sigurno je da ova ne bi trebalo da bude isključena.

nemačka vojska bila pod velikim pritiskom, i mnogi drugi činioci su uticali na njene odluke. Međutim, očigledno je istina da nijedan partizan nije pogubljen posle streljanja u Anesiju.

Sada, u jednom smislu, o ovom je slučaju lako doneti sud: Ženevska konvencija iz 1929. godine, koju je Francuska potpisala, a same Francuske unutrašnje snage prihvatale, izričito zabranjuje represalije nad ratnim zarobljenicima.[6] Nijednoj drugoj grupi nedužnih muškaraca i žena nije dat sličan imunitet; zarobljenici su izdvojeni zbog ugovora implicitnog u predaji, kojim im se obećava život i benevolentan karantin. Ubijati ih značilo bi kršenje poverenja, isto kao i kršenje pozitivnih zakona rata. Ali neću se usredsrediti na ovaj izuzetak od opšteg pravila o represalijama, jer on ne pokreće opštije pitanje o tome da li bi svesno ubijanje nedužnih ljudi trebalo ikada proglasiti zakonitim ili moralno opravdanim. A sumnjam da ćemo želeti da kažemo, kao odgovor na ovo pitanje, da se neki nedužni ljudi mogu ubijati, a neki ne mogu. Slučaj zarobljenika u rukama Francuskih unutrašnjih snaga je koristan zato što pruža klasičan primer represalija, i to primer u kojem će naše simpatije verovatno, bar u početku, biti na strani onih koji vrše represalije.

Represalije ove vrste za cilj imaju primenu ratne konvencije. U međunarodnom društvu, kao i u Lokovom prirodnom stanju, svaka pojedina članica (svaka zaraćena sila) polaže pravo na primenu zakona. Sadržaj ovog prava je isti kao i u domaćem društvu: to je pre svega pravo na retribuciju, na kažnjavanje krivaca; drugo, to je pravo na odvraćanje, na zaštitu sebe i drugih od zločinačkih aktivnosti. U domaćem društvu, ovo dvoje najčešće idu zajedno. Zločinačka aktivnost se odvraća kažnjavanjem krivaca, ili pretnjom da će oni biti kažnjeni. To je bar opšteprihvaćeno učenje. U međunarodnom društvu, međutim, i posebno u doba rata, ova dva prava nisu podjednako ostvariva. Često je nemoguće uhvatiti krivce, ali je uvek moguće sprečiti dalju zločinačku aktivnost ili pokušati da se ona spreči time što bi se uzvratilo istom merom, kao što su to učinili francuski partizani, to jest,

---

Ali nisam bio u stanju da otkrijem nijedan slučaj u kojem je pokušano ovakvo ratno lukavstvo.

6 Kalshoven, str. 78 ff.

tako što bi se „kaznili“ nedužni. Rezultat se može opisati kao jednostrana vrsta primene zakona: odvraćanje bez retribucije.

Rezultat se može takođe opisati i kao prevashodni primer radikalnog utilitarizma – zaista, utilitarizma toliko radikalnog da je utilitarističkim filozofima bilo stalo do toga da poreknu njegovo postojanje. Pa ipak je on dovoljno proširen u teoriji, kao i u praksi rata. Jedna od kritika koja se najčešće upućuje utilitarizmu jeste to da bi njegovi proračuni u izvesnim okolnostima zahtevali od vlasti da „kazni“ nedužnu osobu (da je ubije ili zatvori pod plaštom kazne). Uobičajeni odgovor je bio pokušaj da se proračuni prilagode tako da daju različit i konvencionalno prihvatljiviji rezultat.[7] Ali u istoriji međunarodnog prava i u raspravama o ponašanju u ratu, većinom se odustaje od pokušaja usklađivanja. Represalije se brane, sa zadivljujućom neposrednošću, na strogo utilitarnim osnovama. Makar samo u posebnim uslovima borbe, utilitaristički proračuni su zaista zahtevali „kažnjavanje“ nedužnih ljudi. Političke i vojne vođe zaraćenih sila obično su se pozivale na ovaj zahtev, tvrdeći da nikakva druga sredstva nisu dostupna da bi se suzbili zločinački prestupi njihovih neprijatelja. A nepristrasni posmatrači, pravnici, doktori dostojni poštovanja, uopšte uzev su ovo prihvatali kao mogući argument u „krajnjim slučajevima“ (slučajevi su, naravno, često sporni). Stoga je „princip ratnog prava“, bar prema vodećem autoritetu: „Za svaki prestup kazni nekoga; krivca, ako je to moguće, ali u svakom slučaju nekoga.“[8]

Ovo nije privlačan princip, i ne bi bilo tačno objasniti tradicionalno prihvatanje represalija samo pozivanjem na njega. U ratu, na kraju krajeva, često se napadaju i ubijaju nedužni ljudi u ime korisnosti, da bi se, kaže se, skratio rat, spasli životi itd. Ali ovakvi napadi nemaju isti status kao i represalije. Nije njihova korisnost, pod pretpostavkom da su zaista korisni, ono što čini da represalije budu različite, već neko drugo svojstvo. Ovo svojstvo pogrešno shvataju, mislim, oni autori koji represalije opisuju kao najprimitivniju odliku ratne konvencije, opstanak drevnog *lex talionis*,

7 Vidi, na primer, oglede H. Dž. M. Mekloskija [H. J. McCloskey] i T. L. S. Spriga [T. L. S. Sprigge] u *Contemporary Utilitarianism*, ed. Michael D. Bayles, Garden City, New York, 1968.

8 Spaight, *War Rights*, str. 120.

prava na odmazdu.[9] Jer odmazda je vraćanje zla zlim, a ono što je ključno kod represalija upravo je to da na zlo, mada može biti ponovljeno, nije uzvraćeno. Nov zločin ima novu žrtvu, koja nije prvobitni zločinac, mada je verovatno iste nacionalnosti. Pojedini izbor je (što se tiče korisnosti) potpuno bezličan; u ovom smisli, represalija je jezivo savremena. Međutim, opstalo je nešto od odmazde: ne ideja o vraćanju već ideja o odgovoru. Represaliju odlikuje izvesno osvrtanje, naknadno delanje, što implicira spremnost da se uopšte ne dela, da se pridržava izvesnog skupa ograničenja. „Oni su prvi počeli." Ova rečenica nosi u sebi moralni argument. Ne verujem da je to naročito snažan argument, ili argument koji će nas daleko odvesti. Ali on služi tome da se represalije izdvoje od drugih, podjednako korisnih kršenja ratne konvencije. Ne postoji pravo da se vrše zločini da bi se skratio rat, ali postoji pravo, tako se nekada mislilo, da se vrše zločini (ili, tačnije, dela koja bi inače bila nazvana zločinima) radi borbe s prethodnom zločinačkom aktivnošću naših neprijatelja.

Okrenut prošlosti karakter represalija potvrđen je pravilom srazmernosti koje ih ograničava. Ovo pravilo je potpuno različito i mnogo preciznije od pravila koje se javlja, na primer, u učenju o dvostrukom efektu. Partizanski zapovednici u Anesiju postupali su strogo u skladu s njegovim odredbama kada su doneli odluku da ubiju 80 Nemaca kao odgovor na ubistvo 80 Francuza. Represalije su ograničene s obzirom na prethodne zločine, a ne s obzirom na zločine koje treba da odvrate (ne s obzirom na posledice koje imaju, ili se nadamo da bi mogle da imaju). Ovo su ponekad osporavali autori verni utilitarističkom načinu mišljenja. Tako Mekdugal [McDougal] i Felisijano [Feliciano] dokazuju, na karakterističan način, da je „vrsta i količina mogućeg... nasilja ona koja je razumno smišljena na takav način da može da utiče na očekivanja neprijatelja u pogledu koristi i štete od ponavljanja ili nastavljanja zločinačkih aktivnosti, i da izazove okončanje i buduće uzdržavanje od takvih dela."[10] Oni priznaju da bi količina na ovaj način određenog nasilja mogla biti veća od onog koje je prvobitno izvršio neprijatelj. U slučaju

9 Spaight, str. 462.

10 McDougal and Feliciano, *Law and Minimum World Public Order*, str. 682.

Anesija, ono bi moglo da bude i manje: streljanje 40 ili 20 ili 10 Nemaca moglo je da ima isti efekat kao i streljanje njih 80. Ali, ma kako proračun bio izveden, ovu vrstu srazmernosti koja je okrenuta ka budućnosti nije nikada prihvatila ni većina teoretičara rata, ni njegovi obični učesnici. U Drugom svetskom ratu, sigurno je, Nemci su često odgovarali na aktivnost partizana u okupiranim državama Evrope streljanjem deset talaca za svakog ubijenog Nemca.[11] Ova srazmera je možda izražavala osobeno poimanje vrednosti nemačkih života, ili je možda bila „razumno smišljena tako da utiče na očekivanja itd. neprijatelja". U svakom slučaju, ova praksa je naišla na sveopštu osudu.

Naravno, osuđena je ne samo zbog stvarne nesrazmere koju je uključivala, već i zbog toga što se za partizanske aktivnosti u mnogim slučajevima nije mislilo da krše ratnu konvenciju. Stoga je nemački odgovor bio prosto utilitarističko odvraćanje, a ne prisilna primena zakona. Još jedna odlika okrenuta prošlosti prirode represalija jeste to što akti na koje one odgovaraju moraju biti zločini, kršenja prihvaćenih pravila rata. Štaviše, ova pravila moraju biti opšteprihvaćena, na obe strane linije fronta, ako naročiti karakter represalija treba da bude sačuvan. Kada je britanska vojska pribegla represalijama tokom rata 1812. godine, jedan opozicioni član Donjeg doma, koji je mislio da je ovakvo ponašanje varvarsko, zapitao je zašto vojnici Njegovog veličanstva ne skalpiraju svoje zarobljenike kada se bore s američkim Indijancima, niti ih prodaju u roblje kad ratuju s berberskim gusarima.[12] Pretpostavljam da je odgovor to da Indijanci i gusari ne smatraju skalpiranje i prodaju u roblje nelegitimnim. Stoga kad bi Britanci podražavali ove postupke, to se ne bi smatralo primenom zakona (niti bi imalo bilo kakav efekat odvraćanja); to bi samo potvrdilo ideje njihovih protivnika o prikladnom ponašanju u ratu. Represalije mogu da uključuju odvraćanje bez retribucije, ali to ipak mora biti odvraćanje koje je reakcija na nešto, a ono na šta ono predstavlja reakciju jeste kršenje ratne *konvencije*. Ako nema konvencije, ne može biti ni represalija.

---

11 Vidi opis jedne od najbrutalnijih nacističkih represalija u delu: Robert Katz, *Death in Rome*, New York, 1967.

12 Spaight, str. 463 n.

Istovremeno, osećamo nelagodnost u pogledu represalija upravo zato što postoji konvencija koja kategorički isključuje postupke koje represalije obično zahtevaju. Ako je rđavo, i to iz najdubljih razloga, ubijati nedužne ljude, kako može biti ispravno ubijati ih? U raspravama o međunarodnom pravu, odbrana represalija je uvek praćena velikim oklevanjem i zebnjom, i kvalifikovana rečima koje se odnose na ekstremnost ove stvari.[13] Nije lako znati šta ova poslednja kvalifikacija znači, međutim, i zapravo se čini da je svako kršenje pravila dovoljno „ekstremno" da opravdava srazmeran odgovor. Srazmernost okrenuta prošlosti istinska je granica: ona bi zabranila, na primer, dve takozvane represalije kojima sam počeo ovo poglavlje. Ali ekstremnost uopšte nije ograničenje. Izvesno je da nije istina da se represalije preduzimaju samo kad zločini neprijatelja predstavljaju drastičnu opasnost po ratni napor u celini, ili po stvar radi koje se rat vodi. Jer cilj represalija nije da se dobije rat, niti da se spreči poraz stvari za koju se borimo, već jednostavno da se nametnu pravila. Možda je značenje pozivanja na ekstremnost nalik ispoljavanju oklevanja: oboje sugerišu shvatanje represalija kao poslednjeg sredstva kojem treba pribeći. Ali, u praksi, jedina akcija koja se zahteva pre no što se pribegne ovom poslednjem sredstvu jeste formalni protest, kakav su Francuzi uputili Nemcima 1944. godine, i pretnja da će se odgovoriti na isti način ako se nastavi sa ovom ili onom zločinačkom aktivnošću.

Ali može se zahtevati i mnogo više od toga, i putem nametanja zakona i putem vojne akcije. Francuske unutrašnje snage su mogle, na primer, da objave da će s nemačkim vojnicima uključenim u pogubljenja uhvaćenih partizana postupati kao sa ratnim zločincima; mogli su čak da počnu da objavljuju imena onih protiv kojih će biti podignute optužnice. Imajući u vidu vojnu situaciju nemačke armije 1944. godine, ovakva objava je mogla da ima značajan efekat. Ili su partizani mogli da pokušaju da napadnu zatvore i logore u kojima su držani njihovi zarobljeni drugovi. Ovakvi napadi nisu bili nemogući, mada bi sadržali rizike potpuno odsutne kada se streljaju uhvaćeni vojnici.

13 Grinspen je tipičan: „Represalijama bi trebalo pribegavati samo u izuzetno teškim slučajevima." (Greenspan, *Modern Law of Land Warfare*, str. 411.)

Kad bi se ideja poslednjeg sredstva uzela ozbiljno, ona bi na radikalan način ograničila represalije. Ali pretpostavimo da su partizani izdali objavu i preduzeli napade a da to nije zaustavilo pogubljenja koja vrše Nemci. Da li bi partizani tada imali opravdanje da streljaju svoje zarobljenike? „Bezobzirni neprijatelj često svom protivniku ne ostavlja nikakva sredstva da se zaštiti od ponavljanja varvarskih zločina.“[14] Ali istina je da uvek ima drugih sredstava, manje ili više opasnih, manje ili više delotvornih. Iznositi dokaze protiv pogubljenja ne znači uskratiti partizanima poslednja sredstva. To znači samo reći, na primer, da su vojni napadi njihovo poslednje sredstvo. Ako napadi ne uspeju, mogu se samo ponovo pokušati; nema ničeg drugog što bi se moglo učiniti. (Represalije takođe mogu da ne uspeju – one obično ne uspevaju – a šta posle toga?) To je zaključak koji bih želeo da branim, i braniću ga, još jednom, razmišljajući o statusu i karakteru nemačkih vojnika koje su zarobili francuski partizani.

Ko su ti ljudi? Nekada su bili vojnici; sada su razoružani i bespomoćni. Možda su neki od njih ratni zločinci; možda su neki od njih bili uključeni u ubijanje uhvaćenih partizana. Sigurno je da ih tada treba izvesti pred sud, a ne pobiti na licu mesta. Želećemo da saslušamo dokaze protiv njih i da budemo sigurni da kažnjavamo prave ljude. Jedino suđenje može da ukaže na našu odanost pravilima rata. Ali ovde imamo posla sa, pretpostavimo, običnim zarobljenicima, koji nisu ni donosili ni izvršavali zločinačke odluke. Njihove svakodnevne aktivnosti bile su veoma slične aktivnostima njihovih neprijatelja. Da li tada mogu biti streljani tek tako, da li se s njima može postupati surovije nego sa osumnjičenim kriminalcima? Izgleda neverovatno da se jedan broj njih može proizvoljno izdvojiti od ostalih i potom pobiti, samo da bismo mogli da objavimo njihovu smrt, i sve to pravde radi. Streljati ih bilo bi ubistvo: to je pravo ime, bez obzira na to koje zločine želimo da izbegnemo time što ćemo postati njihove ubice. Jer ti ljudi nisu puki materijal od čijih života možemo da oblikujemo strategiju odvraćanja. Čak i kao zarobljenici, i upravo kao zarobljenici, oni imaju svoja prava koja ih štite od nas.

Sadašnje međunarodno pravo naginje tome da osudi represalije protiv nedužnih ljudi, i to iz suštinski istih razloga koje

14 Lieber, *Instructions*, član 27 (podvukao M. V.).

sam i ja izneo: bespomoćnost isključuje žrtve iz legitimnih objekata vojnog napada, a to što nisu uključeni u zločinačke aktivnosti isključuje ih kao objekte retributivnog nasilja. Ženevska konvencija iz 1929. godine, kao što smo videli, proglasila je da zarobljenici imaju imunitet; konvencije iz 1949. godine proglasile su to isto s obzirom na ranjene, bolesne i pripadnike oružanih snaga koji su doživeli brodolom na moru, kao i za civilna lica na okupiranim teritorijama.[15] Ova poslednja odredba zabranjuje ubijanje talaca, paradigmatičan slučaj korišćenja nedužnih ljudi za vlastite vojne ciljeve. Jedina klasa nenaoružanih muškaraca i žena protiv kojih su represalije još uvek pravno odbranjive jeste civilno stanovništvo neprijateljske zemlje. Njegovi pripadnici još uvek mogu da budu taoci (mada samo udaljeni) radi dobrog vladanja njihovih vlada i vojski. Dokazivalo se da ovaj način suđenja o represalijama predstavlja logičko proširenje opšteg principa da „osobe čije je korišćenje kao osnove neprijateljeve moći sprečeno... time što su pod kontrolom druge od zaraćenih strana ili što su uhvaćene, prestaju da budu legitimni objekti nasilja".[16] Ali ovo je pogrešna formulacija opšteg principa. Ona bi dopustila ne samo represalije već i prvi udarac na civile neprijatelja. Ma kako miroljubivi bili njihovi poslovi, na kraju krajeva, ovi civili ostaju „značajna osnova moći neprijatelja", pružajući političku i ekonomsku podršku oružanim snagama. Čak ni deca nisu „sprečena" da služe tim snagama: ona će odrasti i postati vojnici, radnici u fabrikama municije i tome slično. A ipak su ovi ljudi zaštićeni ratnom konvencijom; oni su svrstani, zajedno sa zarobljenicima i ranjenim vojnicima, u klasu nedužnih. Cilj koji leži u osnovi nedavnog razvoja prava nije da se proširi domašaj nekog opšteg principa, koji već (u principu) obuhvata dovoljno, već da se zabrani njegovo kršenje u posebnim okolnostima, za koje se nekada mislilo da opravdavaju represalije. A ako za to ima dobrih razloga, činilo bi se da nema dobrih razloga da se linija povuče onako kako je sada povučena.[17]

15 Kalshoven, str. 263 ff.

16 McDougal and Feliciano, str. 684.

17 Međutim, nije teško objasniti sadašnju pravnu situaciju. Pretnja da će protiv civila neprijatelja biti primenjene represalije ključna je odlika savremenog sistema nuklearnog odvraćanja, i državnici i vojnici nisu ozbiljno spremni da odbace taj sistem. Štaviše, mada nuklearno odvraćanje

Tako se neophodan sud može sažeti na sledeći način: moramo da osudimo sve represalije protiv nedužnih ljudi, bez obzira na to da li su oni „pod kontrolom jedne od zaraćenih strana“ ili nisu. To znači postaviti radikalna ograničenja praksi koja je nekada bila branjena, i to ne uzgrednim ili bezvrednim argumentima. Ali ne želim da tvrdim da stari argumenti nemaju nikakvu snagu. Oni ispravno ukazuju na izvesnu razliku između prvobitnog zločina i represalija, koje predstavljaju odgovor na njega. S jednog veoma nepristrasnog stanovišta može izgledati da zločini i represalije čine začarani krug – krug u potpunosti objašnjen načelom da „nasilje rađa nasilje“. Međutim, ovo načelo je ponekad pogrešno i, što je važnije, ono ne uspeva da povuče razliku između nasilja koje predstavlja odgovor na nasilje i koje je uzdržano, od nasilja koje nije ni jedno ni drugo. Kad stanemo pored francuskih zapovednika u Anesiju, ovaj krug izgleda različito. Nemačka je krivica u ovom slučaju veća od krivice Francuza, zato što su Nemci počeli prvi, kršeći konvencionalna pravila radi neke vojne prednosti; Francuzi su reagovali, ponavljajući ovo kršenje radi izričitog cilja da se ponovo uspostave pravila. Ne znam kako da se izmeri razlika između njih; možda ona nije velika; ali vredno je istaći da postoji razlika, mada njihovim zločinima dajemo isto ime.

S obzirom na najvažnije pravilo rata, isključeno je kršenje pravila radi prisilne primene zakona. Učenje o represalijama se, tada, odnosi samo na manje važne delove ratne konvencije, u kojima prava nedužnih nisu na kocki. Razmotrimo, na primer, zabranu upotrebe bojnih otrova. Vinston Čerčil je bio potpuno u pravu kada je upozorio nemačku vladu, početkom Drugog svetskog rata, da će upotreba otrova od strane nemačke vojske dovesti

počiva samo na pretnji, a zaprećeni činovi su takve prirode da bi moralni ljudi i žene u poslednjem trenutku mogli odbiti da ih izvedu, niko nije unapred spreman da pristane na inhibicije. „Svaki čin surovosti prema nedužnima“, pisao je jedan američki pravnik iz prenuklearnog doba, „svaki čin, posebno, kojim su neborci izloženi stresu rata, jeste ono od čega se hrabri ljudi uzdržavaju, mada se mogu osećati obaveznim da zaprete njime.“ (T. D. Woolsey, *Introduction to the Study of International Law*, New York, 1908, str. 211.) Ali, da li mogu da efikasno zaprete njime ako se unapred zna da će se ustezati da ga izvedu? Problemom nuklearnog odvraćanja baviću se u Glavi 17.

do trenutnih represalija Saveznika.[18] Jer vojnici imaju samo ratno pravo, i nikakva osnovnija prava, da budu napadani izvesnim oružjem, a ne i nekim drugim. Pravilo protiv bojnih otrova je legalno uspostavljeno, ali nije moralno neizbežno. Stoga, ako je prekršeno, moralno su dozvoljena slična i srazmerna kršenja, precizno usmerena na ponovno uspostavljanje pravila i ni na kakav širi vojni cilj. Ona su dozvoljena zato što su ljudi protiv kojih su usmerena već legitimni objekti vojnih napada. Isto važi i za sve druge slučajeve neformalnih sporazuma i uzajamnih aranžmana koji ograničavaju obuhvat i intenzitet ratovanja. Ovde je pretnja represalijama glavno sredstvo prisilne primene zakona, i nema razloga da se okleva da se ova pretnja iznese ili ostvari. Moglo bi se dokazivati da, kada su prekršena ograničenja ove vrste, ona jednostavno nestaju, a tada nema razloga da se sopstvena kršenja ograniče pridržavanjem pravila srazmernosti. Ali ovo važi samo ako represalije ne uspeju da povrate stara ograničenja. Prvo se mora težiti ponovnom uspostavljanju ograničenja: u ovom smislu, još uvek koristimo represalije kao branu od varvarstva rata.

Problem represalija u miru

Ali sve ovo pretpostavlja da je uobičajena vrsta ratovanja već u toku. Ono što je problem, to su način ili sredstva napada. U slučaju represalija u miru, problem jeste sam napad. On je došao s one strane granice: napad ove ili one vrste. Država koja je žrtva odgovara drugim napadom, koji za cilj nema ponovno uspostavljanje pravila rata već ponovno uspostavljanje narušenog mira. Zločin koji je ponovljen jeste čin nasilja, kršenje suverenosti. On će biti nazvan agresijom i opravdan kao samoodbrana – govoreći, to jest, jezikom *jus ad bellum* – ali i dalje ostaje primena drugih „vojnih mera osim rata“ sve dok su očuvana ograničenja prikladna za represalije, koja utvrđuje teorija o *jus in bello*. Stoga je o njemu i tim ograničenjima najbolje raspravljati na ovom mestu.[19]

18 Čerčil, *Drugi svetski rat*, tom III, *Velika alijansa*, preveo Svetomir Nikolajević, Prosveta, Beograd, *s. a.* str. 392. Distinkciju sličnu onoj koju ovde branim predložio je Vestlejk [Westlake]: „... zakoni rata su isuviše duboko ukorenjeni u čovečnost i moral da bi se o njima raspravljalo samo oslanjajući se na ugovore, izuzev što je neke delove koji nemaju veći značaj konvencija mogla da odredi drugačije no što jeste.“ *International Law*, II, str. 126.

19 Vidi šta Kalšoven kaže o „mirnodopskim represalijama“, str. 287 ff.

Napad na Kibije i Bejrut

Termin „mirnodopske represalije“ nije potpuno tačan. Pravni udžbenici dele svoj predmet na „rat“ i „mir“, ali veći deo istorije predstavlja *demi-monde* koji nijedna od ovih reči ne opisuje tačno. Represalije najčešće pripadaju ovom *demi-monde*; one su oblik akcije prikladan za vreme pobuna, pograničnih sukoba, prekida vatre i primirja. Odlika je ovakvih perioda da nasilna dela nisu uvek dela države u bilo kom jednostavnom smislu. Oni nisu delo prepoznatljivih zvaničnika i vojnika koji postupaju po zvaničnim naređenjima, već (često) gerilskih grupa i terorističkih organizacija – koje zvaničnici tolerišu, a možda i pomažu, ali koje nisu pod njihovom neposrednom kontrolom. Tako su Izrael, od osnivanja 1948. godine, neprekidno napadali palestinski gerilci i teroristi koji su delovali iz susednih arapskih zemalja, ali koji nisu formalno bili povezani s njihovim armijama. Kao odgovor na takve napade, izraelske vlasti su tokom godina pokušavale praktično svaku zamislivu formu protivnapada – testirajući, da tako kažemo, politiku i moral represalija. Ovo je mračna i neobična istorija, koja teoretičaru pruža sve primere koje bi mogao poželeti (a i više). I mada ne nagoveštava da mirnodopske represalije vode miru, ona takođe ne ukazuje ni na neki alternativan odgovor na nelegitimne napade.

Većina palestinskih napada bila je delo terorista, a ne gerilaca; to jest, prema argumentu iz poslednje dve glave, napadi su bili nasumice usmereni na civilne mete: na zemljoradnike koji su radili u blizini granice, autobuse na putevima, seoske škole i kuće i tome slično. Stoga se ne postavlja pitanje njihove nelegitimnosti, ma šta mi mislili o širem arapsko-izraelskom sukobu. Niti može biti ikakvog pitanja o tome da li su Izraelci imali pravo da odgovore na neki način. Ovo pravo postoji u slučaju svakog napada koji dolazi s one strane granice, ali je posebno jasno kad je napad usmeren na civile, koji ne mogu da pruže nikakav neposredan otpor. Pa ipak, pojedini izraelski odgovori su zaista bili problematični, jer je teško znati kako da se postupa u ovakvim slučajevima. Teroristi koji se kriju u susednim državama s kojima napadnuta država nije u otvorenom ratu ne predstavljaju laku metu. Svaki vojni odgovor će biti obeležen jednom vrstom asimetrije karakteristične za mirnodopske represalije: početni napad je nezvaničan, protivnapad je čin suverene države koja krši suverenost druge države. Kako da sudimo o ovim izazovima? Koja pravila upravljaju mirnodopskim represalijama?

Prvo pravilo je dobro poznato. Mada je teroristički prepad usmeren na civile, represalije ne smeju da budu uperene protiv njih. Štaviše, oni koji vrše represalije moraju da paze da civili ne budu uzgredne žrtve njihovih napada. S obzirom na način na koji se izvode, mirnodopske represalije su sasvim nalik ratu, i stoga su neki od naših sudova dovoljno očevidni. Razmotrimo, na primer, izraelski napad na Kibje:[20]

> Posle ubistva žene i njena dva deteta u jednom selu blizu aerodroma Lod, Izraelci su izveli noćni prepad na jordansko selo Kibje, 14. oktobra 1953. godine... Probili su se u selo, opkolili seljane i digli u vazduh 45 kuća. Nisu sve kuće bile pre toga evakuisane, i više od četrdeset meštana je ostalo zatrpano pod ruševinama... Brutalnost ovog prepada izazvala je oštre proteste u Izraelu i inostranstvu...

Ova ubistva se verovatno ne mogu nazvati „nenamernim", a sigurno je da se ne može reći da je uložen trud da se ona izbegnu; stoga su protesti bili opravdani; ova ubistva su bila zločin. Ali šta da nijedan civil nije poginuo, ili, kao u većini represalija koje su Izraelci izveli na kopnu, da je poginuo samo mali broj njih, ubijenih tokom vatrenih okršaja s regularnim trupama jordanske armije? Šta treba da kažemo za sam prepad, za jordanske vojnike koji su tada pobijeni (koji nisu imali veze sa ubistvom izraelskih civila), za uništene kuće? Ovo nije standardna vojna operacija, mada je najuobičajeniji oblik mirnodopskih represalija. Njen cilj je da se prisile zvaničnici susedne države da održavaju mir i da suzbijaju delovanje gerilaca i terorista sa svoje strane granice. Ali ona nije neposredno ili neprekidno nasilna, inače bi bila potrebna invazija velikih razmera. Represalije imaju oblik upozorenja: ako su naša sela napadnuta, i vaša će biti napadnuta. Stoga uvek moraju da predstavljaju odgovor na prethodne napade. A one su vođene, u skladu s pravilom o imunitetu neboraca, pravilom

20 Luttwak and Horowitz, *The Israeli Army*, str. 110.

o unazad okrenutoj srazmernosti. Mada se vrednosti ljudskih života ne mogu sameravati, drugi napad mora biti po karakteru i obimu sličan prvom.

Sklon sam da branim protivnapade ove vrste kada se prihvate ova dva ograničenja. Odbrana, želim da istaknem, ni na koji način ne zavisi od pojmova ekstremnosti ili poslednjeg sredstva. U vreme mira, rat je poslednje sredstvo (a dugačak niz terorističkih prepada može da opravda rat ako se ne izgleda verovatno da bi bilo koja druga sredstva okončala ovaj niz). Represalije su prvo pribegavanje sili kada se diplomatija pokaže nedelotvornom. One su, opet, primena „vojnih mera osim rata", alternativa ratu, a ovaj opis predstavlja značajan argument njima u prilog. Ali opšti argument ostaje i dalje težak, kao što možemo da vidimo ako pređemo na jedan drugi istorijski primer, u kojem su (za razliku od napada na Kibije) pravila o imunitetu i srazmernosti skrupulozno poštovana.

Središnja meta palestinskog terorizma prebačena je 1968. godine sa samog Izraela na izraelsku državnu avio-kompaniju i njene putnike. Te godine su 26. decembra dvojica terorista napali izraelski avion koji se spremao za uzletanje na aerodromu u Atini.[21] U avionu se nalazilo oko 50 ljudi i, mada je samo jedna osoba ubijena, bilo je jasno da je cilj terorista bio da ih ubiju što je više moguće. Pucali su u prozore aviona u visini sedišta. Dvojicu terorista je uhvatila atinska policija, i otkrilo se da su pripadnici Narodnog fronta za oslobođenje Palestine, organizacije koja je sedište imala u Bejrutu. Putovali su sa libanskim dokumentima. Nekoliko puta tokom prethodnih meseci, Izrael je upozoravao libansku vladu da ne može „da izbegne odgovornost" za svoju podršku grupama nalik Narodnom frontu za oslobođenje Palestine. Sada je Izrael preduzeo dramatične represalije.

Dva dana posle napada u Atini, izraelski komandosi su doleteli helikopterima na bejrutski aerodrom i uništili 13 aviona civilnih aviokompanija registrovanih u Libanu. Prema jednom

21 Opis i ocena prepada može se videti u Richard Falk, „The Beirut Raid and the International Law of Reprisal", 63 *American Journal of International Law*, 1969, i u Yehuda Blum, „The Beirut Raid and the International Double Standard: A Reply to Professor Falk", 64 *A. J. I. L.*, 1970.

izraelskom saopštenju za medije, komandosi su se „uz veliki rizik po sebe... pridržavali najstrožih mera predostrožnosti da bi sprečili civilne žrtve. Putnici i posade su iskrcani iz aviona, a ljudi u blizinu su sklonjeni na bezbednu udaljenost". Ma koliki bili rizici, niko nije poginuo. Libanske vlasti su kasnije tvrdile da su dva izraelska vojnika ranjena tokom napada. S vojne tačke gledišta, prepad je predstavljao spektakularan uspeh – a, mislim, i sa moralne tačke gledišta. On je bio jasan odgovor na incident u Atini; bio je sličan i srazmeran po sredstvima (može se uništiti velika imovina kao odgovor na uništenje ljudskih života), i izveden je tako da se izbegne smrt civila.

Uprkos svemu tome, prepad u Bejrutu je u to doba kritikovan (i osuđen u Ujedinjenim nacijama) – pre svega zbog toga što je predstavljao ozbiljan napad na suverenost Libana. Napad na suverenost Jordana bi i u slučaju Kibije bio istican čak i da nije došlo do pogibije civila. Ubijanje civila je uvreda čovečnosti, ali napadi na vojna postrojenja i uništavanje civilne svojine postavljaju uži i neposredniji izazov državi. Zaista, to i jeste cilj tih napada; a ranjivost vojnika, s jedne strane, i aviona, brodova, zgrada itd. s druge, zavisi od ranjivosti suverene države. Vojnici su ranjivi ako je država ranjiva, zato što su vidljivi simbol i aktivni predstavnici njene vlasti. A civilna svojina je ranjiva zato što se nedužnost njenih vlasnika proteže samo na njihovu ličnost, a ne (ili ne nužno) na njihovu svojinu. Vrednost koju pridajemo ljudskom životu je takva da su prava na život izgubljena samo kada su pojedinci stvarno angažovani na vođenju rata ili u nacionalnoj odbrani. Ali manja vrednost svojine je takva da su svojinska prava izgubljena kad god je država koja štiti tu svojinu, i oporezuje je, sama izložena napadu. Pojedinci mogu biti oporezivani a da ne postanu legitimne mete, ali svojina, ili izvesne vrste svojine, može biti legitimna meta čak i kad njeni sopstvenici to nisu.[22] Ali ovaj argument počiva na odgovornosti države, a to ostaje predmet spora.

22 Pravnici verovatno ovo imaju na umu kad dokazuju da se u slučajevima represalija privatna lica „smatraju identičnim svojoj državi". Ovo poistovećivanje nikako nije potpuno; ono ne poništava prava ličnosti. Niti se, mislim, posledica proteže na privatne domove, za koje se čini da dele nedužnost svojih stanovnika (osim ukoliko se ne koriste kao terorističke baze).

Izraelski argument se pozivao na pozitivno pravo (ili bar na pozitivno pravo iz vremena pre Ujedinjenih nacija). Izrael je insistirao na tome da libanska vlada ima obavezu da spreči da njena teritorija bude korišćena kao baza za terorističke napade. Izgleda da niko ne poriče stvarnost te obaveze, ali u prilog Libana se dokazivalo (mada Libanci to nisu činili) da vlada u Bejrutu zapravo nije u stanju da poštuje ovu obavezu. Događaji posle 1968. godine mogu izgledati kao da podržavaju tu tvrdnju, a ako je ona tačna, bilo bi teško braniti izraelski napad. Sigurno je rđavo uništavati imovinu nedužnih ljudi da bi se izvršio pritisak na druge ljude, koji u svakom slučaju nisu u stanju da postupaju drugačije no onako kako su postupali. Ali nikada ne treba prebrzo negirati sposobnost ustanovljene vlade, jer je izvestan gubitak suverenosti pravni i moralni rezultat političke nemoći. Ako vlada bukvalno nije u stanju da kontroliše stanovnike teritorije nad kojom navodno vlada, niti da nadgleda njene granice, i ako druge zemlje trpe zbog te nesposobnosti, jasno je da su tada dopustive neke zamene za te kontrole i nadgledanja. A one mogu da prelaze granice prihvaćene za napade koji se vrše kao represalije. U ovom su pogledu represalije poput retributivnih kazni u domaćem društvu: kao što kažnjavanje pretpostavlja moralno delanje, tako represalije pretpostavljaju političku odgovornost. Vredno je držati se obe pretpostavke koliko god je to moguće.

Kritično je pitanje da li jedna suverena država može da prisili drugu da ova ispuni svoje obaveze. Zvanično je stanovište Ujedinjenih nacija da je ova vrsta prisilnog ostvarenja zakona, čak i kad je obuzdana pravilima rata, nelegalna.[23] Ovo stanovište počiva ne samo na opštem stavu Ujedinjenih nacija da one objavljuju (pozitivne) zakone već i na njihovoj spremnosti i sposobnosti da, bar ponekad, same prisilno ostvaruju zakone. Ali jasno je da Svetska organizacija nije bila spremna, niti sposobna da 1968. godine prisilno primeni zakon; niti je spremna i sposobna da to učini i posle 1968. Niti ima ikakvih dokaza da su pojedine članice Ujedinjenih nacija, ma kako glasale u ritualnim

23 Vidi opštu osudu koju je izglasao Savet bezbednosti 9. aprila 1964, navedenu u Sydney D. Bailey, *Prohibitions and Restraints in War*, London, 1972, str. 55.

situacijama, spremne da se odreknu represalija kad su na kocki životi njihovih građana. Jasno je da su represalije ozakonjene praksom država, a (moralne) pouke ove prakse čine se snažnim kao i uvek. Ništa što su Ujedinjene nacije zaista uradile, nikakvi efekti koje one danas postižu, ne nagoveštavaju centralizaciju legalne ili moralne vlasti u međunarodnom životu.[24]

Ali puka nestvarnost stanovišta Ujedinjenih nacija sama po sebi ne uspostavlja legitimnost mirnodopskih represalija. U svom izdanju Kelsenovih [Kelsen] *Principa međunarodnog prava* [*Principles of International Law*] Robert Taker je insistirao na tome da svako ko brani represalije mora da pokaže da je „samostalna upotreba sile od strane država najčešće služila svrhama prava...“[25] To znači premestiti težište sa efikasnosti Ujedinjenih nacija na korisnost samih represalija i pozvati na istorijsko ispitivanje rezultata koje verovatno neće na neki odlučujući način ići u prilog onih koji vrše represalije. Ali osnova na kojoj počivaju represalije nije njihova ukupna efikasnost. Razlog je pravo da se, u teškim uslovima *demi-mondea*, teži izvesnim efektima. Sve dok postoje ovi uslovi, mora postojati i ovo pravo, čak i ako sami ti uslovi (kao u Lokovom prirodnom stanju) čine neverovatnim da će ispravna akcija imati u potpunosti zadovoljavajuće posledice. Ako je, u nekom posebnom slučaju, izvesno da represalije

24 O rutinskim osudama izraelskih represalija u Ujedinjenim nacijama Ričard Falk [Richard Falk] piše: „Mogu se iznositi dokazi protiv pravičnosti ovakvih ograničenja nametanih pravu Izraela na samostalnu procenu u takvim okolnostima, ali je reč o suštinski vanpravnim žalbama, jer organi Ujedinjenih nacija imaju proceduralnu sposobnost da ovlaste ili zabrane određenu upotrebu sile, i upražnjavanje ove sposobnosti na najjasniji način razlikuje ono što je ‘legalno’ od onoga što je ‘ilegalno’... u međunarodnom društvu.“ Nisam siguran da li bilo koje zakonodavno telo, domaće ili međunarodno, može da ukine samopomoć, osim ukoliko ne pruža alternativne načine pomoći, ali ove probleme ću prepustiti pravnicima. Pretpostavljajući da je Falk u pravu, mora se reći da je ulaganje vanpravnih žalbi zapravo ulaganje moralnih žalbi, čiji će uspeh verovatno potkopati novodoneti „zakon“ i sigurno je da to treba da učini. Vidi „International Law and the U.S. Role in Vietnam: A Response“, u Falk, ed. *The Vietnam War and International Law*, Princeton, 1968, str. 493.

25 Hans Kelson, *Principles of International Law*, 2. izdanje, rev. Robert W. Tucker, New York, 1967, str. 87.

neće uspeti, tada ih očigledno ne treba ni pokušavati. Ali gde god postoji neka značajna mogućnost uspeha, legitimno je pravo pogođene države da ih izvrši, jer ni od jedne države se ne može zahtevati da pasivno trpi napade na svoje građane.

Represalije su postupak prenet iz ratne konvencije u „vreme mira", zato što pružaju prikladno ograničenu formu vojne akcije. Bolje je, mislim, braniti ograničenja nego pokušati da se ukine ovaj postupak. Vojnici angažovani u prepadu koji se preduzima kao represalija preći će međunarodnu granicu, ali će se brzo vratiti; oni će delovati destruktivno, ali samo u izvesnoj meri; oni će povrediti suverenitet, ali će ga i poštovati. I najzad, oni će poštovati prava nedužnih ljudi. Represalije su uvek ograničen odgovor na određene prestupe: zločine protiv pravila rata, kršenja mira malih razmera. Mada su tako bile često korišćene, ne mogu biti s pravom upotrebljene kao pokriće za invazije ili intervencije ili napade na živote nedužnih. Možda postoje trenuci krajnosti i krize kada moraju da budu prekršena prava država i ljudska prava; ali ovakve trenutke ne stvaraju posebni zločini naših neprijatelja, a kršenja nije korisno nazivati represalijama. Nijedan od slučajeva represalija na koje sam naišao u pravnim knjigama i vojnim istorijama nije ekstreman slučaj u bilo kom smislenom značenju tog termina. Ekstremnost leži, da tako kažemo, izvan domašaja konvencionalnih odredbi. Njen karakter i poreklo razmatraću u četvrtom delu ove knjige. Analiza represalija završava razmatranje o uobičajenim sredstvima rata. Sada moram da se okrenem onim vanrednim sredstvima koje moralna neodložnost naših ciljeva izgleda ponekad zahteva.

Četvrti deo
Dileme rata

14. POBEDA I POŠTENA BORBA

„Magareća etika"

Predsednik Mao i bitka na reci Hung

Godine 638. pre n. e., u periodu kineske istorije poznatom kao Doba proleća i jeseni, dve feudalne države, Sung i Ču, vodile su borbu na reci Hung, u centralnoj Kini.[1] Vojska Sunga, koju je predvodio vladar, vojvoda Hsijang [Hsiang], stajala je u borbenom poretku na severnoj obali reke; vojska Čua morala je da pregazi reku. Kad su njeni vojnici bili na sredini reke, jedan od Hsijangovih ministara je pristupio i rekao: „Njih je mnogo, a nas je malo. Preklinjem vas da nam dozvolite da ih napadnemo pre no što pređu reku." Vojvoda je odbio. Kad je neprijateljska vojska stigla do severne obale, ali dok još nije ponovo obrazovala bojne redove, ministar je ponovo zatražio dozvolu da otpočne borbu; vojvoda je ponovo odbio. Tek pošto su se vojnici Čua postrojili, on je dao znak za napad. U borbi, vojvoda je bio ranjen, a njegova vojska naterana u bekstvo. Prema hronikama, narod Sunga je krivio vladara za poraz, ali je on izjavio: „Uzvišeni čovek ne zadaje i drugu ranu, i ne zarobljava nikoga sa sedom kosom. Kada su stari izvodili svoje vojske na bojno polje, ne bi napadali neprijatelja dok je nespreman; i mada sam ja samo bedan predstavnik jedne pale dinastije, neću bubnjevima dati znak za napad na nespremnu vojsku."

Ovo je kodeks feudalnog ratnika, u ovom slučaju jednog skoro zaboravljenog ratnika, sve dok Mao Cedung nije izvukao ovu priču iz hronika da bi izneo savremenu tezu. „Mi nismo vojvoda od Sunga", objavio je u jednom od svojih predavanja *O dugotrajnom ratu* (1938), „i ne možemo da koristimo njegovu

1 *The Chinese Classics*, preveo i priredio James Legge, tom V: *The Ch'un Ts'ew with the Tso Chuen*, Oxford, 1893, str. 183.

magareću etiku."[2] Maovo predavanje je bilo inovativna rasprava o gerilskim taktikama. Međutim, njegov je argument protiv vojvode od Sunga bio dovoljno poznat i kineskim i zapadnim čitaocima. Ovaj argument je opšteprihvaćen među praktičnim ljudima, poput Hsijangovog ministra, kojima je pobeda uvek važnija od aristokratske časti. Ali on se na značajan način javlja u teoriji rata samo kad se pobeda smatra *moralno* značajnom, to jest, samo kada se ishod borbe shvata u smislu pravde. Nekih 200 godina posle bitke na reci Hung, više od dve hiljade godina pre komunističke revolucije, filozof Mo Cu [Mo Tzu] je savršeno izrazio Maovo mišljenje, onako kako ga je on sam morao razumeti.[3]

> Pretpostavimo da postoji zemlja koju muče i tlače njeni vladari, a neki Mudrac... da bi svet oslobodio ove pošasti, okuplja vojsku i kreće da kazni zlotvore. Ako, kad je pobedio, prihvati konfučijansku teoriju, on će izdati sledeće naređenje svojim trupama: „Begunce ne treba goniti, neprijatelja koji je ostao bez šlema ne treba gađati strelama; ako se dvokolice prevrnu, treba da pomognete posadi da ih podigne" – ako se to učini, nasilnici i zlotvori će pobeći živi i svet neće biti oslobođen pošasti.

Mo Cu je verovao u učenje o ispravnom ratu. Mao Cedung je u Kinu uveo zapadnjačku teoriju o pravednom ratu. Nema sumnje, postoje tanane razlike između ove dve ideje, kojima se ovde ne mogu baviti. Ali one se ne razlikuju na neki značajan način. One na sličan način uvode tenziju između pobede i poštene borbe, a Mo Cu i predsednik Mao ukazuju na isto rešenje: treba prosto odbaciti feudalna pravila poštene borbe. To ne znači da uopšte nema nikakvih pravila borbe; već sam naveo Maovih „Osam tačaka na koje treba obratiti pažnju", koje u demokratskom stilu ponavljaju stari viteški kodeks. Ali za samog Maoa „Osam tačaka" očigledno odražavaju samo utilitarističke zahteve gerilskog rata, i ne mogu se nalaziti na putu višoj korisnosti pobede – koju je sklon da opiše ekstravagntnim terminima, kombinacijom vilsonovskog idealizma i marksističke apokalipse: „Cilj rata je da se odstrani rat... Era ratova u kojoj živi čovečanstvo

---

2 *Military Writings*, str. 240.

3 Navedeno u Arthur Waley, *Three Ways of Thought in Ancient China*, Garden City, New York, n. d., str. 131.

biće okončana našim sopstvenim naporima, i nema sumnje da je rat koji vodimo deo poslednje bitke."[4] A u konačnoj bici, niko neće insistirati na „Osam tačaka". Izuzeci će spremno biti prihvaćeni uvek kada sukob izgleda kritičan. Razmotrimo, na primer, poslednje od osam pravila: „Nemojte zlostavljati zarobljenike." Mao je takođe dokazivao i da gerilske grupe u pokretu ne mogu da uzimaju zarobljenike. „Najbolje je prvo tražiti da zarobljenici predaju svoje oružje, a onda ih se rešiti ili ih pogubiti."[5] Pošto se zarobljenici ne shvataju kao ljudi s pravima, izbor između oslobađanja ili pogubljenja je čisto taktički, i insistirati u svim slučajevima na pravilu protiv zlostavljanja verovatno bi bio jedan primer „magareće etike".

Takođe se nije mislilo da se u starom ratničkom kodeksu radi o pravima. Vojvoda Hsijang je verovao da je nedostojno i ponižavajuće zadati udarac ranjenom vojniku ili napasti nespremnog neprijatelja. Borba je moguća samo između međusobno ravnih; inače rat ne bi mogao da bude prilika za ispoljavanje aristokratskih vrlina. Nije teško razumeti zašto niko ko je ubeđen u moralnu neophodnost pobede ne bi imao strpljenja s ovakvim shvatanjima. Od kakve je koristi (nesumnjiva) vrlina vojvode od Sunga ako svetom vlada nasilje i agresija? Zaista, rat u kojem bi vrlina vojvode od Sunga bila važnija od vojnog trijumfa bio bi krajnje nevažan rat. Otuda argument Hsijangovog ministra posle poraza vojske Sunga: „Ako nerado zadajemo drugu ranu, bilo bi bolje da ne zadamo ni prvu. Ako ćemo poštedeti sedokose, bolje bi bilo da se predamo neprijatelju."[6] Ili se bori svom silom, ili uopšte nemoj da se boriš. Često se kaže da je ovaj argument tipičan za američku misao, ali je zapravo univerzalan u istoriji ratova. Kad su vojnici jednom stupili u borbu, i posebno ako se bore u ispravnom ratu ili pravednom ratu, nepokolebljivo se gradi pritisak protiv ratne konvencije i u prilog pojedinim kršenjima njenih pravila. A tada, češće no što su zaraćene strane spremne da priznaju – što je i samo zanimljivo – pravila se krše. Ona se ne krše samo radi vojne nužnosti. Ovaj argument opravdava isuviše toga, i to čini bez pozivanja na stvar za koju se rat

4 *Military Writings*, str. 81, 223–224.
5 *Basic Tactics*, New York, 1966, str. 98.
6 *The Chinese Classics*, V, str. 183.

vodi. Pravila se krše radi te stvari. Kršenja se brane nekom verzijom argumenta na osnovu pravde.

Prema ovom gledištu, pravila ni u jednom ratu vrednom da se vodi nisu postojana. Ona su u najbolju ruku „praktična empirijska pravila", opšti propisi časti (ili koristi), koje treba poštovati samo dok ne dođu u sukob sa zahtevima pobede. Ali ovo znači pogrešno razumeti status ratne konvencije. Ako u obzir uzmemo imunitet neboraca, a ne čast ratnika, i zaštitu ljudskih prava, a ne ono što je probitačno u gerilskom ratu – to jest, ako obratimo pažnju na ono što je zaista temeljno u pravilima rata – sukob između pobede i poštene borbe ne može se tako lako razrešiti. Ako priznamo, na primer, da je zaštita koju pružaju „Osam tačaka" moralni imperativ, i da su muškarci i žene s pravom gnevni ako ih gerilske bande pljačkaju i pustoše, tada Maova pravila dobijaju veći značaj nego što im pripisuje njihov autor. Ona se ne mogu jednostavno gurnuti u stranu, niti se mogu na utilitaristički način dovesti u ravnotežu sa ovim ili onim poželjnim ishodom. Jer prava nedužnih ljudi imaju istu moralnu snagu i pred licem pravednih i pred licem nepravednih vojnika.

Pa ipak su dokazi u prilog kršenju tih pravila i prava iznošeni dovoljno često, a iznosili su ih i vojnici i državnici koji se ne mogu uvek nazvati pokvarenim, tako da moramo da pretpostavimo da oni nisu besmisleni. U svakom slučaju, njihov smisao isuviše dobro znamo. Znamo koliko su u ratu ponekad ulozi visoki i koliko neodložna može da bude pobeda. „Jer ima naroda", pisala je Simona Vajl [Simone Weil], „koji se nikada nisu oporavili pošto su jednom bili podjarmljeni."[7] Samo postojanje zajednice može biti na kocki, a tada kako možemo a da ne uzmemo u obzir moguće ishode kad sudimo o toku borbi? Na ovom mestu, ako ne na nekom drugom, moraju se odstraniti ograničenja utilitarističkom proračunu. Čak i ako smo skloni da ih ukinemo, međutim, ne možemo da zaboravimo da su prava koja se krše radi pobede istinska prava, duboko utemeljena i u principu neprekršiva. I nema ničeg tvrdoglavog u ovom principu: sami životi muškaraca i žena su na kocki. Stoga teorija rata, kada se u potpunosti shvati, postavlja dilemu koju svaki teoretičar (mada,

7 *The Need for Roots*, preveo Arthur Wills, Boston, 1955, str. 159.

na sreću, ne i svaki vojnik) mora da razreši najbolje što može. A nijedno rešenje nije ozbiljno ukoliko ne priznaje snagu i *jus ad bellum* i *jus in bello*.

Klizna skala i argument na osnovu ekstrema

Neposredno pitanje jeste to da li bi trebalo da razlikujemo vojnike koji se bore u pravednom ratu od onih koji se bore u nepravednom ratu. Naravno, pitanje postavljaju oni koji tvrde da pripadaju prvoj grupi, žaleći se na jednak tretman boraca. Mada su ovakve žalbe pojedinačne, one imaju opšti oblik. Sve sadrže tvrdnju da je jednakost koja se brani puka konvencija i da se istina o ratnim pravima može najbolje izraziti pomoću klizne skale: *što više pravde, to više prava.* Čini se da nešto nalik ovome ima na umu filozof Džon Rols [John Rawls] kada kaže: „Čak i u pravednom ratu, izvesni oblici nasilja su strogo nedopustivi; a kada je pravo neke države na rat sumnjivo i neizvesno, još su oštrija ograničenja sredstava koja može da koristi. Činovi dopustivi u ratu legitimne samoodbrane, kada su nužni, mogu glatko biti isključeni u sumnjivijoj situaciji.“[8] Što je veća pravednost stvari za koju se borim, to više pravila mogu da prekršim radi te stvari – mada su neka pravila uvek neprekršiva. Isti argument se može izneti s obzirom na ishod: što je veća nepravda koja će verovatno proisteći iz mog poraza, to više pravila mogu da prekršim da bih izbegao poraz. Vrednost ovog stanovišta leži u tome što ono prihvata postojanje pravâ (neke vrste), a ipak otvara put vojnicima koji se opiru agresiji da učine (neke od) stvari za koje veruju da su nužne za pobedu. Ono dopušta da pravednost stvari za koju se borimo utiče na način naše borbe. Međutim, potpuno je nejasno koliko je tačno uticaja dopušteno, a nejasan je i status ljudi koji su sada uvučeni u pakao rata da bi pravda mogla da pobedi. Praktične posledice ovog argumenta su verovatno dalekosežnije no što bi njegovi zastupnici voleli, ali o tim posledicama neću ništa reći sve dok se ne osvrnem na nekoliko istorijskih slučajeva. Međutim, prvo se nešto više mora reći o strukturi argumenta.

8 *A Theory of Justice*, Cambridge, Mass. 1971, str. 379. Uporedi Vitoriju: „... sve što se učini u pravu rata dobija tumačenje koje ide najviše u prilog tvrdnji onih koji vode pravedan rat.“ *On the Law of War*, str. 180.

Prema ratnoj konvenciji kako sam je opisao, ne postoji delokrug akcija preko kojih se može kretati klizna skala od legitimne borbe do nedopustivog nasilja. Postoji samo linija koja nije potpuno razgovetna, ali treba jednostavno da razdvoji jedno od drugog. Imajući u vidu ovo gledište, može se smatrati da navedeni Rolsov argument znači da u graničnim slučajevima treba sistematski da donosimo odluke protiv zemlje čije je „pravo na rat sporno“, pa čak i da vojne i političke vođe te zemlje treba da se drže podalje od te linije, nikada ne udvostručavajući spornost stvari za koju se bore time što koriste sporne metode. Ovo poslednje bi prosto bilo poziv na obzirnost, koja je uvek dobra stvar. Ali postoji još jedno značenje koje se može izvesti iz Rolsovog argumenta (mada ne mislim da je to značenje koje mu pridaje sam Rols): da klasa „strogo nedopustivih činova“ treba da bude veoma mala, i da treba otvoriti prostor unutar pravila rata u kojem može biti primenjena klizna skala. Efekat klizanja skale u tom prostoru do tačke *x*, treba reći, nije to da se uklone sva ograničenja vojnim akcijama do te tačke već da se zadrže samo ograničenja korisnosti i srazmernosti. Klizna skala otvara put onim utilitarističkim proračunima koje pravila i prava treba da spreče. Ona stvara novu klasu uopšte uzev nedopustivih činova i kvaziprava, podvrgnutih postepenoj eroziji od strane vojnika koji se bore za pravednu stvar – ili vojnika koji veruju da je stvar za koju se bore pravedna. Ona tako omogućava tim vojnicima da čine užasne stvari i da pred sopstvenom savešću i među svojim drugovima i sledbenicima brane užasne stvari koje čine.

Sada, ekstreman oblik argumenta klizne skale jeste tvrdnja da vojnici koji vode pravedan rat mogu da učine bilo šta što je korisno u borbi. Ovo efektivno poništava ratnu konvenciju i negira ili suspenduje prava koja ta konvencija treba da štiti. Ratna prava pravednih su totalna, i bilo koja krivica koju njihove akcije povlače za sobom pada na vođe druge strane. General Šerman je prihvatao ovaj pogled na rat, kao što smo videli, i to sam nazvao učenjem da je rat „pakao“. Ovo ne predstavlja toliko razrešenje tenzije između pobede i poštene borbe koliko poricanje njenog moralnog značaja. Jedina vrsta pravde koja je važna jeste *jus ad bellum*. Posle toga postoje samo obziri kojih će se racionalni ljudi uvek držati: oni neće trošiti svoju snagu na beskorisna ubijanja nedužnih, mada će biti spremni da ih pobiju ukoliko se čini da to pobeda zahteva. Možda se klizna skala u svakom slučaju svodi na ovo, ali njeni zastupnici bar tvrde da priznaju postojanje pravila i prava, te stoga njihov argument zahteva posebnu analizu.

Često se kaže da je alternativa kliznoj skali jedino stanovište moralnog apsolutizma. Da bismo se oduprli klizanju, moramo smatrati da su pravila rata niz kategoričkih i nekvalifikovanih zabrana, i da se one nikada ne mogu opravdano prekršiti čak ni da bi se stalo na put agresiji.[9] Ali nije lako zastupati ovo gledište, a posebno u savremenom dobu, kada su agresije dobile tako zastrašujuće oblike. Možda je vojvoda od Sunga imao pravo da ne prekrši ratnički kodeks radi spasa svoje dinastije. Ali kada se brani sama država i politička zajednica koju ona štiti, kao i životi i sloboda pripadnika te zajednice... *Fiat justicia ruat coelum*, postupaj pravedno, pa neka se nebesa sruše, nije za većinu ljudi prihvatljivo moralno učenje.

Postoji alternativna doktrina koja ne prihvata apsolutizam i koju ću pokušati da branim u narednim poglavljima. Ona se može sažeti u načelo: postupaj pravedno, osim ako nebesa (stvarno) neće pasti. Ovo je utilitarizam krajnosti, jer on priznaje da u izvesnim veoma posebnim slučajevima, mada nikada bezupitno, čak ni u pravednom ratu, jedina ograničenja vojnih akcija jesu ograničenja korisnosti i srazmernosti. U raspravama o pravilima rata opirao sam se ovom gledištu i poricao njegovu snagu. Iznosio sam, na primer, dokaze protiv zamisli da se civili mogu zatvoriti u opsednuti grad, ili da se represalije mogu vršiti nad nedužnim ljudima „u ekstremnim slučajevima“. Jer ideji ekstremnosti nema mesta u uobličavanju ratne konvencije – ili, ako se kaže da je borba uvek ekstrem, tada je ideja ekstrema naturalizovana unutar konvencije. Pravila su prilagođena svakodnevnim krajnostima rata; nikakvo dalje prilagođavanje nije moguće ako treba da imamo ikakva pravila, i ako treba da poštujemo prava nedužnih. Ali ovde se ne radi o ustanovljavanju već o kršenju pravila. Znamo oblik i sadržaj moralnog kodeksa, moramo da odlučimo, u trenucima očajanja i predstojeće propasti, da li da živimo (i možda umremo) u skladu s njegovim pravilima.

9 Čini se da je ovo stanovište Enskombove u dva već navedena ogleda: *Mr. Truman's Degree* i „War and Murder“.

Klizna skala konvenciju podriva malo pomalo, i tako olakšava put donosiocu odluka koji veruje da je „prinuđen" da prekrši ljudska prava. Argument na osnovu ekstremnosti dozvoljava (ili zahteva) manje očekivano kršenje konvencije, ali samo pošto se dugo štitila od erozije. Razlozi za držanje imaju veze s prirodom prava o kojima je reč i statusom muškaraca i žena koji ih imaju. Ova prava, dokazivaću, ne mogu biti erodirana ili potkopana; ništa ih ne umanjuje; ona još uvek važe i u trenutku kad su nadjačana: zato i moraju da budu *nadjačana.*[10] Stoga je kršenje pravila uvek ozbiljna stvar, a vojnik ili državnik koji to čini mora biti spreman da prihvati moralne posledice i teret krivice koje njegove akcije povlače za sobom. U isto vreme, možda on stvarno nema drugog izbora do da prekrši pravila: najzad se suočava s onim što se s pravom može nazvati nužnošću.

Tenzijom između pravila rata i teorije o agresiji, između *jus ad bello* i *jus in bellum*, možemo se baviti na četiri različita načina:

1) ratna konvencija je jednostavno gurnuta u stranu (ismejana kao „magareća etika") pod pritiskom utilitarističkog argumenta;
2) konvencija polako popušta pred moralnom urgentnošću stvari za koju se borimo: prava pravednika su povećana, a prava njihovih neprijatelja obezvređena;
3) konvencija važi i prava se strogo poštuju, ma kakve bile posledice; i
4) konvencija je nadjačana, ali samo pred licem neposredno predstojeće katastrofe.

Drugi i četvrti način su najzanimljiviji i najznačajniji. Oni objašnjavaju kako moralno ozbiljni ljudi, koji imaju izvestan osećaj za to šta su prava, ipak krše pravila rata, povećavaju njegovu brutalnost i tiraniju. Meni četvrti argument izgleda ispravan. On pruža najbolje objašnjenje dve vrste pravde i najpotpunije priznaje snagu svake. Usredsrediću se na njega u sledećoj glavi, ali ću istovremeno pokušati da ukažem na neadekvatnost i opasnosti klizne skale. Prvo ću razmotriti izvestan broj slučajeva koji

10 Rasprava o tome šta znači „nadjačati" moralni princip može se naći u Robert Nozick, „Moral Complications and Moral Structures", 13 *Natural Law Forum* 34–35 i primedbe, 1968.

se odnose na praksu neutralnosti, možda najosporavaniju odliku ratne konvencije. Pošto prava neutralnosti predstavljaju jednu vrstu imuniteta neboraca, mogao sam se i ranije baviti njima. Međutim, sporovi koje ona rađaju otvaraju pitanja manje o sadržaju a više o snazi i trajnosti prava u ratu. Koliko dugo se mora čekati pre no što se prekrše pravila? Odgovor koji želim da branim najbolje se može izraziti preokretanjem izjave predsednika Maoa: s obzirom na naše sopstvene konvencije, i sve do poslednjeg trenutka, *svi smo mi vojvoda od Sunga.*

15. AGRESIJA I NEUTRALNOST

Učenje o neutralnosti ima dvostruki oblik, koji se može najbolje izraziti (a tako se obično i izražava) jezikom prava. Države poseduju, prvo, *pravo da budu neutralne*, što je, prosto, jedna strana njihove suverenosti. U svakom očekivanom ili stvarnom sukobu dve druge države, one su slobodne da se opredele za ono što bi se moglo nazvati statusom „treće strane". A ako to učine, onda poseduju *prava neutralnosti*, koja se opširno razrađuju u pozitivnom međunarodnom pravu. Kao i u slučaju ratne konvencije uopšte, prvobitno pravo i potonja prava postoje bez obzira na moralni karakter zaraćenih strana ili na verovatni ishod rata. Međutim, što smo više ubeđeni da je jedna od zaraćenih strana agresor. ili da će ishod biti katastrofalan, to je verovatnije da ćemo poreći i samu mogućnost neuplitanja. Kako bilo koja država može da stoji po strani i posmatra uništenje svog suseda? Kako mi ostali možemo da poštujemo njeno pravo da stoji po strani i posmatra ako, kršeći to pravo, možemo da sprečimo uništenje?

Ova pitanja su se naročito uporno postavljala u godinama posle Drugog svetskog rata, ali zapravo je argument koji ona sadrže veoma star. Razmotrimo, na primer, proklamaciju koju je Britanija objavila 1793. godine: Državna i vojna politika revolucionarne vlade Francuske, rečeno je, dovode „sve susedne sile u zajedničku opasnost... dajući im pravo... *namećući im dužnost*, da zaustave širenje zla koje se održava samo uzastopnim kršenjima svakog prava i svojine..."[1] Praktične posledice su očigledne. Ako države ne izvrše svoju dužnost, mogu biti prisiljene da to učine. Tvrdi se neodložnost borbe i potkopava ili poriče pravo da se bude neutralan, da bi se popločao put za kršenje prava neutralnosti. Istorija neutralnosti pruža mnoge primere ovakvih

1 Philip C. Jessup, *Neutrality: Its History, Economics, and Law*, New York, 1936, IV, str. 80 (podvukao M. V.).

kršenja, branjenih nekom verzijom argumenta na osnovu krajnosti ili kliznom skalom, i pozivaću se na ovu istoriju da bih analizirao ove odbrane. Ali prvo moram da kažem nešto o prirodi same neutralnosti i o mestu koje ima unutar ratne konvencije.

Pravo da se bude neutralan

Neutralnost je kolektivna i dobrovoljna forma neboraštva. Ona je kolektivna time što koristi od nje pripadaju svim članovima političke zajednice bez obzira na status koji imaju kao pojedinci. Zaštićeni su i vojnici i civili bez razlike, sve dok njihova država „nije angažovana u vođenju rata“. Prava neangažovanosti podeljena su na sve građane podjednako. Neutralnost je dobrovoljna po tome što je po volji može prihvatiti bilo koja država, s obzirom na rat ili očekivani rat među drugim državama. Pojedinci mogu biti regrutovani, ali države ne mogu. One mogu da zatraže da druge sile formalno priznaju njihovu neutralnost, ali ovo stanje se usvaja unilateralno i nije neophodno da ga druge države priznaju. „Komad papira“ koji je Nemačka gurnula u stranu kad je izvršila invaziju na Belgiju 1914. godine nije uspostavljao neutralnost Belgije, to su učinili sami Belgijanci. A da je Nemačka formalno odbacila svoje garancije, ili da je čekala da one isteknu, njena invazija na Belgiju bi i dalje bila zločin, kako je i nazvana u to doba. Ona bi bila zločin, to jest, sve dok bi Belgijanci ne samo polagali pravo na neutralnost već i izvršavali dužnosti neutralne države.

Mada je međunarodno pravo o ovom predmetu složeno i podrobno, dužnosti neutralne države se mogu sažeti veoma jednostavno: one zahtevaju strogu nepristrasnost prema zaraćenim stranama, bez obzira na pravednost stvari za koju se bore ili bilo kakva osećanja susedstva, kulturne srodnosti, ili ideološkog slaganja.[2] Nije zabranjena samo borba na jednoj ili drugoj strani već i svaka vrsta zvanične diskriminacije. Ovo pravilo je veoma strogo; ako se prekrši, gube se prava neutralnosti, i zaraćena strana koja je povređena ovim kršenjem može uvesti represalije neutralnoj državi. Međutim, ovo pravilo važi samo za postupke

2 Najbolji opis prava neutralnosti je: W. E. Hall, *The Rights and Duties of Neutrals*, London, 1874.

države. Pojedinci su slobodni da na raznovrsne načine izaberu stranu, da vode političke kampanje, prikupljaju novac, pa čak i da šalju dobrovoljce (mada ne mogu da vrše upade preko granice). Što je još važnije, normalna trgovina može da se vodi sa obe zaraćene strane. Stoga je verovatno da će neutralnost date države više pomagati jednoj nego drugoj strani. Što se tiče zaraćenih država, neutralnost je retko kad podjednako korisna obema stranama, jer nije verovatno da će privatne simpatije ili trgovinski interesi biti ravnomerno podeljeni na obe strane.[3] Ali nijedna strana ne može da se žali na nezvaničnu pomoć koju dobija ona druga. Ovo je pomoć koja se ne može sprečiti; ona potiče iz samog postojanja neutralne države, njenog geografskog položaja, ekonomije, jezika, religije i ostalog, i može se sprečiti samo najstrožom prinudom nad njenim građanima. Ali od neutralne države se ne traži da vrši prinudu nad svojim građanima. Sve dok ne preduzima nikakvu pozitivnu akciju da bi pomogla jednoj ili drugoj strani, ona je izvršila svoju dužnost da se ne meša, a tada automatski ima pravo da u potpunosti uživa svoje pravo da ne bude umešana.

Međutim, moralna osnova ovog prava nije sasvim jasna, velikim delom i zbog toga što je domaća analogija toliko neprivlačna. U političkom i moralnom životu, „neutralac" nije osoba koju instinktivno volimo. Možda on ima pravo da izbegava ukoliko može svađe svojih suseda, ali šta s njihovim nevoljama? Opet moramo da se zapitamo: Može li on da stoji po strani i posmatra kako je njegov sused fizički napadnut na ulici? Zar ne bi sused tada mogao da kaže: „Ili si za mene, ili si protiv mene"? Kao revolucionarna parola, ova rečenica sugeriše, možda, neopravdani pritisak i pretnju budućom odmazdom. Ali u slučaju kojim se bavimo, njena poruka je jednostavnija i manje izložena zamerkama. Sigurno je da bi u ovom slučaju stroga neutralnost, odbijanje da se na bilo koji način deluje u prilog žrtve, bila uznemiravajuća i čudna. Susedi nisu puki posmatrači, koji nevolje onog drugog posmatraju sa velike udaljenosti. Društveni život

3 Neutralne države su ponekad težile savršenijoj neutralnosti, uvodeći embargo na svu trgovinu sa zaraćenim silama. Ali čini se da to nije prihvatljiv kurs. Jer ako normalna trgovina ide u prilog jednoj zaraćenoj strani, potpuni embargo će verovatno ići u prilog drugoj. Nema neke nulte tačke; kao jedina razumna norma izgleda *status quo ante bellum*.

koji dele povlači za sobom neki stepen uzajamne brige. S druge strane, ako sam obavezan da budem „za" svog suseda, nisam obavezan da mu pohitam u pomoć – prvo, zato što to ne mora biti delotvoran način da budem za njega; i drugo, zato što to može biti štetno po mene. Imam pravo da procenim rizike kojima se izlažem ako se pridružim borbi. Ali pretpostavimo da su rizici mali: veliki broj nas posmatra, i mogu da računam na podršku drugih ako pružim primer; ili je iza ćoška policajac, i mogu da račinam da će on preuzeti stvar u svoje ruke. Tada nemam pravo da budem neutralan, i za sve moje pokušaje da se izvučem, iznesem neko izvinjenje, zabijem glavu u pesak, sigurno će se misliti da su dostojni osude.

Ali pravo države je drugačije, i to ne samo zato što nema policajca iza ćoška. Jer, može postojati veliki broj država, i velika nadmoć sile bar potencijalno spremne da stane na stranu napadnute države, koja se smatra žrtvom agresije. Možda je sve što stoji na putu mobilizacije te sile samo ratna konvencija i pravo na neutralnost. Čak i u ovakvom slučaju, ovo pravo važi, jer je rizik u ratu veoma različit od rizika u domaćoj tuči. Pre mnogo godina, Džon Vestlejk je dokazivao da „neutralnost nije moralno opravdana osim ukoliko nije verovatno da bi intervencija u ratu unapredila pravdu, ili ukoliko to može da postigne samo po cenu ruiniranja neutralnih država".[4] Propast treba izbegavati, ali da li se radi samo o upropašćavanju država? Kad se jedna država pridruži ratu, ona rizikuje svoj opstanak u ovoj ili onoj meri, što zavisi od prirode sukoba, moći njenih saveznika i spremnosti i borbene sposobnosti njene armije, i ovi rizici mogu biti prihvatljivi ili neprihvatljivi. Ali u isto vreme, ona osuđuje neodređen broj svojih građana na sigurnu smrt. Ona to čini, izvesno, ne znajući koji su to građani. Ali sama odluka se ne može povući: kad jednom borbe otpočnu, izvesno je da će ginuti vojnici (a verovatno i civili). Pravo na neutralnost sledi iz ove činjenice. Poput drugih odredbi ratne konvencije, ono predstavlja ograničenje nasilnosti rata. Bar ova grupa muškaraca i žena, građana neutralne države, koji nisu odabrali da rizikuju svoje živote, biće zaštićena od potrebe da to učini.

4 Westlake, *International Law*, II, str. 162.

Ali zašto bi ovi muškarci i žene imali imunitet i bili slobodni kada je toliko drugih oterano u borbu? Na koji način je moguće da imaju pravo na svoju neutralnost? Ovo pitanje je naročito važno ako zamislimo situaciju u kojoj odluka određene države da bude neutralna znači da će više ljudi poginuti nego što bi poginulo da je ona stupila u rat, jer bi učešće njenih armija moglo da preokrene tok rata i skrati borbe za toliko i toliko nedelja ili meseci. Ali vođe te države ne moraju da vrše proračune kao da svaki ljudski život ima istu moralnu vrednost za svakog donosioca odluka u svakom trenutku. Životi njihovih građana nisu međunarodni resurs koji treba distribuirati u ratu tako da se uravnoteže rizici ili smanje gubici drugih naroda. Njihovi životi su životi nedužnih. Što se tiče vojnika neutralne države, to znači samo da oni još uvek nisu napadnuti i prisiljeni da se bore. Oni su još uvek neangažovani, i niko nema pravo da ospori njihovu neangažovanost. Možda je ta neangažovanost stvar sreće; ona je često, u slučajevima uspešne neutralnosti, posledica geografije. Ali u ovakvim stvarima ljudi imaju pravo na svoju sreću, kao što i države imaju pravo, ili se pretpostavlja da ga imaju, na svoj geografski položaj.[5]

Tako građani neutralne države uživaju imunitet od napada; nasilje rata nikada ne može biti prošireno preko granica koje određuju materijalni uzroci sukoba i vojna organizacija uključenih država. Vođe neutralne države imaju pravo da održe taj imunitet; zaista, mogu biti obavezne da to čine, imajući u vidu posledice koje će njegov gubitak imati po njihove građane. Ista solidarnost koja neangažovanje kod kuće čini moralno upitnim

5 Ali, čini se da ovaj argument ne važi za svojinu i napredak (a ne samo živote) građana. Ako država može da vrši ekonomsku diskriminaciju protiv agresora, čak i ako je cena koju sama plaća znatna, čini se da je obavezna da to čini, osim ukoliko nije verovatno da će je diskriminacija uvući u borbe. Agresorske države, naravno, imaju pravo da odgovore na diskriminatorne mere, i silom ako je neophodno. Ali neće uvek biti u položaju da odgovore, i ako nisu, mere mogu biti moralno zahtevane. Kada je Društvo naroda uvela ekonomske sankcije Italiji zbog rata u Etiopiji 1936. godine, one su zahtev učinile i pravnim. Ali, pomislio bih da bi moralna obaveza važila i da je postojala samo žalba Etiopije, bez rezolucije Društva naroda. U svakom slučaju, ovaj primer nagoveštava relativan status prava svojine u teoriji rata.

može da ga učini obaveznim na međunarodnoj sceni: muškarci i žene ove grupe moraju prvo da spasavaju živote jedni drugima. To ne mogu činiti ubijajući druge ljude, osim ukoliko ih ti drugi ne napadaju. Pravila neutralnosti sugerišu, međutim, da to mogu da čine puštajući druge ljude da umiru, a ne time što bi sami umirali. Ako su prihvatili obaveze prema nekima od tih ljudi – možda radi kolektivne bezbednosti – tada ih, naravno, ne mogu pustiti da umru; inače, pravilo važi, čak i ako njegovo ostvarivanje ne izgleda plemenito.

Ali postoji jedna vrsta slučajeva kada ovo pravo može biti uskraćeno. Zamislimo (što nije teško) da neka velika sila pokreće osvajačku kampanju, usmerenu ne samo na ovu ili onu državu već na neki širi ideološki ili imperijalistički cilj. Zašto bi se toj kampanji suprotstavljale samo njene prve žrtve, kada će u stvari mnoge druge države biti ugrožene ako početni otpor ne uspe? Ili razmotrimo uobičajeni argument da agresija izvršena bilo gde ugrožava svakoga. Agresija je poput zločina: ako se ne uguši, proširiće se. Tada ponovo nema razloga da se neposredne žrtve bore same. One se bore i u interesu budućih žrtava, to jest, svih drugih država, i druge države će izvući korist iz njihove borbe i umiranja. Kako mogu da stoje po strani? Predsednik Vilson je izneo ovo stanovište u svojoj ratnoj poruci od 2. aprila 1917. godine: „Neutralnost nije više održiva, niti poželjna, kad se radi o miru celog sveta i slobodi svih naroda."[6] Verovatno je mislio *moralno* održiva, pošto je jasno da je postojala praktična alternativa ratu, naime, nastavljanje neutralnosti. Argument protiv ove alternative morao bi da glasi otprilike ovako: Ako zamislimo određenog agresora koji ide iz jedne pobede u drugu, ili ako zamislimo radikalno povećanje agresije kao rezultat ove pojedinačne pobede, tada treba reći da su mir i sloboda generalno ugroženi. A tada dalja neutralnost nije moralno održiva; jer dok neutralna država ima ili može imati pravo da samo drugi ginu u sopstvenim sukobima, ne može ih puštati da umiru radi njene koristi. Svaka opasnost koju dele svi članovi međunarodnog društva moralno je obavezujuća za sve njih, čak i ako još nije materijalno prisutna.

6 Govor je preštampan u *The Theory and Practice of Neutrality in the Twentieth Century*, ed. Roderick Ogley, New York, 1970, str. 83.

Međutim, ovaj argument nelagodno počiva na „zamislima" o kojima nema opšteg slaganja i koja, unazad posmatrano, često izgledaju veoma neuverljivo. Danas izgleda veoma čudno, na primer, da je za bilo koji zamislivi ishod Prvog svetskog rata moglo da se veruje da predstavlja univerzalnu pretnju miru i slobodi (ili veću pretnju od one koju je predstavljao stvarni ishod). A to je tako čak i ako dopustimo da je rat počeo činom ili nizom činova agresije. Samo uviđanje da je napad zločinački, bez nekog duboko pesimističkog ili, kao u ovom slučaju, veoma ekstravagantnog shvatanja njegovih verovatnih posledica, ne zahteva od vođa neke neutralne zemlje da izvedu zaključke koje je izveo predsednik Vilson. Oni uvek mogu da odbiju da to učine, misleći sa svoje strane da njihova zemlja i ceo svet nisu ni u kakvoj stvarnoj opasnosti. To je jednostran pogled na situaciju, sigurno, i možemo se sporiti (kao što ću često biti sklon da se sporim) sa vođama koji su ga izneli. Ali oni i njihov narod imaju pravo da postupaju prema njemu. Ovo pravo je pravo na neutralnost.

Priroda nužnosti (2)

Ipak, u ovom trenutku, ključna moralna odluka može da ne pripada neutralnoj državi. I zaraćene strane imaju izbor: da poštuju prava neutralnosti ili da ih ne poštuju. Za kršenje tih prava se obično misli da predstavlja posebno rđavu vrstu agresije – prema principu, pretpostavljam, da je gore napasti neangažovanu državu nego države s kojima se vodi spor. Osim ukoliko ne zauzmemo prilično permisivno gledište o prvobitnom pribegavanju nasilju, ovo izgleda kao sumnjiv princip. S druge strane, napadi na neutralce su obično naročito jasna vrsta agresije, dok može biti teško da se odredi odgovornost za sam rat. Kada tuđe armije pređu granice države koja je održavala strogu nepristrasnost, nemamo teškoća da prepoznamo ovaj potez kao zločinački čin. Teže je prepoznati kršenja izuzimajući oružane napade, ali su ona skoro isto toliko dostojna osude, jer pozivaju na vojne odgovore druge strane i opravdavaju ih. Ako se neutralnost ruši i rat širi na novu teritoriju i narod, zločin se pripisuje prvom prekršiocu (pretpostavljajući srazmernost odgovora drugog).

Ali šta ako je neutralnost povređena iz dobrog razloga: radi nacionalnog opstanka i poraza agresora; ili šire, radi „civilizacije kakvu znamo" ili „mira i slobode" celog sveta? Ovde imamo paradigmatičan oblik sukoba između *jus ad bellum* i *jus in bello*. Zaraćena strana veruje da je pod pritiskom nužnosti pravednog rata. Neutralna država se čvrsto drži svojih prava: njeni građani nisu obavezni da se žrtvuju radi nečijih tuđih hitnih potreba. Zaraćena strana govori o vitalnom značaju ciljeva za koje se bori; neutralna država se poziva na pravila rata. Nijedna strana nije u potpunosti ubedljiva, mada u konkretnim slučajevima moramo da izaberemo između njih. Pokušavao sam da iznesem najjače moguće razloge za prava neutralnosti. Njihovo kršenje skoro sigurno povlači za sobom ubijanja nedužnih ljudi, i stoga nije nevažna stvar čak ni kada je cilj o kojem se radi veoma značajan. Zaista, verovatno ćemo dobre ljude koji se bore za važne ciljeve prepoznati po tome što se uzdržavaju da izvrše invaziju na neutralne države i prinude njihove građane da se bore. Vrednost tog oklevanja će biti očigledna ako pogledamo dva slučaja u kojima su prava neutralnosti bila pogažena: prvo, pozivanjem na nužnost, i drugo, uz argument *više pravde, više prava*. Prvi slučaj je najčuvenije gaženje neutralnosti još od atinskog napada na Mel, a dao sam mu ime koje je prvobitno dobio u tadašnjoj ratnoj propagandi.

Silovanje Belgije

Nemački napad na Belgiju u avgustu 1914. godine neobičan je po tome što su ga sami Nemci otvoreno i pošteno opisali kao povredu prava neutralnosti. Govor kancelara Fon Betman-Holvega [von Bethmann Hollweg] u Rajhstagu 4. avgusta zaslužuje da bude zapamćen.[7]

> Gospodo, sada se nalazimo u stanju nužnosti, a nužnost ne poznaje nikakve zakone. Naše trupe su već ušle na teritoriju Belgije.
>
> Gospodo, to je kršenje međunarodnog prava. Istina je da je francuska vlada objavila u Briselu da će Francuska poštovati neutralnost Belgije sve dok je poštuju i francuski protivnici. Međutim, nama je poznato da je Francuska spremna za invaziju. Francuska može da čeka, mi ne možemo. Francuski

7 *Theory and Practice of Neutrality*, str. 74.

> napad na naše krilo na donjoj Rajni mogao bi biti katastrofalan. Stoga smo bili prinuđeni da ignorišemo opravdane proteste Vlade Belgije. Zlodelo – govorim otvoreno – zlodelo koje smo time počinili pokušaćemo da ispravimo čim ostvarimo svoje vojne ciljeve.
>
> Onaj ko je ugrožen kao što smo mi ugroženi i ko se bori za svoje najviše posede može jedino da razmatra kako da mačem prokrči svoj put [*durchhauen*].

Ovo je iskren govor, mada ne potpuno nalik „iskrenosti" atinskih zapovednika na Melu. Jer kancelar se nije uzdigao iznad moralnog sveta kad je branio nemačku invaziju. On priznaje da je učinjeno zlodelo, i obećava da će ga ispraviti kad se borbe završe. Ovo obećanje Belgijanci nisu shvatili ozbiljno. Pošto je njihova neutralnost povređena, a njihove granice pređene, nisu imali razloga da očekuju bilo šta dobro od napadača; niti su verovali da će njihova nezavisnost biti poštovana. Odlučili su da se odupru invaziji, i kad su jednom njihovi vojnici počeli da se bore i ginu, teško je bilo videti kako bi zlo koje su Nemci počinili ikada moglo biti ispravljeno.

Snaga Fon Betman-Holvegovog argumenta ne leži u obećanju reparacija već u pozivanju na nužnost. Ovo će biti korisna prilika da ponovo razmotrimo šta ovakvo pozivanje može da znači – i da iznesemo ideju da ovde, kao i u vojnoj istoriji uopšte, ono znači mnogo manje nego što se čini. U kancelarovom govoru možemo jasno da vidimo dva nivoa na kojima ovaj pojam deluje. Prvo, postoji instrumentalni ili strategijski nivo: napad na Belgiju je nužan, dokazivano je, ako treba izbeći nemački poraz. Ali ovo je malo verovatan argument. Ovaj napad je nemačkom Generalštabu već dugo izgledao kao najdelotvorniji način da se zada udarac Francuskoj i postigne brza pobeda na zapadu (pre no što se Nemačka u potpunosti upusti u borbu protiv Rusa na istočnom frontu).[8] Međutim, to nikako nije bio jedini način da se brani nemačka teritorija. Francuski napad duž donje Rajne bi, na kraju krajeva, mogao da opkoli s krila nemačku armiju samo ako bi Nemci bili zauzeti bitkama na severnijem delu fronta (duž granice sa Belgijom). Kancelar je zapravo tvrdio

8 Liddell Hart, *The Real War*, str. 46–47.

da bi nemački izgledi na pobedu bili poboljšani i životi Nemaca sačuvani ako bi Belgijanci bili žrtvovani. Ali ovo očekivanje, koje se pokazalo pogrešnim, nije imalo nikakve veze sa nužnošću.

Drugi nivo argumenta je moralni: ne samo da je napad nužan za pobedu već je i sama pobeda nužna, jer se Nemačka bori za svoj „najviši posed". Ne znam šta je Fon Betman-Holveg mislio da je „najviši posed" Nemačke. Možda je na umu imao neki pojam časti ili vojne slave, koji se mogu održati samo pobedom nad neprijateljima. Ali čast i slava pripadaju carstvu slobode, a ne nužnosti. Verovatno ćemo misliti da je pobeda Nemačke moralno nužna (suštinska, zahtevana) samo ako su na kocki njen opstanak kao nezavisne nacije ili život njenog naroda. A i prema najboljem tumačenju stvari za koju se Nemačka borila, sigurno je da to nije bio slučaj; na kocki su bili Alzas i Lorena, nemačke kolonije u Africi i tome slično. Tako argument nije uspešan ni na jednom nivou. Trebalo bi da uspe na oba, mislim, pre no što bi se mogla braniti povreda belgijske neutralnosti.

Nemački kancelar je izneo upravo onu vrstu argumenta kakva bi bila prikladna u trenucima istinske krize. On odbacuje sve vrste obmana. On se ne pretvara da Belgijanci nisu ispunili svoju dužnost da budu nepristrasni. On ne tvrdi da su Francuzi već povredili belgijsku neutralnost, pa čak ni da se spremaju da to učine. On ne dokazuje da Belgija nema prava da stoji po strani suočena sa (francuskom) agresijom. On priznaje snagu ratne konvencije, te tako i pravo na neutralnost, i iznosi razloge zašto ovo pravo treba nadjačati. Međutim, on želi to da učini ne u poslednjem već u prvom trenutku, ne kad je u opasnosti sam opstanak Nemačke već kad se radi o opasnosti mnogo običnije vrste. Stoga njegov argument nije prihvatljiv; njegova struktura je ispravna, ali ne i sadržaj. Niti se u to vreme mislilo da je prihvatljiv. Nemačka invazija je doživela skoro sveopštu osudu (a osudili su je i mnogi Nemci). Ona je bila značajan razlog odlučnosti i visokog morala s kojima je Britanija ušla u rat i simpatija s kojima je stvar za koju su se borili Saveznici bila posmatrana u drugim neutralnim zemljama – pre svega u Sjedinjenim Državama.[9] Čak je i Lenjin,

9 Primer američkog odgovora iznet je u James M. Beck, *The Evidence in the Case: A Discussion of the Moral Responsibility for the War of 1914*, New York, 1915, posebno gl. IX.

koji je predvodio levičarsku opoziciju ratu, mislio da je odbrana Belgije razlog za borbu: „Pretpostavimo da sve države koje su zainteresovane za poštovanje međunarodnih ugovora objave rat Nemačkoj, sa zahtevom da se Nemci povuku iz Belgije i da joj Nemačka isplati odštetu. U takvom slučaju, simpatije socijalista biće na strani neprijatelja Nemačke.“[10] Ali, nastavio je, u ovom ratu ne radi se zapravo o tome. Bio je u pravu; Prvi svetski rat u celini ne može se lako opisati terminima pravednosti i nepravednosti. Ali napad na Belgiju može. Sada moramo preći na teži slučaj, kome ćemo posvetiti mnogo više prostora.

Klizna skala

Vinston Čerčil i neutralnost Norveške

Dan nakon što su Francuska i Britanija objavile rat Nemačkoj 1939. godine, kralj Hakon VII [Haakon] je formalno proglasio neutralnost Norveške. Politika kralja i njegove vlade nije počivala na političkoj ili ideološkoj indiferentnosti. „U Norveškoj javno mnjenje nije bilo neutralno“, pisao je ministar spoljnih poslova, „niti sam želeo da bude.“ Norveška je politički i kulturno bila povezana sa Saveznicima, i nema razloga da se sumnja u ono što nam govore istoričari ovog perioda: „Norvežani su čvrsto verovali u visoke ideale demokratije, individualne slobode i međunarodne pravde.“[11] Međutim, nisu bili spremni da se za ove ideale bore. Rat je bio borba među velikim evropskim silama, a Norveška je bila veoma mala sila, tradicionalno neangažovana u evropskoj *machtpolitik*, i sada praktično nenaoružana. Ma kakav bio moralni značaj stvari oko kojih se vodio rat, norveška vlada teško da je mogla intervenisati na neki odlučujući način. Niti bi uopšte mogla intervenisati a da ne prihvati ogromne rizike. Njen prvi zadatak je bio da Norveška ostane netaknuta, a njeni građani živi.

S tim ciljem na umu, vlada je usvojila politiku stroge „neutralnosti na delu“. U celini posmatrano, ova politika je išla u prilog Nemačke, mada se veći deo norveške trgovine normalno odvijao sa Saveznicima, posebno s Britanijom. Nemci su zavisili

10 *Socialism and War*, str. 15.

11 Nils Oervik, *The Decline of Neutrality: 1914-1941*, Oslo, 1953, str. 241.

od Norveške za veliki deo svog snabdevanja rudom gvožđa. Ruda je kopana u Galivaru u severnoj Švedskoj, i tokom letnjih meseci prevožena je brodovima iz švedske luke Lule na Baltičkom moru. Ali, zimi je Baltik bio zaleđen; ruda je prevožena železnicom do Narvika na obali Norveške, najbliže nezaleđene luke. Tu su je preuzimali nemački brodovi i prevozili duž obale, držeći se norveških teritorijalnih voda da bi izbegli britansku mornaricu. Tako su nemačko snabdevanje rudom štitile norveška (i švedska) neutralnost, i iz tog razloga invazija na Norvešku nije bila deo prvobitnih Hitlerovih strateških planova. Umesto toga, on je „više puta isticao da bi, prema njegovom mišljenju, najpoželjniji stav za Norvešku, kao i za ostatak Skandinavije, bila potpuna neutralnost."[12]

Britansko gledište je bilo veoma različito. Tokom dugih meseci „čudnog rata", skandinavska neutralnost je bila stalni predmet rasprava u Kabinetu. Vinston Čerčil, koji je tada bio prvi lord Admiraliteta, predlagao je jedan plan za drugim kako da se spreči prevoz gvozdene rude. Evo prilike, dokazivao je, evo jedine prilike, da se zada brz udarac Nemačkoj. Umesto da se čeka nemački napad u Francuskoj i zemljama Beneluksa, Saveznici mogu da prisile Hitlera da raspe svoje armije i da se bori – Čerčil nije sumnjao da bi se Nemačka borila da sačuva snabdevanje rudom – u delu sveta u kojem bi snaga britanske mornarice mogla najefikasnije da bude iskorišćena.[13] Ni Francuzi nisu bili skloni da čekaju na napad na svojoj teritoriji. Ser Edvard Spirs [Edward Spears] piše o francuskom premijeru Daladjeu [Daladier] da su se „njegovi pogledi na vojna pitanja svodili na to da se operacije nalik ratnim drže što je dalje moguće od Francuske".[14] Nema sumnje da je i norveški premijer imao sličnu ideju na umu. Ali ima razlike: rat koji su Norvežani želeli da vide kako se vodi u Francuskoj, a koji su Francuzi bili spremni da vode u Norveškoj, bio je francuski, a ne norveški rat. Čerčil je bio suočen sa istom teškoćom; neutralnost Norveške je bila prepreka svakom od njegovih planova. Možda je to bila samo moralna i pravna prepreka, jer on nije očekivao da će se Norvežani ozbiljno boriti za svoju neutralnost, ali je ipak to bila značajna prepreka, jer su

12 Oervik, str. 223.
13 Churchill, *The Gathering Storm*, New York, 1961, tom II, gl. 9.
14 *Assignment to Catastrophe*, New York, 1954, I, str. 71–72.

Britanci bili skloni da sebe razlikuju od svojih neprijatelja time što poštuju međunarodno pravo i pravdu. „Sve karte su protiv nas kad igramo s ovim neutralcima", poverio je svom dnevniku general Ajronsajd [Ironside], načelnik Generalštaba. „Nemačka nema nameru da ih poštuje ako joj to ne odgovara, a mi moramo da ih poštujemo."[15] Ovaj slučaj je bio naročito težak zato što je, u stvari, Nemcima a ne Britancima odgovaralo da poštuju norveška prava neutralnosti.

Rusko-finski rat otvorio je novu mogućnost za savezničke stratege (i moraliste). Društvo naroda, koje nije ništa reklo o nemačkom napadu na Poljsku, sada je osudilo Ruse zbog agresivnog rata. Čerčil, koji je „gajio duboke simpatije prema Fincima", predložio je da se pošalju trupe u Finsku kako bi se ispunile britanske obaveze prema Povelji – i da se pošalju preko Narvika, Galivara i Lulea. Prema planu koji je sačinio Generalštab, samo bi bataljon vojnika zaista stigao do Finske, dok bi tri divizije čuvale „linije komunikacija" preko Norveške i Švedske, što bi ne samo sprečilo prevoz gvozdene rude već i zaplenilo rudu na izvoru i omogućilo da se utvrde položaji za očekivani nemački odgovor na proleće.[16] To je bio smeo plan, koji bi skoro sigurno doveo do nemačke invazije na Norvešku i Švedsku i vojnih operacija velikih razmera u ove dve zemlje. „Možemo više da dobijemo nego da izgubimo", dokazivao je Čerčil, „nemačkim napadom na Norvešku." Čovek odmah poželi da zapita da li bi i Norvežani više dobili nego izgubili. Očigledno je da nisu tako mislili, jer su odbacili višestruke zahteve da dopuste slobodan prolaz britanskim trupama. Kabinet je ipak doneo odluku u prilog ekspediciji, ali uputstva pripremljena za njenog zapovednika dopustila bi mu da deluje samo suočen sa „simboličnim otporom". Genaral Ajronsajd je strahovao da ne postoji politička volja potrebna za uspeh. „Moramo da... budemo sasvim cinični u pogledu bilo čega osim sprečavanja transporta gvozdene rude."[17] Izgleda da je Kabinet bio dovoljno ciničan u pogledu zaklona koji je trebalo da predstavlja Finska. Kao što se pokazalo, međutim,

15 *Time Unguarded: The Ironside Diaries 1937–1940*, ed. Roderick Macleod and Denis Kelly, New York, 1962, str. 211.

16 *Ironside Diaries*, str. 185.

17 *Ironside Diaries*, str. 216.

članovi Kabineta nisu bili voljni da prođu bez njega, i kada su Finci zatražili mirovne pregovore marta 1940. godine, plan je bio stavljen *ad acta.*

Čerčil je sada imao umereniji predlog. Zalagao se za miniranje norveških teritorijalnih voda, što bi nemačke trgovačke brodove prisililo da plove Atlantikom, gde bi britanska mornarica mogla da ih zapleni ili potopi. Ovaj predlog je izneo još na početku rata i zastupao ga kad god bi njegovi širi planovi izgledali ugroženi. Međutim, čak se i ovaj „blagi čin ratobornosti" suočavao s protivljenjem. Mada se činilo da je Kabinet naklonjen Čerčilovom prvobitnom predlogu (septembra 1939), „argumenti Ministarstva spoljnih poslova o neutralnosti bili su snažni, i nisam mogao da ih nadvladam. Nastavio sam... da zastupam svoju ideju svim sredstvima i u svim prilikama". Zanimljivo je primetiti, kao što Lidel Hart čini, da je sličan projekat iznet 1918. godine, i da ga je odbacio vrhovni zapovednik lord Biti [Beaty]. „Rekao je da bi oficirima i ljudstvu Velike flote to bilo izuzetno odbojno da punom parom uplove u vode malog ali srčanog naroda, i da nad njim vrše nasilje. Ako bi se Norvežani oduprli, kao što verovatno bi, prolila bi se krv; ovo bi, rekao je vrhovni zapovednik, 'predstavljalo zločin isto toliko rđav kao i bilo koji zločin koji su počinili Nemci'."[18] Reči zvuče pomalo arhaično (i treba reći da Bitijeva poslednja rečenica, ponovljena 1939/40. ne bi bila istinita), ali su mnogi Englezi i dalje osećali sličnu odbojnost. Verovatnije je da se radilo o profesionalnim diplomatima i vojnicima, a ne o civilnim političarima. General Ajronsajd, na primer, koji nije uvek bio cinik kakvim se pravio, mislio je da bi ovakav postupak, mada bi se mogao opisati kao „odmazda za način na koji je Nemačka postupala prema neutralnim brodovima...", mogao pokrenuti „neki oblik totalitarnog rata".[19]

Čerčil je verovatno bio ubeđen da Britaniju ovakav rat očekuje u svakom slučaju, imajući u vidu politički karakter njenog neprijatelja. On je branio svoj predlog moralnim argumentom koji se usredsređivao na prirodu i dugoročne ciljeve nacističkog režima. Nije reč samo o tome da mu Bitijeva odbojnost nije bila

18 *History of the Second World War*, New York, 1971, str. 53.
19 *Ironside Diaries*, str. 238.

simpatična, on je Kabinetu saopštio da ovakva osećanja prizivaju nesreću, ne samo za Britaniju već za celu Evropu.[20]

> Borimo se da ponovo uspostavimo vladavinu zakona i zaštitimo slobodu malih zemalja. Naš poraz predstavljao bi vek varvarskih zakona i bio bi sudbonosan ne samo za nas same već i za nezavisnu egzistenciju svake male zemlje u Evropi. Delujući u ime Povelje i kao pravi mandatori Društva naroda i svega što ono predstavlja, imamo osnova, i čak nam to dužnost nalaže, da za izvesno vreme ukinemo neke konvencije istog onog prava koje nastojimo da konsolidujemo i ponovo potvrdimo. Male nacije ne smeju nam vezivati ruke kada se borimo za njihova prava i slobode. Slovo zakona ne sme u krajnjoj nuždi da sputava one kojima je stavljeno u zadatak da ga štite i primenjuju. Ne bi bilo ni pravo ni razumno kada bi sila agresije stekla za sebe jednu polovinu prednosti time što cepa sve zakone, a drugu na taj način što se zaklanja iza urođenog poštovanja prema zakonu svojih protivnika. Humanost pre negoli zakonitost mora biti naš putokaz.

Ovo je snažan argument, mada njegova retorika ponegde obmanjuje; potrebno je da se on pažljivo ispita. Želim da počnem prihvatajući Čerčilov opis Britanije kao branioca vladavine zakona. (Zaista, Britanci su dokazali svoje polaganje prava na ovu titulu time što su mesecima odbijali da prihvate Čerčilov predlog.) Čak bi moglo biti tačno govoriti o Britaniji kao o „pravom mandataru“ Društva naroda, ukoliko se pod ovim izrazom ne podrazumeva stvarni mandat; britanska odluka da uplovi u norveške teritorijalne vode bila je isto toliko unilateralna koliko i norveška odluka da se drži podalje od rata. Problem leži u posledicama za koje Čerčil veruje da slede iz pravednosti stvari za koju se Britanija bori.

Čerčil iznosi jednu verziju onoga što sam nazvao argumentom klizne skale: što je veća pravednost stvari za koju se borimo, to imamo više prava u borbi.[21] Ali Čerčil se pretvara da su ovo

20 Čerčil, *Drugi svetski rat*, tom I, *Bura se sprema*, prev. Milica Mihailović, Prosveta, Beograd, *s. a.* str. 518–519.

21 Hugo Grocijus, koji uopšte uzev prihvata kliznu skalu, posebno je jasan o pitanju neutralnosti: „Na osnovu ovog što je rečeno možemo razumeti kako je dopustivo da onaj ko vodi pravedan rat zauzme neko područje u zemlji koja nije angažovana u neprijateljstvima.“ On postavlja tri uslova,

prava protiv Nemaca. Britanci, kaže, imaju pravo da prekrše legalne konvencije iza kojih se zaklanja Nemačka. Međutim, legalne konvencije imaju (ili ponekad imaju) moralne razloge. Cilj prava neutralnosti nije prvenstveno da zaštiti zaraćene sile već da sačuva živote građana neutralnih država. U stvari su Norvežani bili zaštićeni „slovom zakona"; Nemci su bili samo sekundarni korisnici. Ovaj poredak nagoveštava ključnu teškoću klizne skale. Ma koliko prava Britanaca bila povećana pravednošću stvari za koju se bore, oni teško da mogu steći pravo da ubijaju *Norvežane* ili da njihove živote dovode u opasnost, osim ukoliko se prava Norvežana na neki način istovremeno ne umanje. Argument klizne skale pretpostavlja i zahteva ovakvu simetriju, ali ne mogu da vidim kako ona može da se uspostavi. Nije dovoljno dokazivati da pravedna strana može da čini više. Nešto se mora reći o objektima kao i o subjektima ove vojne akcije. Ko je njihov objekat? U ovom slučaju, objekti su norveški građani, koji ni u kom smislu nisu odgovorni za rat u koji će biti uvučeni. Oni nisu povredili vladavinu prava, niti mir u Evropi. Kako su postali podložni napadu?

U Čerčilovom memorandumu Kabinetu nalazi se implicitan odgovor na ovo pitanje. On očigledno veruje da Norvežani treba da budu uvučeni u rat protiv Nemačke, ne samo zato što bi njihovo angažovanje bilo dobro po Britance već i zato što će, ukoliko Britanija i Francuska budu primorane na „sraman mir", oni sigurno biti među „sledećim žrtvama". Prava neutalnosti iščezavaju, dokazuje Čerčil, kada se samere sa agresijom i nelegalnim nasiljem, s jedne strane, i legitimnim otporom, s druge. Ili bar iščezavaju onda kada agresor predstavlja opštu pretnju: vladavini zakona, nezavisnosti malih nacija i tome slično. Britanija se bori u ime budućih žrtava Nemačke, i one moraju da žrtvuju svoja prava, a ne da ometaju borbu. Shvaćeno kao moralna opomena, ovo mi izgleda, u uslovima 1939–40. godine, potpuno opravdano. Ali ostaje pitanje da li žrtva treba da se zahteva zato što Norvežani uviđaju nemačku

---

od kojih prvi ne odgovara sasvim slučaju Norveške: „Ne postoji samo zamišljena već stvarna opasnost da će neprijatelj zauzeti to područje i naneti nepopravljivu štetu." Ali Čerčil je mogao da dokazuje da Nemci uživaju sve koristi od zauzimanja bez ikakvog napora. Vidi *On the Law of War and Peace*, knjiga II, glava ii, odeljak x.

pretnju, ili zato što to uviđaju Britanci. Čerčil ponavlja Vilsonov argument iz 1917. godine: neutralnost nije moralno održiva. Ali ovo je opasan argument kad ga ne iznosi vođa neke neutralne države već vođa jedne od zaraćenih strana. Sada se ne radi o dobrovoljnom odricanju od prava neutralnosti već o njihovom „ukidanju za izvesno vreme." A čak je i ovaj izraz eufemistički. Pošto su na kocki ljudski životi, ukidanje ne može biti privremeno, osim ukoliko Čerčil ne planira da posle rata vaskrsne sve poginule.

U većini ratova, može se plauzibilno reći da jedna od strana vodi pravedan rat, ili da to verovatno čini, ili da vodi pravedniji rat nego druga, i u svim ovim slučajevima neprijatelj protiv koga se ona bori može predstavljati opštu pretnju. Pravo trećih država da budu neutralne jeste moralno pravo da se ignorišu ove razlike i da se prepozna ili da se ne prepozna pretnja. Možda će morati da se bore ako prepoznaju opasnost po sebe, ali se ne mogu s pravom primorati da se bore ukoliko tu opasnost ne prepoznaju. Možda su moralno slepe, ili glupe, ili sebične, ali ovi nedostaci ih ne preobražavaju u resurse koje mogu da koriste pravedni. Međutim, ovo je zapravo efekat Čerčilovog argumenta: klizna skala je način da se prava trećih strana prenesu na građane i vojnike države koja vodi, ili za koju se kaže da vodi, pravedan rat.

Ali, u Čerčilovom memorandumu postoji još jedan argument koji ne zahteva primenu klizne skale; njega najjasnije nagoveštava izraz „krajnja nužda". U situaciji krajnje nužde, prava neutralnosti mogu biti nadjačana, a kada su nadjačana, ne tvrdimo da su umanjena, oslabljena ili izgubljena. Ona moraju da budu nadjačana, kao što sam već rekao, upravo zato što još uvek postoje u punoj snazi, i zato što predstavljaju prepreke nekom višem (nužnom) trijumfu čovečanstva. Za britanske stratege, norveška neutralnost je bila prepreka upravo ove vrste. Danas izgleda da su veoma preuveličali posledice koje bi prekid snabdevanja gvozdenom rudom mogao da ima na nemačke ratne napore. Ali svoje su procene vršili iskreno, a njih je delio i sam Hitler. „Ni pod kojim uslovima ne smemo da dopustimo sebi gubitak švedske rude", rekao je generalu Falkenhurstu [Falkenhurst] februara 1940. „Ako to dopustimo, ubrzo ćemo morati da ratujemo drvenim toljagama."[22] Ova privlačna mogućnost mora da je imala veliki upliv na britanski kabinet. Na raspolaganju su imali jednostavan utilitaristički argument u prilog kršenju neutralnih prava Norveške, podržan teorijom pravde: kršenje ovih prava je vojno nužno za pobedu nad nacizmom, a od suštinskog je moralnog značaja da se nacizam porazi.

Ovde opet imamo dvostepeni argument, i u ovom slučaju argument ima snagu na drugom nivou: moralna nužnost je jasna (pokušaću da u sledećem poglavlju objasnim zašto). Zato je verovatnije da ćemo osećati daleko više simpatija prema Čerčilovom nego prema Fon Betman-Holvegovom stanovištu. Ali instrumentalna ili strateška tvrdnja isto je toliko sumnjiva u norveškom, koliko i u belgijskom slučaju. Savezničke armije još nisu vodile ni jednu jedinu bitku; na zapadu još nisu osetili snagu nemačkog *blitzkriega*; vojni značaj avijacije još nije shvaćen. Britanci su još uvek imali potpuno poverenje u Kraljevsku mornaricu. Prvi lord Admiraliteta je sigurno imao ovakvo poverenje: svi njegovi norveški planovi oslanjali su se na snagu mornarice. Samo je jedan Čerčil, koji je situaciju s početka 1940. godine nazvao „krajnjom nuždom", mogao da nađe reči da opiše opasnost po Britaniju šest meseci kasnije. Istina je to da, kada su Britanci odlučili da „punom parom uplove u vode malog ali srčanog naroda i da nad njim vrše nasilje", oni nisu mislili na to kako da izbegnu poraz već (poput Nemačke 1914. godine) kako da zadobiju brzu pobedu.

Tako je britanski potez još jedan primer nadjačavanja nekog prava u prvom, a ne u poslednjem trenutku. O njemu sudimo manje strogo nego o nemačkom napadu na Belgiju, ne samo zbog onoga što znamo o prirodi nacističkog režima već zato što znamo i za događaje iz narednih meseci, koji su Britaniju tako brzo doveli na ivicu nacionalne katastrofe. Ali ponovo treba istaći da Čerčil nije predvideo ovu katastrofu. Da bismo shvatili i procenili akcije koje je predlagao, moramo da stanemo pored njega tih prvih meseci rata i da pokušamo da razmišljamo onako kako je on razmišljao. Tada je pitanje jednostavno ovo: Može li se učiniti *bilo šta*, kršiti prava nedužnih, da bi se pobedio nacizam?

22 Oervik, str. 237.

Dokazivaću da se zaista može činiti ono što je nužno, ali kršenje norveške neutralnosti nije bilo nužno aprila 1940. godine; bila je to samo korisna mera. Mogu li se rizici borbe protiv nacizma smanjivati na račun nedužnih? Sigurno je da se to ne može činiti, ma koliko borba bila pravedna. Čerčilov argument počiva na stvarnosti i ekstremnosti krize, ali ovde (prema njegovom sopstvenom mišljenju) nije bilo nikakve krize. „Čudni rat" još nije bio situacija krajnje nužde. Urgentnost je iskrsla samo neočekivano, kao što se s urgentnostima obično čini, a njene opasnosti su se po prvi put pokazale u borbama u Norveškoj.

Konačna britanska odluka doneta je krajem marta, a Lids je miniran 8. aprila. Sledećeg dana, Nemci su upali u Norvešku. Izbegavši britansku mornaricu, iskrcali su trupe duž obale, sve do Narvika na severu. To je bio odgovor ne toliko na postavljanje mina koliko na mesece planiranja, argumenata, oklevanja, koji nisu bili nepoznati Hitlerovim agentima i strateškim analitičarima. To je bio i odgovor koji je Čerčil očekivao, i kojem se nadao, mada je došao isuviše brzo i s potpunim iznenađenjem. Norvežani su se borili hrabro i kratko; Britanci su bili tragično nespremni da brane zemlju koju su izložili napadu. Britanske trupe su se iskrcale na nekoliko mesta; Narvik je osvojen i držan kratko vreme; ali mornarica je bila neefikasna protiv nemačkog vazduhoplovstva, a Čerčil, još uvek prvi lord Admiraliteta, upravljao je nizom ponižavajućih evakuacija.[23] Nemačko snabdevanje rudom bilo je bezbedno tokom celog rata, kao što bi bilo i da je poštovana neutralnost Norveške. Norveška je postala okupirana zemlja, sa fašističkom vladom; mnogi od njenih vojnika su bili mrtvi; „čudni rat" je bio završen.

U Nirnbergu 1945. godine, nemačke vođe su bile optužene za planiranje i vođenje agresivnog rata protiv Norveške. Lidel Hart smatra da je „teško razumeti kako su britanska i francuska vlada imale obraza da odobre... ovu optužbu".[24] Njegova

23 Opis pohoda iznet je u J. L. Moulton, *A Study of Warfare in Three Dimensions: The Norwegian Campain of 1940*, Athens, Ohio, 1967.

24 *History of the Second World War*, str. 59. Uporedi belešku generala Ajronsajda od 14. februara 1940: „Vinston sada zagovara svoje polaganje mina u neutralnim norveškim vodama kao jedino sredstvo da se Nemci prinude da povrede Skandinaviju i tako nam pruže priliku da uđemo u Narvik." *The Ironside Diaries*, str. 222.

indignacija potiče iz uverenja da su prava neutralnosti podjednako čvrsta protiv zahteva i pravednih i nepravednih zaraćenih strana. To i jesu, i bilo bi bolje da su posle rata Britanci priznali da je miniranje Lidsa predstavljalo povredu međunarodnog prava i da su Nemci imali prava, ako već ne da napadnu i zauzmu Norvešku, bar da odgovore nekim vojnim merama. Ne želim da poričem anomaliju argumenta da je Hitlerova Nemačka uopšte imala ikakva prava u svojim osvajačkim ratovima. Međutim, nemačka prava se izvode iz norveških prava, i sve dok priznajemo običaj neutralnosti, ona se ne mogu zaobići. U krajnjoj nuždi, zaista, može biti neophodno da se „put prokrči mačem", ali nije vrlina biti isuviše spreman da se to učini prebrzo, jer u ovakvom slučaju ne krčimo svoj put kroz neprijateljsku vojsku već kroz nedužne muškarce i žene čiji su životi na kocki, a čija su prava i dalje na snazi.

16. KRAJNJA NUŽDA

Priroda nužnosti (3)

Svačije nevolje čine krizu. „Nužda“ i „kriza“ su granične reči, koje se koriste kako bi naš duh pripremile za činove brutalnosti. A ipak postoje trenuci krize u životima muškaraca i žena, kao i u istorijama država. Izvesno je da je rat takvo vreme: svaki rat je situacija krajnje nužde, svaka bitka je moguća tačka preokreta. U borbi su strah i histerija uvek latentni, a često i stvarni, i oni nas nagone na zastrašujuće mere i zločinačko ponašanje. Ratna konvencija je prepreka ovakvim merama, koja nije uvek efikasna, ali ipak postoji. Bar u principu, kao što smo videli, ona se opire uobičajenim krizama vojnog života. Čerčilov opis stanja u kojem se Britanija nalazila 1939. godine kao „krajnje nužde“ predstavljao je retoričko prenaglašavanje smišljeno da bi se nadvladao ovakav otpor. Ali, u ovom izrazu sadržan je i jedan argument: postoji strah iza obične zastrašenosti (i grozničavog oportunizma) ratom, i opasnost kojoj taj strah odgovara, i ovaj strah i opasnost mogu zahtevati upravo one mere koje ratna konvencija isključuje. Sada, ovde je na kocki mnogo toga, i za muškarce i žene navedene da prihvate takve mere, i za njihove žrtve, tako da moramo brižljivo da ispitamo argument o „krajnjoj nuždi“.

Mada je njegova upotreba često ideološka, značenje ovog izraza je stvar zdravog razuma. On se definiše pomoću dva kriterijuma, koja odgovaraju dvama nivoima na kojima deluje pojam nužnosti: prvi ima veze sa neposrednošću opasnosti, a drugi sa njenom prirodom. Oba kriterijuma moraju da budu zadovoljena. Nijedan sam za sebe nije dovoljan kao opis krajnosti ili kao odbrana vanrednih mera za koje se misli da ih krajnja nužda zahteva. Opasnost koja je bliska, ali ne i ozbiljna, ozbiljna, ali ne i bliska – nijedna ne čini krajnju nuždu. Ali pošto se ljudi u ratu retko mogu složiti o ozbiljnosti opasnosti s kojima se suočavaju (ili koju predstavljaju jedni za druge), ponekad ceo posao obavlja ideja o bliskosti. Tada nam se nudi ono što se može najbolje nazvati argumentom „priteran uza zid“: kada su konvencionalna sredstva otpora beznadežna ili utrošena, onda je sve moguće (sve što je „nužno“ za pobedu). Tako je britanski premijer Stenli Boldvin [Stanley Baldwin], pišući 1932. godine o opasnostima od terorističkog bombardovanja, rekao:[1]

> Da li će bilo koja zabrana bombardovanja, bilo konvencijom, ugovorom, paktom ili bilo čim drugim, biti efikasna u ratu? Iskreno rečeno, sumnjam, a kad u to sumnjam, ne pozivam se na poštenje bilo nas samih, ili bilo koje druge zemlje. Ako čovek ima neko potencijalno oružje, i ako je priteran uza zid i čeka da bude ubijen, on će upotrebiti to oružje, ma kakvo ono bilo i ma kakvu obavezu u pogledu njega prihvatio.

Prvo što se mora reći o ovoj tvrdnji jeste to da Boldvin ne želi da doslovno primeni domaću analogiju. Vojnici i državnici obično kažu da su priterani uza zid kad god vojni poraz izgleda neminovan, i Boldvin prihvata ovo shvatanje krajnosti. Upoređuju se opstanak kod kuće i pobeda u međunarodnoj sferi. Boldvin tvrdi da će ljudi nužno (neizbežno) prihvatiti krajnje mere ako su one nužne (bitne) bilo da bi se izbavili od smrti, bilo da bi izbegli vojni poraz. Ali argument je pogrešan na obe strane. Jednostavno, nije slučaj da će pojedinci uvek udariti na nedužne ljude pre no što će prihvatiti rizik po sebe. Mi čak kažemo, veoma često, da je njihova dužnost da prihvate rizik (i možda umru); a u ovom slučaju, kao i u moralnom životu uopšte, „treba“ implicira „može“. Ovaj zahtev iznosimo znajući da je moguće da ga ljudi ispune. Možemo li isti zahtev postaviti i političkim vođama, koje ne postupaju u svoje ime već u ime svojih sugrađana? To će zavisiti od opasnosti sa kojima se suočavaju njihovi sugrađani. Šta poraz povlači za sobom? Da li je to neki mali teritorijalni gubitak, gubitak obraza (za vođe), plaćanje ogromne odštete, politička rekonstrukcija ove ili one vrste, gubljenje nacionalne nezavisnosti, progon ili pogibija miliona ljudi? U ovakvim slučajevima, uvek smo pritešnjeni uza zid, ali opasnosti

1 Navedeno u George Quester, *Deterence Before Hiroshima*, New York, 1966, str. 67.

s kojima se suočavamo imaju veoma različite oblike, a različiti oblici čine razliku.

Ako treba da usvojimo krajnje mere, ili da branimo njihovo usvajanje, opasnost mora biti neuobičajene i zastrašujuće vrste. Ovakvi opisi su, pretpostavljam, uobičajeni u ratu. Za neprijatelje se često misli – ili se bar često kaže – da su neuobičajeni i užasavajući.[2] Vojnici su podstaknuti da se žestoko bore ako veruju da se bore za opstanak svoje zemlje i svojih porodica, da su u opasnosti sama sloboda, pravda, civilizacija. Ali nepristrasnom posmatraču su ove stvari samo ponekad uverljive, a podozrevamo i da njihov propagandni karakter shvata i veliki broj učesnika. Rat nije uvek borba za najviše vrednosti, u kojoj će pobeda jedne strane predstavljati ljudsku katastrofu za drugu. Neophodno je biti skeptičan u pogledu ovakvih stvari, negovati oprezno nepoverenje u ratnu retoriku, a potom tragati za nekim osloncem prema kojem se može prosuđivati o krajnostima. Potrebno je da sačinimo mapu ljudskih kriza i da izdvojimo oblasti očajanja i propasti. Samo će one sačinjavati na pravi način shvaćeno carstvo nužnosti. Još jednom, koristiću iskustvo iz Drugog svetskog rata u Evropi da bih nagovestio bar grube obrise ove mape. Jer nacizam leži na krajnjim granicama hitne potrebe, na tački u kojoj je verovatno da ćemo se naći ujedinjeni u strahu i gnušanju.

To ću u svakom slučaju da pretpostavim, u ime svih onih koji su u ono vreme verovali, i koji još uvek veruju, trideset godina kasnije, da je nacizam predstavljao najveću pretnju svemu što je časno u našem životu, ideologiju i praksu dominacije toliko ubilačku, toliko degradirajuću čak i po one koji su mogli da prežive, da se nemerljivo užasne posledice njegove konačne pobede ne mogu doslovno čak ni proračunati. Mi u njemu vidimo – a ovaj izraz ne koristim olako – zlo koje je opredmećeno u svetu, i to u obliku toliko snažnom i očiglednom da se protiv njega nikada nije moglo činiti ništa drugo do boriti se. Očigledno je da ovde ne mogu da ponudim neki opis nacizma. Ali ovaj opis nije ni potreban. Dovoljno je da se ukaže na istorijsko iskustvo nacističke vlasti. Ta vlast je bila pretnja ljudskim vrednostima, toliko

2 Vidi J. Glenn Gray, *The Warriors: Reflections on Men in Battle*, New York, 1967, gl. 5: „Images of the Enemy".

radikalna da bi njena predstojeća pobeda sigurno predstavljala situaciju krajnje nužde; a ovaj primer može da nam pomogne da shvatimo zašto manje pretnje to ne bi predstavljale.

Međutim, da bi mapa bila tačna, moramo da zamislimo neku opasnost nalik nacizmu, ali donekle različitu od opasnosti koju je stvarno predstavljao nacizam. Kad je Čerčil rekao da bi pobeda Nemačke u Drugom svetskom ratu bila „sudbonosna ne samo za nas same već i za nezavisnu egzistenciju svake male zemlje u Evropi", on je govorio potpunu istinu. Opasnost je bila opšta. Ali, pretpostavimo da je to bila opasnost samo po Britaniju. Da li krajnju nuždu može da čini neka određena pretnja – pretnja porobljavanja ili istrebljivanja usmerena protiv jedne jedine nacije? Mogu li vojnici i državnici nadjačati prava nedužnih ljudi radi dobra svoje sopstvene političke zajednice? Sklon sam da na ovo pitanje odgovorim potvrdno, mada ne bez oklevanja i brige. Kakav izbor imaju? Mogu da se žrtvuju da bi ostali verni moralnom zakonu, ali ne mogu da žrtvuju svoje sugrađane. Suočeni s nekim najvišim užasom, kada su im opcije iscrpene, uradiće sve što moraju da bi spasli svoj vlastiti narod. To ne znači da je njihova odluka neizbežna (nema načina na koji mogu to znati), ali osećaji obaveze i moralne krajnje nužde, koje će verovatno doživljavati u ovakvim trenucima, toliko su nadmoćni da je teško zamisliti drugačiji ishod.

Pa ipak, ovo pitanje je teško, kao što pokazuje i njegova domaća analogija. Uprkos Boldvinu, obično se ne kaže za pojedince u domaćem društvu da će oni nužno hteti da udare ili da moralno mogu da udare na nedužne ljude, čak ni u krajnjoj nuždi samoodbrane.[3] Oni mogu da napadnu samo svoje napadače. Ali čini se da zajednice u situacijama krajnje nužde imaju različite i veće prerogative. Nisam siguran da mogu da objasnim ovu razliku, a da životu zajednice ne pripišem neku vrstu transcendencije za koju ne verujem da je ona ima. Možda je ovo samo stvar aritmetike: pojedinci ne mogu da ubijaju druge pojedince da bi spasli sebe, ali da bi spasli naciju možemo da kršimo prava određenog ali manjeg broja ljudi. Ali tada bi velike nacije i male

3 Ali tvrdnja da se nikada ne sme ubiti nedužna osoba apstrahuje od pitanja o prinudi i pristanku: vidi primer naveden u Glavi 10.

nacije u ovakvim slučajevima imale različita prava, a ja sumnjam da je to istina. Bolje bi bilo da kažemo da je moguće živeti u svetu u kojem se pojedinci ponekad ubijaju, ali svet u kojem bi celi narodi bili porobljeni ili istrebljeni doslovno je nepodnošljiv. Jer opstanak i sloboda političkih zajednica – čiji pripadnici dele način života koji su stvorili njihovi preci da bi ga oni preneli svojim potomcima – najviša je vrednost međunarodnog društva. Nacizam je ugrozio ove vrednosti u ogromnoj meri, ali ugrožavanja mnogo manjih razmera, *ako su iste vrste*, imaju slične moralne posledice. Ona nas dovode pod vlast pravila nužnosti (a nužda ne poznaje nikakva pravila).

Međutim, ponovo želim da istaknem da puko priznavanje ovakve pretnje nije samo po sebi prinudno; ono niti nalaže niti dopušta napade na nedužne, sve dok su dostupna druga sredstva za borbu i pobedu. Opasnost čini samo pola argumenta; bliskost čini drugu polovinu. Razmotrimo sada vreme kada su obe polovine bile prisutne: one dve strašne godine posle poraza Francuske, od leta 1940. do leta 1942. godine, kada su Hitlerove armije svuda trijumfovale.

Suspenzija pravila rata

Odluka da se bombarduju nemački gradovi

U istoriji ratovanja bilo je malo odluka važnijih od ove. Direktan rezultat prihvatanja politike terorističkog bombardovanja od strane vođa Britanije bila je smrt oko 300.000 Nemaca, većinom civila, i ozbiljno ranjavanje njih 780.000. Nema sumnje da su ove brojke male u poređenju s rezultatima nacističkog genocida, ali su bile, na kraju krajeva, delo ljudi koji su ratovali protiv nacizma, koji su mrzeli sve što je nacizam predstavljao i za koje se nije pretpostavljalo da treba da podražavaju njegova dela, čak ni u mnogo manjoj meri. A britanska je politika imala i dalje posledice: ona je bila ključni presedan za bombardovanje Tokija i drugih japanskih gradova zapaljivim bombama i potom za odluku Harija Trumana [Harry Truman] da se atomske bombe bace na Hirošimu i Nagasaki. Broj civila poginulih usled savezničkog terorističkog bombardovanja u Drugom svetskom ratu sigurno je veći od pola miliona ljudi, žena i dece. Kako se uopšte može braniti prvobitna odluka da se sprovede ova krajnja mera?

Ovo je složena istorija, i već je objavljeno nekoliko monografija u kojima se ona analizira.[4] Mogu samo ukratko da je ocrtam, posvećujući pažnju posebno argumentima koje su u to vreme iznosili Čerčil i drugi britanski politčari, i uvek držeći na umu kakvo je to vreme bilo. Odluka da se bombarduju gradovi doneta je krajem 1940. godine. Direktiva izdata juna te godine „izričito je nalagala da mete treba da budu identifikovane i gađane. Nediskriminativno bombardovanje je bilo zabranjeno". U novembru, posle nemačkog napada na Koventri, „Komanda bombarderske avijacije je jednostavno izdala uputstvo da se napadaju centri gradova". Ono što se ranije nazivalo nediskriminativnim bombardovanjem (i što je bilo osuđivano), sada se zahtevalo, i početkom 1942. godine napadi na vojne ili industrijske mete su bili zabranjeni: „Ciljevi treba da budu gradske zone, a ne, na primer, dokovi ili tvornice aviona."[5] Cilj napada je izričito određen kao uništavanje morala civila. Posle slavnog memoranduma lorda Červela [Cherwell] iz 1942. godine, utvrđena su sredstva ove demoralizacije: prvenstvena meta su bile radničke stambene četvrti. Červel je mislio da je moguće učiniti da trećina stanovništva Nemačke postanu beskućnici do 1943.[6]

Pre no što je Červel pružio „naučno" obrazloženje bombardovanja, već je ponuđen jedan broj razloga za ovu britansku odluku. Od samog početka, napadi su branjeni kao odmazda za nemački *blitz*. Ovo je vrlo problematična odbrana, čak i ako ostavimo po strani teškoće učenja o represalijama (koje sam već pretresao). Pre svega, izgleda moguće, kao što je nedavno dokazivao jedan naučnik, da je Čerčil svesno provocirao nemačke napade na London – bombardujući Berlin – kako bi olakšao

4 Vidi Quester, *Deterrence*, i F. M. Sallagar, *The Road to Total War: Escalation in World War II*, Rand Corporation Report, 1969; vidi i zvaničnu istoriju u: Sir Charles Webster and Noble Frankland, *The Strategic Air Offensive Against Germany*, London, 1961.

5 Noble Frankland, *Bomber Offensive: The Devastation of Europe*, New York, 1970, str. 41.

6 Povest o Červelovom memorandumu izneta je, uglavnom bez simpatija, u C. P. Snow, *Science and Government*, New York, 1962.

pritisak na postrojenja RAF-a koja su do tada bila glavna meta *Luftwaffe*.[7] Niti je bio Čerčilov cilj, kad je *blitz* jednom otpočeo, da odvrati nemačke napade, ili da uspostavi politiku uzajamnog uzdržavanja.[8]

> Ne tražimo nikakve ustupke od neprijatelja. Od njega ne tražimo da ima skrupule. Naprotiv, da noćas zatražite od stanovnika Londona da glasaju o tome da li treba sklopiti sporazum kojim bi se zaustavilo bombardovanje svih gradova, ogromna većina njih bi povikala: 'Ne, vratićemo Nemcima ravnom merom, i više no ravnom merom, za ono što su nam učinili.'

Nije potrebno reći da od stanovnika Londona nije zatraženo da glasaju o ovakvom sporazumu. Čerčil je pretpostavljao da je bombardovanje nemačkih gradova nužno za moral Londonaca i da oni žele da čuju (što im je i rekao u radio-prenosu 1941) da britansko vazduhoplovstvo tera „nemački narod da okusi i proguta svakog meseca sve gorču dozu nesreća koje su izlili na čovečanstvo“.[9] Ovaj argument su prihvatili mnogi istoričari: „Javnost je negodovala i glasno zahtevala“ osvetu, piše jedan od njih, zahtev koji je Čerčil morao da zadovolji da bi održao borbeni duh kod svog naroda. Stoga je posebno zanimljivo primetiti da je jedno ispitivanje javnog mnjenja 1941. godine pokazalo da je „najodlučniji zahtev [za vazdušne napade u znak odmazde] dolazio iz Kamberlenda, Vestmorlenda i severnog Ridinga u Jorkširu, seoskih oblasti koje skoro da nisu bile bombardovane, u kojima su vazdušne napade tražile tri četvrtine stanovništva. Obrnuto, u centralnom Londonu, srazmera je bila samo 45 procenata“.[10] Bilo je manje verovatno da će muškarci i žene koji su doživeli teroristička bombardovanja podržati Čerčilovu politiku, no oni koji nisu – što je ohrabrujuća statistika, koja nagoveštava da je moral britanskog naroda (ili možda bolje, njihova konvencionalna moralna načela) dozvoljavao i političko vođstvo različite vrste

7 Quester, str. 117–118.
8 Navedeno u Quester, str. 141.
9 Navedeno u Angus Calder, *The People's War: 1939-1945*, New York, 1969, str. 491.
10 Calder, str. 22; isto ispitivanje javnog mnjenja navodi i Vera Britn [Vera Brittain], hrabri protivnik britanske politike bombardovanja: *Humiliation with Honor*, New York, 1943, str. 91.

od one koju je pružao Čerčil. Vesti da je Nemačka bombardovana sigurno su bile rado dočekivane u Britaniji; ali i 1944. godine, prema jednom ispitivanju javnog mnjenja, ogromna većina Britanaca još uvek je verovala da su bombardovanja usmerena isključivo na vojne ciljeve. Možemo pretpostaviti da je to ono što su želeli da veruju; u to doba su već postojali mnogi dokazi o suprotnom. Ali to govori nešto, ponovo, o prirodi britanskog morala. (Takođe treba reći da je kampanja protiv terorističkog bombardovanja, koju su vodili pretežno pacifisti, stekla veoma malu podršku u javnosti.)

Odmazda je rđav argument, a osveta je još gori. Sada moramo da se usredsredimo na vojna opravdanja terorističkih bombardovanja, koja su verovatno bila premoćna u Čerčilovim razmišljanjima, ma šta on govorio preko radija. Njih mogu da razmotrim samo na opšti način. U to vreme vodili su se veliki sporovi, neki od njih tehničkog, neki moralnog karaktera. Proračune iz Červelovog memoranduma, na primer, snažno je napadala grupa naučnika, čije je protivljenje terorizmu moglo počivati na moralnim osnovama, ali čije stanovište, koliko ja znam, nikada nije bilo izraženo moralnim terminima.[11] Izričito moralno protivljenje bilo je najznačajnije kod profesionalnih vojnika uključenih u proces donošenja odluke. Ova neslaganja opisuje, na karakterističan način, jedan strateški analitičar i istoričar koji je proučavao britansku eskalaciju rata: „... Rasprava je bila zamagljena emocijama na jednoj strani spora, kod onih koji su se iz moralnih principa protivili ratu protiv civila.“[12] Suština ove primedbe čini se da je bila neka verzija učenja o dvostrukom efektu. (Argumenti su imali, za duh jednog strateškog analitičara, „čudnovato sholastički ukus“.) Na vrhuncu *blitza*, britanski oficiri su snažno osećali da njihovi vazdušni napadi treba da budu usmereni samo na vojne mete i da treba ulagati pozitivne napore da se minimalizuju civilne žrtve. Oni nisu želeli da podražavaju Hitlera već da se razlikuju od njega. Čak i oficiri koji su prihvatali poželjnost ubijanja civila još uvek su težili da sačuvaju

11 „... nije nas najviše brinula [Červelova] bezobzirnost već njegovi proračuni.“ Snow, *Science and Goverment*, str. 48. Uporedi posleratnu kritiku bombardovanja, razrađenu u strogo strateškim terminima: P. M. S. Blackett, *Fear, War, and the Bomb*, New York, 1949, gl. 2.

12 Sallagar, str. 127.

svoju profesionalnu čast: ovakve pogibije, insistirali su, poželjne su „samo utoliko ukoliko su nusproizvod primarne namere da se pogodi vojni cilj..."[13] Tendenciozan argument, nema sumnje, pa ipak argument koji bi drastično ograničio britanske napade na gradove. Ali svi ovakvi predlozi su se sudarali s operacionim ograničenjima tadašnje bombarderske tehnologije.

Još početkom rata postalo je jasno da britanski bombarderi mogu da efikasno deluju samo noću i, imajući u vidu sredstva za navigaciju kojima su bili opremljeni, da ne mogu uspešno da ciljaju bilo kakvu metu manju od velikog grada. Studija izvedena 1941. godine pokazala je da od aviona koji zaista uspeju da napadnu svoju metu (oko dve trećine aviona poslatih u napad), samo jedna trećina baci bombe u krugu od osam kilometara oko mete koju gađaju.[14] Kad je to bilo poznato, činilo se nečasno tvrditi da je predviđena meta, recimo, ova fabrika aviona, a da je nediskriminativno razaranje oko nje samo nenamerna, mada predvidiva posledica opravdanog pokušaja da se zaustavi proizvodnja aviona. Ono što je zaista bilo nenamerno, ali predvidivo, bilo je to da će sama fabrika verovatno ostati neoštećena. Ako je trebalo održati ikakvu vrstu ofanzive strateškog bombardovanja, trebalo je planirati razaranje koje se može izvesti i koje se izvodi. Memorandum lorda Červela predstavljao je pokušaj ovakvog planiranja. U stvari, naravno, navigaciona oprema je brzo poboljšavana tokom rata, i bombardovanje određenih vojnih meta je predstavljalo značajan deo britanske ukupne vazdušne ofanzive, povremeno dobijajući vrhunski prioritet (pre invazije na Francusku u junu 1944. godine, na primer) i smanjujući resurse dodeljene napadima na gradove. Danas mnogi eksperti veruju da se rat mogao brže završiti da su se vazdušne snage više usmeravale na mete poput nemačkih rafinerija nafte.[15] Ali odluka da se bombarduju gradovi doneta je u trenutku kada pobeda nije bila na vidiku, a bauk poraza bio sveprisutan. A bila je doneta u trenutku kad nikakva druga odluka nije izgledala moguća ukoliko je trebalo izvesti bilo kakvu vrstu vojne ofanzive na nacističku Nemačku.

---

13 Sallagar, str. 128.
14 Frankland, *Bomber Offensive*, str. 38–39.
15 Frankland, *Bomber Offensive*, str. 134.

Bombarderska avijacija bila je jedino ofanzivno sredstvo koje je stajalo na raspolaganju Britancima tih strašnih godina, i mislim da ima izvesne istine u ideji da je iskorišćena prosto zato što je postojala. „To je bila jedina snaga na zapadu", piše Artur Haris (Arthur Harris), načelnik Komande bombarderske avijacije od početka 1942. do kraja rata, „koja je mogla da preduzme ofanzivnu akciju... protiv Nemačke, naše jedino sredstvo da dopremo do neprijatelja na način koji će uopšte naneti neku štetu."[16] Ofanzivna akcija nije mogla da bude odložena do nekog pogodnijeg trenutka (ili u nadi da će on doći). To bi zahtevala ratna konvencija, a postojao je i snažan pritisak vojske za odlaganje. Haris je bio pod velikim pritiskom da održi svoju Komandu na okupu pred neprekidnim zahtevima za taktičkom podrškom iz vazduha – koja bi bila koordinirana s kopnenim operacijama u velikoj meri defanzivnog karaktera, jer su nemačke armije još uvek svuda napredovale. Ponekad u svojim memoarima zvuči kao birokrata koji brani svoju funkciju i svoj položaj, ali očigledno je branio izvesnu koncepciju načina na koji treba voditi rat. Nije verovao da oružje kojim je komandovao treba da bude korišćeno zato što on to zapoveda. Verovao je da taktička upotreba bombardera ne može da zaustavi Hitlera, a da razaranje gradova može. U kasnijim fazama rata, dokazivao je da samo razaranje gradova može brzo da okonča borbe. Prvi od tih argumenata, bar, zaslužuje brižljivo ispitivanje. Njega je očigledno prihvatio premijer. „Samo bombarderi", izjavio je Čerčil još septembra 1940. godine, „pružaju sredstva za pobedu."[17]

Samo bombarderi – ovo problem izražava veoma kruto, a možda i pogrešno, imajući u vidu sporove o strategiji koje sam već pomenuo. Čerčilovo tvrđenje sugeriše izvesnost na koju ni on, niti bilo ko drugi, nije imao prava. Ali problem se može postaviti i tako da uključi i jedan stepen skepticizma i da dopusti i najsofisticiranijima od nas da se upuste u opšte i moralno značajno zamišljanje: pretpostavimo da se ja nalazim na nekom položaju i da imam moć da odlučim da li da se upotrebi bombarderska avijacija (na jedini način na koji se može upotrebiti sistematski

16 Sir Arthur Harris, *Bomber Offensive*, London, 1947, str. 74.
17 Calder, str. 229.

i efikasno) protiv nemačkih gradova. Pretpostavimo dalje da bi, osim ukoliko se bombarderi na ovaj način ne upotrebe, verovatnoća da će Nemačka na kraju biti poražena bila radikalno umanjena. Nema smisla kvantifikovati ove verovatnoće; nemam nikakvu jasnu predstavu kakve su one zaista bile, pa ni kako bi se mogle izračunati na osnovu našeg sadašnjeg znanja; niti sam siguran kako bi različite brojke, osim ukoliko nisu veoma različite, uticale na moralni argument. Ali čini mi se da što izvesnija izgleda nemačka pobeda u odsustvu bombarderske ofanzive, to je opravdanija odluka da se započne ofanziva. Ne samo da je nemačka pobeda bila zastrašujuća već je tih godina izgledala i veoma blizu; ne samo da je bila blizu već je bila i toliko zastrašujuća. Evo slučaja krajnje nužde, kada se može zahtevati da se prava nedužnih ljudi prenebregnu i da se prekrši ratna konvencija.

Imajući u vidu shvatanje nacizma koje prihvatam, problem dobija oblik sledeće dileme: Da li da počinim ovaj određeni zločin (ubijanje nedužnih ljudi) pred nemerljivim zlom (trijumfom nacizma)? Očigledno, ukoliko postoji neki drugi način da se izbegne ovo zlo, pa čak i samo razumna šansa da se može naći neki drugi način, dilemu moram da razrešim na drugi način. Ali nikada se ne mogu nadati da ću biti siguran; dilema nije eksperiment. Čak i ako se kladim i pobedim, još uvek je moguće da sam grešio, da moj zločin nije bio nužan za pobedu. Ali mogu da iznosim dokaze da sam proučio slučaj najpažljivije što sam mogao, poslušao najbolje savete do kojih sam mogao doći, tragao za dostupnim mogućim rešenjima. A ako je sve ovo istina, a moja percepcija bliske opasnosti nije histerična ili samoj sebi potkrepa, tada je sigurno da moram da biram. Nema drugog izbora; inače će rizik biti isuviše veliki. Moja akcija je određena, naravno, samo u pogledu svojih neposrednih posledica, dok je pravilo koje zabranjuje ovakve akcije utemeljeno na poimanju prava koje prevazilazi sve neposredne obzire. Ono potiče iz naše zajedničke istorije; ono drži ključ za našu zajedničku budućnost. Ali usuđujem se da kažem da bi naša istorija bila poništena, a naša budućnost osuđena na propast osim ukoliko ne prihvatim teret zločina sada i ovde.

Ovo nije lak argument, pa ipak moramo da se odupremo svakom pokušaju da se on učini lakšim. Mnogi ljudi su bez sumnje nalazili utehu u činjenici da su bombardovani gradovi bili nemački, a neke od žrtava nacisti. U stvari, oni su primenjivali kliznu skalu i poricali ili umanjivali prava nemačkih civila kako bi porekli ili umanjili užas njihove smrti. Ovo je izazovna procedura, što možemo najjasnije da vidimo ako ponovo razmotrimo bombardovanje okupirane Francuske. Saveznički avioni su pobili mnoge Francuze, ali su to učinili dok su bombardovali legitimne vojne mete (ili ono za šta se mislilo da su legitimne vojne mete). Oni nisu svesno gađali „stambene četvrti" francuskih gradova. Pretpostavimo da je predložena ovakva politika. Siguran sam da bi nam svima bilo teže da donesemo i branimo ovakvu opkladu da je, nekim čudnim sticajem okolnosti, zahtevala svesno ubijanje Francuza. Imali smo posebne obaveze prema Francuzima; borili smo se na njihovoj strani (a ponekad su bombarderima upravljali francuski piloti). Ali status civila se u ova dva slučaja ne razlikuje. Teorija koja razlikuje borce od neboraca ne razlikuje savezničke od neprijateljskih neboraca, bar ne što se tiče njihovog ubijanja. Pretpostavljam da ima smisla kazati da je bilo više ljudi u nemačkim nego u francuskim gradovima koji su bili odgovorni (na neki način) za zlo nacizma, i možemo oklevati da na njih proširimo pun opseg prava civila. Ali čak i da je ovo oklevanje opravdano, nema načina da bombarderi pronađu prave ljude. A za sve druge, terorizam samo ponavlja tiraniju koju su nacisti već uspostavili. On poistovećuje obične muškarce i žene s njihovom vladom, kao da ovo dvoje stvarno čine celinu, i o njima sudi na totalitaran način. Ako smo prinuđeni da bombardujemo gradove, čini mi se, najbolje je priznati da smo prinuđeni i da ubijamo nedužne.

Međutim, ponovo želim da postavim radikalna ograničenja pojmu nužnosti, mada ga i sam koristim. Jer istina je da je krajnja nužda prošla mnogo ranije nego što je britansko bombardovanje dostiglo svoj vrhunac. Najveći broj nemačkih civila poginuo je bez ikakvog moralnog (a verovatno i bez ikakvog vojnog) razloga. Odlučujuću tezu izneo je sam Čerčil jula 1942. godine:[18]

> U danima kada smo se sami borili, mi smo odgovarali na pitanje: „Kako ćete vi dobiti rat?", govoreći: „Mi ćemo srušiti Nemačku bombardovanjem." Otada su nemačkoj vojsci

18 Čerčil, *Drugi svetski rat,* tom IV, *Prekretnica sudbine*, preveli Kaliopa Nikolajević i Momčilo Popović, Beograd, Prosveta, *s. a.* str. 815.

i radnoj snazi naneti ogromni gubici od strane Rusa, a pristizanje ljudstva i naoružanja iz Sjedinjenih Država otvorilo je druge mogućnosti.

Sigurno je tada bilo vreme da se prekine s bombardovanjem gradova i da se na nišan uzmu taktički i strateški samo legitimne vojne mete. Ali to nije bilo Čerčilovo gledište: „Svejedno, bilo bi pogrešno odbaciti našu prvobitnu zamisao... da će snažno, bezobzirno bombardovanje Nemačke u sve većim razmerama ne samo oštetiti njen ratni napor... već će takođe stvoriti nepodnošljive uslove za masu nemačkog stanovništva.“ Stoga su se napadi nastavili, dostigavši vrhunac u proleće 1945 – kada je rat bio praktično dobijen – u divljačkom napadu na Drezden u kojem je poginulo oko 100.000 ljudi.[19] Tek tada je Čerčil promenio mišljenje. „Čini mi se da je došao trenutak kada pitanje bombardovanja nemačkih gradova prosto radi zastrašivanja, mada pod drugim izgovorima, treba ponovo razmotriti... Razaranje Drezdena stavlja način na koji su Saveznici vodili bombardovanje pod ozbiljan znak pitanja.“[20] To je zaista tako, ali to čine i razaranje Hamburga i Berlina, kao i svih drugih gradova napadnutih prosto radi širenja straha.

Argument kojim je od 1943. do 1945. godine branjeno terorističko bombardovanje bio je utilitaristički po karakteru, a naglasak nije bio na samoj pobedi već na vremenu i ceni pobede. Napadi na gradove, tvrdili su ljudi poput Harisa, okončaće rat brže nego što bi se to inače desilo i, uprkos velikom broju civilnih žrtava, po manjoj ceni u ljudskim životima. Pretpostavljajući da je ova tvrdnja istinita (već sam ukazao na to da neki istoričari i stratezi tvrde upravo suprotno), ipak ona nije dovoljna da opravda bombardovanje. Nije dovoljna, mislim, čak ni ako ne činimo ništa više nego proračunavamo korisnost. Jer ovakvi proračuni ne moraju da se odnose samo na čuvanje ljudskih života. Ima i mnogo čega drugog što bismo želeli da sačuvamo: kvalitet naših života, na primer, našu civilizaciju i moral, zajedničko gnušanje koje osećamo prema ubistvu, čak i onda kada se čini, što je uvek slučaj, da služi nekoj svrsi. Tada promišljen pokolj

19 Podroban opis napada iznet je u David Irving, *The Destruction of Dresden*, New York, 1963.

20 Navedeno u Quester, str. 156.

nedužnih muškaraca i žena ne može biti opravdan time što čuva živote drugih ljudi. Pretpostavljam da je moguće zamisliti situacije u kojima se ovo poslednje tvrđenje može pokazati problematičnim iz utilitarističke perspektive – situacije u kojima je broj ljudi o kojima se radi mali, srazmere pravilne, cela stvar skrivena od očuju javnosti itd. Filozofi uživaju u izmišljanju ovakvih slučajeva koje koriste za preispitivanje naših moralnih učenja. Ali njihovi izumi nekako iščezavaju iz naše svesti usled puke razmere proračuna neophodnih u Drugom svetskom ratu. Ubiti 278.966 civila (broj je izmišljen) da bi se izbegla smrt nepoznatog ili verovatno još većeg broja civila i vojnika sigurno je fantastičan, Bogu primeren, zastrašujući i užasavajući čin.[21]

Rekao sam da ovakvi postupci verovatno mogu da budu isključeni iz utilitarističkih razloga, ali takođe je istina i da utilitarizam, kako se obično shvata, kako ga shvata i sam Sidžvik, podstiče bizarne računice koje te postupke čine (moralno) mogućim. Njihov užas možemo da prepoznamo samo kad smo priznali ličnost i vrednost muškaraca i žena koje uništavamo vršeći ih. Priznavanje prava zaustavlja ovakve proračune i prisiljava nas da shvatimo da je uništavanje nedužnih, ma s kakvim ciljem, bogohulno s obzirom na naše najdublje moralne vrednosti. (Ovo važi čak i u slučajevima krajnje nužde, kada ne možemo da postupamo nikako drugačije.) Ali, želim da razmotrim još jedan slučaj pre no što zaključim svoj argument – slučaj u kojem je utilitaristička računica, ma koliko bizarna, izgledala toliko radikalno jasna donosiocima odluka da im nije ostavljala, mislili su, nikakav drugi izbor osim da napadnu nedužne.

---

21 Džordž Orvel je izneo alternativno utilitarističko opravdanje bombardovanja nemačkih gradova. U uvodnicima koje je pisao za levičarski časopis *Tribune* 1944, dokazivao je da je bombardovanje upoznalo sa karakterom savremenog rata sve ljude koji su podržavali rat, pa čak i uživali u njemu, samo zato što ga nikada nisu iskusili na svojoj koži. Ono je uzdrmalo „imunitet civila, jednu od stvari koja čini rat mogućim", i učinilo rat manje verovatnim u budućnosti. Vidi *The Collected Essays, Journalism and Letters of George Orwell*, ed. Sonia Orwell and Ian Angus, New York, 1968, tom 3, str. 151–152. Orvel pretpostavlja da su civili imali imunitet u prošlosti, što nije tačno. U svakom slučaju, sumnjam da bi njegov argument naveo ikoga da počne da bombarduje gradove. To je naknadna apologija, i to ne baš ubedljiva.

Granice proračuna

Hirošima

„Svi su oni prihvatili 'zadatak' i stvorili Bombu", pisao je Dvajt Mekdonald [Dwight Macdonald] avgusta 1945. o nuklearnim fizičarima. „Zašto?" Ovo je značajno pitanje, ali ga Mekdonald loše postavlja, a potom daje i pogrešan odgovor. „Zato što su mislili o sebi kao o specijalistima, tehničarima, a ne kao o celovitim ljudima."[22] U stvari, oni nisu prihvatili zadatak, oni su ga sami tražili, preuzimajući inicijativu, objašnjavajući predsedniku Ruzveltu kritičan značaj američkog napora da se parira radu koji se izvodi u nacističkoj Nemačkoj. A to su činili upravo zato što su bili „celoviti ljudi", mnogi od njih izbeglice iz Evrope, s jasnim osećajem za to šta bi značila pobeda nacista za zemlje u kojima su rođeni i za celo čovečanstvo. Njih je terala duboka moralna strepnja, a ne (ili bar ne presudno) bilo kakva vrsta fascinacije naukom; sigurno je da nisu bili servilni tehničari. S druge strane, bili su to muškarci i žene bez političke moći ili sledbenika, i kad su jednom završili svoje delo, nisu mogli da kontrolišu njegovu upotrebu. Otkriće iz novembra 1944. da su nemački naučnici malo napredovali dokrajčilo je njihove napore najviše urgentnosti, ali nije okončalo program čije su pokretanje pomogli. „Da sam znao da Nemci neće uspeti da konstruišu atomsku bombu", rekao je Albert Ajnštajn [Albert Einstein], „ne bih ni prstom mrdnuo."[23] Međutim, do trenutka kada se to saznalo, naučnici su u velikoj meri završili svoj rad; zapravo, sada su se pitali tehničari, kojima su komandovali političari. A na kraju, bomba nije upotrebljena protiv Nemačke (ili da odvrati Hitlera od njene upotrebe, što su ljudi poput Ajnštajna imali na umu), već protiv Japanaca, koji nikada nisu bili takva pretnja miru i slobodi kao Nemci.[24]

22 *Memoirs of a Revolutionist*, New York, 1957, str. 178.

23 Robert C. Batchelder, *The Irreversible Decision: 1939-1950*, New York, 1965, str. 38. Bečelderova knjiga je najbolji istorijski opis odluke da se baci bomba, i jedini koji se bavi moralnim pitanjima na sistematski način.

24 U svom romanu *Novi ljudi* (*The New Men*), K. P. Snou [C. P. Snow] opisuje rasprave među atomskim fizičarima o tome da li treba upotrebiti bombu. Neki od njih, kaže njegov narator, na ovo pitanje odgovaraju „apsolutno ne", osećajući da ako oružje bude upotrebljeno da bi se pobile

Pa ipak, važna odlika američke odluke je to što su predsednik i njegovi savetnici verovali da Japanci vode agresivan rat i, štaviše, da se u njemu bore nepravedno. Tako je Truman u svom obraćanju američkom narodu 12. avgusta 1945. rekao:

> Upotrebili smo [bombu] protiv onih koji su nas napali u Perl Harburu bez objave rata, protiv onih koji su izgladnjivali i batinali i ubijali američke ratne zarobljenike, protiv onih koji su odbacili svaki privid da poštuju međunarodne zakone rata. Upotrebili smo je da bismo skratili agoniju rata...

Ovde se ponovo koristi klizna skala da bi se otvorio put za utilitarističke proračune. Japanci su izgubili svoja ratna prava (ili neka od njih), tako da ne mogu da se žale na Hirošimu ukoliko razaranje grada skraćuje rat, ili se bar razumno može očekivati da će ga skratiti. Ali da su Japanci bacili atomsku bombu na neki američki grad, pobivši desetine hiljada civila i skrativši time agoniju rata, taj postupak bi jasno predstavljao zločin, još jedan za Trumanov spisak. Međutim, ova distinkcija je prihvatljiva samo ako se iznosi sud ne samo protiv vođa Japana već i protiv običnih ljudi u Hirošimi, i istovremeno insistira da nikakav sličan sud nije moguć protiv ljudi u San Francisku, recimo, ili Denveru. Ne mogu da nađem, kao što sam ranije rekao, nikakav način da branim ovakvu jednu proceduru. Kako su ljudi Hirošime izgubili svoja prava? Možda su od njihovih poreza plaćeni neki od brodova i aviona upotrebljenih u napadu na Perl Harbor; možda su svoje sinove slali u mornaricu i avijaciju, moleći se za njihov uspeh; možda su slavili neki stvarni događaj, pošto im je rečeno da je njihova zemlja izvojevala veliku pobedu suočena s nastupajućom američkom pretnjom. Sigurno je da u ovome nema ničega što te ljude čini legitimnom metom direktnog napada. (Vredno je primetiti, mada ova činjenica nije relevantna za sud o odluci u pogledu Hirošime, da je napad na Perl Harbor bio

---

stotine hiljada nedužnih ljudi, „ni nauka, ni civilizacija, čija je nauka kost i srž, neće biti slobodni od krivice". Ali mnogo uobičajenije je bilo gledište koje branim: „Mnogi, možda većina, davali su uslovno negativan odgovor, iza kojeg je ležalo isto osećanje: *ali ako nema drugog načina* da se spase rat protiv Hitlera, bili bi spremni da bace bombu." *The New Men*, New York, 1954, str. 177 (podvukao Snou).

u potpunosti usmeren na instalacije vojske i mornarice: samo je nekoliko zalutalih bombi palo na grad Honolulu.)[25]

Ali ako je Trumanov argument od 12. avgusta bio slab, još gori mu je ležao u osnovi. On nije nameravao da primeni kliznu skalu s bilo kakvom preciznošću, jer se čini da je verovao da, imajući u vidu japansku agresiju, Amerikanci mogu da učine bilo šta da bi dobili rat (i skratili njegovu agoniju). Zajedno s većinom svojih savetnika, on je prihvatao učenje „rat je pakao"; to je stalna aluzija u odbranama odluke o Hirošimi. Tako Henri Stimson [Henry Stimson] piše:[26]

> Kad posle pet godina bacim pogled na vreme koje sam proveo služeći kao ministar rata, vidim previše okrutnih i bolnih odluka da bih bio voljan da se pretvaram da je rat išta drugo do ono što jeste. Lice rata je lice smrti; smrt je neizbežan deo svakog naređenja koje izdaju vođe u doba rata.

I Džejms Birns [James Byrns], Trumanov prijatelj i ministar inostranih poslova:[27]

> ... rat je i dalje ono što je general Šerman rekao da jeste.

I Artur Kompton [Arthur Compton], glavni naučni savetnik vlade:[28]

> Kad pomislimo na konjanike Džingis Kana... na Tridesetogodišnji rat... na milione Kineza izginulih tokom japanske invazije... na ogromno razaranje zapadne Rusije... shvatamo da, bilo na koji način da se vodi, rat jeste upravo onakav kako ga je opisao general Šerman.

A sam Truman:[29]

> Ne treba da postanemo toliko preokupirani oružjem da izgubimo iz vida činjenicu da je sam rat pravi zlotvor.

---

25 A. Russell Buchanan, *The United States and World War II*, New York, 1964, tom I, str. 75.

26 „The Decision to Use the Atomic Bomb", *Harpers Magazine*, februar 1947, preštampano u *The Atomic Bomb: The Great Decision*, ed. Paul R. Baker, New York, 1968, str. 21.

27 *Speaking Frankly*, New York, 1947, str. 261.

28 *Atomic Quest*, New York, 1956, str. 247.

29 *Mr. Citizen*, New York, 1960, str. 267. Na ovim citatima zahvalan sam Džeraldu Mekelroju [Gerald McElroy].

Sam rat treba kriviti, ali i ljude koji su ga započeli... dok oni koji se pravedno bore samo učestvuju u paklu rata, bez izbora, i nema moralnih odluka za koje bi oni mogli biti pozivani na odgovornost. Ovo nije, ili bar nije nužno nemoralno učenje, ali je radikalno jednostrano; ono izbegava tenziju između *jus ad bellum* i *jus in bello*; ono odstranjuje potrebu za teškim sudovima; ono relaksira naš osećaj moralne uzdržanosti. Kad je birao metu za prvu atomsku bombu, saopštava Truman, pitao je Stimsona koji su japanski gradovi „posvećeni isključivo proizvodnji za rat".[30] Pitanje je bilo promišljeno; Truman nije želeo da prekrši „zakone rata". Ali nije bilo ozbiljno. Koji su američki gradovi bili posvećeni isključivo proizvodnji za rat? Ovakva pitanja je moguće postavljati jedino ako odgovor nije važan. Ako je rat pakao ma kako bio vođen, kakva je tada razlika u tome kako se borimo? A ako je sam rat zlotvor, tada kakve rizike snosimo (osim strateških) kad donosimo odluke? Japanci, koji su započeli rat, mogu i da ga okončaju; samo oni mogu da ga okončaju, a sve što mi možemo da činimo to je da se borimo, podnoseći ono što je Truman nazvao „svakodnevnom targedijom ogorčenog rata". Ne sumnjam da je ovo bilo stvarno Trumanovo gledište; ono nije bilo rezultat okolnosti već ubeđenja. Ali ovo gledište je iskrivljeno. Ono pogrešno shvata stvarni pakao rata, koji je određenog karaktera i može se precizno odrediti kao beskonačne patnje religijske mitologije. Patnje rata su beskonačne samo ako ih mi učinimo takvim – samo ako prekoračimo, poput Trumana, granice koje smo ustanovili mi i drugi ljudi. Mislim da to ponekad i činimo, ali ne sve vreme. Sada moramo da postavimo pitanje da li je bilo nužno da to učinimo 1945. godine.

Jedina moguća odbrana napada na Hirošimu jeste utilitaristički proračun izveden bez klizne skale, proračun izveden, stoga, tamo gde mu nije bilo mesto, polaganje prava na to da se nadjačaju pravila rata i prava japanskih civila. Želim da ovaj argument izložim što je snažnije moguće. Američka politika je 1945. godine bila usredsređena na zahtev za bezuslovnom predajom Japana. Japanci su u tom trenutku već izgubili rat, ali nikako nisu bili spremni da prihvate ovaj zahtev. Vođe njihovih oružanih snaga

30 Batchelder, str. 159.

su očekivali invaziju na japanska ostrva i bili spremni za poslednji otpor. Imali su na raspolaganju preko dva miliona vojnika, i verovali su da će invaziju učiniti toliko skupom da će Amerikanci pristati na sporazumni mir. Trumanovi vojni savetnici su takođe verovali da će cena biti visoka, mada javno dostupni arhivi ne nagoveštavaju da su ikada predlagali pregovore. Mislili su da bi rat mogao da se nastavi duboko u 1946. godinu i da će pasti možda još milion američkih žrtava. Japanski gubici bi bili mnogo veći. Zauzimanje Okinave u bici koja je trajala od aprila do juna 1945. godine odnelo je skoro 80.000 američkih žrtava, dok je praktično ceo japanski garnizon od 120.000 ljudi izginuo (zarobljeno je samo 10.000 ljudi).[31] Kad bi velika japanska ostrva bila branjena s istom surovošću, izginule bi stotine hiljada, a možda i milioni japanskih vojnika. U međuvremenu, borbe bi se nastavile u Kini i Mandžuriji, u kojoj se spremao ruski napad. I bombardovanje Japana bi se nastavilo, a možda i pojačalo, sa stopom poginulih koja se ne bi razlikovala od stope očekivane u atomskom napadu. Jer Amerikanci su u Japanu prihvatili britansku politiku zastrašivanja: veliki napad zapaljivim bombama na Tokio početkom marta 1945. godine izazvao je vatrenu oluju i pobio, procenjuje se, oko 100.000 ljudi. Nasuprot svemu ovome, u svesti američkih donosilaca odluka stajao je učinak atomske bombe – koji materijalno ne bi bio razorniji, ali bi psihološki bio više zastrašujući, i koji bi obećavao, možda, brzi kraj rata. „Da bi se izbegla ogromna, beskonačna klanica... po ceni nekoliko eksplozija", pisao je Čerčil podržavajući Trumanovu odluku, „to se činilo, posle svih naših muka i nevolja, kao čudom izbavljenja."[32]

„Ogromna, beskonačna klanica" u kojoj bi veoma verovatno izginulo nekoliko miliona ljudi: sigurno je to veliko zlo, i da je to zlo bilo neposredno predstojeće, čovek bi razumno mogao dokazivati da bi krajnje mere mogle biti opravdane da bi se ono izbeglo. Ministar rata Stimson je mislio da je to ona vrsta slučaja koju sam već opisao, u kojem čovek mora da se kladi; nije bilo druge opcije. „Nijedan čovek u našem položaju i s našim odgovornostima, koji bi u svojim rukama imao oružje s takvim

31 Batchelder, str. 149.
32 *Triumph and Tragedy*, New York, 1962, str. 639.

mogućnostima da se... sačuvaju ljudski životi, ne bi propustio da ga upotrebi.“[33] Ovo nikako nije neki nerazumljiv, ili bar na prvi pogled bezočan argument. Ali ovo nije isti argument kao onaj koji sam izneo u slučaju Britanije 1940. godine. On nema oblik: ako ne učinimo *x* (ne bombardujemo gradove), oni će učiniti *y* (dobiti rat, uvesti tiransku vlast, poklati svoje protivnike). Ono što je Stimson dokazivao bilo je veoma različito. Imajući u vidu aktualnu politiku vlade Sjedinjenih Država, Stimsonov argument se svodi na sledeće: ako ne učinimo *x*, *mi* ćemo učiniti *y*. Dve atomske bombe prouzrokovale su „mnoge žrtve“, priznao je Džejms Birns, „ali ni blizu toliko koliko bi ih bilo da je naše vazduhoplovstvo nastavilo da baca zapaljive bombe na japanske gradove.“[34] Naš cilj, stoga, nije bio da se izbegne „klanica“ kojom je neko drugi pretio, i već počeo da je izvodi. Sada, kakvo veliko zlo, koja krajnja nužda opravdava napade zapaljivim bombama na japanske gradove?

Čak i da smo se borili strogo poštujući ratnu konvenciju, nastavak borbi nije bilo nešto na šta smo bili prisiljeni. Imalo je veze s našim ratnim ciljevima. Vojne procene žrtava nisu se zasnivale samo na verovanju da će se Japanci boriti do poslednjeg čoveka već i na pretpostavci da Amerikaci neće pristati ni na šta drugo do na bezuslovnu predaju. Ratni ciljevi američke vlade zahtevali su ili invaziju na velika japanska ostrva, uz ogromne gubitke američkih i japanskih vojnika i japanskih civila u ratnim zonama, ili upotrebu atomske bombe. Imajući u vidu ovaj izbor, mogli bi se ponovo razmotriti ti ratni ciljevi. Čak i ako pretpostavimo da je bezuslovna predaja bila moralno poželjna zbog prirode japanskog militarizma, još uvek bi mogla biti moralno nepoželjna zbog ljudske cene koju je povlačila za sobom. Ali predložiću jedan argument jači od ovog. Japanski slučaj se dovoljno razlikuje od nemačkog, tako da uopšte i nije trebalo zahtevati bezuslovnu predaju. Japanski vladari su bili angažovani u običnijoj vrsti militarne ekspanzije, i sve što se moralno zahtevalo bilo je to da oni budu poraženi, a ne da budu zarobljeni i potpuno zbačeni s vlasti. Neko ograničenje njihove vojne moći

---

33 „The Decision to Use the Bomb“, str. 21.
34 *Speaking Frankly*, str. 264.

moglo bi biti opravdano, ali njihova domaća vlast je bila nešto što se ticalo samo japanskog naroda. U svakom slučaju, ako je ubijanje miliona (ili mnogih hiljada) muškaraca i žena bilo u vojnom pogledu nužno da bi oni bili uhvaćeni i zbačeni, tada je bilo moralno nužno – da se ne bi pobili ti ljudi – zadovoljavanje nečim manjim. Ovaj argument sam izneo i ranije (u sedmom poglavlju); evo još jednog primera njegove praktične primene. Ako ljudi imaju pravo da ne budu prisiljeni na borbu, oni imaju i pravo da ne budu prisiljavani na produženje borbi preko tačke u kojoj bi rat mogao da bude s pravom okončan. Preko te tačke ne može biti krajnje nužde, nikakvih argumenata o vojnoj nužnosti, nikakvih računica o troškovima u ljudskim životima. I dalje nastavljati rat znači ponovo počiniti zločin agresije. U leto 1945. godine, pobednici Amerikanci dugovali su japanskom narodu eksperiment u pregovorima. Upotrebiti atomsku bombu, ubijati i terorisati civile, čak i bez ikakvog pokušaja takvog eksperimenta, predstavljalo je dvostruki zločin.[35]

Ovo su stoga granice carstva nužnosti. Utilitaristički proračun može nas prisiliti da prekršimo pravila rata samo kada smo suočeni ne samo sa porazom već i sa porazom koji će verovatno doneti propast političkoj zajednici. Ali ovi proračuni nemaju slične posledice kada je na kocki samo brzina ili veličina pobede. Oni su relevantni samo za sukob između pobede i poštene borbe, a ne i za imanentne probleme same borbe. Kad god je ovaj sukob odsutan, proračune obustavljaju pravila rata i prava koja ona štite. Suočeni s tim pravima, ne treba da proračunavamo posledice, ili relativne rizike, ili verovatne žrtve, već jednostavno da se zaustavimo i ostanemo po strani.

35 Slučaj bi bio još gori da je bomba upotrebljena iz političkih a ne vojnih razloga (imajući na umu Ruse, a ne Japance): o tome treba pogledati brižljivu analizu iznetu u Martin J. Sherwin, *A World Destroyed: The Atomic Bomb and the Grand Alliance*, New York, 1975.

17. NUKLEARNO ODVRAĆANJE

Problem nemoralnih pretnji

Truman je upotrebio atomsku bombu da bi okončao rat koji mu je se činio beskonačno užasan. A tada su, tokom nekoliko minuta ili sati, u avgustu 1945. godine, ljudi Hirošime doživeli rat koji je zaista bio beskonačno užasan. „U ovoj poslednjoj velikoj akciji Drugog svetskog rata“, pisao je Stimson, „dobili smo konačan dokaz da rat jeste smrt.“[1] Upravo je *konačan dokaz* pogrešan izraz, jer rat nikada nije bio nalik ovome. U Hirošimi je rođena nova vrsta rata, a ono što smo dobili bio je prvi letimičan pogled na to koliko je takav rat smrtonosan. Mada je poginulo manje ljudi nego u bombardovanju Tokija zapaljivim bombama, bili su pobijeni s čudovišnom lakoćom. Jedan avion, jedna bomba: s ovakvim oružjem 350 aviona koji su napali Tokio praktično bi izbrisalo život s japanskih ostrva. Atomski rat je zaista bio smrt, nediskriminativna i totalna, i posle Hirošime, prvi zadatak političkih vođa širom sveta bio je da spreče da se on ponovi.

Sredstvo koje su prihvatili bilo je obećanje da će se vratiti istom merom. Protiv pretnje nemoralnim napadom, oni su stavili pretnju nemoralnim odgovorom. Ovo je osnovni oblik nuklearnog odvraćanja. U međunarodnom kao i u domaćem društvu, odvraćanje deluje prizivanjem dramatičnih slika ljudske patnje. „U gajevima *njihove* akademije“, pisao je Edmund Berk [Edmund Burk] o liberalnim teoretičarima zločina i kazne, „na kraju svake aleje ne vidite ništa drugo do vešala.“[2] Ovaj opis nije pohvalan, jer je Berk verovao da domaći mir mora da počiva na nekim drugim temeljima. Ali, u prilog vešalima može se reći ovo: bar u principu, samo krivci treba da se plaše smrti na njima.

---

1 „The Decision to Use the Bomb“, u *The Atomic Bomb*, ed. Baker, str. 21.

2 *Reflections on the Revolution in France*, Everyman's Library, London, 1910, str. 75.

Međutim, za teoretičare odvraćanja treba reći: „U vrtovima *njihove* akademije, na kraju svake aleje ne vidite ništa drugo do oblak u obliku pečurke“ – a oblak simbolizuje slepi pokolj, ubijanje nedužnih (kao u Hirošimi) ogromnih razmera. Nesumnjivo, pretnja ovakvim pokoljem, ako se u nju veruje, čini nuklearni napad radikalno nepoželjnom politikom. Udvostručena od strane potencijalnog neprijatelja, pretnja stvara „ravnotežu straha“. Obe strane su toliko uplašene da nikakvo dalje zastrašivanje nije potrebno. Ali da li je sama pretnja u moralnom pogledu moguća?

Ovo je teško pitanje. U godinama posle Hirošime ono je podstaklo značajne radove u kojima se ispitivao odnos između nuklearnog odvraćanja i pravednog rata.[3] To je bilo delo uglavnom teologa i filozofa, ali njime su se bavili i neki od stratega odvraćanja; njih zastrašivanje brine isto koliko i konvencionalne vojnike ubijanje. Ovu literaturu ne mogu ovde da ispitam, mada ću je slobodno koristiti. Argument protiv odvraćanja je dovoljno poznat. Svako ko prihvata distinkciju između boraca i neboraca biće užasnut baukom razaranja koje se priziva, i namerno priziva, u teoriji odvraćanja. „Kako jedna nacija može da živi sa svojom savešću“, pitao je Džon Benet [John Bennett], „znajući da se sprema da pobije dvadeset miliona dece druge nacije ako dođe do najgoreg?“[4] Pa ipak živimo s tim znanjem, i sa svojom savešću, već nekoliko decenija. Kako nam je to pošlo za rukom? Razlog iz kojeg prihvatamo strategiju odvraćanja, rekla bi većina ljudi, jeste to što pripremanje za ubistvo, čak i pretnja ubistvom, nije isto što i ubijanje. Zaista nije, ali je zastrašujuće blisko – inače odvraćanje ne bi „delovalo“ – i u prirodi te bliskosti leži moralni problem.

Problem se često pogrešno opisuje – kao u sledećoj analogiji koja treba da osvetli nuklearno odvraćanje, koju je prvi izneo Pol Remzi [Paul Ramsey], i koja se otada često ponavlja:[5]

---

3 Vidi, na primer, *Nuclear Weapons and Christian Conscience*, ed. Stein; *Nuclear Weapons and the Conflict of Conscience*, ed. John C. Bennett, New York, 1962; *The Moral Dilemma of Nuclear Weapons*, ed. William Clancy, New York, 1961; *Morality and Modern Warfare*, ed. William J. Nagle, Baltimore, 1960.

4 „Moral Urgencies in the Nuclear Context“, u *Nuclear Weapons and the Conflict of Conscience*, str. 101.

5 *The Just War: Force and Political Responsibility*, New York, 1968, str. 171.

> Pretpostavimo da jednog prazničnog vikenda niko ne pogine, niti bude povređen na autoputevima; i da je razlog za izuzetnu uzdržanost bezobzirnih vozača to što je iznenada svako od njih otkrio da vozi sa bebom koja je privezana za prednji branik njegovih kola! To nikako ne bi regulisalo saobraćaj, *čak i kad bi uspelo da ga savršeno reguliše*, jer ovakav sistem od nedužnih ljudskih života čini *neposredni objekat* napada i koristi ih kao puka sredstva za obuzdavanje vozača automobila.

Naravno, niko nije predložio da se na ovaj vispren način reguliše saobraćaj, dok je strategija odvraćanja prihvaćena praktično bez ikakvog protivljenja. Ovaj kontrast treba da nas navede da uvidimo šta je pogrešno u Remzijevoj analogiji. Mada odvraćanje od američkih i ruskih civila čini puka sredstva za sprečavanje rata, ono pri tom ni na koji način ne ograničava nikoga od nas. Remzi ponavlja strategiju nemačkih oficira tokom Francusko-pruskog rata, koji su civile prisiljavali da se voze vojnim vozovima da bi odvratili sabotere. Nasuprot tim civilima, mi smo taoci koji vode normalan život. U prirodi je nove tehnologije to da može da nam se preti a da nismo zatočenici. Stoga je toliko lako živeti s odvraćanjem, mada je ono toliko zastrašujuće. Ono se ne može okriviti za ono što čini svojim taocima. Ono je toliko daleko od ubijanja da im čak ne nanosi nikakvc povrede, niti ih ograničava; ono ne sadrži nikakvo neposredno ili telesno kršenje njihovih prava. Kritičari odvraćanja koji su istovremeno i dosledni konsekvencijalisti morali su da zamisle psihičke povrede. Tako je Erih From [Erich Fromm] pisao 1960. godine: „Živeti neki period vremena pod neprekidnom pretnjom uništenja kod većine ljudskih bića izaziva izvesne psihološke posledice – strah, mržnju, neosetljivost... i ravnodušnost prema svim vrednostima koje cenimo. Ovakvi uslovi će nas preobraziti u varvare...“[6] Ali meni nisu poznati nikakvi dokazi u prilog bilo ovom tvrđenju, bilo predviđanju; sigurno je da danas nismo veći varvari no što smo bili 1945. U stvari, za većinu ljudi je pretnja uništenjem, mada stalna, nevidljiva i neprimetna. Počeli smo da s njom živimo potpuno nehatno – što Remzijeve bebe, najverovatnije

6 „Explorations into the Unilateral Disarmament Position,“ u *Nuclear Weapons and the Conflict of Conscience*, str. 130.

traumatizovane za ceo život, nikako ne bi mogle, a taoci u konvencionalnim ratovima nikako nisu mogli.

Da je odvraćanje bolnije, mogli bismo da pronađemo druge načine kako da izbegnemo nuklearni rat – ili ga ne bismo mogli izbeći. Da milione ljudi treba da držimo zatvorene da bismo održali ravnotežu straha, ili da moramo da pobijemo milione ljudi (s vremena na vreme) da bismo uverili svoje protivnike da ozbiljno mislimo, odvraćanje se ne bi dugo prihvatalo.[7] Ova strategija deluje zato što je toliko laka. Zaista, ona je laka u dvostrukom smislu: ne samo da ne moramo ništa da činimo drugim ljudima već takođe i ne verujemo da ćemo ikada morati išta da učinimo. Tajna nuklearnog odvraćanja leži u tome što je ono neka vrsta obmane. Možda obmanjujemo samo same sebe, odbijajući da priznamo stvarne užase lomne i privremene ravnoteže. Ali nije tačan nijedan opis našeg iskustva koji ne uviđa da je, uprkos čitavom svom avetinjskom potencijalu, odvraćanje do sada bilo strategija bez prolivanja krvi.

Stoga su, što se tiče posledica, odvraćanje i masovno ubistvo veoma udaljeni. Njihova bliskost je stvar moralnog stava i namere. Remzijeva analogija još jednom promašuje. Njegove bebe nisu stvarno „neposredni objekat napada", jer ma šta da se dogodi tog prazničnog vikenda, niko neće odlučiti da ih promišljeno pobije. A odvraćanje počiva na spremnosti da se učini upravo to. Ono je kao kada bi država pokušala da spreči ubistva zapretivši da će da pobije porodicu i prijatelje svakog ubice – domaća verzija politike „masovne odmazde". Ovo bi sigurno bila odvratna politika. Ne bismo se divili policijskim zvaničnicima koji su je smislili, niti onima koji bi bili obavezni da je izvršavaju, čak ni kada u stvari nikada ne bi nikoga ubili. Ne želim da kažem da bi ti ljudi bili neizbežno preobraženi u varvare; mogli bi da imaju snažno razvijen osećaj o tome koliko je ubistvo užasno i snažnu želju da ga izbegnu; mogli bi da se gnušaju posla koji su obavezni da obavljaju i da se grozničavo nadaju da nikada neće morati da ga obave. Pa ipak je ceo ovaj poduhvat nemoralan. Nemoralnost leži u samoj pretnji, a ne u njenim sadašnjim, pa čak ni samo

7 Mogući scenario se može videti u romanu *Fail-Safe* Judžina Bardika [Eugene Burdick] i Harvija Vilera [Harvey Wheeler], New York, 1962.

verovatnim posledicama. Isto je i s nuklearnim odvraćanjem: treba da nas brinu naše sopstvene namere, kao i potencijalne (pošto nema stvarnih) žrtve tih namera. Ovde je Remzi slučaj izrazio vrlo dobro: „Sve što je loše uraditi, loše je i zapretiti da ćemo da uradimo, ako zapretiti znači 'nameravati da se učini'... Ako je rat protiv stanovništva zločin, tada su zločinačke i pretnje stanovništvu, koje treba da odvrate od rata."[8] Nema sumnje da je ubijanje miliona ljudi gore od pretnje da će biti ubijeni. Istina je i da niko ne želi da ih pobije, a moglo bi biti istina i da niko ne očekuje da će se to dogoditi. Pa ipak, mi nameravamo da ih pobijemo u određenim okolnostima. To je izričita politika naše vlade; a hiljade ljudi podučenih tehnikama masovnog uništavanja i uvežbanih za trenutnu poslušnost, čekaju spremni da je izvedu. A iz perspektive morala, ova spremnost je sve. Možemo je prevesti u stepene opasnosti, visok i nizak, i brinuti se zbog opasnosti u koju dovodimo nedužne ljude, ali opasnost zavisi od spremnosti. Ono što osuđujemo kod naše sopstvene vlade, kao i kod policije u mojoj domaćoj analogiji, jeste preuzimanje obaveze da se ubija.[9]

Ali i ova se analogija može dovesti u pitanje. Ne sprečavamo ubistva i ne kontrolišemo saobraćaj pomenutim bizarnim i nehumanim načinima. Ali odvraćamo ili težimo da odvratimo naše nuklearne protivnike. Možda se odvraćanje razlikuje, zbog opasnosti za koje njegovi zastupnici tvrde da se njime izbegavaju. Smrt u saobraćajnim nesrećama i povremena ubistva, ma koliko

---

8 Paul Ramsey, „A Political Ethics Context for Strategic Thinking", u *Strategic Thinking and Its Moral Implications*, ed. Morton A. Kaplan, Chicago, 1973, str. 134–135.

9 Da li bi bilo ikakve razlike ako bi ova obavezanost bila mehanički postavljena? Pretpostavimo da načinimo kompjuter koji će slanjem naših raketa automatski odgovoriti na svaki neprijateljev napad. Potom obavestimo naše potencijalne neprijatelje da će njihovi gradovi biti napadnuti ako oni napadnu naše. A oni bi bili odgovorni za oba napada, mogli bismo da kažemo, jer u intervalu između ova dva napada nikakva politička odluka, nikakav voljni čin, ne bi bio moguć s naše strane. Ne želim da komentarišem moguću efikasnost (ili opasnosti) ovakvog aranžmana. Ali vredno je insistirati na tome da on ne bi rešio moralni problem. Ljudi koji su stvorili kompjuterski program ili političke vođe koji su im naložili da to učine bili bi odgovorni za drugi napad, jer bi ga oni isplanirali i organizovali, i nameravali da dođe do njega (pod izvesnim uslovima).

ih mi osuđivali, ne predstavljaju pretnju našim zajedničkim slobodama ili kolektivnom opstanku. Odvraćanje nas, tako nam se kaže, čuva od dvostruke opasnosti: prvo, od ucenjivanja atomskim oružjem i od strane dominacije; i drugo, od nuklearnog uništenja. Ove dve opasnosti idu ruku podruku, jer ukoliko se ne bismo plašili ucene, mogli bismo da prihvatimo politiku popuštanja ili predaje i da tako izbegnemo uništenje. Teorija odvraćanja razvijena je na vrhuncu hladnog rata između Sjedinjenih Država i Sovjetskog Saveza, a ljudi koji su je razvili prevashodno su brinuli o političkim upotrebama nasilja – koje nisu relevantne ni u analogiji sa saobraćajem, ni u analogiji s policijom. Čini se da se u osnovi američke doktrine krije neka verzija parole „Bolje mrtav nego crven" (nije mi poznata odgovarajuća ruska fraza). Ali ovo nije parola u koju se zaista može verovati; teško je zamisliti da se stvarno mislilo da je nuklearni holokaust bolji od širenja sovjetske moći. Odvraćanje se činilo privlačnim zato što je izgledalo kao da je u stanju da izbegne i jedno i drugo.

Nema potrebe da se bavimo prirodom sovjetskog režima da bismo shvatili vrline ovog argumenta. Teorija odvraćanja ne zavisi od shvatanja staljinizma kao velikog zla (mada je to veoma prihvatljivo gledište) na isti način na koji moj argument o terorističkim bombardovanjima zavisi od tvrđenja o zlu nacizma. On zahteva samo da vidimo da popuštanje ili predaja uključuju gubitak vrednosti suštinskih za naše postojanje kao nezavisne nacionalne države. Jer ne može se dopustiti da napredak tehnologije našu naciju, ili bilo koju naciju, stavi na milost i nemilost neke velike sile, voljne da ugrozi svet ili da širi svoju vlast u senci prećutne pretnje. Ovde se slučaj veoma razlikuje od onog do koga obično dolazi u ratu, gde nas *naša* vernost ratnoj konvenciji stavlja, ili bi nas stavila, u nepovoljniji položaj u odnosu na *njih*. Jer nepovoljni položaji ove vrste su delimični i relativni; uvek su dostupne različite protivmere, kao i kompenzujući koraci. Ali u nuklearnom slučaju, nepovoljni položaj je apsolutan. Protiv neprijatelja voljnog da upotrebi bombu samoodbrana je nemoguća, i ima smisla reći da je jedini kompenzujući korak (nemoralna) pretnja da se odgovori istom merom. Nije verovatno da će ijedna zemlja koja je u stanju da uputi ovu pretnju odbiti da je uputi. Stoga će svaka država suočena sa nuklearnim protivnikom (malo je važno kakav je odnos protivništva, ili koji ideološki oblik ono ima), i sposobna da stvori sopstvenu bombu, verovatno to i učiniti, tražeći bezbednost u ravnoteži straha.[10] Jasno je da bi obostrano razoružanje bilo bolja alternativa, ali ova alternativa je dostupna samo dvema zemljama koje čvrsto sarađuju, dok je odvraćanje verovatan izbor bilo koje od njih. Njih će brinuti spremnost one druge da napadne; svaka od njih će prihvatiti obavezu da se odupre; i one će uvideti da najveća opasnost u ovom sukobu nije poraz jedne ili druge strane već potpuno uništenje obe – a možda i svih drugih. Ovo je u stvari opasnost s kojom se suočava čovečanstvo posle 1945. godine i svoje razumevanje nuklearnog odvraćanja moramo da razvijemo s obzirom na domašaj i bliskost ove opasnosti. Stanje krajnje nužde je postalo permanentno. Odvraćanje predstavlja način da se s tim stanjem izađe na kraj, i mada je to loš način, možda nema nijednog drugog koji bi bio praktično izvodiv u svetu suverenih i podozrivih država. Mi pretimo zlom da ga ne bismo počinili, a počiniti ovo zlo bilo bi toliko užasno da u poređenju s njim ova pretnja izgleda moralno odbranjiva.

Ograničeni nuklearni rat

Da se bomba upotrebi bilo kad, odvraćanje bi bilo neuspelo. Odlika je masovne odmazde to da, dok u pretnji njome može biti nekakve racionalne svrhe, ne može biti nikakve u njenom stvarnom izvođenju. Kad bi se ikada prozrela naša „obmana" i naši gradski centri bili napadnuti, taj rat ne bi mogao (ni u kakvom smislu te reči) biti *dobijen*. Mogli bismo samo da svoje neprijatelje povučemo sa sobom u provaliju. Upotreba naše sposobnosti da uzvratimo predstavljala bi čin čiste destrukcije. Iz tog razloga, masovna odmazda, ako već nije bukvalno nezamisliva, uvek je izgledala neizvodiva, i to je izvor znatne zabrinutosti među vojnim strategima. Oni dokazuju da odvraćanje deluje

10 Ovo je očigledno strašna logika širenja nuklearnog naoružanja. Što se tiče moralnog pitanja, nova ravnoteža straha, stvorena ovim širenjem, upravo je ista kao i prva, opravdana (ili neopravdana) na isti način. Ali stvaranje regionalnih ravnoteža može imati opšte posledice po stabilnost ravnoteže među velikim silama, uvodeći time nova moralna razmatranja, kojima se ovde ne mogu baviti.

samo ako svaka strana veruje da bi ona druga strana stvarno mogla da ispuni svoju pretnju. Ali da li bismo je mi ispunili? Džordž Kenan je nedavno izneo ono što mora biti moralni odgovor:[11]

> Pretpostavimo da dođe do nuklearnog napada na ovu zemlju i da milioni ljudi budu ubijeni i povređeni. Pretpostavimo još i da smo sposobni da uzvratimo istom merom i da uništimo gradske centre zemlje koja nas je napala. Da li biste vi hteli da to uradite? Ja ne bih... Ne osećam nikakvu simpatiju prema čoveku koji traži „oko za oko" u nuklearnom napadu.

Ovo je humano stanovište – mada o njemu verovatno treba šaputati, a ne objavljivati ga ako treba da se očuva ravnoteža straha. Ali argument bi mogao da izgleda veoma različito kad bi prvobitni napad ili planirani odgovor izbegavali gradove i ljude. Da je ograničeni nuklearni rat moguć, zar ne bi bio i izvodiv? A zar ravnoteža straha ne bi tada mogla da bude ponovo uspostavljena na temeljima pretnji koje nisu ni nemoralne ni neubedljive?

Tokom kratkog perioda krajem pedesetih i početkom šezdesetih godina dvadesetog veka, na ova pitanja je odgovarano grdnom poplavom strateških argumenata i spekulacija, koji su se na značajne načine preklapali sa moralizatorskom literaturom koju sam ranije pomenuo.[12] Jer rasprava među stratezima usredsređivala se na pokušaj (mada je to retko kad bilo izričito rečeno) da se nuklearni rat uklopi u strukturu ratne konvencije, da se primene argumenti o pravdi kao da je ta vrsta sukoba ista kao i bilo koja druga. Ovaj pokušaj je obuhvatao, prvo, odbranu upotrebe taktičkih nuklearnih oružja za odvraćanje, a ako bi ono bilo neuspešno, njihovu upotrebu u odupiranju konvencionalnim napadima ili nuklearnim napadima manjih razmera; drugo, razvoj strategije „protivudara" usmerenih na neprijateljeva vojna postrojenja i na druge velike ekonomske mete (ali ne i na cele gradove). Ovo dvoje je imalo sličan cilj. Obećavajući ograničeni nuklearni rat, omogućavali su da se zamisli stvarno vođenje takvog rata – omogućavali su da se zamisli *pobeda* u njemu – te

11 George Urban, „A Conversation with George F. Kennan", 47 *Encounter* 3:37, septembar 1976.

12 Pregled i kritika ove literature izneti su u Philip Green, *Deadly Logic: The Theory of Nuclear Deterrence*, Ohio State University Press, 1966.

su tako snažili nameru koja je ležala iza pretnji koje su od rata odvraćale. Preobrazili su „obmanu" u prihvatljivu opciju.

Do kraja pedesetih godina dvadesetog veka, većina ljudi je bila sklona da atomsku bombu i njenu termonuklearnu naslednicu smatra zabranjenim oružjem. One su bile tretirane po analogiji s otrovnim gasovima, mada nije bila utvrđena pravna zabrana njihove upotrebe. „Zabranite bombu!" bila je svačija politika, a odvraćanje je jednostavno bilo način da se zabrana ostvari. Ali, sada su stratezi izneli ideju (opravdanu) da ključna razlika u teoriji i praksi rata nije razlika između zabranjenih i dopuštenih oružja već između zabranjenih i dopuštenih meta. Bilo je mučno i teško razmišljati o masovnoj odmazdi, zato što je bila modelovana po uzoru na Hirošimu; ljudi koje smo planirali da pobijemo bili su nedužni, vojno neangažovani, udaljeni od oružja kojima su njihove vođe pretile nama, o kojima su znali isto toliko malo kao i mi o oružju kojim su naše vođe pretile njima. Ali ovaj prigovor bi nestao ukoliko bismo mogli da odvratimo protivnike preteći ograničenim i moralno prihvatljivim razaranjem. Zaista, prigovor bi nestao toliko potpuno da bismo mogli doći u iskušenje da se odreknemo odvraćanja i sami započnemo razaranja kad god bi to izgledalo kao da ide u našu korist. Ovo je sigurno bila tendencija mnogih strateških argumenata, a nekolicina pisaca je iznela prilično privlačne slike ograničenog nuklearnog rata. Henri Kisindžer [Henry Kissinger] ga je uporedio s ratom na moru – najboljom vrstom rata, pošto niko ne živi na pučini. „Prava analogija... nije tradicionalno ratovanje na kopnu već pomorska strategija, u kojoj samostalne, [veoma pokretne] jedinice s velikom vatrenom moći postepeno stiču premoć uništavajući iste takve jedinice neprijatelja, bez fizičke okupacije teritorije ili uspostavljanja linije fronta."[13] Jedina teškoća je ležala u tome što je Kisindžer zamišljao vođenje ovakvog rata u Evropi.[14]

---

13 *Nuclear Weapons and Foreign Policy*, New York, 1957, str. 180.

14 Kisindžer je kasnije napustio ova gledišta, i ona su skoro iščezla iz strateških rasprava. Ali ovu sliku ograničenog nuklearnog rata je razvio u živopisnim pojedinostima Džo Haldeman [Joe Haldeman] u svom romanu *Rat zauvek* [*The Forever War*], New York, 1974, u kojem se rat vodi ne na moru već u svemiru. Mnoge od strateških spekulacija iz pedesetih i šezdesetih godina prošlog veka završile su kao naučna fantastika. Da li to znači da stratezi imaju isuviše imaginacije, ili da je pisci naučne fantastike nemaju dovoljno?

Taktičko ratovanje i primena protivudara zadovoljavaju formalne zahteve koje postavlja *jus in bello*, i njega su se zdušno dohvatili neki moralni teoretičari. Međutim, to ne znači da ono ima moralnog smisla. I dalje ostaje mogućnost da se nova ratna tehnologija ne uklapa i da se ne može uklopiti u stare granice. Ovaj iskaz se može braniti na dva načina. Prvi se sastoji u dokazivanju da će kolateralna šteta koju će verovatno prouzrokovati čak i „legitimna" upotreba nuklearnog oružja biti toliko velika da će narušiti obe granice srazmernosti koje utvrđuje teorija rata: broj ljudi ubijenih u ratu u celini neće biti opravdan ciljevima rata – posebno zbog toga što će u mrtve spadati i mnogi, ako ne i svi ljudi radi čije odbrane se rat i vodio; a broj ljudi ubijenih u pojedinim akcijama će biti nesrazmeran (prema učenju o dvostrukom efektu) vrednosti vojnih ciljeva koji se napadaju. „Nesrazmera između cene ovakvih neprijateljstava i rezultata koje ona mogu da postignu", pisao je Rejmon Aron [Raymond Aron], misleći na ograničeni nuklearni rat u Evropi, „biće kolosalna."[15] Bila bi kolosalna čak i ako se poštuju formalna ograničenja u pogledu izbora meta. Ali drugi argument protiv ograničenog nuklearnog rata počiva na tvrdnji da ova ograničenja skoro sigurno neće biti poštovana.

Naravno, danas možemo samo da nagađamo o mogućem izgledu i toku bitaka; još uvek nema neke istorije koja bi se mogla proučavati. Ni moralisti ni stratezi ne mogu da se pozivaju na slučajeve; umesto toga, oni sastavljaju scenarije. Pozornica je prazna, može se popuniti na veoma različite načine, i nije nemoguće zamisliti da će ograničenja biti poštovana čak i posle upotrebe nuklearnog oružja u borbama. Mogućnost da će biti poštovana i da će se rat produžiti toliko je zastrašujuća onim zemljama na čijem tlu bi se ovakvi ratovi verovatno vodili da su se one, uopšte uzev, protivile novim strategijama i insistirale na pretnji masovnom odmazdom. Kao što je pisao Andre Bofr [André Beaufre]: „Evropljani bi više voleli rizik opšteg rata u pokušaju da se potpuno izbegne rat nego da Evropa postane pozornica operacija u ograničenom ratu."[16] Međutim, zapravo će rizici eskalacije

15 *On War*, trans. Terence Kilmartin, New York, 1968, str. 138.

16 Vidi odrednicu „Warfare, Conduct of" u *Encyclopaedia Britannica*, 15. izdanje, Čikago, 1975, *Macropaedia*, tom 19, str. 509.

biti veliki ma kakva se ograničenja prihvatila, jednostavno zbog ogromne razorne moći oružja o kojima je reč. Tačnije, postoje dve mogućnosti: ili će se nuklearna oružja zadržati na tako niskom stupnju da se neće značajno razlikovati od konvencionalnih eksploziva, niti će u vojnom pogledu biti korisnija od njih, u kom slučaju uopšte nema razloga da se ona upotrebljavaju; ili će njihova upotreba izbrisati razliku između meta. Kad se bombom gađa vojna meta, a bomba usled uzgrednih efekata uništi ceo grad, logika odvraćanja će zahtevati od druge strane da bombom gađa grad (da bi sačuvala svoju ozbiljnost i uverljivost). Nije nužno da svaki rat preraste u totalni rat, ali je opasnost eskalacije toliko velika da sprečava početnu upotrebu nuklearnog oružja – osim od strane nekog ko je spreman da se suoči s njegovom konačnom upotrebom. „Ko će ikada započeti ovakva neprijateljstva", pitao je Aron, „osim ukoliko nije odlučan da izdrži sve do gorkog kraja?"[17] Ali ovakva odlučnost nije zamisliva kod duševno zdravog ljudskog bića, a još manje kod državnika odgovornog za bezbednost svog naroda; to ne bi bilo ništa drugo do nacionalno samoubistvo.

Čini se da ova dva činioca, razmere čak i ograničenog razaranja i opasnosti od eskalacije, isključuju bilo kakvu vrstu nuklearnog rata između velikih sila. Oni verovatno isključuju i konvencionalni rat velikih razmera, uključujući i određeni konvencionalni rat koji je najviše brinuo stratege tokom pedesetih i šezdesetih godina dvadesetog veka: rusku invaziju na zapadnu Evropu. „Prizor ogromne sovjetske armije koja provaljuje u zapadnu Evropu u nadi i *očekujući* da protiv nje neće biti upotrebljeno nuklearno oružje – što bi tu armiju i SSSR dovelo u krajnju opasnost, prepuštajući izbor oružja nama – čini se da nije vredan razmišljanja..."[18] Važno je istaći da prepreka leži u tome što je opasnost potpuna, ne u mogućnosti onoga što stratezi nazivaju „fleksibilnim odgovorom", koji je dobro prilagođen obimu napada, već u strašnoj stvarnosti najvećeg užasa ukoliko prilagođavanja pretrpe neuspeh. Možda je „fleksibilan odgovor" povećao vrednost odvraćanja usmerenog protiv stanovništva, omogućavajući da se ovaj konačni stadijum dostigne

17 *On War*, str. 138.

18 Bernard Brodie, *War and Politics*, New York, 1973, str. 404 (podvukao M. V.).

u „lakim“ koracima, ali takođe je istina koja je još važnija to da nikada nismo ni započeli stupnjevitu eskalaciju po fazama, niti je verovatno da ćemo je ikada započeti, zbog onoga što leži na njenom kraju. Odatle sledi postojanost odvraćanja usmerenog protiv stanovništva, kao i praktičan kraj strateških rasprava koje su prekinute sredinom šezdesetih godina prošlog veka. U tom je trenutku, mislim, postalo jasno da će, s obzirom na postojanje velikog broja nuklearnog oružja i njegovu relativnu neranjivost, ne računajući i velike tehnološke inovacije, *bilo koja zamisliva strategija* verovatno odvratiti „centralni rat“ između velikih sila. Stratezi su nam pomogli da to shvatimo, ali kada je jednom to shvaćeno, nije više bilo potrebno da se prihvati bilo koja od njihovih strategija – ili bar nijedna određena. Mi nastavljamo da živimo sa paradoksom koji je postojao i pre rasprave: nuklearno oružje je politički i vojno neupotrebljivo samo zato i utoliko što možemo uverljivo da zapretimo da ćemo ga upotrebiti na neki konačan način. A nemoralno je upućivati pretnje ove vrste.

Argument Pola Remzija

Pre no što odlučimo (ili odbijemo) da živimo s ovim paradoksom, želim da podrobnije razmotrim rad protestantskog teologa Pola Remzija, koji je godinama dokazivao da postoji strategija odvraćanja koja se može opravdati. Od početka moralnih i strateških rasprava, Remzi se oštro suprotstavljao zastupnicima odvraćanja usmerenog na gradove, kao i onima od njihovih kritičara koji misle da je to jedini oblik odvraćanja, te se stoga opredeljuju za nuklearno razoružanje. On je osudio obe ove grupe zbog „sve ili ništa“ karaktera njihovih razmišljanja: ili totalno i nemoralno uništavanje, ili neka vrsta „pacifističke“ inercije. Remzi dokazuje da se ove dve uzajamno povezane perspektive slažu s tradicionalnim američkim pogledima na rat kao totalan sukob, koji se stoga mora izbegavati kad god je to moguće. Sam Remzi je, mislim, protestantski vojnik drugačije tradicije, on bi želeo da se Amerikanci pripreme za dugu, neprekidnu borbu sa silama zla.[19]

19 Većina Remzijevih ogleda, članaka i pamfleta sabrana je u knjigu *The Just War*; vidi i njegovo ranije delo *War and the Christian Conscience: How Shall Modern War Be Justly Conducted?*, Durham, 1961.

Ako treba da postoji opravdana strategija odvraćanja, mora da postoji i opravdani oblik nuklearnog rata, i Remzi je savesno iznosio dokaze u prilog „mogućnosti pravednog rata" u savremenom dobu. On se živo i obavešteno zanima za strateške rasprave i u raznim trenucima je branio upotrebu taktičkog nuklearnog oružja protiv invazionih armija i strateškog oružja protiv nuklearnih postrojenja, konvencionalnih vojnih baza i izolovanih ekonomskih ciljeva. Čak su i ove mete samo „uslovno" dopuštene, pošto bi pravilo srazmernosti trebalo primeniti u svakom slučaju, a Remzi ne veruje da će njegovi standardi uvek biti zadovoljeni. Poput svakoga (ili skoro svakoga) ko piše o ovim stvarima, on nije oduševljen nuklearnim sukobom; on se zanima prevashodno za odvraćanje. Ali njemu je potrebna bar mogućnost legitimnog ratovanja da bi zadržao stav odvraćanja bez upućivanja nemoralnih pretnji. To je njegov središnji cilj, i napor da ga postigne odveo ga je u veoma istančanu primenu teorije pravednog rata na probleme nuklearne strategije. U najboljem smislu te reči, Remzi se bavi realnostima ovog sveta. Ali realnosti su u ovom slučaju tvrdokorne, a njegov je put da ih zaobiđe na kraju isuviše složen i okolišan da bi predstavljao prihvatljiv opis naših moralnih sudova. On umnožava distinkcije kao što ptolemejski astronom umnožava svoje epicikle, i na kraju se veoma približava onom što je Enskombova nazvala „dvostrukim mišljenjem o dvostrukom efektu".[20] Ali, njegov rad je značajan; on ukazuje na spoljašnja ograničenja pravednog rata i na opasnosti koje leže u pokušaju da se te granice prošire.

Remzijevo centralno tvrđenje je to da je moguće sprečiti nuklearni napad bez pretnje da će se zauzvrat bombardovati gradovi. On veruje da je „kolateralna civilna šteta koja bi proistekla iz rata protivudarima u njegovom najsnažnijem vidu" dovoljna da odvrati potencijalne agresore.[21] Pošto bi civili koji bi verovatno poginuli u takvom ratu bili slučajne žrtve legitimnih vojnih napada, pretnja protivnapadima i kolateralnom štetom takođe je moralno nadmoćna odvraćanju u njegovom današnjem obliku. Ti civili nisu taoci koje nameravamo da pobijemo (pod izvesnim

20 „War and Murder", str. 57.
21 *The Just War*, str. 252; vidi i str. 320.

uslovima). Niti mi planiramo njihovu smrt; samo ukazujemo svojim potencijalnim neprijateljima na neizbežne posledice čak i rata koji se pravedno vodi – koji je, možemo iskreno reći ako usvojimo Remzijev predlog, jedina vrsta rata koju smo spremni da vodimo. Kolateralna šteta je jednostavno povoljna odlika nuklearnog rata; ona ne služi nikakvom vojnom cilju, i mi bismo je izbegli da možemo, mada je jasno da je dobro što ne možemo. A pošto je u perspektivi šteta opravdana, onda je opravdano ovde i sada imati tu perspektivu na umu radi njenih odvraćajućih efekata.

Ali postoje dva problema s ovim argumentom. Prvo, nije verovatno da će opasnost od kolateralne štete poslužiti kao odvraćanje, osim ukoliko očekivana šteta nije radikalno nesrazmerna ciljevima rata ili vrednosti ove ili one vojne mete. Stoga je Remzi naveden da dokazuje da „pretnja nečim nesrazmernim nije uvek nesrazmerna pretnja“.[22] To znači sledeće: srazmernost u borbama se meri, recimo, vrednošću određene raketne baze, dok se srazmernost odvraćanja meri vrednošću svetskog mira. Stoga šteta može u perspektivi da ne bude opravdana (prema učenju o dvostrukom efektu), a ipak pretnja ovakvom štetom može još uvek biti moralno dopustiva. Možda je ovaj argument ispravan, ali ja bih istakao da jeste njegov rezultat to da se poništi pravilo srazmernosti. Takođe, neograničen je broj ljudi čijom smrću možemo da pretimo sve dok je ta smrt prouzrokovana „kolateralno“, a ne kao direktan cilj. Kao što smo ranije videli, ideja srazmernosti, kad se makar malo razmotri, ima tendenciju da izbledi. A tada sav teret Remzijevog argumenta pada na ideju o indirektnoj smrti. To je zaista jedna važna ideja, središnja za ono što je dopušteno i isključeno u konvencionalnom ratu. Ali ovde je njen status potkopan činjenicom da se Remzi u tolikoj meri oslanja na pogibije koje navodno nije nameravao da izazove. On želi, poput drugih teoretičara odvraćanja, da spreči nuklearni napad pretnjom da će pobiti veoma veliki broj nedužnih civila, ali, za razliku od drugih teoretičara odvraćanja, on očekuje da će pobiti te ljude a da neće ciljati na njih. Možda ovo ima izvesnog moralnog značaja, ali ne izgleda dovoljno značajno da posluži kao kamen temeljac opravdanog odvraćanja. Kad rat

22 *The Just War*, str. 303.

protivudarima ne bi imao kolateralne efekte, ili kad bi oni bili beznačajni i mogli da se kontrolišu, onda ne bi mogao da ima nikakvu ulogu u Remzijevoj strategiji. Imajući u vidu posledice koje zaista ima i središnje mesto koje mu je dodeljeno, čini se da je reč „kolateralno" izgubila veliki deo svog značenja. Sigurno je da svako ko planira ovakvu strategiju mora da prihvati moralnu odgovornost za posledice na koje se toliko radikalno oslanja.

Ali još nismo sagledali celinu Remzijeve zamisli, jer on neće ustuknuti ni pred najtežim pitanjima. Šta ako kolateralna šteta pravednog nuklearnog rata nije dovoljno velika da odvrati potencijalnog agresora? Šta ako agresor zapreti kontranapadom na gradove? Predaja se ne bi mogla tolerisati, a ipak mi ne možemo da zauzvrat zapretimo masovnim ubistvima. Srećom (opet), to i ne moramo. „Nije potrebno... da zapretimo da ćemo upotrebiti [nuklearno oružje] u slučaju napada", pisao je Bernard Brodi [Bernard Brodie]. „Nije potrebno da pretimo bilo čime. Dovoljno je što ova oružja uopšte postoje."[23] Tako je, prema Remziju, i s kontranapadima na gradove: puko posedovanje nuklearnog oružja predstavlja prećutnu pretnju, koju niko ne mora stvarno da uputi. Ukoliko nemoralnost leži u tome što će se pretnja izreći, onda se ona u praksi može izbeći – mada se možemo pitati o lakoći ovog rešenja. Nuklearno oružje, piše Remzi, ima izvesnu inherentnu dvosmislenost: „Može se upotrebiti ili protiv strateških snaga, ili protiv naseljenih centara", a to znači da se *„nezavisno od namere*, od njih ne može odvojiti njihova sposobnost da odvrate... Bez obzira na to koliko puta izjavimo, i izjavimo sasvim iskreno, da su naše mete samo vojne snage neprijatelja, on nikada ne može biti *potpuno siguran* da u besu ili magli rata njegovi gradovi neće biti uništeni."[24] Sada, i posedovanje konvencionalnog oružja je i nedužno i dvosmisleno upravo na isti onaj način koji sugeriše Remzi. Činjenica da držim mač ili pušku ne znači da ću ih upotrebiti protiv nedužnih ljudi, mada su ova oružja sasvim delotvorna i protiv njih; ona imaju istu „dvostruku upotrebu" koju je Remzi otkrio kod nuklearnog oružja. Ali atomska bomba je drugačija. U izvesnom smislu, kao što je Bofr

23 *War and Politics*, str. 404.
24 *The Just War*, str. 253 (podvukao M. V.); vidi i str. 333 ff.

rekao, ona uopšte nije stvorena za rat.[25] Ona je stvorena da bi se pobile cele populacije, a njena vrednost odvraćanja počiva na toj činjenici (bilo da je ubijanje posredno ili neposredno). Ona služi sprečavanju rata samo zbog implicitne pretnje koju predstavlja, i mi je posedujemo radi ovog cilja. A muškarci i žene su odgovorni za pretnje s kojima žive, čak i kada ih ne izreknu naglas.

Remzi nastavlja dalje. Možda puko posedovanje nuklearnog oružja neće biti dovoljno da odvrati bezobzirnog agresora. Tada, predlaže Remzi, moramo da razlikujemo „privid i stvarnost... opredeljenosti da se upustimo u razmenu gradova... U tom slučaju, samo bi privid trebalo negovati“.[26] Nisam siguran šta ovo tačno znači, a čini se da i Remzi (bar jednom) okleva da to kaže, ali verovatno bi nam ovo dopustilo da nagovestimo mogućnost masovne odmazde a da je zapravo ne planiramo, niti nameravamo da je izvršimo. Tako nam je ponuđen jedan kontinuum sve veće moralne opasnosti, na kojem su obeležene četiri tačke: artikulisana perspektiva kolateralne (i nesrazmerne) pogibije civila; implicitna pretnja napadima na gradove; „negovan“ privid opredeljenosti za napade na gradove; i stvarna opredeljenost. Možda su ovo posebne tačke, u tom smislu što se mogu zamisliti politike koje se vrte oko svake od njih, a te politike bi bile različite. Ali sklon sam da sumnjam da bi te razlike nešto promenile. Isključiti poslednju iz moralnih razloga, dopuštajući prve tri, može i da učini ljude ciničnim u pogledu naših moralnih razloga. Remzi želi da odstrani namere, a da ne zabrani one politike za koje veruje da su nužne (i da su verovatno nužne u današnjim uslovima) za dvostruko sprečavanje rata i osvajanja. Ali istina je koja se ne može izbeći to da sve te politike u krajnjoj liniji počivaju na nemoralnim pretnjama. Osim ukoliko se ne odreknemo nuklearnog odvraćanja, ne možemo se odreći takvih pretnji, i najbolje bi bilo da otvoreno priznamo šta radimo.

Stvarna dvosmislenost nuklearnog odvraćanja leži u činjenici da niko, uključujući tu i nas same, ne može biti siguran da ćemo ikada ostvariti pretnje koje upućujemo. U izvesnom smislu, sve što činimo to je da „negujemo privid“. Mi težimo uverljivosti,

25 „Warfare“, str. 568.
26 *The Just War*, str. 254; vidi i str. 333 ff.

ali sve što navodno planiramo i nameravamo ostaje neuverljivo. Kao što sam već ukazao, to pomaže da se odvraćanje učini psihološki podnošljivim, a možda i čini da stav odvraćanja izgleda marginalno boljim s moralnog stanovišta. Ali, u isto vreme, razlog našeg oklevanja i samopreispitivanja je monstruozna nemoralnost koju razmatra naša politika, nemoralnost za koju se nikada ne možemo nadati da ćemo je uskladiti s našim shvatanjem pravednosti u ratu. Nuklearno oružje razara teoriju pravednog rata. Ono je prva od tehnoloških inovacija čovečanstva koja se prosto ne može uklopiti u poznati moralni svet. Naprotiv, naši poznati pojmovi o *jus in bello* zahtevaju od nas da osudimo čak i pretnju da ćemo ga upotrebiti. A ipak ima i drugih pojmova, takođe dobro poznatih, koji se odnose na agresiju i pravo na samoodbranu, za koje se čini da zahtevaju upravo tu pretnju. Stoga radi pravde (ili mira) nelagodno prekoračujemo granice pravde.

Prema Remziju, ovo je opasan potez. Jer ako „postanemo ubeđeni", piše, „da su kod odvraćanja neke stvari rđave, a one to nisu", tada, uviđajući da nema nikakvog načina da izbegnemo nemoralnost, „nećemo postaviti nikakve granice."[27] Još jednom, ovaj argument je ispravan u pogledu konvencionalnog ratovanja; on uočava bitnu grešku onog što sam nazvao učenjem „rat je pakao". Ali je uverljiv u slučaju nuklearnog rata samo ako se mogu opisati prihvatljive i moralno značajne granice, a to Remzi nije učinio, niti su stratezi „fleksibilnog odgovora" to bili u stanju da učine. Svi njihovi argumenti počivaju na krajnjoj nemoralnosti napada na gradove. Pretvaranje da nije tako nosi sa sobom sopstvene opasnosti. Povući beznačajne granice, zastupati formalne kategorije dvostrukog efekta, kolateralne štete, imuniteta neboraca itd., kad je u njima preostalo toliko malo moralnog sadržaja, znači izopačiti argument o pravdi u celini i osporiti ga čak i u onim oblastima vojnog života u kojima očigledno važi. A te oblasti su široke. Nuklearno odvraćanje obeležava njihove spoljašnje granice, prisiljavajući nas da razmatramo ratove koji nikada neće biti vođeni. Unutar tih granica ima ratova koji će biti vođeni, pa bi čak možda i trebalo da budu vođeni, i za koje stara

27 *The Just War*, str. 364. Remzi parafrazira kritiku pacifizma koju je iznela Enskombova: vidi „War and Murder", str. 56.

pravila važe svom snagom. Bauk nuklearnog holokausta ne poziva nas da postupamo nemoralno u konvencionalnim ratovima. Zaista, možda i u njima predstavlja odvraćanje; teško je zamisliti ponavljanje Drezdena ili Tokija u konvencionalnom ratu između nuklearnih sila. Jer uništavanje takvih razmera izazvalo bi nuklearni odgovor i drastičnu i neprihvatljivu eskalaciju sukoba.

Nuklearni rat jeste i ostaće moralno neprihvatljiv, i nema razloga da se on rehabilituje. Pošto je neprihvatljiv, moramo da tražimo načine da ga sprečimo, a pošto je odvraćanje loš način, moramo da tražimo druge. Ovde mi nije namera da predložim kako bi alternative mogle da izgledaju. Više mi je bilo stalo do toga da priznam da samo odvraćanje, i pored sve svoje zločinačke prirode, pada, ili za trenutak može da padne pod standard nužnosti. Ali, kao i sa terorističkim bombardovanjima, tako ovde stoji i sa pretnjom terorističkim nuklearnim bombardovanjima: krajnja nužda nikada nije postojano stanovište. Carstvo nužnosti je podvrgnuto istorijskim promenama. A, što je još važnije, imamo obavezu da iskoristimo prilike da ih izbegnemo, čak i da preuzmemo rizik radi takvih prilika. Stoga je spremnost da se ubija uravnotežena, ili bi trebalo da bude, spremnošću da se ne ubija, da se ne preti ubijanjem, čim se pronađe alternativni put do mira.

Peti deo
Pitanje odgovornosti

18. ZLOČIN AGRESIJE: POLITIČKE VOĐE I GRAĐANI

Pripisivanje odgovornosti je kritičan test argumenta o pravdi. Jer ako se rat ne vodi pod okriljem nužnosti već (najčešće) slobode, tada vojnici i državnici moraju da donose odluke koje su ponekad moralne. A ako to čine, mora biti moguće da se oni izdvoje radi pohvale i pokude. Ako ima prepoznatljivih ratnih zločina, onda mora biti i prepoznatljivih zločinaca. Ako ima agresije, mora biti i agresora. Nije slučaj da za svako kršenje ljudskih prava u vreme rata možemo imenovati krivca ili grupu krivaca. Uslovi rata pružaju obilje izvinjenja: strah, prisila, neznanje, pa čak i ludilo. Ali teorija pravde trebalo bi da nas uputi na muškarce i žene od kojih s pravom možemo da zahtevamo odgovornost, i treba da oblikuje i usmerava naše sudove o izvinjenjima koja oni nude (ili su ponuđena u njihovo ime). Teorija pravde ne ukazuje na ljude njihovim vlastitim imenima, naravno, već njihovim položajima i okolnostima. Saznajemo imena (ponekad) samo dok proučavamo slučajeve, obraćajući pažnju na pojedinosti moralnih i vojnih akcija. Utoliko ukoliko navedemo prava imena, ili bar ukoliko su naša pripisivanja i sudovi u skladu sa stvarnim iskustvom rata, osetljivi na sve njegove patnje, argument o pravdi je u velikoj meri osnažen. Ne može biti pravde u ratu ako nema muškaraca i žena kojima se može pripisati odgovornost.

Ovde je reč o moralnoj odgovornosti; bavimo se time da li pojedinci zaslužuju pokudu, a ne njihovom krivicom ili nevinošću pred zakonom. Međutim, veliki deo rasprava o agresiji i ratnim zločinima vodio se o ovom drugom pitanju, a ne o prvom. I dok čitamo te argumente, ili ih slušamo, često izgleda kao da se kaže sledeće: ako neki pojedinac nije pravno odgovoran za neki određeni postupak ili za propuštanje da nešto učini, već je samo, da tako kažemo, nemoralan, ne može se reći mnogo o njegovoj krivici. Jer pravna odgovornost je stvar određenih pravila, dobro poznatih procedura i ovlašćenih sudija, dok moral nije ništa drugo do beskonačna priča u kojoj svako ko u njoj učestvuje ima pravo na vlastito mišljenje. Razmotrimo, na primer, gledište jednog savremenog profesora prava, koji veruje da se „suština" „pitanja o ratnim zločinima" može izneti „s podnošljivom jasnoćom i kratkoćom", sve dok se prihvata jedno upozorenje: „Neću pokušavati da kažem šta je nemoralno – ne zato što verujem da je moral nevažan već zato što moja gledišta o moralu nemaju veću težinu od gledišta Džejn Fonde [Jane Fonda] ili Ričarda Niksona [Richard Nixon] ili vašeg."[1] Naravno, moral je nevažan ako su sva mišljenja jednaka, zato što tada nijedno pojedino mišljenje nema nikakvu snagu. Moralni autoritet se bez sumnje razlikuje od pravnog autoriteta; on se stiče na drugi način; ali profesor Bišop (Bishop) greši kad misli da on ne postoji. On je povezan sa sposobnošću da se na ubedljiv način prizovu opšteprihvaćeni principi i da se primene na pojedinačne slučajeve. Niko ne može da rasuđuje o pravdi i ratu, kao što sam ja činio, a da ne teži da govori s autoritetom i da ne polaže pravo na izvesnu „težinu".

Moralni argumenti su posebno značajni u vreme rata, zato što su – kao što sam ranije rekao, i kao što Bišopova „kratkoća" čini jasnim – zakoni rata radikalno nepotpuni. Ovlašćene sudije se retko kad pozivaju da sude. Zaista, često postoje prudencijalni razlozi za to što se ne pozivaju, jer je verovatno da će čak i dobro donesene sudske odluke u izvesnim trenucima istorije međunarodnog društva biti shvaćene samo kao činovi surovosti i osvete. Suđenja poput onih iz Nirnberga posle Drugog svetskog rata meni izgledaju i odbranjiva i neophodna; pravo mora da pruži neko pribežište kad su divljački napadnute naše najdublje moralne vrednosti. Ali ovakvi sudski procesi nikako ne iscrpljuju polje suđenja. U ovim stvarima moramo da uradimo više, i moj je cilj da to ovde uradim: da ukažem na zločince i moguće zločince u celom opsegu ratnih aktivnosti, mada ne i da predložim, osim posredno, kako da postupamo s tim ljudima.[2]

1 Joseph J. Bishop, JR. „The Question of War Crimes", 54 *Commentary* 6:84, decembar 1972.

2 Vidi sugestiju Senforda Levinsona iznetu u članku „Responsibility for Crimes of War", 2 *Philosophy and Public Affairs*, str. 270 ff, 1973.

Ključno je to da se na njih može ukazati; znamo gde da ih tražimo ako smo spremni da tragamo.

Svet zvaničnika

Počeću pripisivanjima odgovornosti i sudovima koje zahteva zločin samog rata. To znači početi od politike, a ne od borbi, od civila, a ne vojnika, jer agresija je pre svega delo političkih vođa. Moramo (naivno) da ih zamislimo kako sede oko elegantnog stola u nekom staromodnom kabinetu ili u elektronskoj povučenosti savremene komandne sobe, planirajući nelegitimne napade, osvajanja, intervencije. Nema sumnje da nije uvek ovako, mada nedavna istorija pruža obilje dokaza o neposrednom i otvorenom zločinačkom planiranju. „Državnici“ su lukaviji, i ratu teže samo posredno, poput Bizmarka 1870. godine, i imaju veoma složene poglede na svoje napore. Tada možda nije lako izdvojiti agresore, mada mislim da treba da pođemo od pretpostavke da je to uvek moguće. Muškarci i žene koji svoje narode uvode u rat duguju i njima i nama objašnjenje. Jer svaka ubijena osoba, svaka kap prolivene krvi su

> Bolna žalba na tog čija zla potegoše
> Mačeve oštre...

Slušajući izvinjenja i laži, kao i istinita objašnjenja političkih vođa, tragamo za „zlima“ koja leže iza sukoba i koja su njihov moralni uzrok.

Pravnici nisu uvek podsticali ovu potragu. Sve donedavno, oni su smatrali da „dela države“ ne mogu da budu zločini pojedinih osoba. Pravni razlozi za ovo poricanje leže u teoriji suverenosti, onako kako se ona nekada shvatala. Suverene države po definiciji ne znaju za pretpostavljene, dokazivalo se, i ne prihvataju nikakve spoljašnje sudske instance: stoga nema načina da se dokažu zločinačka dela pripisana državi, to jest, dela koja su počinile priznate vlasti vršeći svoje zvanične dužnosti (osim ukoliko domaće pravo nema procedure za pružanje takvih dokaza).[3]

---

3 Koristan opis ovog učenja, koji ga prati do pravne misli Džona Ostina [John Austin] iznet je u Stanley Paulson, „Classical Legal Positivism at Nuremberg“, 4 *Philosophy and Public Affairs*, 1975, str. 132–158.

Međutim, ovaj argument nema moralnog efekta, jer u ovom smislu države nikada nisu bile moralno već samo pravno suverene. Svi smo mi sposobni da prosuđujemo postupke političkih vođa, a to obično i činimo. Niti pravna suverenost danas pruža zaštitu protiv spoljašnjeg suđenja. Ovde je Nirnberg odlučujući presedan.

Ali, postoji i druga, manje neformalna verzija učenja o „delima države“, koja se ne odnosi na suverenost političke zajednice već na reprezentativnost njenih vođa. Često se od nas traži da ne osuđujemo postupke državnika, ili da ih ne osuđujemo brzopleto, jer, na kraju krajeva, ti ljudi ne delaju iz sebičnih ili privatnih razloga. Kao što je Taunsend Hups [Townsend Hoopes] pisao o američkim vođama tokom rata u Vijetnamu, oni se „iskreno trude... da služe širim nacionalnim interesima u skladu s vlastitom pameću“.[4] Oni delaju za druge ljude i u njihovo ime. Isto se može reći i za oficire vojske, osim ukoliko su zločini koje su počinili sebični ili počinjeni iz strasti. Isto se može reći i za revolucionarne borce koji ubijaju nedužne ljude radi onoga za šta se bore (a ne zbog neke lične ozlojeđenosti), mada ono za šta se bore nema zvanične već samo navodne veze s nacionalnim interesima. I oni su vođe; možda su se do svojih „službenih položaja“ uzdigli na načine koji nisu toliko različiti od načina običnih zvaničnika, a ponekad mogu da kažu da su dela njihovog pokreta ili revolucije isto toliko reprezentativna kao i dela države. Ako je ovaj argument prihvatljiv u slučaju državnika i oficira, ne mogu da vidim nikakvog razloga da ga odbacim u slučaju revolucionara. Ali u svim ovim slučajevima to je rđav argument, jer lažna je ideja da predstavničke funkcije ne nose sa sobom moralne opasnosti. Naprotiv, one su posebno rizične, upravo zato što državnici, oficiri i revolucionari delaju u ime drugih ljudi i sa dalekosežnim posledicama. Oni ponekad delaju tako da ljude koje predstavljaju dovode u opasnost, ponekad tako da u opasnost dovode sve nas ostale; teško da se mogu žaliti ako ih podvrgavamo moralnom sudu.

Politička moć je dobro kojem ljudi teže. Oni teže položajima, spletkare radi sticanja kontrole i vođstva, nadmeću se za

4 Navedeno u Noam Chomsky, *At War with Asia*, str. 310.

položaje s kojih mogu da čine zlo isto kao i dobro. Ako se nadaju da će biti hvaljeni za dobro koje čine, ne mogu izbeći krivnju za zlo. Pa ipak, pripisivanje krivice je uvek omrznuto, čak i kad mislimo da je zasluženo, i značajno je da vidimo zašto je to tako. Moralna kritika zadire veoma duboko; ona dovodi u pitanje poštenje vođe i njegovu ličnu čestitost. Pošto su političke vođe retko kad cinične u pogledu svog rada, a ne mogu sebi da dozvole da izgledaju kao da su cinični, oni ovakve kritike uzimaju ozbiljno, i one su im veoma neomiljene. Mogu da prihvate neslaganje (ako je reč o demokratskim vođima), ali ne i optužbe za zločin. Zaista, oni će verovatno tretirati sve moralne kritike kao neopravdano izmeštanje političkog spora. Pretpostavljam da su u pravu kada smatraju da je moral često maska za politiku. Isto je i s pravom. Pravne optužbe mogu da budu veoma snažan oblik političkog napada, i mada se često upotrebljavaju na ovaj način, i često u toj upotrebi bivaju obezvređene, ipak je istina da su politički vođi obavezani pravilima legalnog kodeksa i da s pravom mogu da budu optuženi i kažnjeni za zločinačka dela. Slično je i s moralnim kodeksom: mada su termini pohvale i pokude sveprisutni i često zloupotrebljeni, pohvala i pokuda su bar ponekad na mestu. Zloupotreba prava i morala je uobičajena u vreme rata, stoga moramo da budemo pažljivi ne samo kad kažnjavamo političke vođe za ratove koje vode već i kad ih žigošemo. Međutim, oni nemaju *a priori* pravo da izbegnu žigosanje za agresiju kada krše prava nekog drugog naroda i prisiljavaju njegove vojnike da se bore.

Dela države su takođe i dela određenih osoba, a kada dobiju oblik agresivnog rata, određene osobe su krivično odgovorne. Nije uvek očigledno ko su te osobe i koliko ih je. Ali ima smisla početi od poglavara države (ili efektivnog poglavara) i muškaraca i žena iz njegove neposredne blizine, koji stvarno kontrolišu vladu i donose ključne odluke. Njihova odgovornost je jasna, kao što je jasna i odgovornost zapovednikâ vojnih akcija za strategiju i taktiku koju su prihvatili, jer oni izdaju naređenja, a ne primaju ih od pretpostavljenih. Kada se brane, oni ne gledaju naviše u političkoj hijerarhiji već preko linije fronta: oni krive svoje protivnike zato što su *njih* prisilili da se bore. Ukazuju na zapletenu složenost manevara pre rata i na ekstravagantne zahteve i uznemiravajuće postupke svojih neprijatelja. Iznose dugačke priče:[5]

Ko je napao prvi? Ko je okrenuo i drugi obraz?
Izvršenu agresiju odmah
Poriču, i od uvrede čine povredu
Lukavi agenti vešti tim stvarima,
S kojima je sve „prepuno opasnosti", „ne gazi me",
„Čik ako smeš", „drži se podalje" i „poljubi me u ruku".
Naravi mogu da naoštre noževe, a to i čine; živimo
u državama provokatorima.

Da bismo se probili kroz šumu tvrdnji i protivtvrdnji, potrebna nam je neka teorija poput one koju sam pokušao da iznesem u drugom delu ove knjige. Često je ova teorija, uprkos lukavim predstavnicima, lako primenljiva. Vredno je izneti neke od slučajeva o kojima nemamo, mislim, nikakvih sumnji: nemački napad na Belgiju 1914. godine, italijansko osvajanje Etiopije, japanski napad na Kinu, nemačka i italijanska intervencija u Španiji, ruski napad na Finsku, nacističko osvajanje Čehoslovačke, Poljske, Danske, Belgije i Holandije, ruska invazija na Mađarsku i Čehoslovačku, egipatski izazov Izraelu 1967. godine itd. – u dvadesetom veku je lako sastaviti ovakav spisak. Dokazivao sam i da američki rat u Vijetnamu spada u isti niz. Ponekad je, bez sumnje, stvar mutnija; političke vođe ponekad svoje provokacije ne drže pod kontrolom, i ratovi izbijaju a da ih niko nije planirao, niti nameravao da prekrši bilo čija prava. Ali utoliko ukoliko možemo da prepoznamo agresiju, ne bi trebalo da bude teško da okrivimo poglavara države. Teški i zanimljivi problemi nastaju kada postavimo pitanje kako se odgovornost za agresiju širi kroz politički sistem.

U Nirnbergu, za zločin agresije („zločin protiv mira") rečeno je da obuhvata „planiranje, pripremanje, otpočinjanje i vođenje [agresivnog] rata". Ove četiri aktivnosti su razlikovane od planiranja i pripremanja pojedinih vojnih operacija, kao i od aktualne borbe u ratu, za koje se (s pravom) smatralo da nemaju

---

5 Stanley Kunitz, „Foreign Affairs", u *Selected Poems: 1928-1959*, Boston, 1958, str. 23.

zločinački karakter. Sada, čini se da su „planiranje, pripremanje, otpočinjanje i vođenje" rata delatnosti prilično velikog broja ljudi. Ali sudovi su u stvari ograničili domašaj odgovornosti, tako da su osuđeni samo zvaničnici koji su bili deo „Hitlerovog unutrašnjeg kruga savetnika", ili koji su imali tako značajnu ulogu u donošenju i primeni politike da bi njihovi protesti i odbijanja imali znatan uticaj.[6] Osobe s nižih nivoa birokratske hijerarhije, mada je njihov zajednički doprinos bio znatan, nisu smatrane pojedinačno odgovornim. Međutim, nije jasno gde bi tačno trebalo povući tu granicu; niti je jasno da krivnju treba da pripisujemo na isti način kao i krivičnu odgovornost. Najbolji način da se reše ova pitanja jeste da se odmah osvrnemo na jednan kritičan slučaj.

Nirnberg: „Slučaj službenika ministarstva"

U jednom značajnom članku o ratnim zločinima, Senford Levinson je analizirao nirnberške presude, posebno se baveći suđenjem Ernstu fon Vajczekeru [Ernst von Weizsaecker], državnom sekretaru u nemačkom ministarstvu spoljnih poslova od 1938. do 1943. godine, drugom po rangu iza Fon Ribentropa [von Ribbentrop], jednog iz „unutrašnjeg kruga", u hijerarhiji ministarstva. Želim da sledim Levinsonov opis, a da potom iz njega izvedem izvesne zaključke. Fon Vajczeker je optužen za zločine protiv mira i na prvostepenom suđenju proglašen je krivim, ali je presuda poništena u žalbenom postupku. Njegova odbrana je isticala dve stvari: prvo, da nije učestvovao u stvarnom planiranju politike, i drugo, da se u ministarstvu spoljnih poslova protivio nacističkoj agresiji; bio je uključen, bar marginalno, u podzemnu opoziciju Hitlerovom režimu. Apelacioni sud je prihvatio ovu odbranu, naglašavajući njen drugi deo: diplomatska aktivnost Fon Vajczekera, koja je „doprinosila i pomagala" nemačkim ratnim planovima, bila je toliko značajna da bi govorila protiv njega da nije kritikovao Hitlerovu politiku unutar svog ministarstva i da informacije nije prenosio aktivnijim protivnicima

6 *Trials of War Criminals Before the Nuremberg Military Tribunals*, tom 11, 1950, str. 488–489; vidi raspravu u Levinson, str. 253 ff, i Greenspan, *Modern Law of Land Warfare*, str. 449–450.

van njega. Na taj način je linija krivične odgovornosti povučena tako da obuhvati funkcionere poput Fon Vajczekera, dok je on sam bio oslobođen optužbi zato što se, mada je jasno učestvovao u „pripremanju" agresivnog rata, takođe „suprotstavljao [tom ratu] i kritikovao ga".

Tužilac je dokazivao nedovoljnost ovog suprotstavljanja: pošto su mu bili poznati planovi agresije, rečeno je, Vajczeker je imao pozitivnu dužnost da te planove otkrije potencijalnim žrtvama. Ali sud je odbacio ovaj argument zbog rizika koji bi takve akcije povlačile za sobom i zbog toga što bi one mogle da dovedu do većih nemačkih gubitaka na bojnom polju.[7]

> Može se sporiti sa tiraninom čiji programi znače propast nečije zemlje i suprotstavljati mu se do tačke nasilja i atentata. Ali još nije došlo vreme kad bi bilo koji čovek zadovoljno posmatrao uništenje svog sopstvenog naroda i gubitak njegovih mladih ljudi. Primeniti bilo koji drugi standard ponašanja značilo bi postaviti test koji još nikada nije bio predložen kao prikladan, i koji, sigurno, nismo spremni da prihvatimo kao mudar ili dobar.

Mislim da je ovo isuviše jako, jer se očigledno ne radi o „zadovoljnom posmatranju" ratnih gubitaka svoje sopstvene strane. Neko može biti veoma ražalošćen zbog njih a da ipak oseća da je moralno ispravno zaštititi nedužne ljude druge zemlje, koja je žrtva. A sigurno je da bismo mislili da je i dobro i pametno, zapravo herojski, da je neki Hitlerov protivnik upozorio Dance ili Belgijance ili Ruse na predstojeći napad. Ali verovatno ne postoji pravna ili moralna obaveza da se ovako postupi. Ne samo rizik već i unutrašnji bol koji čovek može da oseti u takvom trenutku više je nego što tražimo. S druge strane, Fon Vajczekerovi postupci, mada su zadovoljili sudije, možda su bili manje no što tražimo. Jer on je nastavio da služi režim s čijom se politikom nije slagao; nije podneo ostavku.

Pitanje ostavke se neposrednije postavilo u vezi s tačkama optužbe da je Fon Vajczeker kriv za ratne zločine i zločine protiv čovečnosti (ovo poslednje se odnosilo na istrebljenje Jevreja). I ovde je on dokazivao da „minimalno učešće treba da bude poništeno činjenicom da se suprotstavljao onome što je činjeno".

7 *Trials of War Criminals*, tom 14 (n. d.), str. 383; vidi Levinson, str. 263.

Ali, u ovom slučaju se suprotstavljanje u okvirima službe nije smatralo dovoljnim. SS je formalno zatražio od ministarstva spoljnih poslova mišljenje o politici SS-a prema jevrejskom pitanju. A Fon Vajczeker, mada je znao kakva je to politika, nije izneo nikakvu primedbu. Očigledno je mislio da je ćutanje cena njegovog položaja, a želeo je da zadrži svoj položaj, tako da bi „mogao da bude u poziciji da inicira pokušaje pregovora o miru ili da ih pomogne, i da bi mogao da prenosi informacije Hitlerovim podzemnim protivnicima". Ali sud je smatrao da „čovek ne može da se složi... sa ubistvom zato što se nada da će, učinivši to, biti u stanju da društvo oslobodi glavnog ubice. Prvo je neposredna stvarnost zločina, dok je drugo samo buduća nada." Sud nije verovao da je nepodnošenje ostavke stvar krivične odgovornosti. Iako je možda istina da „nijedna pristojna osoba ne bi mogla da ostane u službi pod režimom koji je izveo... ogromna varvarstva ove vrste", nepristojnost nije zločin. Ali ostati u službi i ćutati jeste kažnjivo nedelo, i Fon Vajczeker je kažnjen sa sedam godina zatvora.[8]

Sada, kriterijumi „značajnog doprinosa" ili mogućnosti „značajnog protesta" izgledaju potpuno prikladni pri donošenju odluke o presudi i kazni. Standardi krivnje, međutim, mnogo su stroži: potrebno je da kažemo nešto više o pristojnosti. Ako je Fon Vajczeker bio obavezan da podnese ostavku u znak protesta, ne vidim zašto niži službenici sa sličnim znanjem nisu takođe bili obavezni. U Sjedinjenim Državama tokom rata u Vijetnamu, samo je mali broj zvaničnika ministarstva spoljnih poslova podneo ostavke, većina njih se nalazila na nižim položajima, ali te ostavke su bile moralno ohrabrujuće (bar onima od nas koji su znali njihove razloge) na način koji sugeriše ideju da ih je trebalo podražavati.[9] Hrabrost potrebna da se podnese ostavka u Nemačkoj krajem tridesetih i početkom četrdesetih godina prošlog veka bila je daleko veća nego hrabrost potrebna tri decenije kasnije u Sjedinjenim Državama, u kojima je protivljenje ratu u Vijetnamu bilo javno i žestoko. Ali čak ni u Nemačkoj nije bila potrebna hrabrost da se gleda smrti u oči već nešto manja, što je

8 *Trials of War Criminals*, tom 14, str. 472; vidi Levinson, str. 264.
9 Rasprava o slučaju Vijetnama izneta je u Edward Weisband and Thomas M. Franck, *Resignation in Protest*, New York, 1976.

bilo sasvim moguće običnim ljudima. Mnogi zvaničnici koji nisu podneli ostavke iznosili su izvinjenja zašto to nisu učinili, što nagoveštava da su prepoznali imperativ, ma koliko nejasno. Ta izvinjenja su bila većinom nalik Fon Vajczekerovim, i pozivala su se na udaljena dobra. Ali bilo je i ljudi koji su ostajali na položaju da bi vršili, često uz znatnu opasnost po sebe, konkretne i neposredne činove dobročinstva ili sabotaže. Najizuzetniji od njih je bio poručnik SS-a Kurt Gerštajn [Kurt Gerstein], čiji je slučaj brižljivo dokumentovao Sol Fridlender [Saul Friedlander].[10]

> Gerštajn je predstavljao tip čoveka koji je usled svojih najdubljih ubeđenja odbacio nacistički režim, čak ga je u sebi i mrzeo, ali je sarađivao s njim jedino da bi mogao iznutra da se bori protiv njega i da spreči još gore stvari.

Ovde ne mogu da iznesem Gerštajnovu priču; dovoljno je reći da ona pokazuje da je bilo moguće živeti moralnim životom čak i u SS-u, mada po cenu ogromne lične patnje (Gerštajn je na kraju izvršio samoubistvo), što se može tražiti od malo ljudi. Ostavka je mnogo lakša, i mislim da je ponekad moramo uzeti kao minimalni znak moralne pristojnosti.

Slučaj Fon Vajczekera poziva na razmišljanje o još jednom problemu. Državni sekretar je diplomata koji vodi pregovore sa stranim zemljama u skladu sa uputstvima pretpostavljenih. Ali on je i savetnik tih pretpostavljenih; neprekidno se traže njegova lična gledišta. Sada, savetnici su u neobičnom položaju s obzirom i na pravni i na moralni sud. Svoje najznačajnije savete oni često daju usmeno, šapćući ih u vladarevo uho. Ono što ostaje napisano može biti nepotpuno, skrojeno prema zahtevima birokratske prepiske. Nedostaju prelivi i kvalifikacije, tanani nagoveštaji sumnje, lična isticanja i oklevanja. Ako je dostupan dovoljan broj dokumenata, možemo da donesemo sud. Sigurno je da nije slučaj da samo „viši" zvaničnici mogu da se smatraju odgovornim za donete odluke, a nikada „osoblje". Ali, šaptanje u vladarevo uho je problematično; lakše je nagovestiti šta bi trebalo da bude rečeno nego šta bi trebalo da činimo ako podozrevamo da to nije rečeno.

---

10 Saul Friedlander, *Kurt Gerstein: The Ambiguity of Good*, trans. Charles Fullman, New York, 1969.

Ono što je Fon Vajczeker rekao verovatno je bilo nedovoljno, jer, prema njegovim vlastitim izjavama, on nije isticao ništa više no verovatnoću da će Nemačka biti poražena; njegovo protivljenje Hitlerovoj politici uvek se izražavalo pozivanjem na svrsishodnost.[11] Možda su to bili jedini termini koji su verovatno bili efikasni u Nemačkoj tih godina. Ovo verovatno važi i u drugim slučajevima, čak i kod vlada koje su manje otvoreno posvećene programu osvajanja. Ali često je važno koristiti jezik morala, makar samo da bismo se probili kroz oblake eufemizama i ćutanja kojima zvaničnici kriju čak i od sebe samih meru i prirodu zločina koje vrše. Ponekad je najbolji način za jednog savetnika da kaže „ne" jednostavno taj da nazove pravim imenom politiku koju je trebalo da odobri. Ovo je lepo izneto u govoru u Šekspirovom *Kralju Džonu*. Nagoveštajima i okolišno, Džon je naredio ubistvo svog sinovca Artura, vojvode od Bretanje. Kasnije je zažalio zbog ubistva i okomio se na svog dvoranina Huberta de Burga, koji ga je izvršio.[12]

Da si bar ustukn'o, zatresao glavom,
Kad sam zavijeno pomen'o svoj smer;
Il' me u lice pogled'o sumnjajući,
Da bi me nater'o da to jasno kažem,
Ja bih od dubokog stida zanemeo,
Prekinuo o tom...
Al' ti si me shvat'o po znacima nekim
I znacima već'o sa grešnom pomišlju.
Bez ustezanja ti srce pristade,
A zatim grozna ruka, da izvrši
Odveć gnusno delo, da mu se ime zna.

Govor je licemeran, ali izražava opšti kvalitet birokratskog pristajanja, i veoma snažno sugeriše da savetnici i izvršioci, kada imaju priliku, moraju da govore „jasnim rečima", upotrebljavajući jezik morala koji svi poznajemo. O njima se može suditi kao o nedovoljno čvrstim ili nedovoljno praktičnim ako govore na taj način. Ali biti dovoljno „čvrst" i izvršavati politiku čije se ime doslovno ne može ni pomenuti, znači biti ili veoma plašljiv ili veoma pokvaren.

11 *Trials of War Criminals*, tom 14, str. 346.

12 *Kralj Džon* (četvrti čin, druga scena), preveli Živojin Simić i Sima Pandurović, Vilijam Šekspir, *Celokupna dela*, knj. VI, str. 66.

Demokratske odgovornosti

Šta s ostalima od nas – građanima, recimo, države koja vodi agresivan rat? Kolektivna odgovornost je težak pojam, mada vredi istaći da imamo manje problema s kolektivnom kaznom. Otpor agresiji je i sam „kazna" za agresorsku državu i često se tako naziva. Što se tiče stvarnih borbi, kao što sam već dokazivao, civili s obe strane su nedužni, podjednako nedužni, i nikada ne mogu biti legitimne vojne mete. Međutim, kad se rat završi, oni postaju političke i ekonomske mete; to jest, oni su žrtve vojne okupacije, političke rekonstrukcije i naplate reparacija. Ovo poslednje možemo da uzmemo kao najjasniji i najjednostavniji slučaj kolektivne kazne. Sigurno je da žrtva agresivnog rata ima pravo na reparacije, a one se teško mogu prikupiti samo od onih pripadnika poražene države koji su aktivno podržavali agresiju. Zaista, troškovi se raspodeljuju preko poreskog sistema i ekonomskog sistema uopšte, na sve građane, često tokom perioda vremena koji se proteže na generacije koje uopšte nisu imale nikakve veze s ratom.[13] U ovom smislu, građanstvo je zajednička sudbina, i niko, pa čak ni njegovi protivnici (osim ukoliko ne postanu političke izbeglice, što takođe ima svoju cenu) ne može da se izbavi posledica rđavog režima, ambicioznih ili fanatičnih vođa, ili prekomernog nacionalizma. Ali ako muškarci i žene moraju da prihvate ovu sudbinu, oni to ponekad mogu da učine čiste savesti, jer prihvatanje ništa ne govori o njihovoj individualnoj odgovornosti. Podela troškova nije podela krivice.

Bar jedan pisac je pokušao da dokaže da je politička sudbina neka vrsta krivice: egzistencijalne, neizbežne, zastrašujuće. Jer vojnik ili građanin države u ratu je, piše Dž. Glen Grej [J. Glenn Gray] u svojim filozofskim memoarima o Drugom svetskom ratu, pripadnik „sirove, vulgarne, nehajne i nasilne" zajednice, i hteo – ne hteo učesnik u poduhvatu „čiji je duh pobediti po svaku cenu". On ne može da se izbavi.[14]

> On je spreman da pomisli da mu je njegova nacija pružila utočište i izdržavala ga, pružila mu obrazovanje i svojinu

13 Savremeno pravo o reparacijama izneto je u Greenspan, str. 309–310, 592–593.

14 *The Warriors*, str. 196–197.

koje zove sopstvenim. On joj pripada i uvek će joj pripadati bez obzira kuda ide ili koliko uporno pokušava da izmeni svoje nasleđe. Zločini, prema tome, koje čini njegova nacija ili neki od njenih delova ne mogu da mu budu ravnodušni. On deli krivicu kao što deli zadovoljstvo velikodušnim delima i vrednim proizvodima svoje nacije ili armije. Čak i ako ih nije svesno želeo i nije bio u stanju da ih spreči, ne može u potpunosti da izbegne odgovornost za kolektivna dela.

Možda; ali nije lak prelaz sa „bola krivice“, koji Grej opisuje skoro s ljubavlju, na trezven govor o odgovornosti. Možda bi bilo bolje da za lojalne građane koji posmatraju kako njihova vlada ili vojska (ili njihovi drugovi u borbi) čine užasne stvari kažemo da oni osećaju, ili da bi trebalo da osećaju, stid a ne odgovornost – osim ukoliko nisu zaista odgovorni usled svog pojedinačnog učešća ili pristanka. Stid je danak koji plaćamo nasleđu koje je Grej opisao. „Žarki osećaj stida zbog postupaka njegove vlade i užasnih dela koja su počinili nemački vojnici i policajci bio je obeležje savesnog Nemca krajem rata.“ To je tačno, ali mi nećemo kriviti tog savesnog Nemca, niti ga nazivati odgovornim; niti bi on trebalo da krivi samog sebe osim ukoliko nije bilo nečega što je trebalo da učini, i što je mogao da učini, suočen s ovim užasom.

Možda se za ovakvu osobu uvek može reći da je mogla da učini više no što je učinila. Sigurno je da će savesni muškarci i žene to misliti o samima sebi; to je znak njihove savesnosti.[15]

> Ovom ili onom prilikom ćutao je kada je trebalo da govori. U svom manjem ili većem krugu uticaja nije izvršio pritisak koji je mogao. Da je skupio građansku hrabrost da protestuje na vreme, mogao se izbeći neki pojedinačni nepravedan postupak.

Ovakva razmišljanja su beskonačna i beskonačno obeshrabrujuća; ona navode Greja da dokazuje kako iza kolektivne odgovornosti leži „metafizička krivica“, koja potiče od „našeg neuspeha kao ljudskih bića da živimo u skladu s našim potencijalima i našom vizijom dobra“. Ali neki od nas, sigurno, neuspeh doživljavaju s mnogo više potištenosti nego drugi; i neophodno je, uz svu dužnu opreznost i poniznost, istaći standarde kojima možemo da merimo te neuspehe. Grej nagoveštava ispravan standard,

15 *The Warriors*, str. 198.

mada vrlo brzo počinje da insistira na tome da ne možemo da ga primenjujemo ni na koga drugog do na sebe same. Ali ova vrsta shvatanja samog sebe nije moguća u politici i moralu. Sudeći o sebi samima, nužno sudimo i o drugim ljudima s kojima delimo zajednički život. A kako je moguće kritikovati i kriviti naše vođe, kao što ponekad moramo da činimo, a da ne uključimo i njihove oduševljene pristalice (naše sugrađane)? Mada je odgovornost uvek lična i pojedinačna, moralni život je uvek po prirodi kolektivan.

Evo Grejevog principa, koji nameravam da prihvatim i izložim: *Što je veća mogućnost slobodne akcije u zajedničkoj sferi, to je veći stepen političke krivice za zlodela počinjena u ime svih nas.*[16] Ovaj princip traži od nas da usredsredimo pažnju na demokratske, a ne na autoritarne režime. Nije reč o tome da je slobodna akcija nemoguća čak i u najgorim autoritarnim režimima; u najmanju ruku, ljudi mogu da podnesu ostavku, da se povuku, pobegnu. Ali u demokratijama postoje prilike za pozitivan odgovor, i potrebno je da zapitamo u kojoj meri ove prilike određuju naše obaveze kad se zlodela vrše u naše ime.

Američki narod i rat u Vijetnamu

Ako je argument iz glava 6 i 11 ispravan, američki rat u Vijetnamu bio je, pre svega, neopravdana intervencija, i drugo, vođen je na toliko brutalan način da bi, čak i da je u početku bio odbranjiv, morao da bude osuđen, ne u ovom ili onom aspektu već u celini. Neću ponovo dokazivati ovu tvrdnju već ću je pretpostaviti, tako da pažljivo možemo da ispitamo odgovornost demokratskih građana – i to jednog posebnog skupa demokratskih građana, naime, nas samih.[17]

Demokratija je način podele odgovornosti (a monarhija način da se odbije ovakva podela). Ali to ne znači da su svi odrasli građani podjednako krivi za agresivni rat. Naša stvarna pripisivanja krivice će varirati zavisno od tačne prirode demokratskog poretka, mesta određene osobe u tom poretku i njenih političkih aktivnosti. Čak i u savršenoj demokratiji ne može se

16 *The Warriors*, str. 199.

17 Dok sam razmišljao o ovim pitanjima, od velike pomoći su mi bili ogledi objavljeni u Joel Feinberg, *Doing and Deserving*.

reći da je svaki građanin autor svake državne politike, mada se svako od njih s pravom može pozvati na odgovornost. Zamislimo, na primer, malu zajednicu u kojoj su svi građani potpuno i tačno obavešteni o javnim poslovima, u kojoj svi oni učestvuju, raspravljaju, glasaju o stvarima od zajedničkog interesa, i u kojoj svi redom dolaze na javne položaje. Sada ova zajednica, recimo, započne i vodi nepravedan rat protiv svojih suseda – radi neke ekonomske dobiti, možda, ili iz revnosti da proširi svoj (dostojan divljenja) politički sistem. Ne radi se o samoodbrani, niko zajednicu nije napao, niti planirao da je napadne. Ko je odgovoran za ovaj rat? Sigurno svi oni muškarci i žene koji su glasali za njega i sarađivali u planiranju, započinjanju i vođenju rata. Vojnici koji se bore nisu odgovorni kao vojnici; ali kao građani jesu, pretpostavljajući da su bili dovoljno stari da učestvuju u odluci da se povede rat.[18] Svi su odgovorni za zločin agresivnog rata i ni za koju manju krivicu, i u ovakvim slučajevima nećemo oklevati da ih javno okrivimo. Niti bi bilo iole značajno to da li je njihov motiv ekonomska sebičnost ili politička revnost koja njima izgleda potpuno bezinteresna. U oba slučaja, krv njihovih žrtava će biti optužba protiv njih.

Oni koji su glasali protiv rata, ili koji su odbili da u njemu učestvuju, ne mogu biti okrivljeni. Ali šta da mislimo o grupi građana koji nisu glasali? Da su glasali, recimo, rat bi se mogao izbeći, ali bili su lenji, nije ih bilo briga, ili su se plašili da stanu

18 Zašto nisu odgovorni kao vojnici? Ako su moralno obavezni da glasaju protiv rata, zašto nisu obavezni i da odbiju da se bore? Odgovor je da glasaju kao pojedinci, od kojih svako odlučuje za sebe, ali da se bore kao pripadnici političke zajednice, kada je kolektivna odluka već doneta, podvrgnuti svim moralnim i materijalnim pritiscima koje sam opisao u glavi 3. Oni vrlo dobro postupaju ako odbiju da se bore, i trebalo bi da odamo priznanje – verovatno će ih biti malo – onima koji imaju samouverenosti i hrabrosti da se suprotstave svojim sugrađanima. Na drugom mestu sam dokazivao da demokratije treba da poštuju takve ljude, a sigurno je da treba da poštuju njihovo odbijanje. (Vidi ogled „Conscientous Objection“, u *Obligations.*) To, međutim, ne znači da se ostali mogu nazvati zločincima. Patriotizam može da bude poslednje utočište hulja, ali je takođe i uobičajeno utočište običnih muškaraca i žena, i od nas zahteva jednu drugu vrstu tolerancije. Ali trebalo bi da očekujemo da protivnici rata odbiju da postanu oficiri ili zvaničnici, čak i ako se osećaju obaveznim da dele rizike borbe sa svojim sugrađanima.

na ovu ili onu stranu u pitanju o kojem se vatreno raspravljalo. Dan ključne odluke bio je dan kada se nije radilo; proveli su ga u svom vrtu. Sklon sam da kažem da su dostojni osude, mada nisu krivi za agresivan rat. Sigurno je da bi oni njihovi sugrađani koji su otišli u skupštinu i suprotstavili se ratu mogli da ih okrive zbog njihove indiferentnosti i nedelanja. Ovo izgleda kao jasan protivprimer Grejevom tvrđenju: „Nijedan građanin slobodne zemlje ne može s pravom da okrivi svog suseda... zato što nije učinio onoliko koliko je trebalo da bi sprečio rat ili ovaj ili onaj državni zločin. Ali svako može... da okrivi samog sebe..."[19] U savršenoj demokratiji, znali bismo mnogo o svojim dužnostima, i opravdana pripisivanja krivice ne bi bila nemoguća.

Zamislimo sada da je poražena manjina građana mogla da pobedi (i da spreči rat) da je, umesto pukog glasanja, držala zborove pred skupštinom, protestovala i demonstrirala, organizovano tražila još jedno glasanje. Pretpostavimo da ništa od ovoga ne bi bilo strašno opasno po njih, ali da su izabrali da ne preduzimaju te mere zato što njihovo protivljenje ratu i nije bilo snažno; mislili su da je rat nepravedan, ali nisu bili užasnuti tom mogućnošću, nadali su se brzoj pobedi, i tome slično. Tada su dostojni osude, mada u manjem stepenu nego oni lenji građani koji se nisu čak ni pomučili da dođu na skupštinu.

Ova poslednja dva primera nalik su slučaju dobrog Samarićanina u domaćem društvu, kada obično kažemo da, ako je moguće učiniti neko dobro bez rizika ili velike cene, onda ga treba učiniti. Ali kada se radi o ratu, obaveza je jača, jer se ne radi o činjenju dobra već o sprečavanju ozbiljne štete, i to štete koja će biti naneta u ime moje političke zajednice – te stoga, u izvesnom smislu, i u moje sopstveno ime. Ovde, još uvek pretpostavljajući da je zajednica savršena demokratija, izgleda kao da će građanin biti bez ikakve krivice jedino ako povuče svoje ime. Ne mislim da to znači da mora postati revolucionar ili otići u egzil, stvarno se odričući svog građanstva ili lojalnosti. Ali mora da učini sve što može, osim prihvatanja zastrašujućih rizika, da spreči ili zaustavi rat. On mora da povuče svoje ime i odrekne se ovog čina (ratne politike), mada ne nužno i svake zajedničke politike, jer još uvek

19 *The Warriors*, str. 199.

može da ceni, kao što bi verovatno trebalo, demokratiju koju su on i njegovi sugrađani postigli. Ovo je, stoga, značenje Grejevog principa: što više čovek može da učini, to više treba da učini.

Sada možemo da odbacimo mit o savršenosti i da naslikamo realističniju sliku. Država koja ulazi u rat je, poput naše sopstvene, jedna ogromna država, kojom moćni i često arogantni zvaničnici upravljaju s velike udaljenosti od njenih običnih građana. Ovi zvaničnici, ili bar vodeći od njih, biraju se na demokratskim izborima, ali, u vreme izbora veoma malo se zna o njihovim programima i opredeljenjima. Učestvovanje građana u politici je povremeno, ograničeno po učinku i posredovano sistemom za širenje vesti koji delimično kontrolišu ti udaljeni zvaničnici i koji u svakom slučaju dopušta ogromna iskrivljavanja. Možda je politika ove vrste najbolje čemu se možemo nadati (mada ja u to ne verujem) kada jednom politička zajednica dostigne određenu veličinu. U svakom slučaju, više nije lako nametnuti odgovornost kao u savršenoj demokratiji. Čovek ne želi da te udaljene zvaničnike smatra kraljevima, ali za izvesnu vrstu državnih postupaka, u tajnosti pripremanih ili iznenada izvršenih, oni snose neku vrstu prave odgovornosti.

Kada se država poput ove upusti u kampanju agresije, njeni građani (ili mnogi od njih) verovatno će se s tim složiti, kao što su Amerikanci učinili tokom rata u Vijetnamu, dokazujući da bi rat ipak mogao biti pravedan; da ne mogu da budu sigurni da li je rat pravedan ili nije; da njihove vođe znaju najbolje i da im govore ovo ili ono, što zvuči dovoljno prihvatljivo; i da ništa što bi oni mogli da urade ionako neće imati nekog uticaja. Ovo nisu nemoralni argumenti, mada se loše odražavaju na društvo u kojem se iznose. A njih mogu, nesumnjivo, isuviše brzo izneti građani koji žele da izbegnu teškoće koje bi mogle uslediti ako sami za sebe počnu da razmišljaju o ratu. Ovi ljudi jesu ili bi mogli biti krivi, ne za agresivan rat već zato što su nepošteni kao građani. Ali ovo je optužba koju je teško izneti, jer to što su građani ima tako malu ulogu u njihovom svakodnevnom životu. „Slobodno delanje u zajedničkoj sferi“ moguće je za muškarce i žene u ovakvoj državi samo u formalnom smislu da vlada ne suzbija ozbiljno takvo delovanje, da ne vrši stvarnu opresiju.

Možda bi takođe trebalo reći da „zajednička sfera“ ne postoji, jer takvu sferu stvara i daje joj značenje samo svakodnevno prihvatanje odgovornosti. Čak i patriotsko uzbuđenje, ratna groznica, kod takvih ljudi verovatno se najbolje može razumeti kao odraz udaljenosti, očajničke identifikacije, stimulisan, možda, lažnim opisima onoga što se dešava. Za njih se može reći ono što se kaže za vojnike u borbi, da njih ne treba kriviti za rat, zato što to nije njihov rat.[20]

Ali, kao opis svih građana, čak i u takvoj državi, ovo je sigurno preuveličano. Jer postoji jedna grupa ljudi koji znaju više, pripadnika onoga što društveni naučnici nazivaju elitama spoljne politike, koji nisu toliko radikalno udaljeni od nacionalnih vođa; i verovatno će neki podskup ovih ljudi, zajedno s drugima s kojima su u dodiru, obrazovati „opoziciju“, pa čak možda i pokret koji se protivi ratu. Izgledalo bi da je moguće celu grupu ovih obaveštenih ljudi smatrati potencijalno dostojnim osude ako je taj rat agresivan i ako se ne pridruže opoziciji.[21] Ovo reći znači previše se uzdati u znanje koje poseduju i njihov privatan osećaj mogućnosti. Ali ako se okrenemo nekom stvarnom slučaju nesavršene demokratije, poput Sjedinjenih Država krajem šezdesetih i početkom sedamdesetih godina prošlog veka, ova pravna pretpostavka čini se neopravdanom. Sigurno je da je bilo dovoljno znanja i prilika kod elite naše zemlje, nacionalnih i lokalnih vođa njenih političkih stranaka, njenog verskog establišmenta, njenih korporacijskih hijerarhija, a možda pre svega kod njenih intelektualnih učitelja i glasnogovornika – ljudi koje je Noam Čomski [Noam Chomsky] nazvao, imajući u vidu ulogu koju igraju u savremenoj vladi,

20 Ali, pogledajte belešku u *Dnevniku Ane Frank* [Anne Frank]: „Ne verujem da su samo vlade i kapitalisti krivi za agresiju. Ne, i mali čovek je isto tako spreman za nju, jer inače bi se ljudi širom sveta pobunili još odavno.“ Siguran sam da je u pravu u pogledu spremnosti, i ne želim da za nju nudim izvinjenja. Ali uprkos svemu tome, mi ne nazivamo malog čoveka ratnim zločincem, i ja pokušavam da objasnim zašto to ne činimo. (*The Diary of a Young Girl*, trans. B. M. Mooyaart-Doubleday, New York, 1953, str. 201.)

21 Vidi Richard A. Falk, „The Circle of Responsibility,“ u *Crimes of War*, ed. Falk, G. Kolko, and R. J. Lifton, New York, 1971, str. 230: „Krug odgovornosti je povučen oko svih onih koji imaju, ili bi trebalo da imaju znanje o nelegalnom i nemoralnom karakteru rata.“

„novim mandarinima".[22] Sigurno je da su mnogi od tih ljudi bili u moralnom pogledu saučesnici u našoj agresiji u Vijetnamu. Pretpostavljam da se za njih može reći i ono što su mnogi od njih rekli za same sebe: da su prosto pogrešili u svojim sudovima o ratu, da nisu uvideli ovo ili ono, da su mislili da je nešto istina onda kada nije bilo, ili se nadali ovom ishodu koji se nikada nije ostvario. U moralnom životu uopšte, ostavlja se prostor za lažna verovanja, pogrešne informacije i iskrene greške. Ali u svakoj povesti o agresiji i zverstvima dolazi trenutak kada se to više ne može činiti. Ovde ne mogu da označim taj trenutak; niti me zanima da ukažem na određene ljude, niti sam siguran da to mogu da učinim. Želim samo da insistiram na tome da ima odgovornih ljudi čak i onda kada je, u uslovima nesavršene demokratije, utvrđivanje moralne odgovornosti teško i neprecizno.

Stvarni moralni teret američkog rata u Vijetnamu pada na podskup muškaraca i žena čije su se znanje i osećaj mogućnosti pokazivali u njihovoj opozicionoj aktivnosti. Za njih je bilo najverovatnije da će prebacivati sebi i drugima, neprekidno se pitajući da li čine dovoljno da se borbe prekinu, da li posvećuju dovoljno vremena i energije, da li naporno rade, da li delaju što je efikasnije moguće. Za većinu njihovih sugrađana, punih strepnje, apatičnih i otuđenih, rat je bio samo ružan ili uzbudljiv prizor (sve dok ne bi bili prisiljeni da učestvuju u njemu). Za disidente, on je bio neka vrsta moralnog mučenja – samomučenja, kako ga opisuje Grej, mada su mučili i jedni druge, uzaludno, u divljim sukobima do istrebljenja oko toga šta da se radi. A ovo samomučenje je rodilo osećaj njihove sopstvene ispravnosti naspram drugih, endemične mane na levici, mada dovoljno razumljive u uslovima agresivnog rata i masovnog pristajanja na njega. Međutim, izražavanje tog osećaja vlastite ispravnosti nije koristan način da se naši sugrađani navedu da ozbiljno razmišljaju o ratu ili da se pridruže opoziciji; niti je bilo korisno u našem slučaju. Nije lako znati koji tok akcije bi mogao da posluži ovim ciljevima. U ovakva vremena politika je teška. Ali ima intelektualnih zadataka koje treba obaviti, i koji su manje teški: mora da se opiše što je življe moguće moralna stvarnost rata, da se govori

22 *American Power and the New Mandarins*, New York, 1969.

o tome šta znači prisiljavati ljude da se bore, da se analizira priroda odgovornosti u demokratiji. Ovo su razumni zadaci, koji se mogu ispuniti, i oni se postavljaju kao moralan zahtev pred muškarce i žene koji umeju da ih obavljaju. Niti je opasno ispunjavati ih u demokratskoj državi koja vodi rat u jednoj dalekoj zemlji. A građani takve države imaju vremena da slušaju i razmišljaju; oni nisu ni u kakvoj neposrednoj opasnosti. Rat nameće veće terete no što su tereti koje ovi ljudi moraju da podnose – kao što ćemo videti kad na kraju razmotrimo moralni život ljudi pod oružjem.

19. RATNI ZLOČINI: VOJNICI I NJIHOVI OFICIRI

Sada ćemo se baviti vođenjem rata, a ne njegovom pravednošću. Jer vojnici, kao što sam već dokazivao, nisu odgovorni za ukupnu pravednost ratova u kojima se bore; njihova odgovornost je ograničena njihovim sopstvenim aktivnostima i ovlašćenjima. Međutim, unutar ovog delokruga, ona je stvarna i često se postavlja pitanje njihove odgovornosti. „Nije bilo ni jednog jedinog vojnika", kaže jedan izraelski oficir koji se borio u Šestodnevnom ratu, „koji nije u nekom trenutku morao da odluči, da izabere, da donese moralnu odluku... mada je [rat] bio brz i savremen, vojnik nije bio puki tehničar. On je morao da donosi odluke koje su imale stvarni značaj."[1] A kad je reč o odlukama ove vrste, vojnici imaju jasne obaveze. Oni su obavezni da primenjuju kriterijume korisnosti i srazmernosti sve dok ne dođu do osnovnih prava ljudi kojima prete da će ih ubiti ili povrediti, a tada su obavezni da ih ne ubiju i da ih ne povrede. Ali sudovi o korisnosti i srazmernosti veoma su teški za vojnike na bojnom polju. Učenje o pravima predstavlja najdelotvornije ograničenje vojnih aktivnosti, a to čini upravo zato što isključuje proračune i postavlja neprikosnovene standarde. Stoga ću se u prvim slučajevima kojima se bavim usredsrediti na određena kršenja prava i na odbrane koje vojnici obično iznose za ova kršenja. Odbrane su u osnovi dvojake. Prva se poziva na žar bitke i osećanja izbezumljenosti i ugroženosti. Druga se poziva na disciplinski sistem vojske i na pokoravanje koje on zahteva. Ovo su ozbiljne odbrane; one ukazuju na gubitak sopstva do kojeg dolazi u ratu, i podsećaju nas na to da većina vojnika veći deo vremena nije birala borbu i disciplinu koje trpe. Gde leži njihova sloboda i odgovornost?

---

1 *The Seventh Day: Soldiers Talk About the Six Day War*, London, 1970, str. 126.

Ali postoji i jedna srodna stvar koju moram uzeti u obzir pre no što pokušam da razdvojim pojam slobode od ratne ograničenosti i histerije. Ratna konvencija primorava vojnike da se pre izlože ličnom riziku nego da ubijaju nedužne ljude. Ova obaveza ima različite oblike u različitim borbenim situacijama koje sam već razmatrao u pojedinostima. Sada ću usredsrediti pažnju na te obaveze. Apsolutno pravilo glasi: samoodržanje pred licem neprijatelja nije izgovor za kršenje ratnih pravila. Vojnici su, moglo bi se tako reći, u odnosu na civile kao članovi posade broda u odnosu na svoje putnike. Moraju rizikovati svoje živote zarad života drugih. Nema sumnje da je ovo lakše reći nego učiniti. Međutim, ako je pravilo apsolutno, rizik nije, on je pitanje stepena, presudna stvar je to da vojnici ne mogu povećavati svoju sopstvenu bezbednost na račun nedužnih žena i dece.[2] Ovo se može nazvati obavezom koju nosi profesija vojnika, ali je teško pitanje da li se može s pravom pretpostavljati ovakva obaveza kada neko protiv svoje volje dolazi u takvu službu, kao što većina vojnika

2 Telford Tejlor predlaže posebno izuzeće od ovog pravila, navodeći hipotetički slučaj koji je često bio razmatran u pravnoj literaturi. Mala vojna jedinica u specijalnoj misiji ili prosto odvojena od glavnine vojske uzima zarobljenike „pod takvim okolnostima da nema dovoljno ljudstva za njihovo čuvanje... a njihovo vođenje sa sobom bi ugrozilo misiju ili izložilo jedinicu velikoj opasnosti..." Zarobljenici će zasigurno biti ubijeni, kaže Tejlor, u skladu s principom vojne nužnosti. (*Nuremberg and Vietnam*, New York, 1970, str. 36.) Ali, ako je samo sigurnost jedinice u pitanju (misija može biti već izvedena) ispravno bi bilo pozvati se na pravo samoodržanja. Pozivanje na nužnost nije bilo, uprkos Tejloru, prihvaćeno od strane pravnika, dok je pozivanje na samoodržanje dobilo veću podršku. U svom Vojničkom pravilniku za vojsku Unije, na primer, Frensis Liber piše da je „komandantu dozvoljeno da naredi svojim trupama da napuste svoje položaje... kada ga njegovo sopstveno spasenje onemogućava da optereti sebe brigom o zarobljenicima..." (Tejlor, str. 36n.) Ali zasigurno bi u takvim situacijama zarobljenike trebalo razoružati i zatim osloboditi. Čak i kada je „nemoguće" povesti ih sa sobom, nije nemoguće osloboditi ih. Možda ima rizika u tome, ali su upravo to rizici koje vojnici moraju da prihvate. Rizik koji uključuje napuštanje ranjenog vojnika je rizik iste vrste, ali to nije dovoljan razlog za njegovo ubistvo. Za korisna razmatranja o ovim pitanjima videti Marshall Cohen, „Morality and Law in War", u Held, Morgenbesser, and Nagel, eds., *Philosophy, Morality and International Affairs*, New York, 1974, str. 76–78.

i čini. Zamislimo brod čiju posadu čine oteti mornari: da li bi član takve posade bio obavezan, dok brod tone, da se postara za bezbednost putnika pre nego za svoju?

Nisam siguran kako da odgovorim na ovo pitanje, ali postoji bitna razlika između rada prinudnih članova posade i regrutovanih vojnika: prva grupa se ne bavi potapanjem brodova, dok se druga bavi. Regrutovani vojnici nameću rizik nedužnim ljudima, oni su sami po sebi neposredan izvor opasnosti i njegov delotvorni uzrok. Prema tome, ne radi se o spasavanju njih samih i prepuštanju drugih smrti, već o ubijanju drugih da bi se povećale njihove sopstvene šanse. Ali to ne smeju da čine, zato što to nijedan čovek ne sme da čini. Njihova obaveza nije u praksi posredovana njihovim zanimanjem vojnika. Ona proizlazi neposredno iz aktivnosti kojom se bave, bilo da je ta aktivnost svojevoljna ili ne, ili u najmanju ruku ona nastaje sve dok vojnike smatramo moralnim subjektima, pa čak i dok ih smatramo prinudnim moralnim subjektima.[3] Oni nisu puka oruđa, njihov položaj naspram armije nije isti kao položaj njihovog oružja naspram njih. Upravo zato što oni (ponekad) odlučuju da li da ubiju ili ne, da li da nametnu rizike ili da ih prihvate, zahtevamo od njih da odlučuju na određeni način. Ovaj zahtev u potpunosti oblikuje obrazac njihovih prava i dužnosti u borbi. I kada izađu van tog obrasca, od izvesnog je značaja da oni uopšte uzev ne negiraju taj zahtev. Umesto toga tvrde da bukvalno nisu bili u stanju da ga ispune, da u trenutku svog „zločina" nisu uopšte bili moralni subjekti.

U žaru bitke

Dva opisa ubijanja zarobljenika

U svojim lepim uspomenama iz Prvog svetskog rata, Gaj Čepmen [Guy Chapman] iznosi sledeću priču. Posle manjeg ali krvavog napredovanja iz jedne linije rovova u sledeću, sreo je jednog od svojih kolega oficira, „mrtvački bledog lica i unezverenog izgleda, ali ne zbog iscrpljenosti". Čepmen ga je pitao šta ne valja.[4]

3 Ovu ideju dugujem Denu Litlu [Dan Little].

4 Guy Chapman, *A Passionate Prodigality*, New York, 1966, str. 99-100.

'Ah, ne znam. Ništa... Barem... Pazi, uhvatili smo veliki broj zarobljenika u onim rovovima juče ujutru. Baš kad smo upali u njihov rov, jedan oficir je izašao iz zemunice. Jednu ruku je podigao iznad glave, a u drugoj je držao durbin. Durbin je pružio S.-u... i rekao: „Evo, naredniče, predajem se." S. je rekao: „Hvala, gospodine", i levom rukom uzeo durbin. U istom trenutku je stavio kundak puške pod ruku i pucao oficiru pravo u glavu. Šta je do vraga trebalo da uradim?'

„Ne vidim da si mogao da uradiš bilo šta. Pored toga ne vidim da S.-a stvarno treba kriviti. Mora da je bio lud od uzbuđenja u trenutku kad je upao u taj rov. Ne mislim da je uopšte bio svestan šta čini. Kad pustiš čoveka da ubija, ne možeš ga isključiti kao neki motor. Najzad, on je dobar čovek. Verovatno uopšte nije bio pri sebi."

„Nije samo on. Još jedan je uradio isto to."

„U svakom slučaju, sada je isuviše kasno da se učini bilo šta. Pretpostavljam da je obojicu trebalo da streljaš na licu mesta. Sada je najbolje sve zaboraviti."

Ovako nešto se često događa u ratu, i obično se za to nalaze izvinjenja. Čepmenov argument ima izvesnog smisla: to je, u stvari, pozivanje na privremenu neuračunljivost. On ukazuje na neku vrstu groznice ubijanja, koja počinje borbom i završava ubistvom, a za običnog vojnika se gubi granica između njih. Ili ukazuje na izbezumljenost od straha, takvu da vojnik ne može da prepozna trenutak kada više nije u opasnosti. On zaista nije mašina koja se može tek tako isključiti, i bila bi nečovečna pravdoljubivost gledati bez saosećanja na njegovo stanje. A ipak, ako je istina da neprijateljski vojnici često bivaju ubijeni dok pokušavaju da se predaju, takođe je istina i da relativno mali broj vojnika vrši ovaj „višak" ubijanja. Ostali su izgleda spremni da prestanu čim mogu, ma u kakvo stanje duha zapali tokom same borbe. Ova činjenica je moralno odlučujuća, jer ona ukazuje na opšte priznanje prava na milost, i dokazuje da ovo pravo zaista može biti priznato, pošto to često jeste, čak i u haosu bitke. Jednostavno, za vojnike nije istina da, kao što je nedavno pisao jedan filozof, „rat... na neki značajan način od svih njih čini psihopate".[5] Argument mora da bude specifičniji. Kad imamo

5 Richard Wasserstrom, „The Responsibility of the Individual for War Crimes", u *Philosophy, Morality, and International Affairs*, str. 62.

razumevanja za ono što pojedini vojnici čine „u žaru bitke“, to je zbog toga što znamo nešto što razdvaja te vojnike od drugih, ili se okolnosti u kojima se nalaze razlikuju od uobičajenih. Možda su sreli neprijateljske trupe koje su glumile da se predaju kako bi pobili one koji su hteli da ih zarobe: tada su vojna prava drugih trupa postala problematična na jedan nov način, jer se ne može biti siguran kada je reč o „višku“ ubijanja. Ili su možda bili pod nekim posebnim stresom, ili su se borili isuviše dugo i bili blizu nervne iscrpljenosti. Ali nema opšteg pravila koje od nas zahteva da imamo razumevanja, i bar ponekad bi vojnici morali da budu osuđeni i kažnjeni zbog ubijanja posle okončanja bitke (mada streljanje na licu mesta možda nije najbolji oblik kažnjavanja). Sigurno je da nikada ne treba da budu podsticani da veruju da se kao izvinjenje za potpuni nedostatak uzdržanosti može ponuditi pozivanje na strasti koje su ga prouzrokovale.

Ali ima oficira koji podstiču baš to verovanje, ne iz saosećanja već iz proračunatosti, ne zbog žara borbe već da bi podigli tenziju ljudi koji se bore. U svom romanu *Tanka crvena linija* [*The Thin Red Line*], jednom od najboljih opisa borbi vođenih u džunglama tokom Drugog svetskog rata, Džejms Džons [James Jones] govori o još jednom slučaju „viška“ ubijanja.[6] On opisuje novu vojnu jedinicu, čiji ljudi nisu prolivali krv i koji nemaju pouzdanja u svoju sposobnost da se bore. Posle teškog marša kroz džunglu, iz pozadine nailaze na japanske položaje. Dolazi do kratke i divlje borbe. U jednom trenutku japanski vojnici pokušavaju da se predaju, ali neki od Amerikanaca ne mogu ili neće da prestanu s ubijanjem.[7] Čak i kad je oružana borba konačno prestala, s Japancima koji su uspeli da se predaju postupa se brutalno – i tako s njima postupaju ljudi, tako Džons želi da sugeriše, koji su zapali u neku vrstu opijenosti, čije su inhibicije iznenada nestale. Oficir koji komanduje sve to posmatra i ništa ne preduzima. „Nije želeo da podrije novu čvrstinu duha koju su stekli ovi ljudi pošto su postigli uspeh. Taj duh je važniji od toga da li je nekoliko žuća zlostavljano ili pobijeno.“

Pretpostavljam da vojnici moraju da budu „srčani ljudi“, poput Platonovih čuvara, ali Džonsov pukovnik je pogrešno

6 *The Thin Red Line*, New York, 1964, str. 271–278.

7 O teškoćama predaje u savremenoj bici vidi John Keegan, *The Face of Battle*, str. 322.

razumeo prirodu njihove srčanosti. Skoro je sigurno istinito da se vojnici najbolje bore kad su najdisciplinovaniji, kada najviše kontrolišu sami sebe i kad najviše poštuju ograničenja svog zanata. „Višak" ubijanja manje je znak čvrstine nego histerije, a histerija je loša vrsta srčanosti. Ali čak i da su pukovnikove kalkulacije bile tačne, ipak bi bio obavezan da zaustavi ubijanje ako može, jer ne može da uvežba i očvrsne svoje ljude po cenu japanskih zarobljenika. Ovo je ključni aspekt onoga što se naziva „komandnom odgovornošću". Kasnije ću se njome podrobnije baviti. Sada je važno istaći da je to velika odgovornost; jer opšta politika neke vojske, izražena kroz njene oficire, klimu koju oni stvaraju svojim svakodnevnim postupcima, ima daleko više veze s učestalošću „viška" ubijanja nego intenzitet stvarnih borbi. Ali ovo ne znači da pojedinačnim vojnicima treba oprostiti; zaista, ovo još jednom navodi na pomisao kako problem nije žar borbe već ubistva; a pojedinci su uvek odgovorni za ubistva koja su izvršili, čak i kad u uslovima vojne discipline nisu isključivo oni odgovorni.

Odlika je krivične odgovornosti to da ona može biti distribuirana a da ne bude podeljena. Možemo, to jest, da okrivimo više od jedne osobe za određeni čin, a da ne podelimo krivicu koju im pripisujemo.[8] Kad vojnici koji pokušavaju da se predaju budu pobijeni, ljudi koji su stvarno pucali u njih su u potpunosti odgovorni za ono što su učinili, osim ukoliko ne priznamo određene olakšavajuće okolnosti; u isto vreme, oficir koji toleriše ili podstiče ova ubistva takođe je u potpunosti odgovoran ukoliko je bilo u njegovoj moći da ih spreči. Možda oficira više krivimo, zbog njegove hladnoće, ali pokušavao sam da pokažem da u ovim stvarima i vojnici u borbi moraju da budu mereni visokim standardima (a i oni sami bi sigurno voleli da se njihovi neprijatelji drže tih visokih standarda). Međutim, slučaj izgleda veoma različito ako je borcima zapravo naređeno da ne uzimaju zarobljenike, ili da ubiju one već zarobljene, ili da puške usmere na neprijateljske civile. Tada ubistva nisu njihovo delo već delo njihovih oficira; vojnici mogu da postupaju moralno samo ako odbiju da izvrše njihova naređenja. U ovakvom slučaju, verovatno

8 Vidi raspravu o ovoj tezi u Samuel David Resnick, *Moral Responsibility and Democratic Theory*, neobjavljena doktorska disertacija, Harvard University, 1972.

ćemo podeliti i distribuirati odgovornost: vojnike kojima je izdato naređenje smatramo ljudima čiji postupci nisu potpuno njihovi sopstveni i čija je odgovornost za ono što su učinili u izvesnoj meri umanjena.

Naređenja pretpostavljenih

Masakr u Mi Laju

Događaj je po zlu poznat i nije ga potrebno prepričavati. Četa američkih vojnika je upala u jedno vijetnamsko selo, u kojem su očekivali da se suoče s neprijateljskim borcima, ali su zatekli samo civile, starce i starice, žene i decu, i počeli da ih ubijaju, pucajući u njih pojedinačno ili u grupama, ignorišući njihovu očitu bespomoćnost i njihove pozive na milost, ne prestajući sve dok nisu pobili četiri ili pet stotina ljudi. Sada, dokazivalo se u prilog ovim vojnicima da su postupali ne u žaru borbe (pošto nije bilo nikakve borbe) već u kontekstu jednog brutalnog i brutalizujućeg rata, koji je u stvari, mada samo nezvanično, bio rat protiv vijetnamskog naroda kao celine. U tom ratu, nastavlja se argument, podsticani su da ubijaju ne vršeći brižljivu selekciju – podsticali su ih njihovi oficiri, koje je na takvo postupanje primoravao neprijatelj koji se borio i krio među civilnim stanovništvom.[9] Ove tvrdnje su istinite, ili delimično istinite; a ipak je ovaj masakr radikalno različit od gerilskog rata, čak i od brutalno vođenog gerilskog rata, i postoje značajni dokazi da su vojnici u Mi Laju znali tu razliku. Jer dok su se neki od njih spremno pridružili ubijanju, kao da su bili željni ubijanja bez rizika, bilo ih je nekoliko koji su odbili da pucaju, i drugih kojima je trebalo narediti dva ili tri puta da pucaju pre no što bi smogli snage da to učine. Treći su jednostavno pobegli; jedan čovek je pucao sebi u stopalo kako bi se izbavio s tog mesta; mlađi oficir je herojski pokušao da zaustavi masakr, i stao između vijetnamskih seljana i svojih drugova Amerikanaca. Mnogi od njegovih drugova, znamo, bili su bolesni i opterećeni krivicom sledećih dana. Ovo nije

9 Seymur Hersh, *My Lai 4: A Report on the Massacre and its Aftermath*, New York, 1970; vidi i David Cooper, „Responsibility and the 'System'", u *Individual and Collective Responsibility: The Massacre at My Lai*, ed. Peter French, Cambridge, Mass. 1971, str. 81–100.

bilo zastrašujuće i izbezumljeno širenje borbe već „slobodan" i sistematski pokolj, a ljudi koji su u njemu učestvovali teško da mogu da kažu da su bili uhvaćeni u klešta rata. Međutim, mogu da kažu da su sledili naređenja, uhvaćeni u klešta Armije Sjedinjenih Država.

Naređenja kapetana Medine [Medina], komandanta čete, zapravo su bila dvosmislena; u najmanju ruku, ljudi koji su ih čuli nisu mogli kasnije da se slože da li im je rečeno da „eliminišu" stanovnike Mi Laja. Navedeno je da je Medina rekao svojoj četi da za sobom ne ostave ništa živo i da ne uzimaju zarobljenike: „Sve su to vijetkongovci, idite i pohvatajte ih." Ali kaže se i da je naredio da se ubijaju samo „neprijatelji", i da je, kada su ga pitali: „Ko su neprijatelji?", ponudio sledeću definiciju (prema rečima jednog od njegovih vojnika): „Svako ko beži od nas, ko se krije od nas, ili nam izgleda kao neprijatelj. Ako čovek beži, pucajte u njega; ako žena sa puškom beži, pucajte u nju."[10] Ovo je vrlo loša definicija, ali nije moralno sumanuta; osim široke interpretacije „izgleda" neprijatelja, isključila bi većinu ljudi ubijenih u Mi Laju. Poručnik Keli [Calley], koji je u stvari predvodio jedinicu koja je ušla u selo, izdao je daleko određenija naređenja, zapovedivši svojim ljudima da ubijaju bespomoćne civile, koji nisu ni bežali niti se krili, a kamoli nosili puške, i neprekidno ponavljajući naređenje kada su oklevali da ga izvrše.[11] Vojni sudski sistem ga je okrivio i kaznio, mada je tvrdio da je radio samo ono što mu je Medina naredio da uradi. Obični vojnici koji su učinili ono što im je Keli naredio nisu bili optuženi.

Mora da je pravo olakšanje izvršavati naređenja. „Postati vojnik je", piše J. Glen Grej, „kao beg pod nečiju tuđu senku."

10 Hersh, str. 42.

11 Može biti korisno da se predlože vrste naredbi koje u ovakvim trenucima treba izdavati. Evo opisa jedne izraelske jedinice, koja je ušla u Nablus tokom Šestodnevnog rata: „Oficir bataljona je poljskim telefonom stupio u vezu sa mojom četom i rekao: 'Ne diraj civile... nemoj da pucaš dok ne zapucaju na vas i ne diraj civile. Pazi, upozoren si. Njihova krv pašće na tvoju glavu.' Baš tim rečima. Ljudi u četi su o tome kasnije stalno govorili... Stalno su ponavljali te reči... 'Njihova krv će pasti na vaše glave.'" *The Seventh Day: Soldiers Talk About the Six Day War*, London, 1970, str. 132.

Svet rata je zastrašujući, odlučivati je teško, i taj svet nas ohrabruje da se odviknemo od odgovornosti i da prosto radimo ono što nam neko kaže. Grej govori o vojnicima koji insistiraju na ovoj posebnoj vrsti slobode: „Kada sam podigao desnu ruku i položio [vojnu zakletvu], oslobodio sam se odgovornosti za svoje postupke. Radiću šta mi kažu i niko me ne može kriviti za to."[12] Vojna obuka ohrabruje ovakvo ponašanje, iako su vojnici takođe upoznati s tim da moraju odbiti „nezakonita" naređenja. Nijedna vojska ne može efikasno da funkcioniše bez rutinske poslušnosti, a naglasak je na rutini. Vojnici se uče da izvršavaju čak i sitna i neozbiljna naređenja. Proces učenja ima oblik beskrajnog ponavljanja, čiji je cilj da slomi njihovu individualnu svest, otpor, neprijateljstvo, svojevoljnost. Ali postoji neko krajnje zrnce ljudskosti koje ne može biti slomljeno, čije nestajanje ne možemo prihvatiti. U svom komadu „Preduzete mere", Bertold Breht opisuje militantne komuniste kao „prazne stranice na kojima Revolucija ispisuje svoje instrukcije".[13] Pretpostavljam da ima mnogo narednika zaduženih za obuku koji sanjaju o takvim praznim stranicama. Međutim, ovakav opis je lažan, a san o tome fantazija. Nije tajna da se vojnici ponekad ponašaju kao da su u moralnom pogledu prazne stranice. Ono što je presudno jeste to da ih mi ostali smatramo odgovornim za ono što rade. Uprkos njihovoj zakletvi, mi ih okrivljujemo za zločine koji proističu iz „nezakonite" ili nemoralne poslušnosti.

Vojnici se nikada ne mogu preobraziti u puka oruđa rata. Okidač je deo oružja, a ne čoveka. Ako oni nisu mašine koje prosto mogu da se isključe, onda takođe nisu ni mašine koje mogu prosto da se uključe. Obučeni da izvršavaju naređenja „bez oklevanja", oni ipak ostaju sposobni da oklevaju. Već sam navodio primere odbijanja, odlaganja, sumnje i agonije u Mi Laju. To su unutrašnje potvrde našeg spoljašnjeg prosuđivanja. Nema sumnje da mi možemo prebrzo doneti te sudove, bez sopstvenih oklevanja i ličnih nedoumica, obraćajući premalo pažnje na surovost bitke i vojnu disciplinu. Ali pogrešno je smatrati vojnike

12 *The Warriors*, str. 181.

13 *The Measures Taken*, u *The Jewish Wife and Other Short Stories*, trans. Eric Bentley, New York, 1965, str. 82.

automatima koji ne donose nikakve sudove. Umesto toga, moramo bliže pogledati pojedine strane njihove situacije i pokušati da razumemo šta bi u *tim* okolnostima, u *tom* trenutku, moglo da znači njihovo prihvatanje ili odbijanje vojne zapovesti.

Odbrana pozivanjem na naređenja pretpostavljenih deli se na dva posebna argumenta: pozivanje na neznanje i pozivanje na prinudu. Ovo su standardne pravne i moralne tvrdnje i čini se da podjednako funkcionišu u ratu kao i u civilnom društvu.[14] Nije, onda, pitanje, kao što se često pominje, da kad sudimo vojnicima, moramo uravnotežiti neophodnost vojne discipline (da poslušnost mora biti brza i bespogovorna) i zahteve humanosti (da nevini ljudi moraju biti zaštićeni).[15] Radije, mi vidimo disciplinu kao jedan od uslova ratne aktivnosti, i kad određujemo pojedinačnu odgovornost, u obzir uzimamo njene karakteristike. Mi ne opraštamo pojedincima da bismo održavali ili jačali sistem discipline. Vojska može da zataška zločine vojnika, ili da teži da ograniči njihovu krivičnu odgovornost sa te tačke gledišta (ili sa te tobožnje tačke gledišta), ali takvi napori ne predstavljaju istančanu razradu pojma pravde. Ono što pravda zahteva jeste, pre svega, to da se mi posvetimo odbrani prava i, drugo, da sa pažnjom pristupamo konkretnim odbranama ljudi koji su optuženi za kršenje tih prava.

Neznanje je često stanje običnog vojnika i ono čini lakšom odbranu, pogotovu ako se pozovemo na pitanja korisnosti i srazmernosti. Vojnik s izvesnim pravom može reći da nije znao i da nije mogao znati da li je misija u kojoj je učestvovao zaista potrebna za pobedu, ili da li je bila isplanirana tako da neplanirane civilne žrtve ostanu u prihvatljivim granicama. Iz njegove skučene i ograničene perspektive, čak i direktno kršenje ljudskih prava – kao, na primer, prilikom opsade, ili u strategiji antigerilske kampanje – može da se ne prepozna ili da se previdi. Niti je on obavezan da traži obaveštenja; moralni život vojnika u borbi nije istraživački zadatak. Čak možemo reći da se on odnosi prema

14 Najbolji opis današnje pravne situacije iznet je u Yoram Dinstein, *The Defence of Obedience to Superior Orders in International Law*, Leiden, 1965.

15 MacDougals and Feliciano, *Law and Minimum World Public Order*, str. 690.

kampanjama u kojima učestvuje kao i prema ratu: on nije odgovoran za njihovu krajnju pravednost. Kada se rat vodi na daljinu, on može i da ne bude odgovoran za nevine ljude koje je lično usmrtio. Artiljerci i piloti su često držani u neznanju u pogledu meta na koje je njihova vatra usmerena. Ako postavljaju pitanja, rutinski ih uveravaju da su njihovi ciljevi „legitimni vojni ciljevi“. Možda bi oni uvek trebalo da budu skeptični, ali ja ne mislim da ih mi okrivljujemo ako oni prihvate uveravanja svojih pretpostavljenih. Umesto toga mi okrivljujemo daleko obaveštenije komandante. Kao što primer Mi Laja pokazuje, međutim, neupućenost običnog vojnika ima svoje granice. Vojnici u vijetnamskom selu teško da su mogli sumnjati u nedužnost ljudi koje su dobili naređenje da ubiju. Upravo u takvim situacijama želimo da odbiju da izvrše naređenja: kada dobiju naređenja za koja bi, prema rečima vojnog sudije na suđenju Keliju, „čovek obične pameti i rasuđivanja trebalo, u datim okolnostima, da zna da su nezakonita.“[16]

Ovo, međutim, implicira razumevanje ne samo okolnosti već takođe i zakona, i u Nirnbergu se dokazivalo i od tada je dokazivano da su zakoni rata toliko nejasni, neizvesni i nekoherentni da ne mogu iziskivati neposlušnost.[17] Zaista, stanje pozitivnih zakona nije naročito dobro, posebno kada se odnose na nužnosti rata. Ali, zabrana pokolja je dovoljno jasna i mislim da je ispravno reći da su obični vojnici bili optuživani i osuđivani isključivo za svesno ubistvo nedužnih ljudi: bespomoćnih brodolomaca koji se teškom mukom održavaju na vodi, na primer, ili ratnih zarobljenika, ili bespomoćnih civila. Niti je pitanje čisto pravno, pošto su ovo dela koja ne samo što „narušavaju neprikosnoveno ratno pravo“, kao što navodi britanski borbeni priručnik iz 1944. godine, već takođe „bezočno vređaju opšta osećanja čovečanstva“.[18] Običan *moralni* osećaj i shvatanja isključuju ubijanja poput onih u Mi Laju. Jedan od tamo prisutnih vojnika seća se da je u sebi mislio da je pokolj „baš kao i nacistički“. Ovaj sud je sasvim tačan, i u našem običnom moralu nema ničega što bi ga moglo dovesti u sumnju.

16 Navedeno u Bajerovoj analizi suđenja Keliju, „Guilt and Responsibility“, *Individual and Collective Responsibility*, str. 42.
17 Vidi Wasserstrom, „The Responsibility of the Individual“.
18 Navedeno u Telford Taylor, *Nuremberg and Vietnam*, str. 49.

Ali izvinjenje pozivanjem na prinudu može da važi čak i u ovakvim slučajevima, ukoliko je naređenje da se ubija potkrepljeno pretnjom pogubljenjem. Dokazivao sam da se vojnici u borbi ne mogu pozivati na samoodržanje kada krše pravila rata. Jer opasnosti od neprijateljske vatre predstavljaju naprosto rizik aktivnosti u kojoj su angažovani, i oni nemaju pravo da umanjuju te rizike na račun drugih ljudi, koji nisu angažovani u toj aktivnosti. Ali pretnja smrću koja nije upućena vojnicima uopšte već određenom vojniku – pretnja, kako kažu pravnici, „neposredna, stvarna i neizbežna" – menja stvar, izdižući je iz konteksta borbe i ratnih rizika. Sada ona postaje nalik onim domaćim zločinima u kojima jedan čovek prisiljava drugog, pod pretnjom smrću koja će neposredno uslediti, da ubije trećeg. Jasno je da je ovaj čin ubistvo, ali skloni smo da mislimo da drugi čovek nije ubica. Ili, ako mislimo da je ubica, verovatno ćemo prihvatiti izvinjenje pozivanjem na prinudu. Sigurno je da neko ko odbije da ubije u ovakvom trenutku, i koji umesto toga sam gine, ne izvršava samo svoju dužnost, on postupa herojski. Grej [Gray] navodi paradigmatičan primer:[19]

> U Holandiji se priča o nemačkom vojniku koji je bio član voda za streljanje koji je dobio naređenje da strelja nedužne taoce. Iznenada je iskoračio iz stroja i odbio da učestvuje u streljanju. Oficir koji je komadovao na licu mesta ga je optužio za izdaju i poslao ga među taoce, sa kojima su ga njegovi drugovi odmah streljali.

Evo izuzetno plemenitog čoveka, ali šta da kažemo za njegove (bivše) drugove? Oni su počinili ubistvo kad su pucali iz pušaka, ali nisu odgovorni za ubistvo koje su počinili. Odgovoran je oficir koji je zapovedao, kao i oni njegovi pretpostavljeni koji su ustanovili politiku streljanja talaca. Odgovornost mimoilazi pripadnike streljačkog voda, ne zbog zakletve koju su položili, ne zbog naređenja koje su dobili, već zbog neposredne pretnje koja ih navodi da postupaju onako kako su postupili.

Rat je carstvo prinude, pretnje i kontrapretnje, tako da moramo imati jasna shvatanja o slučajevima u kojima se prinuda računa, i onima u kojima se ne računa kao izvinjenje za ponašanje

---

19 *The Warriors*, str. 185–186.

koje bismo inače osudili. Vojnici su regrutovani i prinuđeni da se bore, ali ih regrutovanje samo po sebi ne prisiljava da ubijaju nedužne ljude. Vojnici su napadnuti i prisiljeni da se bore, ali ni agresija ni neprijateljski žestok napad ne prisiljavaju ih da ubijaju nedužne ljude. Regrutovanje i napad suočavaju ih sa ozbiljnim rizicima i teškim izborima. Ali i u teskobnoj i zastrašujućoj situaciji kakva je njihova, još uvek kažemo da slobodno biraju i da su odgovorni za ono što čine. Samo čovek kojem je uz čelo prislonjen pištolj nije odgovoran.

Ali naredbe pretpostavljenih se ne sprovode uvek sa pištoljem uperenim u glavu. Vojna disciplina u stvarnom kontekstu rata često je mnogo slučajnija no što ukazuje primer sa streljačkim vodom. „Velika je prednost položaja u prvim borbenim redovima", piše Grej, „to što je... neposlušnost često moguća, jer nadzor nije veoma brižljiv tamo gde je prisutna opasnost od smrti."[20] A i u pozadini, isto kao i na frontu, ima načina da se odgovori na neko naređenje a da se ono ne posluša: odlaganje, izvlačenje, namerno pogrešno razumevanje, široko tumačenje, isuviše bukvalno tumačenje itd. Može se ignorisati nemoralna zapovest, ili se na nju može odgovoriti pitanjima i protestima, a ponekad čak i otvoreno odbijanje izaziva samo prekor, lišavanje čina, ili zatvor; nema opasnosti od smrti. Kad god su ove mogućnosti otvorene, moralni ljudi će ih iskoristiti. Čini se da i zakon zahteva sličnu spremnost, jer je legalni princip to da prinuda predstavlja izvinjenje samo ukoliko povreda koju pojedinačni vojnik nanosi nije nesrazmerna povredi kojom mu se preti.[21] Ne može pretnja oduzimanja čina biti izvinjenje za ubistvo nedužnih ljudi.

Međutim, mora se reći da su oficiri daleko više u stanju da procenjuju opasnosti s kojima se suočavaju nego obični vojnici. Telford Tejlor [Telford Taylor] je opisao slučaj pukovnika Vilijama Pitersa [William Peters], oficira armije Konfederacije u američkom Građanskom ratu, koji je odbio da izvrši izravno naređenje da spali grad Čambersburg u Pensilvaniji.[22] Piters je smenjen sa komandnog položaja i uhapšen, ali nije izveden pred vojni

20 *The Warriors*, str. 189.
21 McDougal and Feliciano, str. 693–694 i fusnote.
22 *Nuremberg and Vietnam*, str. 55 n.

sud. Možemo da se divimo njegovoj hrabrosti, ali ako je naslutio da će njegovi pretpostavljeni („razborito", prema rečima jednog drugog oficira Konfederacije) izbeći suđenje, njegova odluka je bila relativno laka. Mnogo je teža odluka nekog običnog vojnika, koji može biti izveden pred preki sud i koji malo poznaje ćud svojih udaljenih pretpostavljenih. U Mi Laju, ljudi koji su odbili da pucaju nisu kažnjeni zbog svog odbijanja, niti su očigledno očekivali da budu kažnjeni; a to nagoveštava da moramo da okrivimo ostale zbog njihove poslušnosti. U nejasnijim slučajevima, prinuda naređenja pretpostavljenih, mada nije „neposredna, stvarna i neizbežna" i ne može se računati kao odbrana, obično se smatra olakšavajućom okolnošću. Ovo izgleda kao ispravan stav, ali još jednom želim da istaknem da, kad ga zauzmemo, ne činimo ustupke potrebi za disciplinom već jednostavno priznajemo nezgodan položaj običnog vojnika.

Postoji još jedan razlog za olakšavajuće okolnosti, koji se ne pominje u pravnoj literaturi, ali je istaknut u moralnim objašnjenjima neposlušnosti. Put koji sam označio kao ispravan često je veoma pust. I ovde je slučaj nemačkog vojnika koji je istupio iz streljačkog stroja i kojeg su njegovi drugovi odmah streljali neuobičajen i ekstreman. Ali čak i kad su sumnje i strepnje nekog vojnika opšte, one su još uvek predmet ličnog premišljanja, a ne javne rasprave. A kada on dela, on dela sam, bez sigurnosti da će ga njegovi drugovi podržati. Građanski protest i neposlušnost obično se rađaju iz vrednosti jedne zajednice. Ali vojska je organizacija, a ne zajednica, a zajedništvo običnih vojnika je oblikovano prirodom i svrhom te organizacije, a ne ličnim obavezivanjima. Njihova solidarnost je gruba solidarnost ljudi koji se suočavaju sa zajedničkim neprijateljem i podvrgnuti su zajedničkoj disciplini. U ratu je na obe strane jedinstvo nagonsko, a ne namerno ili smišljeno. Odbiti poslušnost znači skršiti ovo elementarno slaganje, polagati pravo na moralnu izdvojenost (ili moralnu superiornost), izazvati svoje sadrugove, možda čak i povećati opasnosti s kojima se oni suočavaju. „Najteže je", pisao je jedan francuski vojnik koji je upućen u Alžir i koji je odbio da se bori, „biti odsečen od bratstva, biti zatvoren u monolog, biti nerazumljiv."[23]

23 Jean Le Meur, „The Story of a Responsible Act", u *Political Man and Social Man*, ed. Robert Paul Wolff, New York, 1964, str. 204.

Možda je *nerazumljiv* isuviše teška reč, jer se čovek u ovakvim trenucima poziva na zajedničke moralne standarde. Ali u kontekstu vojne organizacije, ovo pozivanje će često ostati nezapaženo, i stoga sadrži rizik duboke i moralno uznemiravajuće izolacije. To ne znači reći da čovek može da se pridruži pokolju radi zajedništva. Ali to nagoveštava da moralni život ima korene u jednoj vrsti povezivanja koju vojna disciplina isključuje ili privremeno prekida, i ova činjenica se takođe mora uzeti u obzir u sudovima koje donosimo. Ona se mora uzeti u obzir posebno u slučaju običnih vojnika, jer oficiri su slobodniji u svojim povezivanjima i uključeniji u rasprave o politici i strategiji. Oni učestvuju u oblikovanju i prirodi organizacije kojom upravljaju. Otuda, ponovo, ključni značaj komandne odgovornosti.

Komandna odgovornost

Biti oficir i biti običan vojnik su dve sasvim različite stvari. Čin je nešto za šta se ljudi nadmeću, čemu teže, u čemu uživaju, tako da čak i onda kada su oficiri prvobitno regrutovani, ne moramo da brinemo o tome da li će strogo ispunjavati svoje dužnosti. Jer čin se može izbeći i onda kada vojna služba ne može. Niži oficiri ginu u velikom broju u borbama, ali ipak ima vojnika koji žele da budu oficiri. To je pitanje uživanja u zapovedanju; u civilnom životu nema ničega što bi mu bilo potpuno slično (tako mi je rečeno). Druga strana zadovoljstva, međutim, jeste odgovornost. Oficiri preuzimaju izuzetne odgovornosti, kojima ponovo nema ničega ni nalik u civilnom životu, jer pod svojom kontrolom imaju sredstva života i smrti. Što im je viši čin, što je širi domašaj njihovih zapovesti, to su veće njihove odgovornosti. Oni planiraju i organizuju pohode; oni odlučuju o strategiji i taktici; oni biraju da se bore ovde a ne onde, oni šalju ljude u borbu. Uvek moraju da teže pobedi i da vode računa o potrebama svojih vojnika. Ali istovremeno imaju i jednu višu dužnost: „Vojniku je, bez obzira na to da li je prijatelj ili protivnik", pisao je Daglas Mekartur [Douglas MacArthur], kada je potvrdio smrtnu kaznu za generala Jamašitu [Yamashita], „poverena zaštita slabih i nenaoružanih. To je sama suština i razlog njegovog postojanja... sveti zadatak.“[24] Upravo zato što on sam, s puškom u ruci, s artiljerijom i bombarderima koje može da pozove, predstavlja pretnju za slabe i nenaoružane, on mora da preduzme korake kako bi ih zaštitio. Mora se boriti uzdržano, prihvatajući rizike, imajući na umu prava nedužnih.

Ovo očigledno znači da ne može da naređuje pokolje; niti može da teroriše civile granatiranjima ili bombardovanjima, ili da preseli velike mase stanovništva da bi stvorio zone „slobodne vatre“, niti da vrši odmazdu nad zarobljenicima ili strelja taoce. Ali znači i više od toga. Vojni komandanti imaju još dve ključne moralne odgovornosti. Prvo, u planiranju svojih vojnih operacija moraju da preduzmu pozitivne korake kako bi ograničili čak i nenamernu pogibiju civila (i moraju biti sigurni da broj poginulih nije nesrazmeran vojnim koristima koje očekuju). Ovde su zakoni rata od male pomoći; nijedan oficir neće biti krivično gonjen zato što je pobio isuviše mnogo ljudi ukoliko ih nije u stvari masakrirao. Ali moralna odgovornost je jasna, i ne može se pripisati nikom drugom osim onima koji zapovedaju. Vojne operacije pripadaju komandantu, a ne običnim borcima; njemu su dostupne sve raspoložive informacije, kao i sredstva za prikupljanje daljih informacija; on ima (ili bi trebalo da ima) pregled svih akcija koje naređuje i njihovih posledica koje očekuje. Ukoliko tada ne budu zadovoljeni uslovi koje propisuje učenje o dvostrukom efektu, ne bi trebalo da oklevamo da ga smatramo odgovornim za neuspeh. Drugo, vojni komandanti, kad organizuju svoje snage, moraju da preduzmu pozitivne korake kako bi primenili ratnu konvenciju i obezbedili da se ljudi pod njihovom komandom drže tih standarda. Moraju da se postaraju za njihovu pripremu u ovom pogledu, da izdaju jasna naređenja, utvrđuju procedure kontrole i obezbede kažnjavanje pojedinih vojnika i potčinjenih oficira koji ubijaju ili ranjavaju nedužne ljude. Ako dođe do velikog broja ovakvih ubijanja i ranjavanja, oni su po pravnoj pretpostavci odgovorni, jer mi pretpostavljamo da je bilo u njihovoj moći da ih spreče. Imajući u vidu ono što se u ratu stvarno događa, vojni komandanti bi trebalo da odgovaraju za mnogo toga.

24 Navedeno u A. J. Barker, *Yamashita*, New York, 1975, str. 157–158.

General Bredli i bombardovanje Sen Loa

Jula 1944. godine, Omar Bredli [Omar Bradley], komandant američkih snaga u Normandiji, bio je zadužen za planiranje proboja iz invazionih uporišta na obali koja su uspostavljena mesec dana ranije. Plan koji je on razradio, pod šifrovanim nazivom COBRA, i koji su odobrili generali Montgomeri [Montgomery] i Ajzenhauer, uključivao je intenzivno bombardovanje pet kilometara široke i manje od kilometra duboke površine duž puta prema Perijeru na obodu grada Sen Loa. „Prema našim proračunima, bombardovanje iz vazduha će ili uništiti ili paralisati neprijatelja na tom području", i tako omogućiti brzo napredovanje trupa. Ali to je takođe nametalo i jedan moralni problem, o kojem je Bredli raspravljao u svojoj autobiografiji. Dvadesetog jula, on je predstojeći napad opisao grupi američkih novinara:[25]

> Dopisnici su ćutke slušali najbitnije delove našeg plana, krivеći vratove dok sam im ja iznosio plan intenzivnog bombardovanja i... opisivao veličinu vazdušnih snaga koje su nam dodeljene. Na kraju sastanka, jedan od novinara je upitao da li ćemo upozoriti Francuze koji su živeli u području napada. Odmahnuo sam glavom da bih izbegao da naglas kažem ne. Ako bismo mi otkrili naš plan Francuzima, otkrili bismo ga i Nemcima... Uspeh plana COBRA zavisio je od faktora iznenađenja; od suštinskog je značaja da zadržimo iznenađenje čak i ako bi to značilo i pokolj nedužnih.

Bombardovanje ovakve vrste, duž linije bitke i kao bliska podrška trupama u borbi, dozvoljeno je pozitivnim međunarodnim pravom. Čak je i nasumična paljba dozvoljena unutar zona borbi.[26] Podrazumeva se da su civili upozoreni samom blizinom bitke. Ali, kao što nagoveštava pitanje novinara, ovo ne rešava pitanje moralnosti. Mi i dalje hoćemo da znamo koje su pozitivne mere mogle biti preduzete da bi se izbegao „pokolj nevinih" ili da bi se minimalizovala učinjena šteta. Važno je da insistiramo na takvim merama zato što, kako ovaj primer jasno pokazuje, pravilo srazmernosti često nema nikakav sprečavajući efekat.

---

25 Omar N. Bradley, *A Soldier's Story*, New York, 1964, str. 343–344.

26 Nove relevantne zakone vidi u Greenspan, *Modern Law of Land Warfare*, str. 332 ff.

Čak i ako veliki broj civila živi na tih pet kvadratnih kilometara blizu Sen Loa, i čak i ako je vrlo verovatno da će svi izginuti, čini se da je to mala cena za proboj koji bi lako mogao označiti kraj rata. Reći tako nešto, međutim, nije isto što i reći da su ti nedužni životi izgubljeni, jer možda ima načina da se spasu ubrzo po obustavljanju napada. Možda bi civili duž cele borbene linije mogli biti upozoreni (a da se ne izgubi faktor iznenađenja u tom određenom sektoru). Možda bi napad mogao da se preusmeri kroz neka manje naseljena mesta (čak i po cenu većeg rizika po vojnike koji u njemu učestvuju). Možda bi avioni, ako bi nisko leteli, mogli bolje da ciljaju određene mete, ili bi umesto njih mogla biti upotrebljena artiljerija (pošto granate mogu biti preciznije od bombi), ili padobranci, ili patrole poslate napred da zauzmu važne položaje pred glavni napad. Ja nisam u poziciji da preporučim nijednu od ovih varijanti akcija, mada bi u stvarnosti svaka od ovih akcija mogla biti poželjnija, čak i sa vojne tačke gledišta. Jer bombe su promašile cilj i pobile ili ranile više stotina američkih vojnika. Bredli ne kaže koliko je francuskih civila bilo ubijeno ili ranjeno.

Ma koliko civila da je poginulo, ne može se reći da je njihova smrt bila namerna. S druge strane, osim ukoliko je Bredli pomišljao na mogućnosti koje sam nabrojao, isto tako se ne može reći da je *nameravao da ih ne pobije*. Već sam objasnio zašto bi ta negativna namera trebalo da se zahteva od vojnika – to je vojni ekvivalent onoga što advokati nazivaju „dužnom pažnjom" u domaćem društvu. Kad govorimo o određenim vojnim akcijama malih razmera (kao što je bacanje granata u podrume, koje je opisao Frenk Ričards), ljudi od kojih se zahteva da obrate pažnju su obični vojnici i njihovi najbliži pretpostavljeni. U slučajevima kao što je COBRA, odgovorni pojedinci su na višim položajima u vojnoj hijerarhiji, i mi s pravom usredsređujemo pažnju na generala Bredlija i njegove pretpostavljene. Još jednom moram reći da ne mogu navesti tačnu tačku u kojoj je zahtev za „dužnom pažnjom" zadovoljen. Koliko je pažnje potrebno? Koliko veliki rizik može da se prihvati? Ta granica nije jasna.[27] Ali dovoljno je jasno da je većina vojnih operacija planirana i izvedena daleko

27 Vidi Fried, *Anatomy of Values*, str. 194–199.

ispod te linije, i možemo da krivimo komandante koji nisu uložili minimalan trud, čak i ako se ne zna tačno šta maksimalan trud podrazumeva.

Slučaj generala Jamašite

Isti problem u određivanju standarda iskrsava kada se razmatra odgovornost zapovednika za postupke njegovih podređenih. Oni su obavezni, kao što sam rekao, da sprovode ratnu konvenciju. Ali čak i najbolji mogući sistem primene ne sprečava pojedine prekršaje. On se pokazuje kao najbolji mogući sistem time što obuhvata ove prekršaje na sistematski način i kažnjava pojedince koji su ih počinili, da bi tako odvratio druge. Jedino ako dođe do velikog sloma ovog disciplinskog sistema, tražimo odgovornost od oficira koji upravljaju njime. Ovo je zapravo formalno zahtevala od generala Jamašite jedna američka vojna komisija po okončanju borbi na Filipinima 1945. godine.[28] Jamašita je optužen da je odgovoran za veći broj određenih činova nasilja i ubistava počinjenih nad nenaoružanim civilima i ratnim zarobljenicima. Niko nije poricao da su ta dela zaista počinili japanski vojnici. S druge strane, nije priložen nijedan dokaz da je Jamašita naredio nasilja i ubistva, pa čak ni da je znao i za jedan od navedenih događaja. Njegova odgovornost leži u neuspehu da „izvrši dužnost komandanta da kontroliše operacije ljudi kojima komanduje, dopuštajući im da čine brutalna zverstva..." Braneći se, Jamašita je tvrdio da je bio potpuno nesposoban da vrši kontrolu nad svojim trupama: uspešna američka invazija poremetila je njegove komunikacije i strukture komandovanja, ostavljajući ga da stvarno zapoveda samo nad trupama koje je lično predvodio u povlačenju u planine severnog Luzona; a te trupe nisu počinile nikakva zverstva. Komisija je odbila da prihvati ovu odbranu i osudila je Jamašitu na smrt. Njegova žalba je stigla do Vrhovnog suda Sjedinjenih Država, koji je odbio da razmotri slučaj, uprkos neslaganju dostojnom pamćenja sudija Vrhovnog suda Marfija [Murphy] i Ratlidža [Rutlege]. Jamašita je pogubljen 22. februara 1946. godine.

28 Ovde sledim opis iznet u A. Frank Reel, *The Case of General Yamashita*, Chicago, 1949.

Ima dva načina da se opiše standard kojim je Jamašitu ocenjivala Komisija i većina u Vrhovnom sudu. Advokati odbrane su dokazivali da je standard bio standard potpune odgovornosti, radikalno neprikladan za krivične slučajeve. To će reći, Jamašita je osuđen bez pozivanja na bilo koje delo koje je izvršio, pa čak ni na bilo koji propust koji je mogao da izbegne. Bio je osuđen zato što se nalazio na određenom položaju i zbog dužnosti za koje se kaže da pripadaju tom položaju, mada ove dužnosti zapravo nije mogao da ispuni u uslovima u kojima se nalazio. Sudija Vrhovnog suda Marfi je otišao još dalje: dužnosti se nisu mogle ispuniti zbog uslova koje je stvorila američka vojska:[29]

> ... shvaćene na pozadini vojnih dešavanja na Filipinima posle 9. oktobra 1944. godine, ove optužbe se svode na sledeće: „Mi, pobedničke američke snage, učinili smo sve što je bilo moguće da uništimo i dezorganizujemo vaše linije komunikacija, vašu efektivnu kontrolu nad vašim ljudima, vašu sposobnost da vodite rat. U tome smo uspeli... A sada vas optužujemo i osuđujemo zato što ste bili neefikasni u održavanju kontrole nad vašim trupama tokom perioda u kojem smo toliko efikasno gonili i uništavali vaše snage i ometali vašu sposobnost da zadržite efektivnu komandu."

Ovo je verovatno tačan opis činjenica ovog slučaja. Ne samo da Jamašita nije bio u stanju da radi one stvari koje bi komandant trebalo da radi već, ukoliko okrenemo argument, on ni u kojem smislu nije bio tvorac uslova koji su ga u tome onemogućavali. Međutim, trebalo bi da dodam da ostale sudije nisu bile uverene, ili nisu prihvatale da primenjuju princip potpune odgovornosti. Prema predsedniku Vrhovnog suda Stounu [Stone] pitanje je bilo „da li zakoni rata komandantu armije nameću dužnost da preduzima odgovarajuće mere *koje su u njegovoj moći* da bi kontrolisao trupe pod svojom komandom..." Lako je na ovo pitanje dati potvrdan odgovor, ali uopšte nije lako reći koje mere su „odgovarajuće" u nepovoljnim uslovima borbe, dezorganizacije i poraza.

Standardi treba da se postave visoko, i argument u prilog potpunoj odgovornosti je utilitaristički po karakteru: smatrajući oficire automatski odgovornim za teška kršenja ratnih pravila, prisiljava ih da učine sve što je u njihovoj moći da bi izbegli takve

29 Reel, str. 280; u Apendiksu knjige preštampana je odluka Vrhovnog suda.

prekršaje, bez potrebe da odredimo šta bi oni bili dužni da preduzmu.[30] Ali postoje dva problema u vezi s tim. Kao prvo, mi zapravo ne želimo da komandanti čine sve što mogu, zato što bi im taj zahtev, doslovno shvaćen, ostavio malo vremena da rade bilo šta drugo. Ovo nije tako upečatljivo u njihovom slučaju kao u slučaju političkih vođa i domaćeg kriminala: ne zahtevamo od naših vođa da urade sve što mogu (već samo da preduzmu „odgovarajuće mere“) da bi sprečili pljačke i ubistva, zato što oni imaju i druga posla. Ali, podrazumeva se da oni nisu naoružavali i obučavali ljude koji su počinili te pljačke i ubistva, i ti ljudi nisu pod njihovom neposrednom komandom. Slučaj vojnih zapovednika je drugačiji: stoga mi moramo očekivati od njih da posvete veći deo svoje pažnje i vremena disciplinovanju i kontroli ljudi pod oružjem, koje šalju odrešenih ruku u svet. Pa ipak, ne svu svoju pažnju i vreme, ne i sva sredstva za koja su nadležni.

Drugi nam je argument protiv potpune odgovornosti u krivičnim slučajevima poznatiji. Čak i raditi „sve“ nije isto što i uraditi to uspešno. Sve što možemo da zahtevamo jeste ozbiljan napor određene vrste; mi ne možemo da zahtevamo uspeh, pošto su uslovi u ratu takvi da uspeh nije uvek moguć. A nemogućnost uspeha je neizbežno izvinjenje – a ukoliko su napori bili ozbiljni, to je potpuno zadovoljavajuće izvinjenje – za neuspeh. Odbiti da se prihvati ovo izvinjenje znači odbiti da se optuženi smatra moralnim subjektom: jer u prirodi je moralnih subjekata (ljudskih bića) da njihovi najbolji napori ponekad propadnu. Neprihvatanje ovog izvinjenja previđa ljudskost optuženog, svodi ga na puki primer, *pour encourager les autres*: a to nikome nemamo pravo da učinimo.

Ova dva argumenta mi se čine ispravnim, i oni oslobađaju generala Jamašitu, ali nas, takođe, ostavljaju bez ikakvih jasnih standarda. U stvari, nema filozofskog i teorijskog načina da se utvrde ovakvi standardi. To važi i za planiranje i organizaciju vojnih akcija. Nema pouzdanog pravila u odnosu na koje bismo odredili prirodu ponašanja generala Bredlija. Rasprave o dvostrukom efektu u poglavljima 9 i 10 tek na prilično grub način ukazuju na one vrste razmatranja koja su relevantna za donošenje sudova o ovakvim

30 O potpunoj odgovornosti vidi Feinberg, *Doing and Deserving*, str. 223 ff.

pitanjima. Prikladni standardi se mogu utvrditi samo dugim procesom kazuističkih zaključivanja, to jest, pretresanjem svakog slučaja ponaosob, s moralne ili pravne tačke gledišta. Glavna greška vojne komisije i Vrhovnog suda 1945. godine, osim činjenice da nisu bili pravedni prema generalu Jamašiti, jeste ta da nisu dali nikakav doprinos tom procesu. Nisu naveli mere koje je Jamašita mogao da preduzme, niti su naznačili stepen dezorganizacije koji može da posluži kao ograničenje komandne odgovornosti. Tek uvodeći ovakva određenja u čitavom nizu slučajeva, možemo da utvrdimo granice koje zahteva ratna konvencija.

Više o ovome možemo reći, mislim, ako se nakratko okrenemo slučaju Mi Laja. Dokazi koji su izneti na suđenju poručniku Keliju i materijal koji su prikupili novinari vodeći svoju istragu o pokolju, očigledno ukazuju na odgovornost oficira pretpostavljenih i Keliju i Medini. Strategija američkog rata u Vijetnamu, kao što sam već dokazivao, težila je da civile izloži riziku na nedopustive načine, i običan vojnik je teško mogao da zanemari implikacije ove strategije. Sam Mi Laj se nalazio u zoni slobodne vatre, neprekidno granatiran i bombardovan. „Ako možete granatirati... to selo svako veče“, zapitao je jedan vojnik, „kako onda ljudi koji su tamo mogu biti toliko vredni?“[31] Zapravo, vojnike su učili da životi civila nisu toliko vredni, i čini se da je malo napora ulagano u suprotstavljanje takvom učenju, osim najosnovnijim i najpovršnijim poukama o pravilima ratovanja. Ako želimo u potpunosti da pripišemo nekome krivicu za pokolj, tada bi trebalo da optužimo veliki broj oficira. Ne mogu ovde da iznesem spisak ljudi i sumnjam da bi svako od njih mogao ili bar trebalo da bude pravno optužen i izveden na sud – mada bi to bila korisna prilika da se primeni i unapredi Jamašitin presedan. Ali čini se sigurnim da se mnogi oficiri mogu moralno okriviti, i njihova krivica nije ništa manja od krivice ljudi koji su počinili sva ta ubistva. Zaista, postoji jedna razlika između njih: u slučaju običnih vojnika, teret dokazivanja leži na nama. Kao i u svakom slučaju ubistva, mi moramo dokazati njihovo svojevoljno i svesno učestvovanje. Ali oficiri su krivi po pravnoj pretpostavci, teret dokazivanja, ukoliko žele da dokažu svoju nevinost, leži na

31 Hersh, str. 11.

njima. I sve dok ne nađemo neki način da im nametnemo taj teret, nećemo učiniti sve što možemo u odbrani „slabih i nenaoružanih", nedužnih žrtava rata.

Priroda nužnosti (4)

Najteže pitanje sam ostavio za kraj. Šta možemo reći o onim vojnim zapovednicima (ili političkim vođama) koji krše pravila rata i ubijaju nedužne ljude u „krajnjoj nuždi"? Sigurno je da u takvim vremenima želimo da nas vode muškarci i žene spremni da urade ono što se mora uraditi – ono što je *nužno*, jer tek na ovom mestu se nužnost u svom pravom značenju javlja u teoriji rata. S druge strane, ne možemo prevideti ili zaboraviti šta oni to čine. Namerno ubijanje nedužnih ljudi je zločin. Ponekad, u ekstremnim slučajevima (koje sam pokušao da odredim i razgraničim) zapovednici moraju počiniti ubistvo, ili narediti drugima da ga počine. A tada su oni ubice, mada u ispravnoj stvari. U domaćem društvu, a posebno u kontekstu revolucionarne politike, za takve ljude kažemo da imaju prljave ruke. Već sam na drugom mestu pominjao da muškarci i žene prljavih ruku, mada su možda postupali dobro i činili ono što njihov položaj zahteva, moraju, bez obzira na to, da snose teret odgovornosti i krivice.[32] Nepravedno su ubijali, da tako kažemo, zarad same pravde, ali sama pravda nalaže da nepravedna ubistva budu osuđena. Očigledno, ovde se ne radi o zakonskom kažnjavanju već o nekom drugom načinu pripisivanja i nametanja krivice. Koji je to način, međutim, ostaje radikalno nejasno. Svi raspoloživi odgovori će najverovatnije učiniti da se osećamo nelagodno. Priroda te nelagodnosti će biti jasnija ako se opet osvrnemo na slučaj britanskog terorističkog bombardovanja u Drugom svetskom ratu.

Uskraćivanje počasti Arturu Harisu

„On bi mogao biti zabeležen u istoriji kao div među vođama ljudi. On je dao Komandi bombarderske avijacije hrabrosti da nadvlada svoja iskušenja..." Ovako je pisao istoričar Nobl

32 „Political Action: The Problem of Dirty Hands", 2 *Philosophy and Public Affairs*, 1973, str. 160–180.

Frankland [Noble Frankland] o Arturu Harisu, koji je rukovodio strategijom bombardovanja Nemačke od februara 1942. pa sve do kraja rata.[33] Haris je bio, kao što smo videli, odlučan zastupnik terorističkih bombardovanja, pružajući otpor svakom pokušaju da se njegovi avioni koriste u druge svrhe. Terorističko bombardovanje je zločinačka aktivnost, i kada je neposredna pretnja od Hitlerovih ranih pobeda prošla, to je postala u potpunosti neodbranjiva aktivnost. Stoga Harisov slučaj nije pravi primer problema prljavih ruku. On i Čerčil, koji je nosio konačnu odgovornost za vojnu politiku, nisu se suočili ni sa kakvom moralnom dilemom: trebalo je da, prosto, zaustave kampanju bombardovanja. Ali, uprkos tome, ovo možemo uzeti kao primer, jer je očigledno imao tu formu u svesti britanskih vođa, čak i samog Čerčila na kraju. Zbog toga Haris, iako, naravno, krivične prijave nikada nisu podnete protiv njega, posle rata nije tretiran kao div među vođama ljudi.

On je radio ono što je njegova vlada smatrala da je neophodno, ali ono što je radio bilo je ružno, i izgleda da je postojala svesna odluka da se ne veličaju podvizi Komande bombarderske avijacije i da se ne odaju počasti njenom zapovedniku. „Od njegovog se dela“, piše Angus Kalder [Angus Calder], „Čerčil i njegove kolege naposletku distanciraju. Posle zvaničnog završetka vazdušne ofanzive sredinom aprila [1945] Komanda bombarderske avijacije je omalovažavana i ponižavana, a Haris, za razliku od ostalih dobro poznatih komandanata, nije kao nagradu dobio titulu pera.“ U takvim okolnostima ne odati počast nekome isto je što i obeščastiti ga, i Haris je upravo tako shvatio postupak vlade (ili njen propust da postupi na određeni način).[34] Čekao je neko vreme na nagradu, i onda, ozlojeđen, napustio Englesku i vratio se u svoju rodnu Rodeziju. Ljudi koje je predvodio tretirani su na sličan način, mada poniženje nije bilo tako lično. U Vestminsterskoj opatiji postoji spomen-ploča u čast pilota Komande lovačke avijacije koji su poginuli tokom rata, na kojoj su zabeležena sva njihova imena. Ali piloti Komande bombarderske avijacije, mada su pretrpeli daleko teže gubitke, nemaju spomen-ploču,

33 Frankland, *Bomber Offensive*, str. 159.

34 Calder, *The People's War*, str. 506; Irving, *Destruction of Dresden*, str. 250–257.

i njihova imena nisu zabeležena. Deluje kao da su Britanci ozbiljno shvatili pitanje Rolfa Hohuta [Rolf Hochhuth]:[35]

Da li se pilot koji bombarduje
naseljena mesta po naređenju
i dalje sme nazivati *vojnikom*?

Sve ovo ima poentu, mada na tako posredan i dvosmislen način, da ne možemo a da ne primetimo njegovu moralnu nepodesnost. Haris i njegovi ljudi su izneli opravdanu žalbu: radili su samo ono što im je rečeno, i ono za šta su njihove vođe mislile da je neophodno i ispravno, ali su obeščašćeni zato što su to radili, i iznenada je nagovešteno (šta drugo može da znači to obeščašćenje?) da je ono što je bilo neophodno i ispravno istovremeno i pogrešno. Haris je osećao kao da su od njega napravili žrtvenog jarca, i sigurno je tačno da, ako treba raspodeliti krivicu za bombardovanje, Čerčil zaslužuje svoj puni deo. Ali Čerčilov uspeh da se distancira od politike terora nije od velikog značaja, za to uvek postoji lek u vidu retrospektivne kritike. Ono što je značajno jeste to da je njegovo distanciranje ujedno i deo nacionalnog distanciranja – promišljena politika koja ima moralni značaj i vrednost.

Pa ipak, ova politika deluje surovo. Izložena na opšti način, svodi se na sledeće: nacija koja vodi pravedan rat, kada je očajna i kada joj je opstanak u pitanju mora da koristi beskrupulozne ili moralno neupućene vojnike, i onda, čim više nisu korisni, mora da ih se odrekne. Ja bih radije rekao nešto drugo: da pristojni muškarci i žene, pod teškim teretom rata, ponekad moraju da rade grozne stvari, a potom sami moraju da potraže neki način da obnove vrednosti koje su odbacili. Veoma je redak slučaj, kao što je Makijaveli pisao u svojim *Raspravama*, da „treba naći dobrog čoveka voljnog da koristi opaka sredstva", čak i ako se takva sredstva u moralnom pogledu zahtevaju.[36] Tada moramo potražiti ljude koji nisu dobri, da ih iskoristimo, a zatim obeščastimo. Možda postoji bolji način da se učini tako nešto nego onaj koji je Čerčil izabrao. Bilo bi bolje da je objasnio svojim zemljacima

35 *Soldiers: An Obituary for Geneva*, trans. Robert David MacDonald, New York, 1968, str. 192.

36 *The Discourses*, knj. I, gl. XVIII.

moralnu cenu njihovog preživljavanja i da je nagradio hrabrost i izdržljivost Komande bombarderske avijacije, čak i insistirajući na tome da nije moguće da osećaju ponos zbog onoga što su učinili (nemogućnost koju su mnogi od njih morali osećati). Ali Čerčil to nije učinio; nikad nije priznao da je terorističko bombardovanje u osnovi bilo zlodelo. U nedostatku takvog priznanja, odbijanje da se Haris javno pohvali je, bar, mali korak ka ponovnom uspostavljanju odanosti pravilima rata i pravima koja ona štite. A to je, mislim, najdublje značenje svih pripisivanja odgovornosti.

Zaključak

Svet nužnosti se rađa iz sukoba između kolektivnog opstanka i ljudskih prava. Mi se u tom svetu nalazimo ređe no što mislimo, a pogotovu ređe nego što kažemo; ali uvek kada smo u njemu, mi doživljavamo krajnju tiraniju rata – a takođe i, može se dokazivati, krajnju nekoherentnost teorije rata. U uznemirujućem eseju „Rat i pokolj“ [War and Massacre] Tomas Nejgel [Thomas Nagel] je našu situaciju u takvom trenutku opisao putem sukoba utilitarističkih i apsolutističkih načina mišljenja: znamo da postoje i takvi ishodi koji se moraju izbegavati po svaku cenu, i znamo da postoje neke cene koje se nikada ne mogu opravdano platiti. Moramo se suočiti sa mogućnošću, dokazuje Nejgel „da ove dve forme moralne intuicije ne mogu da se uklope u jedan koherentan moralni sistem, i da se možemo suočiti sa situacijama u svetu u kojima nema časnog ili moralnog postupka koji čovek može da učini, u kojima nema nikakvog toka akcije koji čovek može da sledi, nikakvog toka akcije oslobođenog krivice i odgovornosti za zlo.“[37] Pokušao sam da izbegnem potpunu neodređenost ovog opisa, iznoseći ideju da političke vođe nemaju izbora osim da izaberu utilitarnu stranu dileme. Zbog toga i postoje političke vođe. Moraju izabrati kolektivni opstanak i prenebregnuti ona prava koja su iznenada iskrsla kao prepreke opstanku. Ali ne želim da kažem, baš kao ni Nejgel, da su oslobođeni krivice kad to čine. Da nema krivice, odluke koje donose bile bi manje mučne nego što jesu. Oni jedino mogu da

37 *Philosophy and Public Affairs*, 1972, str. 143.

dokažu da su časni ljudi ako prihvate odgovornost za svoje odluke i nastave da žive s tom mučnom odgovornošću. Moralna teorija koja bi im olakšala život ili koja bi sakrila njihovu dilemu od nas ostalih, može imati veću koherentnost, ali bi promašila i zataškala realnost rata.

Ponekad se kaže da ova dilema treba da se sakrije, da treba da navučemo zastor (kao što je Čerčil pokušao da učini) preko zločina koje vojnici i državnici ne mogu izbeći. Ili, treba da skrenemo pogled – zarad svoje nevinosti, pretpostavljam, i moralnih izvesnosti. Ali ovo je opasan posao; ako odvratimo pogled, kako ćemo znati kada da se ponovo osvrnemo? Uskoro ćemo skretati pogled sa svega što se dešava u ratovima i bitkama, ništa ne osuđujući, kao drugi od tri majmuna na japanskim statuama, koji ne vidi zlo. Pa ipak, ima mnogo da se vidi. Vojnici i državnici uglavnom žive sa ove strane velike krize kolektivnog opstanka; daleko najveći broj zločina koje čine ne mogu da se opravdaju, niti da se za njih nađe izvinjenje. To su naprosto zločini. Neko mora pokušati da ih jasno vidi i opiše „jasnim rečima". Čak i ubistva nazvana nužnim moraju biti opisana na sličan način; dvostruko je veći zločin okrenuti pogled u stranu, jer tad nismo u stanju da utvrdimo granice nužnosti, niti da zapamtimo žrtve, niti da donesemo sopstveni (neprijatan) sud o ljudima koji su ubijali u naše ime.

Uglavnom se moral proverava samo svakodnevnim pritiscima vojnog sukoba. Uglavnom je moguće, čak i kad nije lako, živeti po pravilima pravde. I uglavnom su sudovi koje donosimo o tome šta vojnici i državnici rade individualni i jasni; ma kako oklevali, kažemo da ili ne, dobro ili loše. Ali u stanjima krajnje nužde naši sudovi su dvostruki, odražavajući dvojni karakter teorije rata i dublje složenosti naše moralne stvarnosti; kažemo *i* da *i* ne, *i* dobro *i* loše. Ta dvojnost nas čini nesigurnim. Svet rata nije u potpunosti shvatljiv, a još manje moralno prihvatljivo mesto. A ipak se ne može izbeći, u nedostatku sveopšteg poretka u kome opstanak nacija i ljudi nikad ne bi mogao biti ugrožen. Mnogo je razloga da se radi na ostvarenju ovakvog poretka. Problem je u tome što ponekad nemamo drugog izbora osim da se za njega borimo.

POGOVOR: NENASILJE I TEORIJA RATA

San o ratu koji će okončati sve ratove, mit o Armagedonu (poslednjoj bitki), vizija lava koji leži pored jagnjeta – sve to ukazuje na doba, razdvojeno od našeg nekim neodređenim vremenskim periodom, koje će biti definitivno miroljubivo, u kojem neće biti oružanih sukoba ni sistematskog ubijanja. Ono neće doći, rečeno nam je, sve dok silama zla ne bude nanet odlučan poraz, a čovečanstvo ne bude zauvek oslobođeno od žudnje za osvajanjem i dominacijom. U našim mitovima i vizijama, kraj rata je i kraj sekularne istorije. Mi koji smo uhvaćeni u ovu istoriju kojoj ne naziremo kraj, nemamo drugog izbora do da se i dalje borimo, braneći vrednosti kojima smo privrženi, sve dok ne budu otkriveni neki alternativni načini odbrane. Alternativa je jedino nenasilna odbrana, „rat bez oružja", kako ga nazivaju njegovi branioci, koji teže da naše snove prilagode našoj stvarnosti. Oni tvrde da možemo da budemo privrženi vrednostima zajedničkog života i slobode bez borbe i ubijanja, a ova tvrdnja pokreće značajna pitanja (sekularna i praktična) o teoriji rata i o argumentu o pravdi. Obraditi ih onako kako zaslužuju zahtevalo bi novu knjigu, ovde mogu da ponudim samo kratak ogled, parcijalnu i probnu analizu odnosa u kojima nenasilje stoji prema, prvo, učenju o agresiji, i drugo, prema pravilima rata.

Nenasilna odbrana se razlikuje od konvencionalnih strategija po tome što prihvata da će zemlja koja se brani biti pregažena neprijateljskom vojskom. Ona ne postavlja prepreke koje su u stanju da zaustave vojno napredovanje ili da spreče vojnu okupaciju. „Mada su manje akcije odlaganja upada stranih trupa i zvaničnika moguće", piše Džin Šarp [Gene Sharp], „civilna odbrana... ne pokušava da zaustavi ovakav upad, niti to može uspešno da učini."[1] Ovo je radikalan ustupak, i mislim da ga nijedna vlada nikada nije dobrovoljno učinila. Nenasilje je upražnjavano (pred invazijom) samo pošto se pokazalo da su nasilje ili pretnja

1 *Exploring Nonviolent Alternatives*, Boston, 1971, str. 93; uporedi Anders Boserup and Andrew Mack, *War Without Weapons: Non-Violence in National Defense*, New York, 1975, str. 135.

nasiljem bezuspešni. Tada protagonisti nenasilja pokušavaju da pobedničkoj armiji uskrate plodove njene pobede putem sistematske politike civilnog otpora i nesaradnje: oni traže od pobeđenog naroda da sebe učini takvim da se njime ne može upravljati. Želim da istaknem da se nije rat obično smatrao poslednjim pribežištem već civilni otpor, jer rat pruža bar mogućnost da se izbegne okupacija koja poziva na civilni otpor ili ga zahteva. Ali ovaj poredak možemo da preokrenemo ako odlučimo da je isto toliko verovatno da će otpor okončati okupaciju koliko je verovatno da će je vojna akcija sprečiti, i to po mnogo manjoj ceni u ljudskim životima. Za sada nema dokaza da je ovaj iskaz istinit, „nikakvih slučajeva kada je... civilna odbrana navela osvajača da se povuče".[2] Ali nikakvu nenasilnu borbu nije preduzeo narod unapred uvežban u njenim metodima i pripremljen (kao što su vojnici u ratu) da prihvati njenu cenu. Stoga bi ovaj iskaz mogao da bude istinit; a ako jeste, trebalo bi da na agresiju gledamo veoma različito od onog kako to danas činimo.

Moglo bi se reći da nenasilje ukida agresivni rat prosto odbijanjem da se agresoru pruži vojni otpor. Invazija nije moralno prisilna na načine koje sam opisao u Glavi 4, i muškarci i žene se ne mogu prinuditi da se bore ukoliko misle da svoju zemlju mogu da brane na neki drugi način, bez ubijanja i pogibija. A ako zaista postoji neki drugi način, koji je bar potencijalno efikasan, tada se agresor ne može optužiti da ih je prisilio da se bore. Nenasilje deeskalira sukob i smanjuje njegovu zločinačku prirodu. Prihvatajući metode neposlušnosti, nesaradnje, bojkota i generalnog štrajka, građani osvojene zemlje preobražavaju agresivni rat u političku borbu. Oni agresora stvarno tretiraju kao domaćeg tiranina ili uzurpatora, a njegove vojnike kao policajce. Ako osvajač prihvati ovu ulogu, i ako na otpor s kojim se suočava odgovori policijskim časom, globama, zatvorskim kaznama i ničim više, otvorena je perspektiva dugotrajne borbe, koja nije bez svojih teškoća i patnji po civile, ali je daleko manje destruktivna čak i od kratkotrajnog rata, i u kojoj mogu pobediti (pretpostavljamo) isti ti civili. Savezničke države neće imati razloga da se vojno umešaju u tu borbu, što je dobra stvar, jer ukoliko su i one privržene

2 Sharp, str. 52.

nenasilnoj odbrani, neće ni imati načina da intervenišu. Ali mogu da vrše moralni, a možda i ekonomski pritisak na osvajača.

Evo kakav će biti položaj osvajača: oni će držati zemlju koju su „napali", mogu da osnivaju vojne baze gde god im drago i da uživaju sve strateške prednosti koje im one pružaju (*vis-à-vis* drugih zemalja, pretpostavljamo). Ali će njihovi logistički problemi biti ogromni, jer osim ukoliko ne mogu sa sobom da dovedu svoje ljudstvo, neće moći da se oslone na lokalne sisteme transporta i komunikacija. A pošto sa sobom teško da mogu da dovedu celokupnu radnu snagu, imaće velike teškoće u eksploataciji prirodnih resursa i industrijskih postrojenja osvojene zemlje. Stoga će ekonomski troškovi okupacije biti visoki. Politička cena može biti još viša. Svuda će se njihovi vojnici susretati sa zlovoljnim, povučenim i nekooperativnim civilima, punim mržnje. Mada ovi civili neće uzeti oružje u ruke, oni će se okupljati, demonstrirati i štrajkovati; a vojnici će morati da odgovore, koristeći prisilu, omrznuto oruđe tiranskog režima. Vojni elan može da izbledi, moral da opadne pod velikim pritiskom civilnog neprijateljstva i neprekidne borbe, u kojoj nikada ne doživljavaju olakšanje otvorene bitke. Konačno će, možda, okupacija postati neodrživa, i osvajač će se prosto povući; prvo će pobediti, a potom izgubiti u „ratu bez oružja".

Ovo je privlačna, mada ne i milenaristička slika. Zaista, ona je privlačna upravo zato što nije milenaristička već zamisliva u svetu kakav poznajemo. Međutim, ona je samo zamisliva, jer je uspeh kakav sam opisao moguć samo ako su osvajači privrženi ratnoj konvenciji – a oni to neće uvek biti. Dok nenasilje zamenjuje agresivan rat političkom borbom, ono ne može samo po sebi da odredi sredstva borbe. Armija okupatora može uvek da prihvati uobičajene metode domaćih tirana, koje daleko premašaju policijski čas, globe i kazne zatvorom; i njeni zapovednici, mada su vojnici, mogu doći u iskušenje da tako postupe radi brze „pobede". Tirani, naravno, neće opsađivati svoje sopstvene gradove, niti ih bombardovati i granatirati; niti će to činiti osvajači koji se ne susreću s oružanim otporom.[3] Ali ima i drugih,

3 Ali neprijateljska država može zapretiti bombardovanjem a ne invazijom, o ovoj mogućnosti vidi Adam Roberts, „Civilian Defense Strategy", u *Civilian Resistance as a National Defence*, ed. Roberts, Hammondsworth, 1969, str. 268–272.

verovatno efikasnijih načina da se teroriše narod čiju zemlju držimo u vlasti, i da se slomi njegov otpor. U svojim „Refleksijama o Gandiju“ [Reflections on Gandhi], Džordž Orvel ukazuje na značaj ličnog primera koji daje vođa i širokog publiciteta u nenasilnoj kampanji i pita se da li bi takva kampanja uopšte bila moguća u totalitarnoj zemlji. „Teško je videti kako bi Gandijevi metodi mogli da se upotrebe u zemlji u kojoj protivnici režima nestaju preko noći i za njih se nikada više ne čuje.“[4] Niti će civilni otpor biti uspešan protiv osvajača koji šalju vodove vojnika da pobiju civilne vođe, koji hapse i muče osumnjičene, osnivaju koncentracione logore i proteruju veliki broj ljudi iz oblasti u kojima je otpor snažan u udaljene i puste krajeve zemlje. Nenasilna odbrana uopšte nije odbrana od tirana ili osvajača spremnih da primene ovakve mere. Gandi je dokazao ovu istinu, mislim, perverznim savetom koji je dao nemačkim Jevrejima: trebalo bi da izvrše samoubistvo pre no da se bore protiv nacističke tiranije.[5] Ovde se nenasilje u ekstremnim okolnostima urušava u nasilje nad samim sobom, a ne nad svojim ubicama, mada ne mogu da shvatim zašto treba da dobije ovaj smer.

Ako smo suočeni s neprijateljem kao što su nacisti, i ako je oružani otpor nemoguć, skoro je izvesno da će se stanovnici okupirane zemlje – oni koji su odabrani za opstanak, u svakom slučaju, a možda čak i oni koji su izdvojeni za smrt – pokoriti svojim novim gospodarima i izvršavati njihova naređenja. Zemlja će ućutati. Otpor će biti stvar individualnog herojstva ili herojstva malih grupa, ali ne i kolektivna borba.

Uspeh nenasilne borbe zahteva da vojnici (ili njihovi oficiri, ili političke vođe) rano odbiju, pre no što civilni otpor bude iscrpljen, da izvršavaju ili podržavaju politiku terora. Kao i u gerilskom ratu, strategija se sastoji u tome da se okupatorska armija prisili da snosi teret smrti civila. Ali ovde mora biti učinjeno da teret bude naročito jasan (naročito nepodnošljiv) dramatičnim odsustvom bilo kakve oružane borbe u kojoj bi krišom mogli da učestvuju civili. Oni će biti neprijateljski raspoloženi, izvesno, ali

4 *Collected Essays, Journalism, and Letters*, tom 4, str. 469.

5 Louis Fischer, *Gandhi and Stalin*, navedeno u Orvelovim „Reflections“, str. 468.

nijedan vojnik neće umreti od njihove ruke, niti od ruku partizana koji imaju njihovu tajnu podršku. A ipak, ako njihov otpor treba odlučno i brzo slomiti, vojnici će morati da budu spremni da ih ubijaju. Pošto nisu uvek spremni da to čine, ili njihovi oficiri nisu sigurni da će oni to činiti uvek iznova već prema potrebi, civilna odbrana je imala izvesnu ograničenu efikasnost – ne u proterivanju osvajačke armije već u sprečavanju da se postignu određeni ciljevi koje su postavile njene vođe. Kao što je dokazivao Lidel Hart, međutim, ovi učinci su bili mogući jedino[6]

> protiv protivnika čiji je moralni kodeks bio temeljno sličan [kodeksu civilnih branilaca], i čija je nemilosrdnost bila njime ograničena. Veoma je sumnjivo da li bi nenasilan otpor bio uspešan protiv tatarskih osvajača u prošlosti, ili protiv Staljina u skorije vreme. Jedini utisak koji je izgleda ostavio na Hitlera bio je da izazove njegov impuls da baci pod noge ono što je, u njegovoj svesti, bilo žalosna slabost – mada ima dokaza da je uznemirio mnoge njegove generale, koji su vaspitani u boljem kodeksu...

Ukoliko se može računati na ovaj „bolji kodeks" i očekivati nenasilna borba dve volje – civilne solidarnosti naspram vojne discipline – ne bi bilo, mislim, razloga za borbu: politička borba je bolja od vojnog sukoba, čak i kad je pobeda neizvesna. Jer ni pobeda u ratu nije izvesna; a ovde se može reći, što se ne može lako reći u slučaju rata, da će građani okupirane zemlje pobediti ukoliko zaslužuju da pobede. Kao i u domaćoj borbi protiv tiranije (sve dok ona ne degeneriše u pokolj), o građanima sudimo na osnovu njihove sposobnosti za samopomoć, to jest, na osnovu njihove kolektivne odlučnosti da brane svoju slobodu.

Kada ne može da se računa na moralni kodeks, nenasilje je ili prerušeni oblik predaje ili minimalistički način da se posle vojnog poraza očuvaju vrednosti zajednice. Ne želim da potcenim značaj ovog drugog. Mada civilni otpor ne izaziva moralno priznanje kod okupatorovih vojnika, još uvek može biti značajan za one koji ga upražnjavaju. On izražava zajedničku želju za opstankom; i mada je izražavanje kratkotrajno,

---

6 „Lessons from Resistance Movements – Guerrilla and Non-Violent", u *Civilian Resistance*, str. 240.

kao u Čehoslovačkoj 1968. godine, verovatno će se dugo pamtiti.[7] Herojstvo civila može čak i više da podstakne nego hrabrost vojnika. S druge strane, ne treba očekivati mnogo više od civila suočenih s terorističkom ili potencijalno terorističkom armijom od kratkotrajnog ili sporadičnog otpora. Lako je reći: „Nenasilna akcija nije put kukavica. Ona zahteva sposobnost i odlučnost da se nastavi borba, ma kakva bila cena u patnjama...“[8] Ali ova vrsta bodrenja nije ništa privlačnija nego bodrenje generala koji svojim ljudima izdaje naređenje da se bore do poslednjeg čoveka. Zaista, više mi se dopada bodrenje generala, jer se bar obraća ograničenom broju ljudi, a ne celokupnom stanovništvu. Sličan je i slučaj gerilskog rata, koji ima ovu prednost nad civilnim otporom: on ponavlja vojnu situaciju u kojoj se samo od ograničenog broja ljudi traži da „nastave borbu“ – mada će i drugi patiti, kao što smo videli, osim ukoliko se suprotstavljena vojska ne bori u skladu s ratnom konvencijom.

Vredi podrobnije razmotriti poređenje s gerilskim ratom. U oružanom ustanku, primena sile i ubijanje civila od strane neprijateljskih vojnika kao posledicu ima mobilizaciju drugih civila i njihovo pristupanje ustanicima. Neselektivno nasilje njihovih protivnika jedan je od glavnih podsticaja da se pristupi gerilcima. S druge strane, nenasilan otpor je moguć u značajnim razmerama samo ako su civili već mobilisani i spremni da delaju zajedno. Otpor je jednostavno fizički izraz te mobilizacije, neposredno, na ulicama, ili posredno, preko ekonomskog otpora i političke pasivnosti. Sada, nasilje i ubijanje civila verovatno će slomiti solidarnost otpora, šireći strah zemljom i najzad dovodeći do tupog povinovanja. U isto vreme, ono može da demorališe vojnike od kojih se traži da vrše ono što im izgleda – ako im uopšte izgleda – kao nečasna dela, i može da potkopa podršku okupaciji među prijateljima i rođacima tih vojnika. Gerilski rat može da proizvede sličnu demoralizaciju, ali efekat je povećan strahom koji vojnici osećaju pred neprijateljski raspoloženim muškarcima i ženama među kojima su prisiljeni da se bore

7 Kratak opis češkog otpora iznet je u A. Boserup and A. Mack, str. 102–116.

8 Sharp, str. 66; ali on veruje da će stepen i opseg patnji biti „mnogo manji“ nego u običnom ratu (str. 65).

(i umiru). U slučaju nenasilne odbrane, neće biti straha; biće samo gađenja i stida. Uspeh odbrane u potpunosti zavisi od moralnih ubeđenja i osetljivosti neprijateljevih vojnika.

Nenasilna odbrana počiva na imunitetu neboraca. Iz tog razloga, ne koristi joj ako se ismevaju pravila rata, ili ako se insistira (kao što čini Tolstoj) da je nasilje uvek i neizbežno bez ikakvih ograničenja. Kad se vodi „rat bez oružja", uzdržanost se traži od ljudi s oružjem. Nije verovatno da će ti ljudi, vojnici podvrgnuti vojnoj disciplini, biti preobraćeni na veru u nenasilje. Niti je ključno za uspeh „rata" da budu preobraćeni već samo da se drže svojih navodnih standarda. Poziv upućen njima dobija ovaj oblik: „Ne možete da pucate na mene, zato što ja ne pucam na vas; niti ću pucati na vas. Ja sam vaš neprijatelj i to ću ostati sve dok ste okupator u mojoj zemlji. Ali ja sam nenasilan neprijatelj, i morate me prisiliti i kontrolisati, ako možete, bez upotrebe nasilja." Poziv naprosto ponovo izlaže argument o pravima civila i dužnostima vojnika koja leže u osnovi ratne konvencije i daju joj suštinu. A to navodi na ideju da preobražaj rata u političku borbu kao svoj prvi uslov ima ograničavanje rata kao oružane borbe. Ako treba da težimo ovom preobražaju, kao što bi trebalo, moramo početi insistiranjem na pravilima rata i zahtevom da se vojnici strogo pridržavaju normi koje postavljaju pravila rata. Ograničenje rata je početak mira.

Indeks

Majkl Volzer PRAVEDNI I NEPRAVEDNI RATOVI – Moralni argument sa istorijskim primerima | Izdavač Javno preduzeće *Službeni glasnik* | Za izdavača Slobodan Gavrilović, direktor | Direktor Izdavaštva Sanja Jovičić | Izvršni urednik Zorica Vidović-Paskaš | Dizajn korica Goran Ratković | Lektura i korektura Nevena Čović | Tehničko uređenje Dušan Stamenović | Beograd, 2010 | www.slglasnik.com

CIP – Каталогизација у публикацији
Народна библиотека Србије, Београд

335.01
316.443
177.9

ВОЛЗЕР, Мајкл, 1935–
Pravedni i nepravedni ratovi : moralni argument sa istorijskim primerima / Majkl Volzer ; preveo s engleskog Rastko Jovanović. – Beograd : Službeni glasnik, 2010 (Beograd : Glasnik). 419 str. ; 23 cm. – (Biblioteka Društvo i nauka. Edicija Načela politike ; knj. 25)

Prevod dela: Just and Unjust Wars / Michael Walzer. – Tiraž 750. – Napomene i bibliografske reference uz tekst. – Registar.

ISBN 978-86-519-0568-4
1. Just and Unjust Wars [scc]
a) Рат – Етички аспект b) правда c) Људска права

COBISS.SR-ID 175710988

ГЛАСНИК
ШТАМПАРИЈА